Pour ma mère, ces flacons de jouvence.

Du même auteur aux éditions Julliard :

Les Grands Vins de France
Encyclopédie des Vins de Champagne
Encyclopédie des Crus Classés du Bordelais

L'auteur et l'éditeur
remercient les propriétaires, les régisseurs
et les maîtres de chai pour leur indispensable collaboration.
Sans leur obligeant concours cette
Encyclopédie des Crus Bourgeois du Bordelais
n'aurait pu voir le jour.

Michel Dovaz

ENCYCLOPÉDIE
des
CRUS BOURGEOIS
du
BORDELAIS

Éditions de Fallois

Sommaire

Les crus Bourgeois : une force

Depuis le début des années soixante, le vignoble bordelais a vu se développer avec un dynamisme tout particulier la catégorie intermédiaire de ses vins, qui, sans appartenir aux prestigieux crus Classés, possède néanmoins une individualité marquée au sein de l'Appellation. Nous voulons parler de la catégorie dite des « crus Bourgeois ». Elle n'a été consacrée jusqu'à présent par aucun classement officiel mais s'affirme désormais comme l'une des valeurs viticoles les plus sûres. S'il est vrai que nombre de propriétés incluses dans cet ensemble sont de fondation fort ancienne, il n'en reste pas moins vrai que la forte progression qualitative et quantitative de ce groupe homogène est un phénomène récent qui mérite l'intérêt de tout amateur. On peut affirmer, en effet, que de nombreux crus Bourgeois ont atteint une telle qualité que le fossé qui les séparait des crus Classés est comblé.

Rien de mystérieux à cela et le présent ouvrage met en lumière les raisons précises et concrètes de cette évolution : terroirs identiques, méthodes œnologiques comparables et parfois intégration des vignobles au sein d'une même entreprise.

Tous les crus Bourgeois sont originaires du Médoc et illustrent toutes les Appellations médocaines, à savoir Médoc, Haut-Médoc, Moulis, Listrac, Margaux, Saint-Julien, Pauillac et Saint-Estèphe. Ce sont donc obligatoirement des vins rouges. Leur nombre et leur importance tant viticole qu'économique sont considérables. Les chiffres ci-dessous en témoignent : ils constituent 40 % de la production totale du Médoc, 50 % des vins portant l'appellation Médoc et 70 % des AOC Haut-Médoc. Ils sont diversement représentés dans les Appellations communales : 70 % des Listrac sont des crus Bourgeois, 80 % des Moulis, 50 % des Saint-Estèphe. En revanche, les crus Classés sont majoritaires dans les trois autres communes puisque seulement 25 % des Margaux, 15 % des Saint-Julien et 10 % des Pauillac sont Bourgeois.

L'ensemble des crus Bourgeois s'étend sur un vignoble de plus de 4 000 hectares divisé fort inégalement entre plus de 150 propriétaires. Il était inévitable qu'une force centripète « de classe » réunît les producteurs de crus Bourgeois. Les privilégiés, les propriétaires de crus Classés, ne s'étaient-ils pas syndiqués pour promouvoir leurs crus et défendre farouchement leur entité ? Il a fallu attendre sept siècles pour que les crus Bourgeois prennent conscience d'eux-mêmes : la tradition — non dépourvue de fondement — n'attribue-t-elle pas l'invention de la terminologie « cru Bourgeois » à Jean sans Terre (1167-1216). Comment sont-ils nés ? D'où viennent-ils ? Il faut remonter aux sources pour comprendre ce phénomène qui, à l'origine, n'est pas l'exclusivité de la Guyenne.

LE PASSÉ

La constitution du vignoble français s'étend sur un millier d'années environ, et davantage sur le littoral méditerranéen. Un peu partout trois catégories de producteurs — très inégales — se sont imposées :
— les moines exploitant les biens ecclésiastiques ;
— les propriétaires terriens qui tirent un revenu de leurs vignes sans les cultiver personnellement ;
— les paysans, exploitant de petits vignobles dont les vins sont destinés à leur consommation personnelle, les excédents alimentant un commerce local et restreint.

Jusqu'à la fin du Moyen Age, les ordres religieux et la noblesse d'épée se partagent la majeure partie des terres. Ni les premiers ni la seconde ne seront à même de conserver et d'exploiter ces vastes superficies. De nombreux biens d'Église seront mis en fermage et la noblesse ruinée par les guerres et l'absence de revenus stables se voit contrainte de vendre ses terres.

A qui? Parfois à d'autres nobles mais aussi et surtout à la nouvelle classe montante enrichie par le commerce, par la spéculation, par l'épargne, par l'acquisition de charges, par l'exercice de professions libérales ou administratives : les bourgeois. Au XVe siècle, cette émergence est déjà perceptible à des degrés divers selon les régions. La Guyenne avait sur ce plan une avance considérable puisque, dès le XIIe siècle, la bourgeoisie marchande prend de l'importance. Cette antériorité explique sans doute en partie quelques privilèges exorbitants, exclusifs, dont les bourgeois bordelais ont bénéficié ; elle explique également pourquoi la notion de cru Bourgeois s'est affirmée en Gironde alors qu'en d'autres régions, bien que les bourgeois possédassent également des crus, cette terminologie ne s'est pas imposée. Tandis que les nobles s'appauvrissent de plus en plus, les bourgeois s'enrichissent toujours davantage. Pendant que les premiers s'endettent pour tenir leur rang, ne travaillent pas pour ne pas déroger, en un mot dilapident leur capital, les seconds accumulent méthodiquement or, argent et terres. La Révolution française parachève ce double mouvement. Les biens d'Église et les domaines appartenant aux émigrés sont confisqués et vendus. Les seuls bénéficiaires de la Révolution, en matière de vin comme en toute autre, furent les bourgeois. Les plus habiles d'entre eux réussissent à racheter des domaines payés avec une monnaie fondante, pour ne pas dire une monnaie de singe : les assignats.

Ce trop bref survol historique schématise fatalement une situation complexe ; la frontière entre riches bourgeois et nobles s'avère moins étanche qu'on ne l'imagine. Les bourgeois rêvent de devenir nobles. Ils y parviennent par l'acquisition des charges et par le rachat de terres nobles qui leur confèrent un rang nouveau en dépit des ordonnances s'y opposant. Certains d'entre eux imitent si bien la noblesse qu'ils se ruinent comme elle.

Au XIXe siècle, en Gironde comme ailleurs, la fureur de planter bat son plein, palus (bords de rivière) et alluvions riches compris. Les courtiers pour la commodité de leur travail classent les vins en catégories. Elles sont nombreuses et s'appliquent à la totalité de la future appellation Bordeaux : crus Paysans, crus Artisans, crus Artisans supérieurs, 1ers Artisans, crus Bourgeois, 1ers Bourgeois, Bourgeois supérieurs. En outre, dans le Médoc, s'ajoutent les 1er, 2e, 3e, 4e, 5e Crus, les futurs crus Classés de 1855. On peut s'étonner que les mots *paysans, artisans* et *bourgeois,* désignant des statuts sociaux et économiques aient été choisis pour hiérarchiser des vins. Il n'a jamais été dans l'intention de ceux qui employaient ce vocable d'établir un parallèle entre hiérarchie sociale et qualité des vins mais seulement de traduire une réalité constatée depuis des siècles : en 1723, le géographe bordelais Masse écrit : « Souvent, de deux pièces de vigne séparées par un sentier, dont l'une appartient à un président ou à un homme de distinction, celle-ci se vendra beaucoup plus cher que celle qui appartiendra à un paysan. » Ce que l'historien du vin Roger Dion résumait en ces termes : « La qualité d'un vin n'est pas tellement l'expression d'un milieu naturel, mais doit être considérée comme l'expression d'un milieu social. » Les classements, anciens ou modernes quels qu'en soient les auteurs, tiennent compte de ce paramètre économico-social. Il est intéressant de noter qu'on n'a pas éprouvé le besoin d'instituer une catégorie « cru Aristocratique ». Elle eût été inutile car sans signification : les bourgeois, dans leur volonté de conquête sociale œuvraient le mieux qu'il se pût, ils imitaient, voire surpassaient les vignobles seigneuriaux. Dans le cas particulier de la Guyenne il faut signaler que les bourgeois avaient obtenu des privilèges rares puis, étant « aux affaires », s'en étaient octroyé d'autres. Ainsi, ayant donc accaparé le commerce, les bourgeois bordelais avaient obtenu dès le XVe siècle le droit au port de l'épée et la possibilité d'acquérir des terres seigneuriales !

Parallèlement, ces mêmes bourgeois exploitaient un monopole du commerce des vins, un monopole extraordinaire puisque les vins « du haut pays » ne pouvaient transiter par Bordeaux (ni y être vendus bien entendu) tant qu'il restait une goutte de vin « Bourgeois » à vendre. On comprend mieux dès lors — beau sujet de comédie — que des nobles aient cherché à se faire passer pour bourgeois !

CRUS BOURGEOIS, CRUS CLASSÉS

Depuis 1855 est née la catégorie des « crus Classés ». Si l'on avait voulu être précis, on aurait dû parler de « crus Bourgeois classés ». Les courtiers, bien avant la sacralisation du classement de 1855, classaient hiérarchiquement des crus Bourgeois. Dans leur conversation, ils parlaient d'un bon 3ᵉ, d'un 3ᵉ et demi, d'un 4ᵉ. Certains ne dépassaient pas quatre classes, d'autres allaient jusqu'à cinq. S'ils avaient créé une 6ᵉ, une 7ᵉ et une 8ᵉ classe, il n'y aurait dans le Médoc que des crus Classés. Cela ne s'est pas produit, les courtiers n'éprouvèrent pas le besoin d'établir une mercuriale pour les vins d'un moindre prix. Ainsi l'habitude de distinguer crus Classés et crus Bourgeois s'est imposée sans aucun caractère formel, un certain nombre de crus étant alternativement classés ou non classés selon l'évolution de leur prix de vente ou selon la personnalité du courtier. Il faudra attendre le premier tiers du XXᵉ siècle pour que la notion « cru Bourgeois » devienne une entité exploitée commercialement.

LE MÉDOC : UNE CRÉATION CONTINUE

L'histoire des propriétés, telle qu'elle est brièvement rapportée dans les monographies qui suivent, démontre que du XIIᵉ siècle à nos jours, la création de domaines de crus, de châteaux ne s'est jamais interrompue. Ce fut l'œuvre des bourgeois bâtisseurs. Certes, durant ces huit siècles, le Médoc et le commerce du vin connurent des hauts et des bas. On peut même soutenir que l'alternance de la crise et de l'âge d'or appartient à la tradition bordelaise. Les vingt dernières années prouvent la permanence du phénomène avec une hausse, une forte baisse et, depuis 1975, une confortable et régulière remontée des cours du vin. Ainsi s'explique l'apparition (ou la réapparition) de nouveaux crus, ainsi s'explique la nouvelle progression des pampres en direction du nord et la remise sur orbite de communes éloignées telle Jau-Dignac-et-Loirac à plus de 70 kilomètres de Bordeaux. Imaginer que les meilleurs terroirs furent les premiers à accueillir des ceps n'est pas tout à fait exact. L'implantation des premiers vignobles dépendait de l'existence de châteaux forts, de seigneuries puissantes, des cures et des abbayes. Les cartes ci-contre démontrent, si cela était nécessaire, que crus Bourgeois et crus Classés sont nés à la même époque.

LE CLASSEMENT DES CRUS BOURGEOIS

Au début des années trente tout se gâte. La crise économique mondiale, en effet, coïncide avec une série de mauvaises récoltes — les millésimes 1930, 1931 sont notoirement médiocres. Le Bordelais connaît une période de grave mévente. La Chambre de Commerce et la Chambre d'Agriculture de Bordeaux vont alors prendre l'initiative de mandater cinq courtiers — les plus notoires de l'époque — afin de procéder au classement des crus Bourgeois. Après diverses revisions, ils dénombrèrent 442 puis 444 crus Bourgeois dont 99 Supérieurs et 6 Supérieurs Exceptionnels. Aujourd'hui, cette liste ne présente qu'un caractère historique, un grand nombre de propriétés ayant disparu lors de regroupements et de remembrements.

Ce premier classement, aussi intéressant qu'il fût, ne connut aucune consécration officielle et tomba très vite en désuétude. En 1962, le nouveau Syndicat des Crus Bourgeois reprit le flambeau et publia dès 1966 un premier palmarès syndical assimilé à un classement des crus Bourgeois mais ne portant que sur les membres affiliés au syndicat.

Les trois catégories définies en 1932 sont reprises mais leur désignation est modifiée :
— les crus Bourgeois Supérieurs Exceptionnels deviennent **crus Grands Bourgeois Exceptionnels** ;
— les crus Bourgeois Supérieurs se transforment en **crus Grands Bourgeois**, alors que les crus Bourgeois demeurent **crus Bourgeois**.

Le classement est effectué par une commission *ad hoc*, après visite des propriétés.

La commission s'est imposé les critères suivants :

— **crus Bourgeois** — 7 ha minimum (en principe), élevage en cuve admis ;
— **crus Grands Bourgeois** — 7 ha minimum, élevage en barriques (pas toujours !) ;
— **crus Grands Bourgeois Exceptionnels** — 7 ha minimum, cuvier moderne, densité de plantation minimum (6 500 pieds/ha), élevage en barriques, mise en bouteilles au château, sis entre les communes de Ludon et de Saint-Estèphe (inclusivement).

En 1966, 101 crus sont classés dont 63 Grands Bourgeois, 18 d'entre eux portant le titre : Grands Bourgeois Exceptionnels. En 1978, nouveau palmarès : 124 crus dont 59 Grands Bourgeois. Dans cette catégorie sont incorporés les 18 Grands Bourgeois Exceptionnels.

Depuis, de nouvelles adhésions complètent la liste publiée en 1978. Quelque 160 crus sont affiliés au Syndicat des Crus Bourgeois, un nouveau palmarès devant être publié sous peu (liste actualisée en Annexe page 225). Ce palmarès, pas plus que celui de 1966 ou de 1932 n'a reçu de consécration officielle. Pourtant le ministre de l'Agriculture n'ignore pas les crus non classés. Ainsi le décret du 27 juin 1972 prévoit-il un nouveau classement des crus classés en 1855, puis l'ouverture d'un concours « ouvert à tous les crus du Médoc qui n'ont pas bénéficié du classement officiel antérieur ». Il est même précisé que trois catégories devraient naître :

cru Exceptionnel — cru Grand Bourgeois — cru Bourgeois

Il ressort de ce décret que le concours concernant les crus Bourgeois ne peut être ouvert qu'après la *rehiérarchisation* des crus Classés. Celle-ci étant très problématique, seule une révision du décret de 1972 permettrait de sortir de l'impasse... A moins que l'on ne s'oriente vers une autre formule qui a ses adeptes : les syndicats des crus Classés et des crus Bourgeois pourraient se mettre d'accord pour inverser l'ordre des opérations. Le ministère avaliserait la situation ainsi débloquée, le concours s'ouvrirait et le classement des crus Bourgeois s'effectuerait. Malheureusement cet ordre n'est logique que si l'on admet que les crus Bourgeois pourront être candidats à la catégorie crus Classés — en cas de revision — et que les crus Classés éliminés (s'il y en a) pourront s'ils le souhaitent, s'intégrer au groupe des crus Bourgeois. Le classement des crus Bourgeois n'ayant aucun caractère officiel, la commission de Bruxelles ne reconnaît aucune mention hiérarchique. Depuis 1976 le règlement de l'étiquetage ne prévoit que la mention facultative « crus Bourgeois ».

LES INDÉPENDANTS

Figurent dans ce livre quelques crus notoires classés Bourgeois Supérieurs en 1932 mais qui n'ont pas voulu adhérer au Syndicat des Crus Bourgeois de 1962. Il est probable que certains propriétaires veuillent ainsi manifester leur intention d'accéder à la catégorie supérieure des crus Classés. Cela se conçoit si l'on songe que les Châteaux Labégorce, Lanessan, Pez ou Siran, par exemple, ont été classés en 1961 lors de la seule tentative sérieuse de rehiérarchisation des crus Classés. Une tentative avortée mais qui fut divulguée...

LES FICHES TECHNIQUES

Nous publions une « fiche technique » de chaque cru. Elles permettent une approche facile et rapide de la propriété et du vin et offrent la possibilité d'instructives comparaisons. Figurent dans ces fiches les renseignements suivants :

Date de création du vignoble

Surface plantée de vignes

Nombre de bouteilles produites annuellement

Répartition du sol

Cette rubrique concerne la disposition du vignoble : un seul tenant ou morcelé, dans ce cas nombre de lots.

Géologie

Le style et la qualité d'un vin dépendent pour une large part du sol et plus encore du sous-sol. Les sols et sous-sols sablonneux sont à l'origine de vins fins et légers, les marnes argileuses donnent naissance à des vins plus puissants que subtils, alors que les terrains graveleux semblent les plus appropriés à la production de vins équilibrés, particulièrement dans la région médocaine.

Pour la culture de la vigne, il importe que le sol soit filtrant. Tout ce qui concourt à la rétention d'eau nuit à la qualité du raisin, d'où la supériorité des graves profondes qui assurent un excellent drainage. Ce type de sol permet également aux racines de descendre à de grandes profondeurs (10 ou 15 mètres) donc d'atteindre des zones légèrement humides en cas de sécheresse. Lorsque le drainage naturel est insuffisant, on pallie ce défaut par la pose de drains.

Autre vin produit par le vignoble

Lorsqu'on exploite de très petits vignobles, comme en Bourgogne, par exemple, la sélection ne peut se pratiquer. Dans le Bordelais, la dimension des exploitations offre aux propriétaires la possibilité d'opérer des sélections en cours de vinification. Ainsi a-t-on été amené à distinguer le « Grand Vin » du deuxième vin.

Cette pratique a contribué à l'amélioration de la qualité des vins de Bordeaux. Elle a conduit les propriétaires à créer une deuxième « marque » pour vendre le vin non sélectionné. Ce deuxième vin est le frère cadet du Grand Vin. Sa longévité est moindre, son prix inférieur.

L'absence d'autre vin produit par le vignoble signifie soit que le vin non retenu est vendu « en générique » — comme on le dit un peu improprement (AOC Bordeaux par exemple) — par la propriété ou par le négoce, soit que la totalité du vin participe à l'élaboration du « Grand Vin ».

C u l t u r e

Engrais

Depuis la fin du Moyen Age les bons vignerons ont su que les terres trop riches ou les terres trop engraissées nuisent à la qualité du vin. Non que la vigne se porte mal mais au contraire qu'elle se porte trop bien. Des baies trop grosses et des grappes trop nombreuses sont à l'origine de vins qui manquent de concentration.

Encépagement

Pas de vin de qualité sans cépages nobles appropriés au terroir et au climat.

L'Institut National des Appellations d'Origine Contrôlée (INAO) n'admet, dans chaque région, qu'un certain nombre de cépages. Pour l'AOC Médoc, Haut-Médoc, ainsi que pour les appellations communales englobées dans le Haut-Médoc (Moulis, Listrac, Margaux, Saint-Julien, Pauillac, Saint-Estèphe) seuls six cépages peuvent être cultivés, dans des proportions laissées à l'appréciation des exploitants. Remarquons qu'aucun cru Classé et qu'aucun cru Bourgeois ne produit de vin issu d'un seul cépage (ce qui serait parfaitement légal) tant il est vrai que le vin de Bordeaux est un vin d'assemblage.

Les six cépages admis sont les suivants :

Carménère — Parent du Cabernet. A presque disparu. Aucun cru Bourgeois n'en possède (pas plus que les crus Classés).

Malbec — Cépage à bon rendement en voie de disparition dans le Médoc. Seules quelques propriétés en conservent encore mais n'en replanteront pas lorsqu'ils auront atteint leur limite d'âge.

Petit Verdot — Ne participe au vin de la région médocaine que dans un infime pourcentage. Beaucoup de propriétés n'en possèdent pas. Il est tardif, donne beaucoup de sucre et de couleur quand il mûrit, ce qui n'est pas le cas toutes les années.

Merlot — Cépage généreux. Rondeur, rendement, souplesse. Peu d'acidité mais du sucre. Sa peau fine résiste mal à l'attaque de la pourriture (env. 40 à 60 %).

Cabernet franc — Il joue une petite musique, plus exactement le contrepoint. Peu important en proportion, il est presque toujours là. Beaucoup de finesse supportée par une belle charpente gracieuse (env. 10 %).

Cabernet-Sauvignon — Excellent cépage souvent majoritaire. Donne des tannins, de la charpente. Ralentit l'évolution des vins et leur donne de la complexité. Ses baies à peau épaisse ont besoin d'un bel ensoleillement (40 à 70 %).

Nous utilisons pour désigner les cépages dans les fiches techniques consacrées à chaque cru les abréviations suivantes :
CS — Cabernet-Sauvignon. CF — Cabernet franc. M — Merlot. Mc — Malbec. PV — Petit Verdot.

Age moyen

L'âge des ceps est un facteur important. Les vignes jeunes produisent beaucoup, les vins manquent de concentration, de chair, de structure. Un vignoble de moins de quatre années ne donne pas droit à l'Appellation. Plus la vigne vieillit moins elle produit, meilleur est le vin. Trop vieille, elle ne produit presque plus, il faut l'arracher. Le chef de culture renouvelle le vignoble par tranches de façon à maintenir un âge moyen tel que rendement et qualité soient compatibles.

Porte-greffe

Depuis le phylloxéra (vers 1870-1880) toutes les vignes du Médoc sont greffées. Un cep est donc constitué d'un porte-greffe et d'un greffon. Les greffons sont des *Vitis Vinifera* d'origine européenne (Cabernet, Merlot, etc.) alors que les porte-greffe *Vitis Riparia*, *Rupestris*, etc., originaires du continent américain résistent au phylloxéra. On a cherché à améliorer les porte-greffe par croisement entre variétés américaines ou entre variétés américaines et européennes. Ainsi augmente-t-on leur résistance à la chlorose en terrain calcaire et à la sécheresse, leur vigueur et leur compatibilité avec le greffon. Le choix d'un porte-greffe est déterminé par la nature du sol, par le climat et par le style de vin que l'on veut produire. Un porte-greffe trop vigoureux nuira à la qualité du vin.

Principaux porte-greffe :

Riparia Gloire — L'un des plus anciens porte-greffe, l'un des meilleurs. Bien adapté aux terres moyennement calcaires. Petits rendements.

101-14, 3309 (Riparia × Rupestris) — Bien adapté aux sols maigres pas ou peu calcaires. Bon porte-greffe qui a fait ses preuves, assez répandu.

161-49 (Riparia × Berlandieri) — Résistance moyenne au calcaire et craint la sécheresse. Bien adapté aux terres silico-calcaires. Bonne fructification et avance (un peu) la maturité.

420 A (Riparia × Berlandieri) — Appelé le « Riparia des terres calcaires ». Bonne résistance au calcaire et à la sécheresse. Bon rendement.

SO 4 (Berlandieri × Riparia) — Supporte assez bien le calcaire et bien la sécheresse. Très vigoureux, rendement élevé. A été durant des années chaudement recommandé par les techniciens toujours intéressés par la quantité. Aujourd'hui (mais c'est souvent trop tard !), on regrette sa présence dans les vignobles de qualité.

41 B (Vinifera × Berlandieri) — Très bonne résistance au calcaire. Supporte la sécheresse. Rendement moyen. Très bon porte-greffe dans la craie (Champagne) et le calcaire (Saint-Émilion et autres régions).

Fercal (Berlandieri × Colombard) — Dernier-né des porte-greffe. Extrêmement résistant au calcaire, supporte modérément la sécheresse. Vigueur moyenne.

Densité de plantation

Dans un vignoble, l'espace entre les rangs et entre les ceps d'un même rang est variable. Cela se traduit par une densité de plantation variable. Sans grand risque de se tromper on pourrait soutenir que la qualité et l'ambition d'un vignoble se révèlent à la lecture de la densité de plantation.

En Bourgogne et dans les Premiers Crus du Médoc, le chiffre de 10 000 pieds/hectare apparaît. Dans le Languedoc ce nombre s'abaisse jusqu'à 3 ou 4 000. La mécanisation des cultures et surtout des vendanges contribue à l'espacement des règes. L'INAO a d'ailleurs élevé des garde-fous contre l'abaissement de la densité de plantation. Dans le Médoc elle a fixé le seuil minimum à 5 000 pieds/hectare.

Rendement à l'hectare

On comprend qu'au-delà d'un certain volume par hectare, le vin est dilué. Quel est ce volume ? Il dépend des potentialités du terroir et des conditions météorologiques. L'INAO fixe un rendement de base maximum par Appellation : Médoc 45 hl/ha, Haut-Médoc 43 hl/ha, Appellation communale médocaine 40 hl/ha. Ces chiffres sont modulés, généralement à la hausse, par décret annuel en fonction de la générosité de la nature.

Traitement antibotrytis

On ne peut vinifier un grand vin qu'avec des raisins sains. La pourriture est l'ennemie des baies. Pour les protéger, il existe un traitement (antibotrytis) répété et coûteux. Dans les millésimes ensoleillés, il est inutile. Les autres années, il est efficace.

Vendanges mécaniques ou manuelles

Les déductions à tirer de cette information sont moins importantes qu'il y paraît. Les machines vendangent de mieux en mieux. Elles permettent de récolter 24 heures sur 24 si la situation est périlleuse ou au contraire d'attendre le meilleur moment. Évidemment elles interdisent le tri, mais il est devenu si rare de nos jours...

V i n i f i c a t i o n

Levurage

Des études en cours s'intéressent aux modifications apportées au vin selon le type de levures qui transforment le sucre en alcool, c'est-à-dire le moût en vin. Entrer dans plus de détails donnerait à cet ouvrage un caractère spécialisé qu'il n'ambitionne pas.

Remontages

Vinifier c'est extraire. Extraire ou transposer les tannins et les éléments aromatiques contenus dans le raisin afin de les retrouver dans le vin. Ces éléments se rassemblent dans le « chapeau », ensemble de matières solides qui flottent au haut de la cuve de fermentation. Pour dissoudre ou entraîner ces tannins, il faut que le liquide soit en contact avec ce chapeau. Deux méthodes y contribuent : le pigeage, enfoncement manuel ou mécanique du chapeau dans le liquide de la cuve (en usage en Bourgogne par exemple), ou le « remontage », système pratiqué dans le Bordelais. Cela consiste à prélever du moût (puis du vin) au bas de la cuve et à le « remonter » au moyen d'une pompe pour arroser (avec un diffuseur) le chapeau. En outre, ce procédé a l'avantage d'aérer les levures en début de fermentation, ce qui facilite leur travail.

Mais attention, le maximum n'est pas l'optimum. Il convient d'extraire le meilleur et pas la totalité. Le vinificateur se trouve dans la situation de la maîtresse de maison qui prépare du thé. Si les feuilles demeurent trop longtemps dans l'eau, le thé devient noir et âcre. L'extraction a été trop forte. Remarquons que dans le thé ce sont également des tannins que l'on extrait !

Type de cuves

La cuve en acier inoxydable présente tous les avantages : entretien facile et possibilité de refroidissement par aspersion (ruissellement d'eau froide). Elle coûte cher mais est indestructible. La contenance de 120 à 150 hectolitres semble idéale mais de jeunes œnologues défendent ardemment des capacités nettement supérieures de l'ordre de 250 à 300 hectolitres.

Température de fermentation

Les levures cessent toute activité et meurent vers 35-36°. Cette température ne doit pas être dépassée mais approchée pour une complète extraction de qualité. De nombreux œnologues soutiennent que la température doit être modérée en début de fermentation pour atteindre un maximum lorsqu'elle cesse (avec réchauffage éventuel), ce qui est l'inverse du processus naturel.

Mode de régulation

Les cuves métalliques sont refroidies par ruissellement. Les pompes à chaleur peuvent réchauffer ou refroidir. On utilise aussi, procédé quelque peu archaïque et critiquable, des cannes chauffantes plongées dans les cuves. Les échangeurs à serpentin sont efficaces.

Il est exclu de vinifier de bons vins sans contrôler et réguler la température de fermentation. Plus le volume de la cuve est considérable, plus la régulation est nécessaire. A contrario, les très petites cuves ne s'échauffent que fort peu, mais la dimension des vignobles médocains implique des cuves d'une certaine capacité.

Temps de cuvaison

La fermentation proprement dite dure une dizaine de jours. Ensuite le vin stationne en contact avec les constituants solides du raisin. Les extractions évoquées sous la rubrique Remontages se poursuivent jusqu'à la décuvaison (ou presque).

Le maître de chai évalue le nombre et le moment des remontages nécessaires, la durée de la cuvaison selon les potentialités des raisins dont il dispose. Les vendanges altérées ne supportent pas de cuvaisons longues. Un courant semble se dessiner chez de jeunes œnologues en faveur du raccourcissement des cuvaisons car, disent-ils, à partir d'un certain moment elles n'apportent plus rien — si ce n'est de mauvais tannins.

Vin de presse

Il faut distinguer le vin de goutte du vin de presse. Le premier s'écoule naturellement de la cuve de fermentation, le second est issu du pressurage du marc extrait de ladite cuve après écoulage. Il est très riche en tannins et son volume total représente 15 % du vin produit.

Plus on presse plus on obtient de jus mais de qualité décroissante. C'est pour cela que le pressurage est fractionné et que la première presse, la meilleure, est généralement incorporée au vin de goutte.

Plus le vin de goutte est riche (extraction réussie) moins le vin de presse présente d'intérêt. Fréquemment le vin de presse n'est incorporé au vin de goutte qu'après clarification, collage et filtration. Certaines propriétés disposent d'une « banque de presse » constituée du vin de presse de l'année précédente. Il est incorporé après affinage avec un an de décalage. Cette pratique peu réglementaire est tolérée.

Filtration avant élevage

L'habitude de filtrer sur terre, c'est-à-dire de clarifier le vin avant de l'élever en barriques s'est développée. On évite ainsi le dépôt qui isole le vin du bois. Néanmoins nombre de vinificateurs soutiennent que cela appauvrit le vin. La question reste ouverte.

NORMES DE PRODUCTION

APPELLATION	DÉCRET	LIEUX	CÉPAGES USUELS	DEGRÉ ALCOOL MINIMUM	RENDEMENT DE BASE A L'HA
MÉDOC	14-11-36	au nord des communes de Saint-Seurin-de-Cadourne, Vertheuil, Cissac, Saint-Laurent-de-Médoc	Cabernet-Sauvignon Cabernet franc Merlot Petit Verdot (Malbec)	10°	45 hl
HAUT-MÉDOC	14-11-36	de la Jalle de Blanquefort à la commune de Saint-Seurin-de-Cadourne (inclusivement)	Cabernet-Sauvignon Cabernet franc Merlot Petit Verdot (Malbec)	10°	43 hl
MARGAUX	10-8-54	communes de Margaux, Cantenac, Soussans, Arsac, Labarde (tout ou parties)	Cabernet-Sauvignon Cabernet franc Merlot Petit Verdot (Malbec)	10,5°	40 hl
SAINT-JULIEN	14-11-36	communes de Saint-Julien, partie de Cussac et Saint-Laurent	Cabernet-Sauvignon Cabernet franc Merlot Petit Verdot (Malbec)	10,5°	40 hl
PAUILLAC	14-11-36	commune de Pauillac	Cabernet-Sauvignon Cabernet franc Merlot Petit Verdot (Malbec)	10,5°	40 hl
SAINT-ESTÈPHE	11-9-36	commune de Saint-Estèphe	Cabernet-Sauvignon Cabernet franc Merlot Petit Verdot (Malbec)	10,5°	40 hl

NB : 1) Ces Appellations ne concernent que des vins rouges.
2) La densité de plantation oscille entre 5 000 et 10 000 pieds à l'hectare.
3) Pour avoir droit à l'Appellation, les vins doivent être agréés par une commission.

Age des barriques

Les vertus du bois neuf ne sont plus à démontrer, mais une barrique neuve coûte 2 000 francs. Le maître de chai avisé modulera l'apport du boisé en fonction du type de vin dont il dispose ou qu'il a décidé de produire. Très souvent, il fera circuler le vin du bois neuf au bois usagé (barrique d'un ou plusieurs vins) lors des soutirages. Il peut également faire alterner des passages dans le bois et en cuve. L'art de l'élevage est beaucoup plus complexe que le néophyte ne l'imagine. Une seule certitude : après quatre ou cinq ans d'usage (encore est-ce beaucoup) une barrique n'apporte plus rien. Dans bien des cas elle contribue à l'abaissement de la qualité du vin.

Collage

Le collage peut être assimilé à une forme de filtration. Il s'agit d'ajouter au vin un produit qui, par floculation et soumission à la pesanteur va entraîner les impuretés au bas de la cuve.

Le collage traditionnel s'effectuait en barrique. Six blancs d'œufs frais battus, avec un peu d'eau et de sel, y étaient introduits, le mélange agité puis laissé au repos. Albumine et globuline floculent et entraînent dans leur chute les impuretés en suspension.

De nos jours la plupart des producteurs transfèrent le vin des barriques dans des cuves et collent en grand volume. Ils substituent aux blancs d'œufs frais le blanc d'œuf congelé ou la poudre d'albumine, mais aussi la gélatine, la caséine, etc.

Non seulement le collage clarifie le vin, mais il l'assouplit et l'affine.

CARTOGRAPHIE

Jamais jusqu'à ce jour les emplacements des vignobles des crus Bourgeois n'ont fait l'objet de publication. Ils ont été, dans cet ouvrage, rassemblés par commune — pour ceux qui bénéficient d'une Appellation communale. Ceux étiquetés Haut-Médoc et Médoc ont été regroupés par voisinage dans des cartes couvrant une, voire plusieurs communes contiguës.

COTATIONS COMMENTÉES

Les dégustations de chacun des crus décrits portent sur les dix dernières années, parfois davantage. Il est fondamental de se souvenir que des dégustations *verticales* (un cru dans plusieurs millésimes) n'ont de sens que dans la comparaison des millésimes d'un même château, le meilleur vin de la série étant coté 10.

La lecture horizontale de ces dégustations, c'est-à-dire par exemple la comparaison de la cotation de tous les vins de 1983 n'a aucun sens. Elle conduirait à confronter sur un pied d'égalité des vins de nature, d'ambition et de prix très différents. Ce livre ne saurait revendiquer une tentative de hiérarchisation des crus Bourgeois. Il se veut et n'est que descriptif.

La plupart des crus Bourgeois étant des vins de garde, l'apogée probable de chaque millésime figure dans les tableaux de cotation. Il s'agit du début de l'apogée et non de la longévité maximum du vin.

Plat idéal

Cette proposition peut avoir un caractère pratique mais elle tend également, par la désignation d'un accord heureux, à cerner de plus près le caractère du vin décrit.

Age idéal

Cet âge idéal est celui du début de l'apogée. C'est une durée moyenne relative à un millésime ni exceptionnel ni désastreux. Il va de soi que les conditions de conservation sont présumées bonnes, les bouteilles restant longuement dans une cave sombre, calme, à température constante (11° environ).

Carte géologique du Médoc

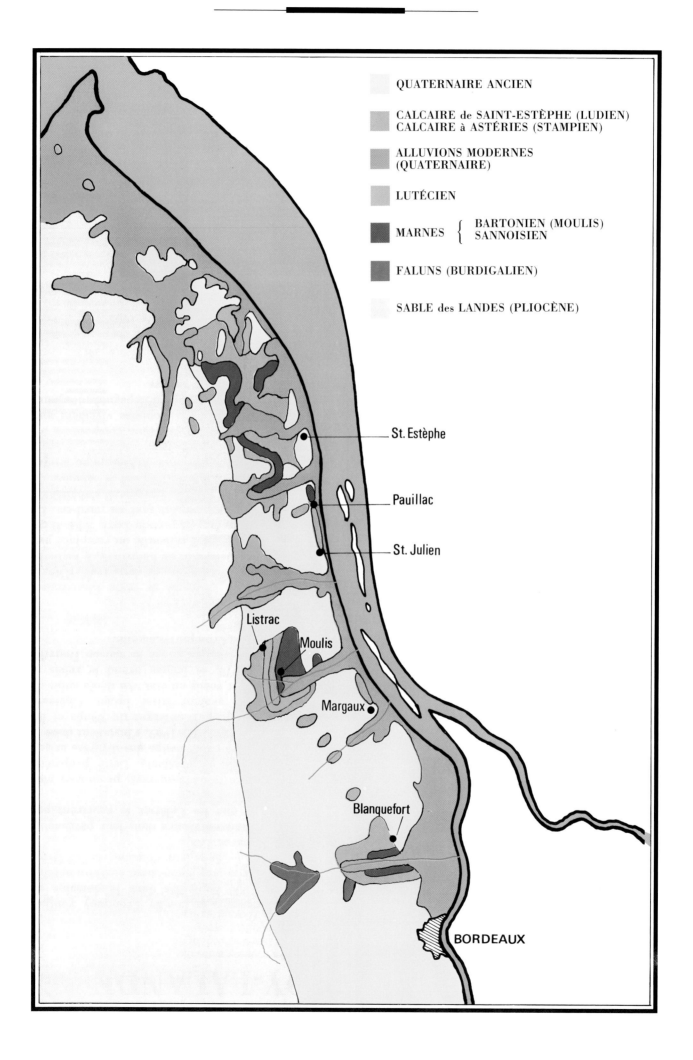

État du vignoble au XVᵉ siècle

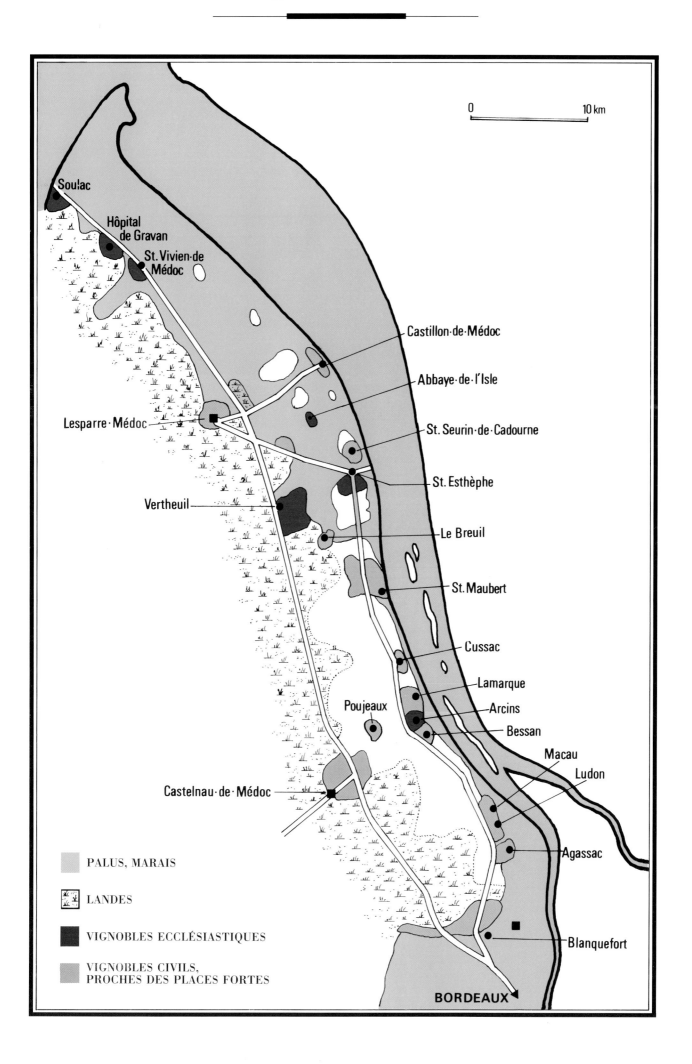

Soulac

Hôpital de Gravan

St. Vivien-de-Médoc

Castillon-de-Médoc

Abbaye-de-l'Isle

Lesparre-Médoc

St. Seurin-de-Cadourne

St. Esthèphe

Vertheuil

Le Breuil

St. Maubert

Cussac

Lamarque

Poujeaux

Arcins

Bessan

Macau

Ludon

Castelnau-de-Médoc

Agassac

Blanquefort

PALUS, MARAIS

LANDES

VIGNOBLES ECCLÉSIASTIQUES

VIGNOBLES CIVILS, PROCHES DES PLACES FORTES

BORDEAUX

0   10 km

État du vignoble en 1710

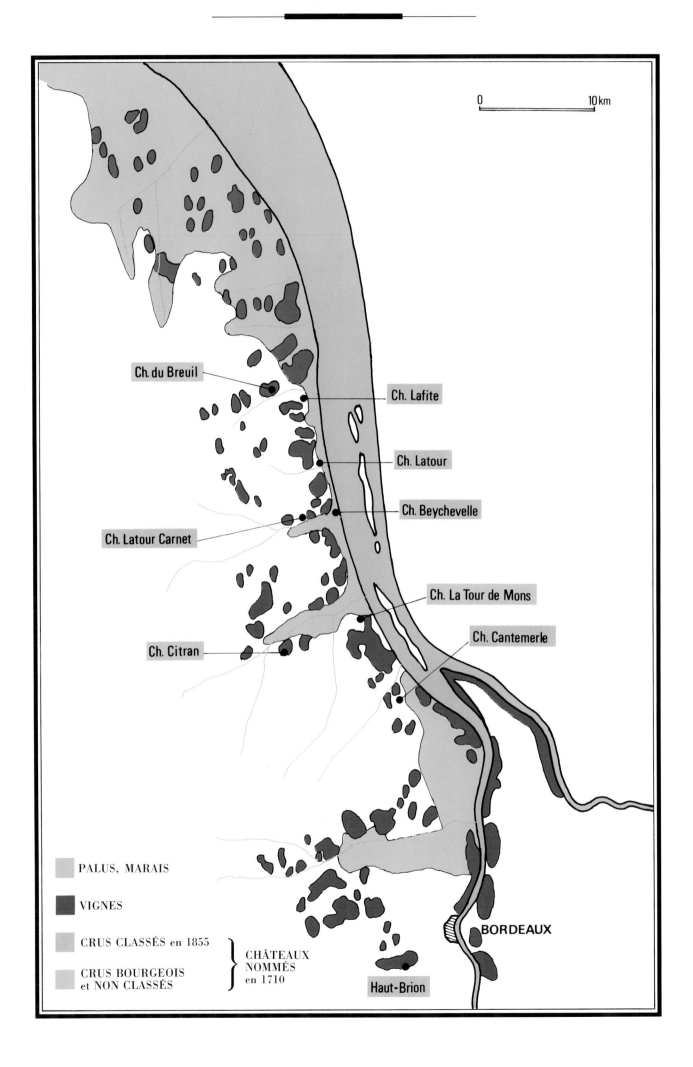

Ch. du Breuil

Ch. Lafite

Ch. Latour

Ch. Beychevelle

Ch. Latour Carnet

Ch. La Tour de Mons

Ch. Cantemerle

Ch. Citran

PALUS, MARAIS

VIGNES

CRUS CLASSÉS en 1855

CRUS BOURGEOIS et NON CLASSÉS

} CHÂTEAUX NOMMÉS en 1710

BORDEAUX

Haut-Brion

0   10 km

État du vignoble en 1800

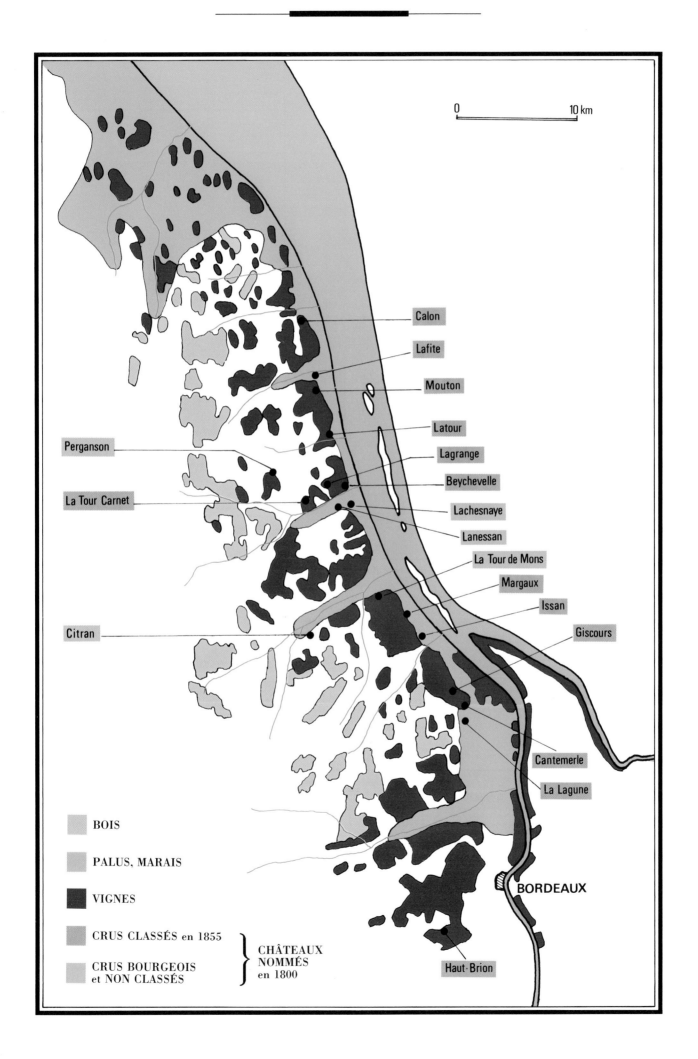

0   10 km

Calon

Lafite

Mouton

Latour

Perganson

Lagrange

Beychevelle

La Tour Carnet

Lachesnaye

Lanessan

La Tour de Mons

Margaux

Issan

Giscours

Citran

Cantemerle

La Lagune

BORDEAUX

Haut-Brion

BOIS

PALUS, MARAIS

VIGNES

CRUS CLASSÉS en 1855
                CHÂTEAUX
                NOMMÉS
CRUS BOURGEOIS
et NON CLASSÉS   en 1800

Les communes du Médoc

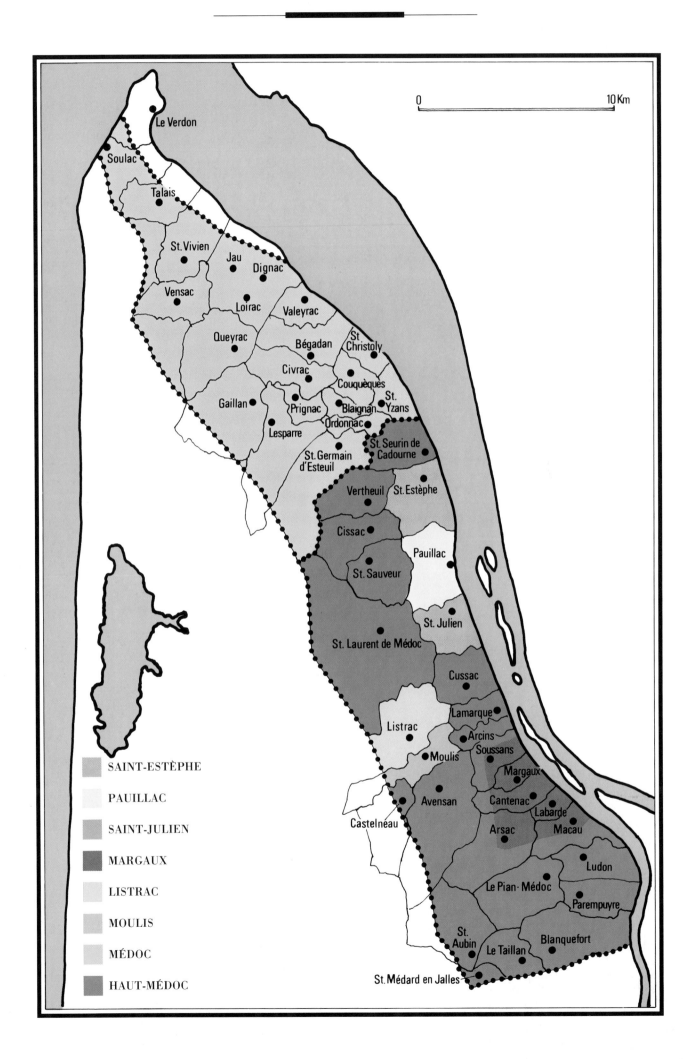

0   10 Km

Le Verdon

Soulac

Talais

St. Vivien

Jau

Dignac

Vensac

Loirac

Valeyrac

Queyrac

Bégadan

St. Christoly

Civrac

Couquèques

Gaillan

Prignac

Blaignan

St. Yzans

Ordonnac

Lesparre

St. Germain d'Esteuil

St. Seurin de Cadourne

Vertheuil

St. Estèphe

Cissac

Pauillac

St. Sauveur

St. Julien

St. Laurent de Médoc

Cussac

Lamarque

Listrac

Arcins

Moulis

Soussans

Margaux

Avensan

Cantenac

Labarde

Castelnéau

Arsac

Macau

Ludon

Le Pian·Médoc

Parempuyre

St. Aubin

Le Taillan

Blanquefort

St. Médard en Jalles

SAINT-ESTÈPHE

PAUILLAC

SAINT-JULIEN

MARGAUX

LISTRAC

MOULIS

MÉDOC

HAUT-MÉDOC

AOC COMMUNALES

AOC HAUT-MÉDOC

AOC MÉDOC

Margaux AOC Margaux

L'aire d'appellation Margaux s'étend sur les communes de Labarde, Cantenac, Margaux, Arsac et Soussans (tout ou partie). La laborieuse détermination de cette aire ne fut achevée qu'en 1954.

Le principal terroir de l'AOC Margaux suit un axe nord-sud passant à l'ouest de Cantenac, au centre de Margaux et à l'est de Soussans. Son altitude moyenne est de 18 mètres. Les croupes satellites sont les suivantes : au nord-est Labarde, au nord-ouest la croupe du Tertre (Monbrison, Angludet) dans la commune d'Arsac, puis en remontant au sud-ouest, à l'ouest de la voie de chemin de fer, le très beau terroir de Fougasse (Bel—Air), de Paveil et Tayac,

chacune de ces croupes étant séparée par des vallons.

Les graves margalaises se distinguent de celles de Saint—Julien, Pauillac et Saint—Estèphe par leur origine. Elles ne « descendent » pas du Massif-Central mais des Pyrénées (en majorité). De ce fait elles sont plus maigres. Un socle calcaire et marneux les accueille.

80 viticulteurs se partagent les 1100 hectares de l'Appellation. Bon an mal an, ils livrent 5 500 000 flacons étiquetés AOC Margaux.

Moins de trente kilomètres séparent Bordeaux de Margaux.

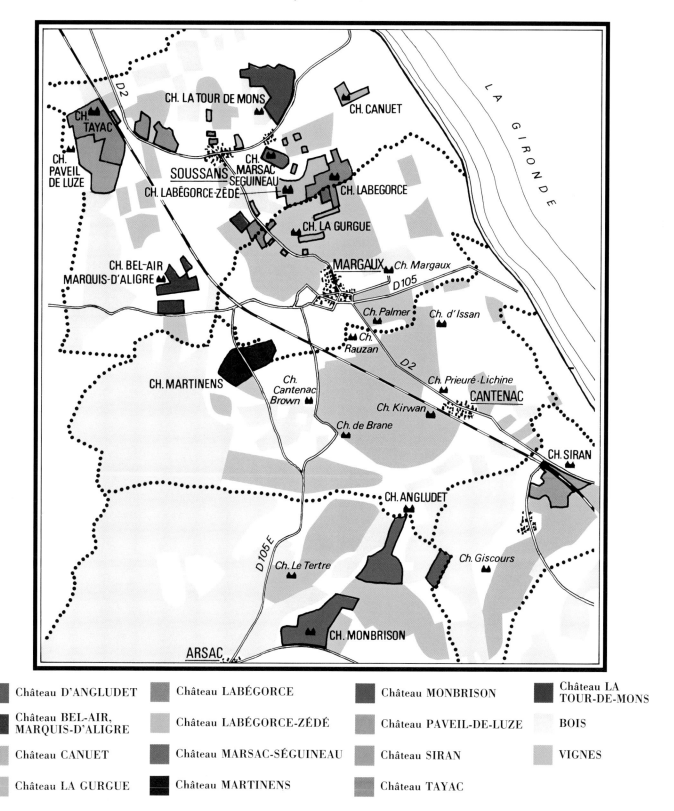

■ Château D'ANGLUDET	■ Château LABÉGORCE	■ Château MONBRISON	■ Château LA TOUR-DE-MONS
■ Château BEL-AIR, MARQUIS-D'ALIGRE	■ Château LABÉGORCE-ZÉDÉ	■ Château PAVEIL-DE-LUZE	■ BOIS
■ Château CANUET	■ Château MARSAC-SÉGUINEAU	■ Château SIRAN	■ VIGNES
■ Château LA GURGUE	■ Château MARTINENS	■ Château TAYAC	

Château D'ANGLUDET

COTATIONS COMMENTÉES

Année	Note	Commentaire
1975	7,5	Toujours fermé • 15 ANS ?
1976	6	Gras, ni dilué ni tannique • 13 ANS
1977	5	Sans gras, sévère et bouqueté; fin • A COMMENCER
1978	9	Profond, concentré, tannique • 13 ANS
1979	7	Belle robe, vin élégant sans la concentration du 1978 • A BOIRE
1980	5	Un 1980 à évolution lente • A BOIRE
1981	7	Net, facile, long mais ampleur limitée • A COMMENCER
1982	8	Puissant, généreux, évolution lente style 1970 • 10 ANS ET PLUS
1983	10	Charnu, fruité, long, classique et complexe • 10 ANS
1984	5	Vin de Cabernet, de la finesse sans grande ampleur • 6 ANS
1985	8,5	Sélections (25 % en 2ᵉ vin) tannique et nerveux, concentré, riche • 10-15 ANS
1986	7,5	Élégant, moins concentré que 1985 • 8 ANS
1987	5,5	75 % de Merlots. Charme et légèreté • 4 ANS

Age idéal : 7-8 ans.

Plat idéal : Rôti de daim.

Une tradition veut qu'en 1150 un chevalier, Bertrand d'Angludet, ait établi sa maison sur cette terre. Aux XIIIᵉ, XIVᵉ et XVᵉ siècles celle-ci brillera dans la carrière des armes. Vers 1750 les Demons d'Angludet font travailler leur terre à mi-fruit. En 1815, le célèbre courtier Lawton classe Angludet quatrième 7/8, ce qui veut dire dernier de la classe des 4ᵉ Crus qu'il divisait en 4ᵉ purs, 4ᵉ 1/8, 4ᵉ 1/2, 4ᵉ 3/4 et 4ᵉ 7/8. Lawton le désigne sous le nom de Legras d'Angludet sans se conformer aux vœux de Legras qui avait rebaptisé son cru « La République » au moment de la Révolution. En 1850, Angludet partagé entre les héritiers Legras produisait l'équivalent de 60 000 bouteilles. Le classement de 1855 « oublie » Angludet. Le partage de la propriété et la production de trois vins d'Angludet n'ont sans doute pas contribué au prestige de la marque. Survint en 1892 Jules Jadouin. Il réunifia Angludet et le transmit à son gendre Jacques Lebègue qui le transmit lui-même à son propre gendre Maurice Adde. Par la suite M. Six conduisit plus ou moins — plutôt moins — la propriété qui passa dans les mains de Mme Rolland, propriétaire de Château Coutet (Barsac) et dédicataire de la fameuse « Cuvée Madame ». En 1956 le vignoble gèle. Quatre ans plus tard, Lucien Lurton acquiert une partie des terres et Peter Sichel reprend le Château d'Angludet. Depuis cette époque, la propriété, le vignoble replanté en 1962-1963 et le vin

TERROIR ET VIGNES

Le « château » est situé dans la commune de Cantenac mais la totalité du vignoble se trouve dans celle d'Arsac, s'incline vers le nord de 20 à 10 mètres ainsi qu'à l'ouest et à l'est. De grosses graves au nord, plus fines au sud, accueillent des règes desherbées tous les 150 centimètres. Des engrais tous les deux ou trois ans et un bilan analytique du sol tous les cinq ans garantissent le potentiel végétal de la propriété. Depuis quelques années, Peter Sichel a abandonné le traitement antibotrytis.

VINIFICATION ET VIN

La vinification est classique. Le chapeau est arrosé par un diffuseur, les fermentations sont chaudes et les cuvaisons longues. L'élevage est particulièrement soigné. Château d'Angludet est un vin fortement coloré, construit, puissant, tannique, destiné selon le goût anglo-saxon de son créateur, à une lente et longue bonification.

CHÂTEAU D'ANGLUDET, Cantenac, AOC Margaux

Date de création du vignoble : XIVᵉ siècle ?
Surface : 32 ha
Nombre de bouteilles : 100 000
Répartition du sol : un seul tenant
Géologie : graves
Autre vin produit par le vignoble : Bory

Culture

Engrais : fumures d'entretien
Encépagement : CS 50 % CF 8 % M 35 % PV 7 %
Age moyen : 16 ans
Porte-greffe : Riparia, 101-14, 5 BB
Densité de plantation : 6600 pieds/ha

Rendement à l'hectare : 40 hl
Traitement antibotrytis : non (voir texte)
Vendange : mécanique dès 1986

Vinification

Levurage : première cuve
Remontage : biquotidien
Type des cuves : ciment époxy — 130 hl
Température de fermentation : 30°-31°
Mode de régulation : serpentin
Temps de cuvaison : 3 semaines
Vin de presse : première, parfois seconde presse
Filtration avant élevage : non

Age des barriques : renouvellement par tiers annuel
Durée de l'élevage : 14 mois (+ 12 en cuve)
Collage : gélatine
Filtration : à la mise
Mise en bouteilles au château : en totalité
Type de bouteille : lourde
Maître de chai : Didier Chauvet
Œnologue-conseil : Jacques Boissenot

Commercialisation

Vente par souscription : oui
Vente directe au château : éventuelle
Commande directe au château : oui
Contrat monopole : non

Château BEL-AIR-MARQUIS-D'ALIGRE

COTATIONS COMMENTÉES

Année	Note	Commentaire
1970	9	Ouvert depuis 1980 • A BOIRE
1971	6	Vin élégant • A BOIRE
1973	5	Pas si léger que cela • A BOIRE
1974	4	Un 1973 frêle, moins vineux • A BOIRE
1975	8,5	Élégant, ce qui ne nuit pas à sa construction • A BOIRE
1976	6	Souplesse et amabilité • A BOIRE
1977	4	Un 1972 plus étoffé • A BOIRE
1978	10	Grande année complète, équilibrée, étoffée • A COMMENCER
1979	7	Féminin avec nervosité • A BOIRE
1980	5	Un 1977 amélioré • A COMMENCER
1981	7	Très proche du 1979 • 9 ANS
1982	10	Souple, rond, généreux • 8 ANS
1983	8,5	Sans la dureté du millésime • 9-10 ANS
1984	5,5	Vin de Cabernet • 6 ANS
1985	10	Raisins parfaits, Merlots exemplaires ; attendre • 15 ANS
1986	9,5	Complet, évolution lente • 15-25 ANS
1987	6	Où est la concentration ? • 10 ANS

Age idéal : 10 à 20 ans.

Plat idéal : Entrecôte pommes de terre.

La diffusion de ce cru dont la production atteignait pourtant 70 000 bouteilles vers 1850 demeura longtemps presque exclusivement limitée au cercle des parents et amis des propriétaires, le marquis d'Aligre, qui légua son nom à Bel-Air, puis la marquise de Pomereu. Les flacons du Château Bel-Air-Marquis-D'Aligre, aujourd'hui recherchés par les collectionneurs portaient leur marque moulée dans le verre avec cette injonction : « Défendu d'en laisser ».

Entre les deux guerres, Maurice Larronde donne à Bel-Air-Marquis-D'Aligre une diffusion commerciale élargie et de nos jours Pierre Boyer couve jalousement sa propriété et son vin. Il a supprimé tous les panneaux indicateurs qui auraient pu guider les œnophiles vers Bel-Air et il a pris le parti de ne pas répondre aux médias qui s'intéressent à ses activités. Non par mépris mais par crainte de la publicité (dans le premier sens du terme) ; il exerce à Bel-Air un sacerdoce exclusif sans l'ombre de prosélytisme.

TERROIR ET VIGNES

La majeure partie du vignoble entoure le château et le chai : le château ne sert plus qu'à stocker les bouteilles. Le terroir lui-même est connu sous le nom de plateau de Fougasse. Depuis des siècles, on sait que ce terrain est l'un des plus favorables à la vigne. Il est horizontal, à 15 ou 16 mètres d'altitude. Ses graves profondes se drainent naturellement, quelques fossés évacuant les eaux de ruissellement. Ce terrain de haute qualité n'a qu'un défaut, sa vulnérabilité au gel, accentuée par la forêt environnante. Les vignes, cultivées avec un soin extrême sont plantées à un mètre sur un mètre, la densité modèle, et les porte-greffe sont les meilleurs et les moins productifs. L'encépagement est classique, aux Petits Verdots près, dont le pourcentage est très élevé.

VINIFICATION ET VIN

Rien d'ostentatoire dans le cuvier de Pierre Boyer. La vinification est artisanale et presque secrète. Un exemple : lors des remontages, il arrose lui-même le chapeau, « le pouce sur l'extrémité des tuyaux » pour orienter et favoriser la diffusion du jet !

Pierre Boyer a pourtant développé des techniques consacrées par les dernières modes œnologiques.

Château Bel-Air-Marquis-d'Aligre est un vin à la belle robe pourpre, gras, velouté, suave. C'est un vin souple, tout en courbes et en volutes.

CHÂTEAU BEL-AIR-MARQUIS-D'ALIGRE, Soussans, AOC Margaux

Date de création du vignoble : XVIIIe siècle
Surface : 17 ha
Nombre de bouteilles : 50 000
Répartition du sol : 3 lots
Géologie : graves
Autre vin produit par le vignoble : aucun

Culture

Engrais : fumures organiques
Encépagement : CS 30 % CF 20 % M 30 % PV 15 % Mc 5 %
Age moyen : 35 ans
Porte-greffe : Riparia, 101-14

Densité de plantation : 10 000 pieds/ha
Rendement à l'hectare : 20-25 hl
Traitement antibotrytis : non
Vendange : manuelle

Vinification

Levurage : non
Remontage : 6 remontages
Type des cuves : ciment
Température de fermentation : 30°-35°
Mode de régulation : serpentin
Temps de cuvaison : 4 semaines
Vin de presse : selon le millésime
Filtration avant élevage : non
Age des barriques : de réemploi

Durée de l'élevage : 12 + 18 mois
Collage : blanc d'œuf frais
Filtration : non
Mise en bouteilles au château : en totalité
Type de bouteille : lourde
Maître de chai : Pierre Boyer
Œnologue conseil : laboratoire de Pauillac

Commercialisation

Vente par souscription : non
Vente directe au château : non
Commande directe au château : éventuellement
Contrat monopole : non

Château CANUET

COTATIONS COMMENTÉES

Année	Note	Commentaire
1974	4,5	*Supérieur aux 1972 et1973; délicat et fruité* • A TERMINER
1975	9	*Excellent, complet* • A BOIRE
1976	5	*Souple comme partout* • A TERMINER
1977	4	*Facile* • A TERMINER
1978	8	*N'a pas la plénitude du 1975* • A COMMENCER
1979	4	*Fluide et dilué — vignes trop chargées* • A TERMINER
1980	4	*Simple avec une petite rondeur* • A TERMINER
1981	8	*Structuré et viril* • 8 ANS
1982	9	*Excellent comme partout* • A BOIRE, A GARDER
1983	10	*Très proche du 1981, concentré* • 9 ANS
1984	5	*Vin de Cabernet* • A BOIRE
1985	10	*Un grand Canuet* • 10 ANS
1986 et 1987		*Voir texte*

Jean Rooryck exerçait ses talents au Château Labégorce que ses parents avaient acheté à la fin de la Grande Guerre. Il est probable qu'il y eût fini ses jours si les problèmes familiaux liés au décès de sa mère n'avaient contraint les héritiers à vendre le domaine de Labégorce. Que faire quand on travaille depuis toujours (ou presque) dans le Médoc, depuis toujours « dans le vin » ? Prendre une retraite anticipée ? Ce serait mal connaître le tempérament entreprenant de Sabine et Jean Rooryck.

En 1966, ils achètent une jolie maison du XVIIIe siècle au cœur de Margaux, le Canuet, et des vignes par-ci par-là : quatre hectares en 1987, un en 1970. En 1974, le vignoble s'élève à 9,32 hectares, 9,64 hectares en 1978 et 9,57 en 1983. Pas n'importe quelles vignes. Celles jouxtant Palmer, Lascombes et Malescot-Saint-Exupéry. La SAFER a collaboré à cette entreprise de remembrement.

En 1986 la Société civile du Château Cantenac-Brown se porte acquéreur du Château Canuet. Le vin est désormais vinifié à Cantenac-Brown. Dès le millésime 1986 Château Canuet devient le deuxième vin (déclassement) du cru Classé Cantenac–Brown.

TERROIR ET VIGNES

Les parcelles sont graveleuses : des graves grosses et moyennes du quaternaire. Un Japonais visitant le vignoble pose une question saugrenue mais significative : « Où achetez-vous tous ces cailloux ? » L'encépagement fait la part belle au Merlot si l'on se réfère à la moyenne de l'appellation Margaux (environ 15 % de moins qu'au Château Canuet).

Le maintien de la valeur nutritive du sol est assuré par des engrais composites, peu de phosphates, peu d'azote et de la chaux magnésienne car le sol est acide.

VINIFICATION ET VIN

La vinification suit les méthodes contemporaines. Les sélections réalisées par les époux Rooryck, le maître de chai et le chef de culture conduisent à la création d'un deuxième vin, le Château du Peyron vendu soit en vrac, soit mis en bouteilles au Château.

L'élevage se fait dans 220 barriques. Un tiers neuves, un tiers du second vin de Latour, un tiers plus anciennes. Château Canuet est bien typé Margaux. La cerise n'est pas absente de son fruité. Il réalise un bon compromis entre souplesse et tannins. On peut le boire sans trop attendre mais il se bonifie pendant cinq à dix années.

Age idéal : 7 ans. *Plat idéal : Carré de veau braisé.*

CHÂTEAU CANUET, Margaux, AOC Margaux

Date de création du vignoble : *1967*
Surface : *11 ha*
Nombre de bouteilles : *40 000*
Répartition du sol : *6 lots*
Géologie : *graves*
Autre vin produit par le vignoble :
Château du Peyron

Culture

Engrais : *chimique*
Encépagement : *CS 50 % M 50 %*
Age moyen : *20 ans*
Porte-greffe : *Riparia, 101-14, SO 4*
Densité de plantation :
8000-10000 pieds/ha

Rendement à l'hectare : *40-50 hl*
Traitement antibotrytis : *dans certaines vignes*
Vendange : *manuelle*

Vinification

Levurage : *parfois*
Remontage : *biquotidien*
Type des cuves : *ciment, acier revêtu*
Température de fermentation : *30°*
Mode de régulation : *serpentin*
Temps de cuvaison : *3-4 semaines*
Vin de presse : *première presse*
Filtration avant élevage : *selon les années*
Age des barriques : *renouvellement par tiers*

annuel
Durée de l'élevage : *13 mois (barriques) 6 mois (cuves)*
Collage : *blanc d'œuf frais*
Filtration : *à la mise*
Mise en bouteilles au château : *en totalité*
Type de bouteille : *standard lourde*
Maître de chai : *Jean Guiraud*
Œnologue conseil : *laboratoire de Pauillac*

Commercialisation

Vente par souscription : *oui*
Vente directe au château : *oui*
Vente directe au château : *oui*
Contrat monopole : *non*

Château LA GURGUE

APPELLATION MARGAUX CONTRÔLÉE

MIS EN BOUTEILLES AU CHATEAU

Sᵗᵉ CIVILE DU CHATEAU LA GURGUE
PROPRIÉTAIRE A MARGAUX · GIRONDE (FRANCE)

S on nom est un peu rude, sa surface limitée, mais sa situation exemplaire ; il est totalement encerclé, comme un îlot en pleine mer, par des vignobles de crus Classés ! Ce n'est pas un nouveau-né puisque la Révolution française a favorisé son éclosion. Le banquier Peixotto en 1791 achète les vignes du prieuré de la paroisse de Margaux devenu bien national et les incorpore à son domaine de La Gurgue. La propriété passe au XIXᵉ siècle aux Lanoire. Camille Lanoire a été maire de Margaux, de même que le propriétaire qui lui succède dans l'entre-deux-guerres, A. Lavandier. Ce dernier améliore grandement le domaine en lui ajoutant quatre hectares vendus par les Châteaux Rauzan-Gassies et Lascombes et huit hectares cédés par le Château Malescot-Saint-Exupéry. Par la suite une société dirigée par M. Harrière s'en occupe modérément et vend le vignoble en 1978 au groupe propriétaire de Chasse-Spleen.

TERROIR ET VIGNES

Le vignoble (composé de quatre lots très rapprochés), contigu à ceux de Lascombes, Rauzan-Gassies et Malescot-Saint-Exupéry s'étend sur la croupe de Curton. Une croupe fort peu accusée, de graves garonnaises d'un mètre à un mètre cinquante d'épaisseur sur socle d'argile massif. Sol et faible pente impliquent un drainage assisté.

Six hectares sont complantés de très vieilles vignes alors que cinq hectares ont été récemment replantés. Les vieilles vignes sont vendangées manuellement alors que les jeunes plantiers sont visités par une machine à vendanger. A noter la forte densité de plantation.

VINIFICATION ET VIN

Vinification classique conduite par Yves Raspaud qui fut de longues années le maître de chai de Chasse-Spleen et dont les talents sont connus et reconnus.

Le vin n'est filtré à aucun moment, sa finesse et son élégance n'y résisteraient pas.

Jusqu'en 1967 Château La Gurgue comblait les œnophiles. De 1968 à 1977 la production subissait un « passage à vide ». Aujourd'hui il a retrouvé la finesse souple et soyeuse des dentelles les plus élégantes.

COTATIONS COMMENTÉES

1978	8	Bel équilibre, gracieux • A BOIRE
1979	7,5	Proche du précédent ; évolution plus lente ? • A BOIRE
1980	5	Léger, léger • A BOIRE
1981	7,5	Bien, à point • A BOIRE
1982	8,5	Un séducteur qui manque un peu de fond • A BOIRE
1983	9	Fruité sur fond de rondeur — peu complexe • A BOIRE
1984	6	La légéreté élégante • A BOIRE
1985	10	Construit et riche ; la finesse complexe
1986	9	Complet, sérieux, de garde • 6-7 ANS
1986	9	Complet, sérieux, de garde • 10-15 ANS
1987	6,5	Finesse et légèreté • 3 ANS

Age idéal : 6 ans.

Plat idéal : Chevreau rôti.

CHÂTEAU LA GURGUE, Margaux, AOC Margaux

Date de création du vignoble : XIXᵉ siècle
Surface : 12,5 ha + 6 ha de parc
Nombre de bouteilles : 50000
Répartition du sol : 4 lots
Géologie : graves garonnaises
Autre vin produit par le vignoble : aucun

Culture

Engrais : fumure organique
Encépagement : CS 65 % M 35 %
Age moyen : voir texte
Porte-greffe : Riparia, 101-14, 3301
Densité de plantation : 10000 pieds/ha
Rendement à l'hectare : 35-45 hl

Traitement antibotrytis : non
Vendange : mécanique et manuelle

Vinification

Levurage : première cuve
Remontage : biquotidien
Type des cuves : inox 125 hl
Température de fermentation : 30°
Mode de régulation : ruissellement
Temps de cuvaison : 3 semaines
Vin de presse : 10 %
Filtration avant élevage : non
Age des barriques : renouvellement par tiers annuel

Durée de l'élevage : 2 ans
Collage : blanc d'œuf frais
Filtration : non
Mise en bouteilles au château : totalité
Type de bouteille : lourde
Maître de chai : Yves Raspaud
Œnologue conseil : Jacques Boissenot

Commercialisation

Vente par souscription : oui
Vente et commande directes au château : S'adresser : Château Chasse-Spleen, 33380 Moulis
Contrat monopole : oui

Château LABÉGORCE

La maison noble de Labégorce possédait cette terre en 1332. Elle est l'apanage de Louis Gourdon de Genouillac vers 1611, de Gaillard-Millon en 1641, de monsieur de Beaucorps en 1663 et de la famille de Mons de 1728 jusqu'à la Révolution. Sans doute « nationalisée » elle passe en diverses mains ; Weltener, Pierre Capelle, Vestapani, Marcelin Clauzel, et enfin Fortuné Beaucourt qui l'acquiert en 1865 pour 224 000 francs or. Cet important personnage, qui fut maire de Margaux, dépensa beaucoup d'argent pour la remise en état de la propriété et la construction de l'imposant château dont il commanda les plans au meilleur architecte du moment, Courcelles, lequel ne fit pas preuve d'imagination mais éleva une solide bâtisse dans l'esprit XVIIIe bourgeois.

C'est à cette époque que le vin de Labégorce acquit une grande réputation.

En 1918, la famille Rooryck prend possession de cette propriété qu'elle conserve jusqu'à ce qu'un problème successoral en 1965 l'oblige à s'en séparer.

Robert Condom qui n'appartient pas au monde du vin, se porte acquéreur de Labégorce et donne un nouveau souffle à sa dernière entreprise. A son décès, sa femme puis son fils lui succèdent. On murmure que le magnat de l'information et de la construction s'intéresse beaucoup à Labégorce.

TERROIR ET VIGNES

Le vignoble s'étend principalement au nord-est du château sur un sol de graves moyennes incliné en direction de la Gironde (donc à l'est) de 16 à 8 mètres d'altitude. La densité de plantation des nouveaux plantiers est faible, surtout pour un vin ambitieux. Jean-Robert Condom la justifie en soutenant « qu'il y a moins de pourriture ».

VINIFICATION ET VIN

Le professeur Peynaud supervise la vinification. Les remontages ont lieu du 2e au 6e jour. Château Labégorce « pèse » 12° et la chaptalisation ne dépasse jamais un degré (zéro en 1983).

Ce Margaux agréable tend plus vers la souplesse que vers la dureté. Agé de cinq années, il est déjà bon. Les grands millésimes exigent une garde plus longue.

COTATIONS COMMENTÉES

1975	8,5	Beau vin qui s'entrouvre • A COMMENCER
1976	6	Acidité basse, concentration ? • A TERMINER
1977	4	Une pointe d'acidité • A TERMINER
1978	8,5	Beau vin complet, bouquet développé • A BOIRE
1979	7	Corsé, a du mal à s'ouvrir • A COMMENCER
1980	5	Tient du 1973 ; en mieux ? • A BOIRE
1981	8	Bonne construction, extractions réussies ; près de la vérité • À BOIRE
1982	9	Excellent mais non représentatif du type • A BOIRE
1983	10	Un 1981 parfaitement réussi • 7 ANS
1984	5,5	Un 1980 en plus construit • 5 ANS
1985	9,5	Un 1982, peut-être supérieur. Moelleux, tannins fondus • 7 ANS
1986	9	Une souplesse puissante alliée à de fortes structures • 8 ANS
1987	5,5	Une élégance légère • 3-4 ANS

Âge idéal : 6-7 ans. Plat idéal : Carré d'agneau

CHÂTEAU LABÉGORCE, Margaux, AOC Margaux

Date de création du vignoble : *XIVe siècle (?)*
Surface : *30 ha*
Nombre de bouteilles : *150 000*
Répartition du sol : *4 lots*
Géologie : *graves moyennes*
Autre vin produit par le vignoble : *aucun*

Culture

Engrais : *organique*
Encépagement : *CS 60 % CF 5 % M 35 %*
Age moyen : *20 ans*
Porte-greffe : *3309, 101-14, SO4*
Densité de plantation : *10 000 et 5 500 pieds/ha*
Rendement à l'hectare : *50 hl*
Traitement antibotrytis : *oui*
Vendange : *mécanique*

Vinification

Levurage : *première cuve*
Remontage : *quotidien*
Type des cuves : *ciment*
Température de fermentation : *30°*
Mode de régulation : *pompe à chaleur*
Temps de cuvaison : *19 jours*
Vin de presse : *première presse*
Filtration avant élevage : *non*
Age des barriques : *renouvellement*
sur 3 ou 4 ans
Durée de l'élevage : *18 mois*
Filtrage : *légère*
Collage : *blanc d'œuf*
Mise en bouteilles au château : *en totalité*
Type de bouteille : *lourde*
Maître de chai : *Michel Duboscq*
Œnologue conseil : *professeur Émile Peynaud*

Commercialisation

Vente par souscritpion : *oui*
Vente directe au château : *oui*
Commande directe au château : *oui*
Contrat monopole : *oui (CVBG)*

Château LABÉGORCE-ZÉDÉ

Château Labégorce Zédé

MARGAUX

APPELLATION MARGAUX CONTROLÉE

1982

GFA du Château Labégorce-Zédé
Propriétaire à Soussans - Gironde

LUC THIENPONT - VITICULTEUR

MIS EN BOUTEILLE AU CHATEAU

PRODUIT DE FRANCE

COTATIONS COMMENTÉES

1979	7	Fermé, il faut l'attendre • 11 ANS
1980	5	Léger • A BOIRE
1981	8	Construit, dur, fermé • 14 ANS
1982	10	Grand vin ample et complet • A BOIRE, A GARDER
1983	9,5	Encore plus concentré que le 1981 • 15 ANS
1984	6	Léger, un 1980 supérieur • 5 ANS
1985	9,5	Souple, fruits mûrs. Tanni- que sans agressivité dans l'esprit du 1982 et du 1983 • 12 ANS
1986	10	85 % Cabernet-Sauvignon. Tannique, à attendre • 14 ANS
1987	6	Délicat, fruité • 3-4 ANS

Age idéal : 10 ans.

Plat idéal : Faisan
à la languedocienne.

Le 12 août 1795, la majeure partie du Domaine de La Bégorce est vendue en tant que bien national aux époux Benoist pour la somme de 425 000 livres, totalement acquittée en assignats — une bonne affaire ! Le couple eut deux filles. L'une d'elles épousa Jean-Émile Zédé. Elles héritèrent du domaine qui fut racheté par Pierre Zédé en 1840. Ce dernier eut plusieurs enfants dont Gustave, inventeur (ou presque) des sous-marins et Émile Hippolyte, vice-amiral qui reprit le domaine. A sa mort, ses trois enfants héritent de Labégorce-Zédé. A partir de 1931, le vignoble change de mains à plusieurs reprises : MM. Egrin, Tacquard et Lefèvre, Barraud, Tapie, Battesti qui rachète six ou sept hectares au Château L'Abbé-Gorsse-de-Gorsse, et enfin en 1979 Luc Thienpont, un nom bien connu dans le Bordelais en dépit de sa consonance flamande : il y a plus d'un demi-siècle que la famille Thienpont s'installa au Château Vieux-Certan (Pomerol).

TERROIR ET VIGNES

L'essentiel du vignoble, 22 hectares jouxtant le château, s'abaisse lentement en direction de la Gironde selon une orientation nord-est. Il occupe le plateau de Marsac fait de grosses graves profondes. Les trois quarts du vignoble sont complantés à 10 000 pieds/hectare, le quart restant à 6 600 pieds. Les expériences menées avec la collaboration de l'Institut Technique du Vin ont démontré la supériorité qualitative des fortes densités de plantation.

VINIFICATION ET VIN

L'eau du puits refroidit le serpentin afin de ne pas dépasser trente degrés lors de la fermentation alcoolique. Dix-huit cuves permettent de vinifier parcelle par parcelle. Le vin n'est pas filtré. Depuis le millésime 1982, 25 % de barriques neuves améliorent l'élevage des vins. Auparavant le renouvellement se faisait par l'achat de barriques « d'un vin » à Château Margaux.

Le deuxième vin porte l'étiquette Château de l'Amiral. Le château produit en outre une cuvée de jeunes vignes. Depuis 1983, tous les flacons de Labégorce-Zédé sont livrés en caisses de bois. Avant 1979, le vin souffrait de vendanges précoces. Depuis cette date il a gagné en couleur et en amabilité. Il doit être attendu.

CHÂTEAU LABÉGORCE-ZÉDÉ, Soussans, AOC Margaux

Date de création : XVIIIe siècle
Surface : 26 ha
Nombre de bouteilles : 120 000
Répartition du sol : 3 lots
Géologie : graves
Autre vin produit par le vignoble : Château de l'Amiral

Culture

Engrais : fumier + complément
Encépagement : CS 50 % M 35 % PV 5 % CF 10 %
Age moyen : 25 ans
Porte-greffe : Riparia

Densité de plantation : 3/4 à 10 000 pieds/ha, 1/4 à 6 600 pieds/ha
Rendement à l'hectare : 45-50 hl
Traitement antibotrytis : oui
Vendange : manuelle

Vinification

Levurage : non
Remontage : quotidien-60 à 90 minutes
Type des cuves : béton-18 cuves
Température de fermentation : 30°
Mode de régulation : serpentin
Temps de cuvaison : 2-3 semaines
Vin de presse : première presse
Filtration avant élevage : non

Age des barriques : renouvelées par quart dès 1982
Durée de l'élevage : 1 an
Collage : albumine d'œuf
Filtration : à la mise
Mise en bouteilles au château : en totalité
Type de bouteille : lourde
Maître de chai : Jean Bergamin
Œnologue conseil : Jacques Boissenot

Commercialisation

Vente par souscription : oui
Vente directe au château : oui
Commande directe au château : oui
Contrat monopole : non

Château MARSAC-SÉGUINEAU

C ette marque existe depuis un siècle. Sa faible production ne lui a jamais permis d'acquérir une grande notoriété. Ses nombreux propriétaires successifs ne furent jamais de ces grands négociants qui savent si bien assurer une promotion. Depuis sa fondation par un membre de la famille de Robieu dont la couronne comtale orne toujours l'étiquette, ce château a su conserver son indépendance, évitant par on ne sait quel miracle, l'absorption par les puissants de la commune de Soussans ou des communes limitrophes qui bénéficient comme lui de l'appellation Margaux.

Et même, tout au contraire, loin d'avoir été englobé dans un plus vaste ensemble, c'est lui qui s'est développé en s'adjoignant telle ou telle parcelle. A sa naissance il s'appelle Séguineau-Deyriès, il prend ensuite le nom de Séguineau-Marsac après l'acquisition des vignes jouxtant le hameau de Marsac. Avant la Grande Guerre, sa propriétaire Mme Vast réussit à lui accoler une parcelle d'un cru Classé. Ce n'est qu'après la dernière guerre que d'importants propriétaires négociants s'intéressent à lui. Depuis quelques lustres, il est entré dans le giron de la société Mestrezat. Autant dire qu'il a commencé une nouvelle vie et qu'après un siècle d'attente la Belle au bois dormant a rencontré son Prince charmant.

TERROIR ET VIGNES

La parcelle proche du hameau de Marsac côtoie celle de Château Canuet. Les terres sablo-graveleuses occupent un plateau à l'altitude de 13 mètres. Le deuxième lot de vignes jouxte celles de Labégorce. Un sol de graves argileuses faiblement incliné (11-8 mètres) en direction de l'est accueille des ceps en règes serrées (1 m × 1 m) ainsi que le veut la tradition margalaise.

A noter la proportion de Merlot, nettement supérieure à la moyenne de l'appellation Margaux.

VINIFICATION ET VIN

Vinification moderne dans un cuvier moderne. Le vin est filtré sur terre avant un élevage très soigné dans des barriques fréquemment renouvelées. Les sélections ont conduit à la création d'un deuxième vin : Château Les Gravières-de-Marsac.

Château Marsac-Séguineau brille par une rondeur fruitée souple. Cette rondeur n'exclut pas la finesse connue de l'appellation Margaux.

COTATIONS COMMENTÉES

1979	8	Complet, bien construit • A COMMENCER
1980	5	Léger, léger • A BOIRE
1981	7	Un 1979 une once plus souple • A BOIRE
1982	9	Bon millésime dont on parle trop • A BOIRE
1983	10	Fin, excellent, typé et fruité • A BOIRE
1984	6	Élégance légère, évolue rapidement • A BOIRE
1985	9,5	Un fruité sérieux, de la charpente • 8 ANS
1986	10	Très construit, évolution lente • 10 ANS
1987	6	Léger-fruité • 3 ANS

Age idéal : 5-6 ans.

Plat idéal : Paupiettes d'agneau.

CHÂTEAU MARSAC-SÉGUINEAU, Soussans, AOC Margaux

Date de création du vignoble : XIXᵉ siècle
Surface : 10 ha 17 ca
Nombre de bouteilles : 60000
Répartition du sol : 2 lots
Géologie : graves garonnaises
Autre vin produit par le vignoble : Château Les Gravières-de-Marsac

Culture

Engrais : organo-minéral, sulfate de potasse, fumier
Encépagement : CS 30 % CF 20 % M 50 %
Age moyen : 20 ans

Porte-greffe : 101-14, SO 4, 3309
Densité de plantation : 10000 pieds/hectare
Rendement à l'hectare : 60 hl
Traitement antibotrytis : généralisé
Vendange : mécanique

Vinification

Levurage : oui
Remontage : biquotidien
Temps de cuvaison : 21 jours environ
Type des cuves : inox
Température de fermentation : 30°-32°
Mode de régulation : ruissellement
Vin de presse : incorporé en totalité ou partie après 12 mois d'élevage en barriques

Filtration avant élevage : sur terre
Age des barriques : renouvellement annuel par tiers
Durée de l'élevage : 12 à 14 mois
Collage : albumine d'œuf
Filtration : sur plaques à la mise
Mise en bouteilles au château : en totalité
Type de bouteille : standard
Maître de chai : M. Obissier
Œnologue-conseil : M. Bernard Monteau

Commercialisation

Société Mestrezat
17, cours de la Martinique, BP 90
33027 Bordeaux Cedex

Château MARTINENS

CHATEAU MARTINENS
1982
MARGAUX
APPELLATION MARGAUX CONTROLÉE

SOCIÉTÉ FERMIÈRE DU CHATEAU MARTINENS
PROPRIÉTAIRE A MARGAUX-GIRONDE
PRODUCE OF FRANCE   75 cl
MIS EN BOUTEILLES AU CHATEAU

COTATIONS COMMENTÉES

Année	Note	Commentaire
1964	10	Un Martinens modèle • A BOIRE
1970	7	S'ouvrira, ne s'ouvrira pas ? • 20 ANS OU JAMAIS ?
1975	9,5	« Un colosse » • A BOIRE
1976	7,5	A évolué vite, rôti, fruité et souple • A TERMINER
1977	4,5	Fin, délicat, peu d'ampleur • A TERMINER
1978	9	Imposant, style 1975 • A BOIRE
1979	8	Coloré, charnu pour le millésime • A BOIRE
1980	5	Un charme facile • A BOIRE
1981	7,5	Fruité et délicat • A BOIRE
1982	9,5	Charpenté, imposant ; évolution lente, longue garde • 20 ANS
1983	9	Plus souple que le 1982, plus d'étoffe que le 1981 • 8 ANS
1984	6	Jolie robe, type 1984 • 7 ANS
1985	10	Un 1982 plus fruité dans l'esprit d'un 1975 • 10-15 ANS
1986	9,5	Un 1985 moins coloré • 10-12 ANS
1987	6,5	Entre 1979 et 1984, fruité • 7 ANS

Le portail de Château Martinens est surmonté d'un panneau indiquant que le vin de la propriété a été couronné d'une médaille d'or en 1889, à l'Exposition Universelle. Au-delà de ce portail, une belle maison du XVIIIᵉ siècle, enserrée par deux ailes à usage de chai. Le resserrement de cet ensemble lui confère une véritable intimité.

La fondation de Martinens remonte au XVIIIᵉ siècle lorsque trois sœurs originaires de la perfide Albion établissent en ce lieu une résidence non loin de la commune de Margaux. En 1776, un négociant bordelais prend le relais et fait bâtir le château actuel. Il ne s'attache pas à Martinens, pas plus que Louis Mascou, l'éphémère propriétaire de ce bien qu'il cède à un personnage important, distingué et pourvu de fonctions par Napoléon 1ᵉʳ, le Suisse François-Auguste de Sautter connu sous le nom d'une terre vaudoise lui appartenant : le comte de Beauregard.

A la mort du comte, ses filles vendent Martinens à Jules Jadouin qui investit beaucoup dans la région. Son gendre, Jacques Lebègue, lui succède et remet en 1936 la propriété à un nouvel acquéreur suisse qui la revend en 1945 à la famille Dulos.

Aujourd'hui Mme Simone Dulos et son fils Jean-Pierre Seynat-Dulos en sont propriétaires.

TERROIR ET VIGNES

Le vignoble se développe à l'est et à l'ouest de la route conduisant au château, principalement dans la commune de Cantenac et quelque peu dans celle de Margaux sur un plateau sis à 14-15 mètres d'altitude. Le sol est diversifié, tantôt graveleux, tantôt argilo-calcaire, et offre aussi des terres noires ou sablonneuses. Le drainage est assuré par des fossés. Robert Delille n'emploie pas d'engrais chimique pour assister un vignoble d'âge respectable comprenant une forte et rare proportion de Petits Verdots.

VINIFICATION ET VIN

La vinification suit la méthode classique. Dès 1986 un système de refroidissement permet de refroidir le moût contenu dans des cuves de format modéré. L'élevage se fait par rotation cuves-barriques. Château Bois-de-Monteil vinifié par la même équipe n'est pas un deuxième vin mais un Haut-Médoc issu d'un autre vignoble. Château Martinens est un Margaux souple et fruité qui doit beaucoup à sa forte proportion de Merlots et auquel les Petits Verdots dans des années chaudes (nombreuses ces derniers millésimes) donnent une rondeur charnue pleine et colorée.

Age idéal : 10 ans.   Plat idéal : Tournedos chasseur.

CHÂTEAU MARTINENS, Margaux, AOC Margaux

Date de création du vignoble : XVIIIᵉ siècle
Surface : 30 ha
Nombre de bouteilles : 85 000
Répartition du sol : un seul tenant
Géologie : voir texte
Autre vin produit par le vignoble : aucun

Culture

Engrais : fumier, apport organique
Encépagement : CS 30 % CF 10 % M 40 % PV 20 %
Age moyen : 30 ans
Porte-greffe : Riparia, 101-14

Densité de plantation : 6500 pieds/ha
Rendement à l'hectare : 35 hl
Traitement antibotrytis : non
Vendange : manuelle

Vinification

Levurage : naturel
Remontage : biquotidien
Type des cuves : ciment, 60 à 150 hl
Température de fermentation : 28°
Mode de régulation : serpentin
Temps de cuvaison : 3 semaines
Vin de presse : première presse
Filtration avant élevage : sur terre
Age des barriques : 10 ans

Durée de l'élevage : 1 an
Collage : albumine
Filtration : sur plaques
Mise en bouteilles au château : en totalité
Type de bouteille : standard
Maître de chai : Robert Delille
Œnologue conseil : laboratoire de Pauillac

Commercialisation

Vente par souscription : non
Vente directe au château : oui
Commande directe au château : oui
Contrat monopole : non

Château MONBRISON

Cette terre a-t-elle été détachée de Desmirail (2e cru Classé) ainsi que l'affirme la tradition pour devenir ensuite, au XVIIe siècle, la propriété de M. de Monbrison dont elle porte le patronyme ? A l'époque du classement de 1855, elle appartient à M. Feuilbois qui produit l'équivalent de 25 000 bouteilles. Sous le Second Empire, Monbrison est complètement restauré par un homme célèbre, sénateur et avocat, Chaix d'Est-Ange.

En 1921, un américain demeuré en Europe après la Grande Guerre, Robert Davis se porte acquéreur de Monbrison. Sa fille, ses petits-fils poursuivent la mise en valeur de la propriété. A la suite du gel de 1956, le vignoble a été progressivement replanté Jean-Luc Vonderheyden, fils d'Elisabeth Davis cultive et vinifie avec autant d'efficacité que de compétence.

TERROIR ET VIGNES

Le château, sis au nord-est du bourg d'Arsac, trône au milieu du vignoble.

Un vignoble presque horizontal légèrement incliné vers le nord nord-ouest dans sa partie septentrionale. Une deuxième parcelle, de quatre hectares, entre Angludet et Giscours, s'incline également un peu en direction du nord. Le sol est tantôt graveleux tantôt sablo-graveleux. Il est suffisamment filtrant pour bénéficier d'un drainage naturel. Les règes, distantes de 150 centimètres accueillent un encépagement comprenant une notable part de Cabernet franc. Les quatre hectares récemment plantés sont destinés à la deuxième marque, Château Cordet, née en 1923.

VINIFICATION ET VIN

Un pied de cuve entraîne les fermentations de la première cuve. La cuvaison s'étend sur trois à quatre semaines et de fortes températures contribuent à une bonne extraction. Les premiers remontages sont aérés comme il se doit. Les vins de presse sont collés, filtrés sur terre puis incorporés selon les besoins du millésime, le solde renforce le Château Cordet.

L'élevage se fait dans des barriques neuves (20-30 %) et dans des barriques rachetées à Château Lafite et à Château Margaux. Château Monbrison, exporté à 85 %, est connu pour sa robe profonde, sa construction rigoureuse qui n'exclut ni charme ni finesse.

COTATIONS COMMENTÉES

Année	Note	Commentaire
1975	–	*Vignoble jeune, chai de vieillissement en construction*
1976	–	*Robe légère, dilué par les pluies* • *DEVRAIT ÊTRE BU*
1977	4,5	*Un 1977, c'est-à-dire manquant de gras* • *A BOIRE*
1978	9	*Construit, intéressant, complet, tannique* • *A COMMENCER*
1979	8	*Un peu moins concentré que le précédent* • *A BOIRE*
1980	5	*Fruité léger* • *A BOIRE*
1981	8	*Puissant, aromatique, fin de bouche énergique* • *A BOIRE*
1982	9	*Plein, rond, coloré tannique (3,2 acidité)* • *8 ANS*
1983	9,5	*Très tannique, gai, complet, construit (3,2 acidité)* • *10 ANS*
1984	6	*Belle robe, de la mâche, boisé ; un bon 1984* • *5-6 ANS*
1985	10	*Dans l'esprit des 1983 ; peut-être plus élégant et plus fin, 50 % bois neuf* • *8-10 ANS*
1986	9,5	*Viril, nez gibier et tabac boisé avec souplesse* • *12 ANS*
1987	6,5	*55 % de Merlots, vin de charme (30 % bois neuf)* • *4 ANS*

Age idéal : 6-8 ans.   *Plat idéal : Magret de canard.*

CHÂTEAU MONBRISON, Arsac, AOC Margaux

Date de création du vignoble : *XVIIe siècle*
Surface : *14,5 ha*
Nombre de bouteilles : *75 000*
Répartition du sol : *2 lots*
Géologie : *graves-sable*
Autre vin produit par le vignoble : *Château Cordet*

Culture

Engrais : *organique-chimique*
Encépagement : *CS 45 % CF 20 % M 35 % PV 5 %*
Age moyen : *22 ans*
Porte-greffe : *420 A, 101-14, 5 BB, SO4*

Densité de plantation : *6500 pieds/ha*
Rendement à l'hectare : *40 hl-50 hl*
Traitement antibotrytis : *non*
Vendange : *manuelle*

Vinification

Levurage : *pied de cuve*
Remontage : *biquotidien*
Type des cuves : *acier émaillé, 150 hl*
Température de fermentation : *30°-32°*
Mode de régulation : *aspersion*
Temps de cuvaison : *3-4 semaines*
Vin de presse : *5-10 %*
Filtration avant élevage : *non*
Age des barriques : *20-30 % neuves*

Durée de l'élevage : *15-18 mois*
Collage : *albumine d'œuf et blanc d'œuf frais*
Filtration : *sur plaques à la mise*
Mise en bouteilles au château : *en totalité*
Type de bouteille : *lourde*
Maître de chai : *Jean-Luc Vonderheyden*
Œnologue conseil : *Bernard Couasnon*

Commercialisation

Vente par souscription : *oui*
Vente directe au château : *oui*
Commande directe au château : *oui*
Contrat monopole : *oui*
Suisse, Belgique, USA

Château PAVEIL-DE-LUZE

CHATEAU
PAVEIL de LUZE
MARGAUX

APPELLATION MARGAUX CONTROLÉE
CRU BOURGEOIS
1981

G. F. A. DU CHATEAU PAVEIL, PROPRIÉTAIRE A SOUSSANS (GIRONDE)
MIS EN BOUTEILLE AU CHÂTEAU
Propriété des Barons de Luze, depuis 1862
PRODUCE OF FRANCE — 75 cl

COTATIONS COMMENTÉES

1975	?	*Toujours fermé* • 15 ANS ?
1976	6	*Prêt à boire, de la souplesse* • A BOIRE
1977	–	*Apogée largement dépassée* • DEVRAIT ÊTRE BU
1978	9	*Équilibré, bonne harmonie, du gras* • A BOIRE
1979	7	*Demeure un peu dur* • A BOIRE
1980	5	*Belle robe pour le millésime* • A BOIRE
1981	4	*Vin de charme, tendre, un peu mou* • A TERMINER
1982	10	*Excellent, typé 1982 : rondeur plénitude* • 7 ANS
1983	8	*Un 1982 plus souple* • A BOIRE
1984	5,5	*Vin de Cabernet-Sauvignon, fin, encore dur* • 6 ANS
1985	8,5	*42 hl/ha, dans l'esprit du 1983* • 6 ANS
1986	9	*Très coloré et tannique, complet à évolution lente* • 7-8 ANS
1987	6	*12,3°, rendement moyen; belle robe, coulant et rond dans l'esprit des 1962* • 3 ANS

Pierre de Rauzan, créateur de tant de crus dans les communes d'appellation Margaux et même de Pauillac, à la fin du XVIIᵉ siècle, (n'est-il pas l'inventeur de Pichon-Longueville avant qu'il ne s'appelle ainsi), aurait pu fonder Paveil. Il ne semble pas qu'il l'ait fait, mais il donna cette terre en dot à sa fille, lors de son mariage avec le chevalier de Bretonneau. Ce dernier planta le vignoble à l'emplacement même où il se trouve aujourd'hui. Cette immuabilité est assez rare pour être soulignée. L'emplacement devait être bien choisi car la réputation de Paveil s'établit d'emblée à un niveau enviable. Abraham Lawton, l'homme qui connaissait le mieux à l'époque les vins du Médoc note dans ses carnets vers 1750 que le vin de Paveil se vend à 361 livres tournois le tonneau, ce qui correspond au premier des quatrièmes Crus (3ᵉ : de 540 à 365) et le situe devant deux crus qui seront classés en 1855 (Langoa : 360; Lafon-Rochet : 332). Vers 1850, Paveil est la propriété la plus importante de la commune : M. Minvielle y produit l'équivalent de 180 000 flacons !

En 1862, Alfred de Luze acquiert Paveil et fonde la société de négoce que l'on connaît. Aujourd'hui le Château Paveil-de-Luze est gouverné par le baron Geoffroy de Luze.

TERROIR ET VIGNES

Le vignoble se développe en face du château qui avec ses deux pavillons et ses deux ailes en retour illustre brillamment l'architecture médocaine du XVIIIᵉ siècle. Le vignoble pratiquement horizontal, de douze à quatorze mètres d'altitude, complante en règes de 140 centimètres un sol de graves et de sable grossier de forte épaisseur sur socle sablonneux. L'absence de fondement argileux assure un grand pouvoir filtrant aux terres de Paveil, à tel point qu'il peut arriver que les Merlots aient soif !

VINIFICATION ET VIN

La vinification ne présente pas de particularités. Un diffuseur arrose le chapeau lors des remontages. De bonnes cuvaisons à une température convenable assurent extraction et conservation des arômes. Le vin demeure en cuves jusqu'à l'été puis est logé en barriques. La filtration sur terre avant élevage n'est pas systématique.

Château Paveil-de-Luze ne cherche pas à « rouler les épaules ». C'est un vin élégant, distingué, au fruité séduisant. Sa souplesse en autorise la consommation dès un âge modéré.

Age idéal : 5 ans. *Plat idéal : Mignonettes de veau.*

CHÂTEAU PAVEIL-DE-LUZE, Soussans, AOC Margaux

Date de création du vignoble : *XVIIᵉ s.*
Surface : *25 ha*
Nombre de bouteilles : *120 000*
Répartition du sol : *d'un seul tenant*
Géologie : *graviers, gros sable*
Autre vin produit par le vignoble : *Château de la Coste*

Culture

Engrais : *fumier, chaux, organiques*
Encépagement : *CS 65 % M 35 %*
Age moyen : *15 ans*
Porte-greffe : *101-14, etc.*
Densité de plantation : *7000 pieds/ha*
Rendement à l'hectare : *40 hl*

Traitement antibotrytis : *oui, dès 1984*
Vendange : *mécanique dès 1980*

Vinification

Levurage : *non*
Remontage : *quotidien*
Type des cuves : *acier revêtu, 100-200 hl*
Température de fermentation : *25°-28°*
Mode de régulation : *ruissellement*
Temps de cuvaison : *21 jours*
Filtration avant élevage : *sur terre*
Age des barriques : *de deuxième main*
Durée de l'élevage : *18 mois*
Collage : *gélatine*

Filtration : *à la mise*
Mise en bouteilles au château : *en totalité*
Type de bouteille : *lourde*
Maître de chai : *René Fort*
Œnologue-conseil : *laboratoire œnotechnique André Vaset*

Commercialisation

Vente par souscription : *oui*
Vente directe au château : *non*
Commande directe au château : *oui*
Contrat monopole : *oui – Groupement français des vins, 216, rue du Jardin-Public 33300 Bordeaux Tél. : (56) 39.74.64*

Château SIRAN

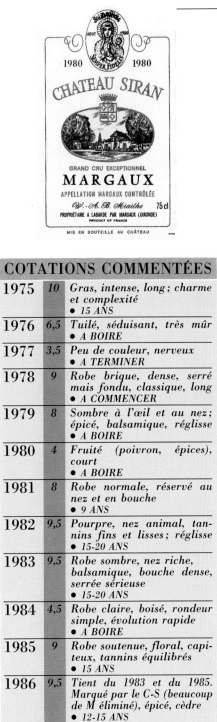

S iran est l'un des premiers Châteaux à bénéficier de l'appellation Margaux en venant de Bordeaux.

Guilhem de Siran vivait au XVᵉ siècle. A-t-il donné son nom à cette terre ou a-t-on attribué à Guilhem un nom de lieu ? Quoi qu'il en soit sa terre dépend de l'abbaye de Sainte-Croix qui déborde de Macau sur Labarde. Avant la Révolution, la famille Flottard de Laroque-Bouillac conduit le vignoble. Bien que son propriétaire ait émigré, Siran demeure dans la famille en passant à Jeanne-Adèle de Laroque-Bouillac qui devait épouser Alphonse de Toulouse-Lautrec, grand-père du génial artiste.

Vers 1850, Siran produit annuellement plus de 40 000 bouteilles. En 1855, curieusement, Siran n'est pas classé alors qu'au siècle précédent, il était généralement compté au rang des 4ᵉˢ (dans les classifications à quatre rangs). Peu avant (1848), Léo Barbier s'était porté acquéreur du domaine.

De nos jours, Alain B. Miailhe, descendant de Léo Barbier, ne se ménage pas afin que Siran égale en qualité les crus Classés, y compris les meilleurs de l'Appellation ainsi que l'ont montré nombre de dégustations à l'aveugle. Ces soins s'appliquent aussi bien au cuvier, au vignoble qu'à l'ensemble de la propriété comprenant un héliport (!) et un caveau blindé anti-atomique dans lequel sont conservées des bouteilles de Siran destinées à être dégustées lorsqu'elles auront un siècle d'âge.

TERROIR ET VIGNES

Le vignoble culmine à douze mètres d'altitude, le point haut central déterminant de faibles pentes (6 m) de tous côtés. Il est situé dans le prolongement de deux crus Classés : Giscours et Dauzac. Une partie des vignes du plateau de Bellegarde qui appartenaient à ce dernier château sont aujourd'hui incorporées à Siran. Une forte épaisseur de graves günziennes accueille un encépagement d'âge respectable comprenant une notable proportion de Petit Verdot.

VINIFICATION ET VIN

La vinification est inspirée par le professeur Peynaud. A noter la présence — aujourd'hui rare — de superbes cuves de bois et un long élevage en barriques bien renouvelées (par tiers). Tout cela concourt à l'élaboration d'un vin de garde charpenté, plein, dont les tannins mûrs et abondants s'affinent avec le temps.

Age idéal : 10-12 ans.

Plat idéal : Côtes d'agneau au coulis de truffes.

COTATIONS COMMENTÉES

1975	10	Gras, intense, long; charme et complexité • 15 ANS
1976	6,5	Tuilé, séduisant, très mûr • A BOIRE
1977	3,5	Peu de couleur, nerveux • A TERMINER
1978	9	Robe brique, dense, serré mais fondu, classique, long • A COMMENCER
1979	8	Sombre à l'œil et au nez; épicé, balsamique, réglisse • A BOIRE
1980	4	Fruité (poivron, épices), court • A BOIRE
1981	8	Robe normale, réservé au nez et en bouche • 9 ANS
1982	9,5	Pourpre, nez animal, tannins fins et lisses; réglisse • 15-20 ANS
1983	9,5	Robe sombre, nez riche, balsamique, bouche dense, serrée sérieuse • 15-20 ANS
1984	4,5	Robe claire, boisé, rondeur simple, évolution rapide • A BOIRE
1985	9	Robe soutenue, floral, capiteux, tannins équilibrés • 15 ANS
1986	9,5	Tient du 1983 et du 1985. Marqué par le C-S (beaucoup de M éliminé), épicé, cèdre • 12-15 ANS
1987	5,5	Plus d'arômes que de tannins — coulant • 4-5 ANS

CHÂTEAU SIRAN, Labarde, AOC Margaux

Date de création du vignoble : XVIᵉ s.
Surface : 24 ha
Nombre de bouteilles : 120 000-140 000 bouteilles
Répartition du sol : un seul tenant
Géologie : graves tertiaires sédentaires
Autre vin produit par le vignoble : aucun

Culture

Engrais : humus-fumier
Encépagement : CS 55 % CF 10 % M 25 % PV 10 %
Age moyen : 35 ans
Porte-greffe : SO 4, 3309, 101-14, Riparia
Densité de plantation : 9 000 pieds/ha
Rendement à l'hectare : 42/45 hl

Traitement antibotrytis : oui
Vendange : manuelle 3/4, mécanique 1/4

Vinification

Levurage : exceptionellement
Remontage : quotidien
Type des cuves : bois
Température de fermentation : 26°-28°
Mode de régulation : serpentin
Temps de cuvaison : 15 à 20 jours
Vin de presse : dixième du volume
Filtration avant élevage : non, sauf exception pour année difficile
Age des barriques : 1/3 neuves chaque année
Durée de l'élevage : 2 ans

Collage : albumine d'œufs
Filtration : sur plaques
Mise en bouteilles au château : en totalité
Type de bouteille : lourde
Maître de chai : M. Daney
Régisseur : M. Daney
Œnologue-conseil : M. Boissenot

Commercialisation

Vente par souscription : oui
Vente directe au château : oui
Commande directe au château : oui
De préférence : M.A.B. Miailhe, 6, quai Louis-XVIII BP 35 32024 Bordeaux Cedex
Contrat monopole : oui

Château TAYAC

GRAND VIN
CHATEAU TAYAC
CRU BOURGEOIS
MARGAUX
Appellation Margaux Contrôlée
1983   A. FAVIN   75 cl
PROPRIÉTAIRE A SOUSSANS (MÉDOC)
PRODUCE OF FRANCE   12% Vol.
Reproduction interdite.   IMP. CHARRUSY (SÉRIAT) BORDEAUX

COTATIONS COMMENTÉES

Année	Note	Commentaire
1975	9,5	S'ouvre et tient ses promesses • A BOIRE
1976	6	Très (trop) souple • A TERMINER DE SUITE
1977	5	Robe légère • A TERMINER DE SUITE
1978	9	Équilibré, rond, plein • A BOIRE
1979	6	Dilué • A BOIRE
1980	5	Genre 1977 • A BOIRE
1981	6	Robe peu soutenue, vin incomplet • A BOIRE
1982	10	Rondeur, chaleur, ampleur longueur • A BOIRE
1983	9	Construit, bel équilibre • 7 ANS
1984	5,5	Léger, manque de moelleux • A BOIRE
1985	9	Dans l'esprit du 1983 • 7 ANS
1986	9	Très bien construit, proche de 1985 • 8 ANS
1987	5,5	Jolie robe, léger • 4 ANS

André Favin, actuel propriétaire du vaste vignoble de Tayac signale que de 1875 à 1891, le vin de cette propriété était vinifié à Margaux dans le « chai Mellet ». Or Pierre Mellet était le propriétaire de Dubignon-Talbot. Dubignon, le seul cru Classé qui a été victime du « mauvais œil », le seul qui a disparu et qui n'a pas eu la chance de Desmirail « réinventé » par Lucien Lurton. A la fin des années vingt, il produit encore huit tonneaux (presque 10 000 bouteilles). Pierre Mellet indiquait : « Ancien 3e cru Classé ». Ancien ? Tous les crus classés en 1855 ne sont-ils pas « anciennement classés » ? Pourquoi ce vin ne revendiquait-il pas son classement de troisième ? Un classement qui fait rêver tant de propriétaires...

Château Tayac en tant que marque naît vers 1900. Dès 1905, le vin de ce Château obtient quelques médailles. On dit que son vignoble faisait partie du Château Desmirail jusqu'en 1847. Dans les années vingt ou trente, Château Tayac appartient à Mme J. P. Laranza. La production n'était pas négligeable : plus de 35 000 bouteilles. Aujourd'hui le domaine qui a été agrandi est conduit avec dynamisme par son propriétaire qui dispose d'un vaste chai à barriques et de belles installations modernes de vinification.

TERROIR ET VIGNES

André Favin est le seigneur du hameau de Tayac qui est entouré par les vignobles de son château, à droite et à gauche de la route Bordeaux-Pauillac. Une carrière proche montre que les graves s'étendent sur quatre ou cinq mètres d'épaisseur. Elles sont fines du côté de la Gironde, argileuses à l'ouest. Le drainage est assuré par l'inclinaison et les fossés.

Les livraisons de fumier sont garanties par contrat. La plus grande partie du vignoble est plantée à 100 × 100 cm. Elle est vendangée à la main. Les raisins des rangs de 150 × 100 cm sont cueillis à la machine.

VINIFICATION ET VIN

Les remontages portent sur l'ensemble de la cuve une ou deux fois par jour. Un appareillage moderne permet de refroidir ou réchauffer. Le vin est élevé durant treize mois par rotation cuve-barrique. Il est collé en cuve.

Château Tayac est un Margaux mesuré qui a le grand avantage de se laisser boire sans se faire trop attendre. Coloré, discrètement boisé, aux arômes de fruits rouges, jeune, il évite le piège de l'astringence.

Age idéal : 6 ans. *Plat idéal : Cervelle à l'ancienne.*

CHÂTEAU TAYAC, Soussans, AOC Margaux

Date de création du vignoble : *1892*
Surface : *34 ha*
Nombre de bouteilles : *200 000*
Répartition du sol : *2 lots*
Géologie : *graves fines, graves argileuses*
Autre vin produit par le vignoble :
Château Tayac-Laranza

Culture

Engrais : *fumier*
Encépagement : *CS 65 %   CF 5 % M 30 %*
Age moyen : *18 ans*
Porte-greffe : *101-14*

Densité de plantation : *10 000 et 7 000 pieds/ha*
Rendement à l'hectare : *45 hl*
Traitement antibotrytis : *oui*
Vendange : *mécanique et manuelle*

Vinification

Levurage : *première cuve*
Remontage : *1-2 fois par jour*
Type des cuves : *ciment, inox, 150 hl*
Température de fermentation : *28°*
Mode de régulation : *générateur chaud-froid*
Temps de cuvaison : *21 jours*

Vin de presse : *première presse*
Age des barriques : *neuves à 6 ans*
Durée de l'élevage : *13 mois*
Collage : *albumine d'œuf*
Mise en bouteilles au château : *en totalité*
Type de bouteille : *lourde*
Maître de chai : *André Favin*
Œnologue conseil : *laboratoire de Pauillac*

Commercialisation

Vente par souscription : *oui*
Vente directe au château : *oui*
Commande directe au château : *oui*
Contrat monopole : *non*

Château LA TOUR-DE-MONS

Cette propriété aurait dû s'appeler La Tour de Colomb puisque la famille Colomb en fut la première propriétaire. Puis elle appartint aux Mons. Ce sont eux qui plantèrent et exploitèrent le vignoble. En 1755, le vignoble de la « Dame-de-Mons » s'étend sur 29 hectares et le vin se vend plus de 500 livres le tonneau. Abraham Lawton à la même période rapporte un prix un peu inférieur : 430 livres, ce qui le situe dans la catégorie des 3e crus Classés, devant Lynch-Bages (400), Branaire (394) et Pontet-Canet (365) qui furent classés 5e en 1855. La Tour-de-Mons ne le fut pas. Pourtant la famille de Mons y vinifiait toujours une forte quantité de vin (plus de 100 000 bouteilles). Les descendants des Mons, les Dubos, aujourd'hui les Clauzel, exploitent et développent Château La Tour-de-Mons. Bertrand Clauzel, tout comme Pierre Dubos, a exercé précédemment et simultanément ses talents dans son autre propriété à Château Cantemerle jusqu'à ce que la maison Cordier la reprenne en 1981.

COTATIONS COMMENTÉES

1975	9	S'ouvre tout doucement; tient ses promesses • A BOIRE
1976	–	Souple, dilué, décline • DEVRAIT ÊTRE BU
1977	4	Un 1977 normal • A BOIRE
1978	9	Équilibré, complet, tannins encore très présents • A COMMENCER
1979	7	Un 1978 léger • A BOIRE
1980	5	Robe légère et bon petit bouquet • A BOIRE
1981	8	Robe soutenue, charpenté, manque de gras (M gelés) • 8 ANS
1982	9	Rondeur, corpulence, générosité • 8-10 ANS
1983	10	Puissant, arômes violents, construit • 8-10 ANS
1984	6	Jolie robe, fruité vif; un bon 1984 • 5-6 ANS
1985	9,5	Tient du 1982 et du 1983; fruité avec ampleur • 8-10 ANS
1986	9,5	Plus puissant et moins souple que le 1985 • 10 ANS
1987	6	Fortes sélections, couleur et bouquet • 4 ANS

TERROIR ET VIGNES

La Tour-de-Mons s'étend au nord-ouest de Soussans. Le vignoble s'incline légèrement de 12 à 6 mètres en direction de la Gironde au nord-est.

Le sol de graves fortes et moyennes de deux à cinq mètres d'épaisseur est complanté de vignes en règes distantes de 120 centimètres (100 × 120). Le choix de porte-greffe à petit rendement contribue à la recherche de la qualité.

VINIFICATION ET VIN

Le cuvier de La Tour-de-Mons est l'un des rares où les cuves de bois soient toujours en usage. Sa capacité a été augmentée par des cuves d'acier revêtu. Les chapeaux sont arrosés par des diffuseurs. Cuvaisons longues et fortes températures donnent de la robe.

Le vin, non filtré sur terre, séjourne tout d'abord six mois dans de grands foudres puis passe douze mois en barriques. Il est collé directement en barriques par des blancs d'œufs frais. Dans le chai d'élevage isotherme, on peut admirer près d'une centaine de barriques neuves.

Château La Tour-de-Mons est un Margaux habillé d'une robe soutenue, même dans les petits millésimes. Il est riche en extrait, fruité et vif avec de l'étoffe.

Age idéal : 8-10 ans.   *Plat idéal : Gigot de sept heures.*

CHÂTEAU LA TOUR-DE-MONS, Soussans, AOC Margaux

Date de création du vignoble : *XVIe-XVIIe siècle*
Surface : *26 ha*
Nombre de bouteilles : *150 000*
Répartition du sol : *un seul tenant*
Géologie : *graves*
Autre vin produit par le vignoble : *aucun*

Culture

Engrais : *amendements organiques, fumier*
Encépagement : *CS 42 % CF 12 % M 42 % PV 4 %*
Age moyen : *25-30 ans*
Porte-greffe : *Riparia*

Densité de plantation : *8 000 pieds/ha*
Rendement à l'hectare : *40 hl*
Traitement antibotrytis : *oui*
Vendange : *manuelle*

Vinification

Levurage : *naturel*
Remontage : *4 au minimum*
Type des cuves : *bois, inox*
Température de fermentation : *30° à 34°*
Mode de régulation : *ruissellement, serpentin*
Temps de cuvaison : *15 à 21 jours*
Vin de presse : *première presse*
Filtration avant élevage : *non*

Age des barriques : *neuves et d'un vin*
Durée de l'élevage : *6 mois de foudres, 12 mois de barriques*
Collage : *blanc d'œuf frais*
Filtration : *à la mise*
Mise en bouteilles au château : *en totalité*
Type de bouteille : *lourde*
Maître de chai : *Guy Roux*
Œnologue conseil : *laboratoire de Pauillac*

Commercialisation

Vente par souscription : *non*
Vente directe au château : *oui*
Commande directe au château : *oui*
Contrat monopole : *non*

Saint-Julien
AOC Saint-Julien

La carte ci-dessous prouve que la commune de Saint-Julien se consacre exclusivement à la vigne (800 ha). Si l'on n'y dénombre ni Premier Cru classé, ni 5ᵉ Cru, c'est néanmoins dans cette commune que la proportion de vignes de crus Classés est la plus forte. A tel point qu'il ne reste guère de place pour les crus Bourgeois.

Si l'on excepte le littoral et le marais de Beychevelle (au sud) toute la commune est graveleuse (graves moyennes, de 57 cm profondeur moyenne) sur socle d'alios.

Le profil général de la commune comprend deux croupes, celle de Saint-Julien (22 mètres) et celle de Beychevelle (24 mètres).

Elles sont séparées par une vallée qui relie le Long à la Mouline longeant le Château Langoa au sud.

Quarante-quatre kilomètres séparent Saint-Julien-Beychevelle de Bordeaux.

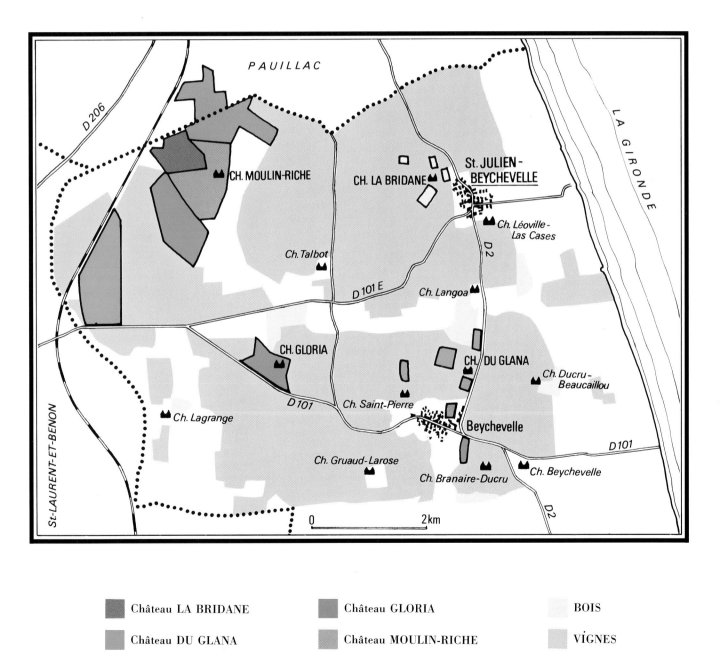

▨ Château LA BRIDANE	▨ Château GLORIA	▨ BOIS
▨ Château DU GLANA	▨ Château MOULIN-RICHE	▨ VIGNES

Château LA BRIDANE

L'histoire en est des plus simples. Il se serait transmis par filiation directe depuis le XIVe siècle. La tradition est vérifiée depuis le XVIIe. Cette filiation n'exclut pas les changements de noms. Se sont succédé à la tête du domaine les Blancan, les Méric, les Gondat et actuellement les Saintout. L'exploitation du vignoble se partage entre Saint-Julien et Saint-Laurent. A Saint-Julien le cuvier, à Saint-Laurent, c'est-à-dire au domaine de Cartujac, le chai à barriques et les bouteilles.

Un regroupement à Saint-Julien de l'ensemble du processus d'exploitation est prévu. Sans doute aurait-il été réalisé si Pierre Saintout, père de l'actuel propriétaire, Bruno Saintout, n'avait disparu accidentellement en 1984. Pierre Saintout s'était consacré au développement de sa marque alors que dans le même temps il était directeur à Château Clarke (voir pages 82 et 83).

TERROIR ET VIGNES

Le vignoble est divisé en deux secteurs situés en totalité dans la commune. Quatre parcelles jouxtent le village de Saint-Julien à l'ouest de la route Bordeaux-Pauillac. Elles occupent des terres plates de graves fines argileuses de 3 mètres de profondeur à l'altitude de 16 mètres.

Le dernier lot, très proche de la commune de Pauillac, s'incline en direction du nord, à 24-22 m d'altitude. Quelques pièces ont nécessité la pose de drains. La densité de plantation n'est pas très élevée, les porte-greffe de qualité contribuent à un rendement modéré.

La machine à vendanger, après trois années d'essais, a été adoptée.

VINIFICATION ET VIN

Le système de régulation thermique assure une bonne conduite des fermentations alcooliques et malolactiques. Chaque cuve est remontée chaque jour une fois et demi. Un diffuseur arrose le chapeau. La première presse est incorporée, la seconde parfois, la troisième jamais. Après trois ou quatre mois de cuve, le vin est élevé en barriques. La filtration sur terre (avant logement dans le bois) n'est effectuée que lorsque le vin est encore « sale ».

Les bouteilles du Château La Bridane et Château Moulin de La Bridane contiennent le même vin, lequel est fin, équilibré et donne l'impression d'un ensemble indissoluble, cohérent, plus intime qu'ample.

COTATIONS COMMENTÉES

1970	9,5	Grande bouteille. A son apogée depuis quelques années • A BOIRE
1975	9,5	S'ouvre lentement, remarquablement tannique • A BOIRE
1976	8	Un 1975 moins tannique et plus rond • A BOIRE
1977	–	Vignoble gelé, presque pas de vin
1978	7,5	Rondeur et équilibre, bonne évolution • A BOIRE
1979	8	Un 1978 plus dur et plus tannique • A BOIRE
1980	–	Faible potentiel de garde • A BOIRE
1981	6	Manque un peu de concentration • 8 ANS
1982	10	Le corps et la garde du 1970 et 1975 • 10 ANS
1983	9	Harmonie parce que complet • 8-10 ANS
1984	5	Vin de Cabernet, des raisins qui ont manqué de soleil • 6 ANS
1985	9	De la matière, de la robe • 9 ANS
1986	10	Des tannins souples. Un vin complet, de garde • 10-12 ANS
1987	6	Dans l'esprit de 1981 • 3 ANS

Age idéal : 6-8 ans. Plat idéal : Bécasse à la ficelle.

CHÂTEAU LA BRIDANE, Saint-Julien, AOC Saint-Julien

Date de création du vignoble : 1690
Surface : 18 ha dont 16 ha AOC Saint-Julien
Répartition du sol : 5 lots
Géologie : graves argilo-siliceuses
Autre vin produit par le vignoble :
  Château Moulin de La Bridane

Culture

Engrais : chimico-organique
Encépagement : C 60 % M 38 % PV 2 %
Age moyen : 20 ans
Porte-greffe : Riparia Gloire, 101-14
Densité de plantation : 6 600 pieds/ha
Rendement à l'hectare : 38 hl

Traitement antibotrytis : parfois
Vendange : mécanique

Vinification

Levurage : première cuve
Remontage : quotidien
Type des cuves : ciment époxy
Température de fermentation : 27°-29°
Mode de régularisation : chaud et froid par thermo-frigo pompe
Temps de cuvaison : 21 jours
Vin de presse : première presse
Filtration avant élevage : parfois
Age des barriques : 2 à 4 ans

Collage : blanc d'œuf
Filtration : à la mise
Mise en bouteilles au château : oui
Type de bouteille : lourde
Maître de chai : Bruno Saintout
Œnologue-conseil : Bernard Coasnon

Commercialisation

Vente par souscription : oui
Vente directe au château : oui
Commande directe au château : oui
  s'adresser à M. Bruno Saintout,
  Domaine de Cartujac, 33112 St-Laurent-Médoc
Contrat monopole : non

Château Du GLANA

COTATIONS COMMENTÉES

Année	Note	Commentaire
1970	9	S'est ouvert, complet • A BOIRE
1975	9	Excellent, complet, ouvert • A BOIRE
1976	–	La pluie a dilué le vin • DEVRAIT ÊTRE BU
1977	–	Un petit millésime • DEVRAIT ÊTRE BU
1978	8	Équilibré, réussi • A BOIRE
1979	6	1978 souple, moins concentré • A BOIRE
1980	4	Vin léger • A BOIRE
1981	6,5	Fruité, délicat • A BOIRE
1982	8	Généreux, souple, acidité faible • A BOIRE
1983	7	Un 1981 plus complet • 6 ANS
1984	5	Léger et souple • A BOIRE
1985	9	Complet, équilibré • 5 ANS
1986	9,5	Un 1985 plus tannique, plus puissant, plus long • 6 ANS
1987	5	Robe réussie, du fruité • 3 ANS

Age idéal : 6 ans.

Plat idéal : Tournedos Rachel (moelle, sauce Bordelaise).

Château du Glana a été acquis par Gabriel Meffre en 1961, une époque où seuls les audacieux investissaient dans le vignoble.

Gabriel Meffre réside dans le Vaucluse, à Aubignan, où il exerce la profession de pépiniériste. Un pépiniériste qui greffe des vignes. Viticulteur « non-résident », Gabriel Meffre n'a pas acheté le château qui orne ses étiquettes et l'on ne trouve pas à Glana (45 ha) ce petit village qui ne manque pas de s'édifier dans toutes les exploitations médocaines d'une certaine importance. Le château est habité par l'ancien propriétaire, M. Kaelin. D'origine suisse, André Kaelin, à l'époque de la crise du début des années trente, produisait l'équivalent de 15 000 bouteilles. En 1932, le cru fut admis dans la catégorie des Bourgeois Supérieurs. La famille Kaelin avait acquis Glana au début du siècle.

Le château, quant à lui, fut édifié en 1877 par M. Cayx. Le vignoble s'est constitué autour de parcelles ayant appartenu au Château Saint-Pierre, mais la superficie en demeurait modeste. Son dernier acquéreur l'a étoffé largement, en particulier de terres appartenant au Château Lagrange. En 1966, le Château du Glana reçut le titre de cru Bourgeois Exceptionnel. Il n'existe pas de deuxième vin du Glana mais Gabriel Meffre est également propriétaire d'un vignoble contigu à l'est de la principale parcelle du Glana, au lieudit les Sirènes. Le vin qui en est issu porte l'étiquette Marquis de Lalande (AOC Saint-Julien).

TERROIR ET VIGNES

Les vignes des quatre lots proches du château complantent des terrains plats ou légèrement inclinés au nord, à l'altitude de 15 mètres, alors que la parcelle principale, pratiquement horizontale, borde la voie de chemin de fer à 22-23 mètres d'altitude.

Le sol sablo-graveleux accueille des vignes de densité relativement faible (6 000 pieds/ha) greffées sur le vigoureux SO 4. La mécanisation de la culture et des vendanges est poussée.

VINIFICATION ET VIN

Le vin est vinifié dans l'esprit du cuvier moderne. Les températures sont fortement contrôlées et régulées, le vin passe sur terre avant élevage dans des barriques d'âges divers.

Château du Glana, en dépit d'une forte proportion de Cabernet-Sauvignon (et beaucoup de Merlot car il n'y a pas de Cabernet franc), est un vin souple, direct, fruité que l'on peut boire assez rapidement. Sa plus belle illustration porte le millésime 1985.

CHÂTEAU DU GLANA, Saint-Julien, AOC Saint-Julien

Date de création du vignoble : *XIXᵉ siècle et 1961*
Surface : *45 ha*
Répartition du sol : *5 lots*
Géologie : *croupes graveleuses*
Autre vin produit par le vignoble : *non*

Culture

Engrais : *organique*
Encépagement : *CS 70 % M 30 %*
Age moyen : *25 ans*
Porte-greffe : *SO 4*
Densité de plantation : *6 000 pieds/ha*
Rendement à l'hectare : *40 hl*

Traitement antibotrytis : *non*
Vendange : *mécanique*

Vinification

Levurage : *naturel*
Remontage : *biquotidien*
Type des cuves : *métalliques et ciment*
Température de fermentation : *28°*
Mode de régulation : *réfrigérateur*
Temps de cuvaison : *3 semaines*
Filtration avant élevage : *sur terre*
Age des barriques : *10 ans*
Durée de l'élevage : *2 ans*
Collage : *oui*

Filtration : *oui*
Mise en bouteilles au château : *oui*
Type de bouteille : *lourde*
Maître de chai : *Marcel Fournier*
Œnologue-conseil : *Jacques Boissenot*

Commercialisation

Vente par souscription : *non*
Vente directe au château : *non*
Commande directe au château : *non*
Contrat monopole : *oui*
SDVF
ZI de la Mouline
33560 Carbon-Blanc Bordeaux

Château GLORIA

COTATIONS COMMENTÉES

1970	?	*Attendre encore* • 20 ANS ?
1971	7,5	*Excellent, bonne tenue* • A BOIRE
1973	–	*Déclin depuis 1983-1984* • DEVRAIT ÊTRE BU
1975	?	*Toujours fermé* • 15-18 ANS ?
1976	7	*Mûr, gouleyant, charmeur* • A BOIRE
1977	4	*Robe, texture faibles* • A BOIRE
1978	7,5	*Surestimé? tannins fondus, ampleur moyenne* • A BOIRE
1979	8	*Rubis foncé, charpenté, franc, profond, de garde* • 10-12 ANS
1980	5	*Léger, facile, délicat* • A BOIRE
1981	7	*Belle robe, fortement fruité. Évoluera plus vite que les 4 millésimes suivants* • 8 ANS
1982	10	*Charnu, soyeux, chaud, rond* • 10 ANS
1983	9	*Tannique, très présent, belle longueur* • 15-20 ANS
1984	6	*Cabernets suffisamment mûrs. S'approche du 1981* • 8 ANS
1985	9,5	*Forte couleur, saveurs complexes, Merlots parfaits* • 15-20 ANS
1986	10	*Riche, puissant, corsé — CS excellents* • 20 ANS
1987	6	*Gouleyant avec du charme* • 8 ANS

L'aventure de Gloria est exemplaire. La création d'un vignoble de qualité dans la commune où la majorité des terres appartiennent à des crus Classés n'est guère aisée.

Henri Martin y est néanmoins parvenu. La liste de ses conquêtes en terre classée est impressionnante. Il a « rogné » les vignobles de Saint-Pierre-Sevaistre, Gruaud-Larose, Ducru-Beaucaillou, Léoville-Barton, Léoville-Poyferré, Duhart-Milon. Au total, et dans un délai record, 48 hectares de parcelles classées et situées dans l'excellente commune de Saint-Julien. La personnalité d'Henri Martin rend compte de cet exploit. Ce n'est pas le hasard qui l'a fait administrateur du Château Latour (en Médoc, on ne peut guère viser plus haut), président du Conseil Interprofessionnel du Vin de Bordeaux, fondateur de la Commanderie du Bontemps de Médoc, maire de Saint-Julien, etc.

Il a surmonté tous les obstacles sauf un, celui du classement : Gloria n'est pas un cru Classé. Mais il a fait une acquisition compensatrice : un cru Classé, le Château Saint-Pierre.

TERROIR ET VIGNES

Dans l'ensemble, les parcelles sont inclinées en direction de la Gironde, à des altitudes variant entre 24 et 16 mètres. Elles sont graveleuses. Des graves günziennes de un à trois mètres d'épaisseur sur socle sableux ou sablo-graveleux (argile : 4 %, limon : 11 %, sable : 15 %, gravier et cailloux : 70 %, analyse d'une belle parcelle).

A noter l'excellente densité de plantation, la qualité des porte-greffe à petit rendement et l'âge moyen respectable du vignoble.

VINIFICATION ET VIN

Lorsqu'on a surveillé les vinifications de Château Latour, on sait tirer le meilleur parti du raisin. La lecture de la fiche technique ci-dessous évoque une vinification classique. Ce qui n'apparaît pas dans cette fiche concerne les sélections qui font le grand vin, l'élimination des moûts de vignes de moins de 8-10 ans, la vinification séparée par cépages bien entendu, mais également par parcelles, et la rigueur des assemblages réalisés au mois de février. L'élevage se fait en foudres et en barriques.

Château Gloria dont la robe richement colorée annonce un vin rond, puissant et riche, mérite plusieurs années de garde. Néanmoins sa constitution complète autorise une approche plus rapide qu'il paraît au premier abord.

Age idéal : 12 ans. *Plat idéal : Soufflé au fromage.*

CHÂTEAU GLORIA, Saint-Julien, AOC Saint-Julien

Date de création du vignoble : *1942*
Surface : *48 ha*
Nombre de bouteilles : *300 000*
Répartition du sol : *5 lots*
Géologie : *graves*
Autre vin produit par le vignoble : *Château Peymartin*

Culture

Engrais : *organique*
Encépagement : *CS 65 % CF 5 % M 25 % PV 5 %*
Age moyen : *30 ans*
Porte–greffe : *101-14, 3309*
Densité de plantation : *10 000 pieds/ha*

Rendement à l'hectare : *45 hl*
Traitement antibotrytis : *oui*
Vendange : *manuelle*

Vinification

Levurage : *naturel*
Remontage : *quotidien*
Type des cuves : *inox, ciment, bois — 110 à 300 hl*
Température de fermentation : *28°-29°*
Mode de régularisation : *ruissellement*
Temps de cuvaison : *2-3 semaines*
Vin de presse : *4 % maximum*
Filtration avant élevage : *non*
Age des barriques : *20 à 30 % renouvelées*

annuellement
Durée de l'élevage : *20-24 mois*
Collage : *blanc d'œuf frais*
Filtration : *à la mise*
Mise en bouteilles au château : *en totalité*
Type de bouteille : *lourde*
Maître de chai : *Jean-Marie Galey-Berdier*
Œnologue-conseil : *laboratoire de Pauillac*

Commercialisation

Vente par souscription : *oui*
Vente directe au château : *oui*
Commande directe au château : *oui*
Contrat monopole : *non*

Château MOULIN-RICHE

GRAND VIN DE BORDEAUX

1983

CHATEAU

MOULIN RICHE

SAINT-JULIEN

APPELLATION SAINT-JULIEN CONTRÔLÉE

CRU BOURGEOIS

Sté Cté des Domaines de St Julien
Propriétaire à St Julien (Gironde)

MIS EN BOUTEILLES AU CHATEAU

PRODUCE OF FRANCE   75 cl

COTATIONS COMMENTÉES

1975	9	Construit, charnu, tannique • A BOIRE
1976	6	Facile • DEVRAIT ÊTRE BU
1977	4	Mince • DEVRAIT ÊTRE BU
1978	8	Bon équilibre, complet • A BOIRE
1979	7	Un 1978 plus nerveux • A BOIRE
1980	5	Léger léger • A BOIRE
1981	6	Un peu léger • A BOIRE
1982	10	Dans l'esprit des 1945 et 1947 • A BOIRE, A GARDER
1983	8	Bien construit, tannique • 7 ANS
1984	5,5	Un 1980 amélioré • A BOIRE
1985	9,5	Robe superbe, très parfumé, de la mâche • 7 ANS
1986	9	Charpenté, tannins solides, évolution lente • 10 ANS
1987	6	L'élégance des 1973 • 4-5 ANS

L'histoire de ce cru est courte. Il fut créé par Armand Lalande à la fin du XIXe siècle. Les Lalande furent de grands négociants alliés aux Lawton et, entre autres, propriétaires de Léoville-Poyferré.

D'où l'intime alliance de Moulin-Riche et du cru Classé Léoville-Poyferré, alliance réalisée par Armand Lalande et poursuivie par les Cuvelier qui se rendirent acquéreurs des deux « marques » en 1921. Les Cuvelier, négociants en vin dans le Nord, avaient déjà pris pied dans le Médoc dès 1903 lorsqu'ils achetèrent le Château Le Crock à Saint-Estèphe (voir p. 54).

Moulin-Riche appartient à cette catégorie de crus Bourgeois qui s'apparentent très fortement au deuxième vin d'un cru Classé. Le vignoble néanmoins existe bel et bien ainsi qu'on peut le constater à l'examen de la carte des propriétés de Saint-Julien, mais il y a un phénomène d'influences réciproques avec Léoville-Poyferré.

TERROIR ET VIGNES

Le lieu-dit Moulin-Riche borde la séparation toute administrative des communes de Pauillac et de Saint-Julien. Il s'incline très modérément en direction du sud, entre 24 et 20 mètres d'altitude. Le vignoble d'un seul tenant occupe un sol de graves profondes sur socle d'alios naturellement drainé.

L'encépagement ne se distingue guère de celui de Léoville-Poyferré mais l'âge moyen du vignoble est évidemment moins élevé, les vieilles vignes étant, comme il se doit, réservées au cru Classé.

VINIFICATION ET VIN

Moulin-Riche est vinifié dans le chai de Léoville-Poyferré avec un renouvellement des barriques par tiers annuel, selon la méthode traditionnelle qu'on trouvera décrite dans l'*Encyclopédie des Crus Classés du Bordelais* — éditions Julliard.

Moulin-Riche, en tant que deuxième vin de Léoville-Poyferré, lui ressemble en plus petit. Il est plus souple et d'un fruité facile. Il se bonifie plus rapidement. Les sélections conduisent Didier Cuvelier à personnaliser de plus en plus Moulin-Riche. Aussi la naissance d'un troisième vin est-elle proche. Il sera en quelque sorte le deuxième vin de Moulin-Riche. Ces sélections de plus en plus méthodiques ne peuvent se traduire que par un gain qualitatif.

Age idéal : 6 ans.   *Plat idéal : Châteaubriant.*

CHÂTEAU MOULIN-RICHE, Saint-Julien, AOC Saint-Julien

Date de création du vignoble : *XIXe s.*
Surface : *20 ha*
Nombre de bouteilles : *120-150 000*
Répartition du sol : *un seul tenant*
Géologie : *graves moyennes*
Autre vin produit par le vignoble : *aucun*

Culture

Engrais : *d'entretien*
Encépagement : *CS 65 % CF 5 % M 30 %*
Age moyen : *10 ans*
Porte-greffe : *3309, 101-14, 420 A*
Densité de plantation : *8 500 pieds/ha*
Rendement à l'hectare : *50 hl*

Traitement antibotrytis : *oui*
Vendange : *manuelle*

Vinification

Levurage : *pied de cuve*
Remontage : *quotidien*
Type des cuves : *acier émaillé*
Température de fermentation : *28°-30°*
Mode de régulation : *ruissellement*
Temps de cuvaison : *21 jours*
Vin de presse : *15-20 %*
Filtration avant élevage : *parfois*
Age des barriques : *2-3 ans*
Durée de l'élevage : *19 mois*
Collage : *blanc d'œuf*

Filtration : *sur plaques à la mise*
Mise en bouteilles au château : *en totalité*
Type de bouteilles : *lourde*
Maître de chai : *Garrigou*
Œnologue-conseil : *Jacques Boissenot*

Commercialisation

Vente par souscription : *oui*
Vente directe au château : *oui*
Commande directe au château : *oui*
Contrat monopole : *oui*
Cuvelier fils : 72-76, rue Reignier, 33100 Bordeaux, et
Cuvelier-Fauvargue : 59320 Haubourdin

Pauillac
AOC Pauillac

Pauillac est la commune (et l'Appellation) la plus connue du Médoc, avec ses 18 crus Classés et surtout, privilège unique, ses trois Premiers Crus. 150 vignerons se partagent 1 000 hectares de vignoble et signent entre quatre et cinq millions de bouteilles chaque année.

Pauillac se distingue des autres communes par la plus forte densité de croupes de tout le Médoc. Ce relief donne naissance à des jalles, ruisseaux, vallées, marais qui drainent parfaitement un sol graveleux plus ou moins sablonneux sur socle d'alios (jalle du Breuil, ruisseau de Juillac, l'Estey Gombaud, la vallée du Gachet, les marais de Pibran et du Breuil).

D'une façon générale, la commune s'incline en direction de la Gironde, c'est-à-dire à l'est et légèrement au nord. L'altitude des vignobles varie entre 29 et 4 mètres.

Cinquante kilomètres séparent Pauillac de Bordeaux.

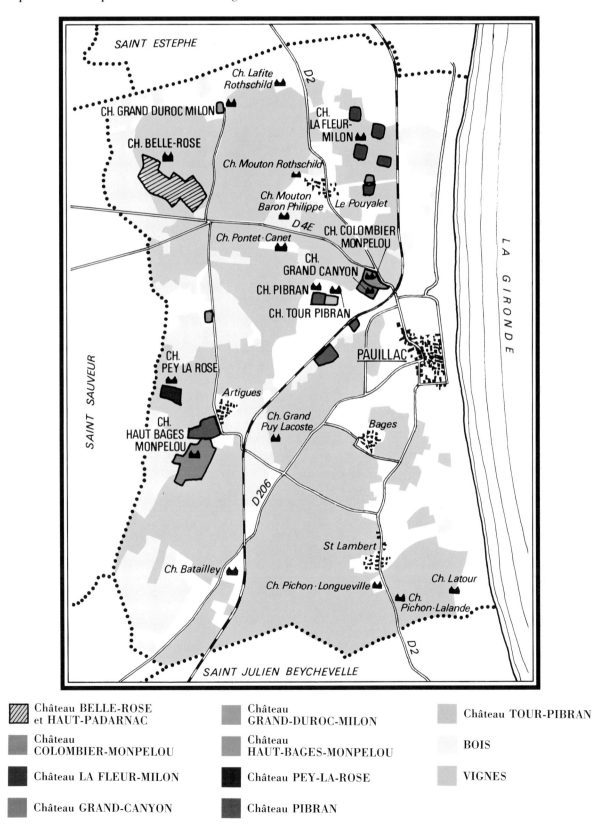

Château BELLE-ROSE et HAUT-PADARNAC	Château GRAND-DUROC-MILON	Château TOUR-PIBRAN
Château COLOMBIER-MONPELOU	Château HAUT-BAGES-MONPELOU	BOIS
Château LA FLEUR-MILON	Château PEY-LA-ROSE	VIGNES
Château GRAND-CANYON	Château PIBRAN	

Château BELLE-ROSE
et Château HAUT-PADARNAC

COTATIONS COMMENTÉES

Année	Note	Commentaire
1975	9,5	*Concentré* • *A BOIRE*
1976	7	*Souple et gras* • *A TERMINER*
1977	4	*Maigre* • *DEVRAIT ÊTRE BU*
1978	8	*Harmonieux, équilibré* • *A BOIRE*
1979	6	*Un peu dilué* • *A TERMINER*
1980	5	*Léger* • *A TERMINER*
1981	8	*Tannique, belle robe* • *8 ANS*
1982	10	*Réussi comme il se doit, rond, plein, tannique* • *6 ANS*
1983	8,5	*Typé, charpenté, tannique, corpulent* • *A BOIRE*
1984	6	*Un Cabernet souple et élégant* • *A COMMENCER*
1985	9,5	*Très tannique, dur, lent à se faire* • *15 ANS*
1986	9	*Gras, puissant, des tannins, de la longueur* • *10 ANS*
1987	6	*Léger avec rondeur* • *5-6 ANS*

Belle-Rose n'apparaît qu'avec le siècle. Cette désignation florale évoque sans doute l'habitude bien médocaine de la culture des roses dans le vignoble et plus particulièrement celle des rosiers que l'on plantait en bout de règes pour que les chevaux tournent « large ». La mention Belle-Rose suivait le terme Padarnac lequel fait allusion tout à la fois au Château Padarnac et au nom de lieu Padarnac. De fait, encore aujourd'hui le vignoble de Belle–Rose voisine avec Padarnac.

Belle-Rose appartint à MM. Dupin et Fourcade dans l'entre-deux-guerres. En 1960, le père de l'actuel propriétaire Bernard Jugla rachète marque et vignoble. Un achat naturel puisqu'il avait repris dix années auparavant Château Pédesclaux dont une partie du vignoble occupe la même croupe. De là à penser que les vins sont très proches, il n'y a qu'un pas. La même remarque est applicable à un autre vin « Jugla », le Château Haut-Padarnac — deux hectares et demi, 10-15 000 bouteilles — dont le vignoble est contigu à celui de Belle-Rose, tous deux se fondant dans celui de l'excellent 5e Cru classé Pédesclaux.

TERROIR ET VIGNES

Les deux vignobles de Belle-Rose et Haut-Padarnac occupent une belle situation au-delà de Padarnac, c'est-à-dire au nord de ce minuscule hameau, juste avant une légère dépression. Leurs graves argilo-calcaires ne nécessitent pas de drainage.

VINIFICATION ET VIN

La vinification, réglée par Jean Jugla, frère de Bernard, suit un cheminement classique : cuvaison de trois semaines, température modulée par une pompe à chaleur, etc.

Le vin de Belle-Rose ressemble beaucoup à celui de Pédesclaux : robustesse, presque rusticité, longue garde pour atteindre son apogée.

Il est vendu en Belgique et en Suisse, tandis que celui de Haut-Padarnac est commercialisé par le négoce libournais à destination de la clientèle particulière.

Age idéal : 7-8 ans.   *Plat idéal : Gigot.*

CHÂTEAU BELLE-ROSE, CHÂTEAU HAUT-PADARNAC, Pauillac, AOC Pauillac

Date de création du vignoble : *XXe s.*
Surface : *6 ha*
Nombre de bouteilles : *25 000*
Répartition du sol : *un seul tenant*
Géologie : *graves argilo-calcaires*
Autre vin produit par le vignoble : *aucun*

Culture

Engrais : *compost*
Encépagement : *CS 70 % CF 7 % M 20 % PV 3 %*
Age moyen : *30 ans*
Porte-greffe : *420 A, 44-53*
Densité de plantation : *8 000 pieds/ha*

Rendement à l'hectare : *30 hl*
Traitement antibotrytis : *oui*
Vendange : *mécanique*

Vinification

Levurage : *pied de cuve*
Remontage : *biquotidien*
Type des cuves : *acier revêtu — 100 hl*
Température de fermentation : *30°*
Mode de régulation : *pompe à chaleur*
Temps de cuvaison : *20-22 jours*
Vin de presse : *première presse*
Filtration avant élevage : *sur terre*
Age des barriques : *75 % renouvelées annuellement*

Durée de l'élevage : *20 mois*
Collage : *blanc d'œuf*
Filtration : *légère à la mise*
Mise en bouteilles au château : *en totalité*
Type de bouteille : *lourde*
Maître de chai : *Bernard et Denis Jugla*
Œnologue-conseil : *laboratoire de Pauillac*

Commercialisation

Vente par souscription : *non*
Vente directe au château : *non*
Commande directe au château : *non*
Contrat monopole : *oui*
Belgique : Sauvex à Bruxelles
Suisse : G. Laus à Genève

Château COLOMBIER-MONPELOU
et Château GRAND-CANYON

COTATIONS COMMENTÉES

1975	9	Commence à s'ouvrir • A BOIRE
1976	6,5	Souple, évolution rapide • A TERMINER
1977	4	Encore aride • A BOIRE
1978	8	Un 1975 plus fondu et moins concentré, bel équilibre • A GOUTER
1979	7	Beaucoup de vin dont beaucoup de Merlot, évolue • A BOIRE
1980	5	Vin de Cabernet • NE PAS SE PRESSER
1981	8	Construit, sévère, concentré • 10 ANS
1982	10	Tannins abondants et mûrs, souplesse, acidité basse (3,1) • A BOIRE LONGTEMPS
1983	7	Un 1981 banalisé par une forte récolte • 7 ANS
1984	6	Robe légère, vin flatteur • 5 ANS
1985	9	Genre 1970 en plus nerveux (acidité 3,4 – 3,5) • 12 ANS ?
1986	9,5	Tannique, puissant, long style 1982 • 15 ANS
1987	6	Fin avec soutien tannique • 6 ANS

D'Armailhacq, dans son ouvrage consacré aux vignobles, attribue à Colombier-Monpelou le cinquième rang. Il appartint aux Laurent et aux Desse. C'est ainsi qu'il devint Colombier-Monpelou-Laurent-Desse avant de se transformer en Colombier-Monpelou-Maurice Adde. Maurice Adde tenait cette propriété de son père Ernest qui l'avait acquise à la fin du XIXᵉ siècle. En 1934, Roger Seurin rachète le vignoble sans le château, ni le chai, ni le colombier. Est-ce par compensation qu'il étiquette le vin Château du Colombier-Monpelou ? Ses bâtiments situés au cœur de la ville de Pauillac seront repris par Philippe de Rothschild et transformés en bureaux destinés à son entreprise de négoce (La Baronnie) alors qu'en 1970 Bernard Jugla acquiert marque et vignoble. Il élève un cuvier dernier cri et creuse un chai volumineux bien isolé thermiquement. Dans le même mouvement il rachète un vignoble tout proche, au lieu-dit Grand-Canyon. C'est ainsi que naît ce château au nom curieusement américain (6 ha, 30 000 bouteilles, 80 CS, 5 CF, 15 M).

TERROIR ET VIGNES

On découvre à l'ouest le vignoble de Colombier-Monpelou en quittant Pauillac par la route de Saint-Estèphe, à la sortie de la ville lorsque la route monte. Il s'incline assez fortement en direction du nord vers le chenal de Gaer. Un sol de graves argilo-calcaires moyennes du quaternaire drainé naturellement par la pente accueille l'ancien et excellent porte-greffe Riparia. Depuis cinq ans traitement antibotrytis et vendanges mécaniques ont été adoptés par Bernard Jugla.

VINIFICATION ET VIN

Vinification archiclassique : température de fermentation élevée, remontages très efficaces, jusqu'à trois fois la totalité de la cuve dans la même journée avec arrosage du chapeau par tourniquet. Il peut arriver que le vin de presse ne soit incorporé qu'au bout d'un an. A noter un élevage de luxe qui fait appel à une forte proportion de barriques neuves. Dans ces conditions on ne s'étonnera pas que le vin de Colombier-Monpelou puisse figurer parmi les modèles de Pauillac cru Bourgeois. Net, précis, franc, masculin, de longue garde. Ces caractères se retrouvent mot pour mot dans le Château Grand-Canyon, ce qui n'a rien de surprenant : terroir, encépagement très proches et deux vinifications signées Jugla.

Age idéal : 8-10 ans.   Plat idéal : Gigot de mouton.

CH. COLOMBIER-MONPELOU et GRAND-CANYON, Pauillac, AOC Pauillac

Date de création du vignoble : XIXᵉ s.
Surface : 15 ha
Nombre de bouteilles : 80000
Répartition du sol : un seul tenant
Géologie : graves argilo-calcaires
Autre vin produit par le vignoble :
Château Grand-Canyon

Culture

Engrais : compost
Encépagement : CS 70 % CF 5 % M 20 %
PV 5 % – CS 80 % CF 5 % M 15 %
Age moyen : 35 ans
Porte-greffe : Riparia
Densité de plantation : 8000 pieds/ha

Rendement à l'hectare : 33 hl
Traitement antibotrytis : oui
Vendange : mécanique depuis 1983

Vinification

Levurage : première cuve
Remontage : 2 ou 3 par jour
Type des cuves : inox – 125 hl
Température de fermentation : 32°
Mode de régulation : pompe à chaleur
Temps de cuvaison : 20-23 jours
Vin de presse : première presse
Filtration avant élevage : sur terre
Age des barriques : renouvellement par moitié annuellement

Durée de l'élevage : 18 à 24 mois
Collage : poudre d'œuf
Filtration : à la mise
Mise en bouteilles au château : en totalité
Type de bouteille : lourde
Maîtres de chai : Bernard et Denis Jugla
Œnologue-conseil : laboratoire de Pauillac

Commercialisation

Vente par souscription : non
Vente directe au château : non
Commande directe au château : non
Contrat monopole : oui
Exclusivité du Savour Club
pour la France et la Belgique

Château LA FLEUR-MILON

COTATIONS COMMENTÉES

Année	Note	Commentaire
1970	9	Ouvert • A BOIRE
1975	9	Vin complet au début de sa vie • A BOIRE
1976	5	Moyen • A TERMINER
1977	4	Petit millésime • A TERMINER
1978	6	Pas un bon 1978 • A BOIRE
1979	6	Genre 1978 • A BOIRE
1980	4	Léger • A BOIRE
1981	7	Bien construit, tannique • LE GOUTER
1982	10	Grand millésime, très tannique • 10 ANS
1983	8	Fruité, rond, belle charpente, tannins mûrs • 8 ANS
1984	4,5	Robe claire, fruité • A COMMENCER
1985	7,5	Bien, pourrait être plus concentré, équilibré • 6 ANS
1986	8	Un 1985 plus tannique, très coloré à la recherche de son équilibre • 8-10 ANS
1987	5	Léger en couleur, équilibré • 3-4 ANS

Age idéal : 8-10 ans.

Plat idéal : Viande rouge.

La qualité exceptionnelle de ce vignoble fut reconnue dès la fin du siècle dernier. Sous le règne de son ancien propriétaire, Auguste Tourteau, La Fleur-Milon obtint en effet une médaille d'or de la Société d'Agriculture de la Gironde. Malgré tout la production demeura longtemps confidentielle avec à peine plus de 10 000 bouteilles (ou leur équivalent).

Lors de la dernière guerre le cru (et quelques autres dont Château Pédesclaux — cru Classé —) appartient à Robert Peyronie « propriétaire à Pauillac ».

En 1955, André Gimenez se porte acquéreur de la marque, du chai sis à Mousset et d'un peu de vigne fort bien située du côté de Milon. André Gimenez mène de front deux activités : diriger une entreprise de maçonnerie et promouvoir la Fleur-Milon. Au cours des ans, il construit le nouveau chai et achète, rège par rège ou presque, des pièces de vignes éparses mais toujours en des lieux convoités sur la croupe qui s'étend de Padarnac à Mousset, non loin de Mouton, Lafite et Pontet-Canet. Il décède fin 1985 et on se demande si Château La Fleur-Milon résistera à l'appétit de ses puissants voisins.

TERROIR ET VIGNES

Le vignoble littéralement atomisé est situé à l'est de la route Pauillac-Saint-Estèphe. Dès la sortie de Pauillac en direction du nord, après avoir traversé la voie de chemin de fer et le chenal, la route monte à l'assaut du superbe plateau de graves günziennes qui accueillent Mouton et Lafite... et les parcelles de la Fleur-Milon.

Bonne densité de plantation, âge respectable du vignoble et forte proportion de Cabernet ainsi que le veut le génie du terroir.

VINIFICATION ET VIN

Château La Fleur-Milon est vinifié traditionnellement et produit d'excellents vins.

Malheureusement l'élevage les transforme sans les améliorer : 400 barriques alignées et soutirées près de quinze fois en deux ans, bien entretenues, toutes grattées extérieurement, mais trop vieilles. Elles ne jouent qu'un rôle oxydant avec risque de mauvais goût.

Potentiellement, le vin de Château La Fleur-Milon est truffé de qualités : charpente, fruité, rondeur, équilibre.

Le vin de cette propriété porte parfois l'étiquette Chante-clerc-Milon. Ce n'est pas un « deuxième vin » mais une deuxième marque.

CHÂTEAU LA FLEUR-MILON, Pauillac, AOC Pauillac

Date de création du vignoble : XXᵉ siècle
Surface : 13 ha
Nombre de bouteilles : 45 000
Répartition du sol : nombreux lots
Géologie : graves
Autre vin produit par le vignoble : voir texte

Culture

Encépagement : CS 70 % M 30 %
Age moyen : 30 ans
Porte-greffe : SO4, etc.
Densité de plantation : 9000-10 000 pieds/ha

Rendement à l'hectare : 45 hl
Traitement antibotrytis : non
Vendange : manuelle

Vinification

Levurage : non
Remontage : quotidien (5 ou 6)
Type des cuves : ciment — 150 hl
Température de fermentation : 28°-30°
Mode de régulation : pompe à chaleur
Temps de cuvaison : 3 semaines
Vin de presse : première presse
Filtration avant élevage : non

Age des barriques : 10-15 ans
Durée de l'élevage : 2 ans
Collage : blanc d'œuf frais
Filtration : non
Mise en bouteilles au château : en partie
Type de bouteille : standard
Œnologue-conseil : laboratoire de Pauillac

Commercialisation

Vente par souscription : non
Vente directe au château : oui
Commande directe au château : oui
Contrat monopole : non

Château GRAND-DUROC-MILON

Ce cru est ancien, même si son nom *in extenso* n'apparaît qu'au XXᵉ siècle. Sur le plateau de Milon, de nombreux vignobles petits et morcelés portent des noms très proches les uns des autres : Lesparre-Duroc à MM. Maney et Jugla, Cru du Grand-Milon (Auguste Ardiley), Château Duroc-Milon (Louis Mondon). C'est Jean Jugla, le grand-père de Bernard Jugla l'actuel propriétaire qui est à l'origine de Grand-Duroc-Milon. Petite propriété, néanmoins morcelée en trois lots, sise au nord de la commune.

TERROIR ET VIGNES

La parcelle qui donne son nom au vignoble jouxte Lafite-Rothschild. Elle est orientée en direction de la jalle du Breuil (nord, nord-ouest) à une vingtaine de mètres d'altitude ; la deuxième parcelle, tout aussi bien située marque le point culminant (ou presque) du Poulayet, à plus de 15 mètres d'altitude et orientée à l'est, en direction de la Gironde. Le troisième lot est un peu isolé à mi-distance d'Artigues et des Carruades, à 25 mètres d'altitude, tout à côté d'une carrière qui démontre que son sol est fortement et profondément graveleux. Inutile de préciser qu'à Milon et au Poulayet le sol est également graveleux.

L'encépagement, comme il se doit dans la commune de Pauillac, privilégie largement le Cabernet-Sauvignon.

VINIFICATION ET VIN

Grand-Duroc-Milon est vinifié selon la méthode appliquée notamment à Pédesclaux et Colombier-Monpelou ; ce qui veut dire que les extractions sont poussées par des remontages fréquents et des cuvaisons longues.

Une production aussi faible ne saurait être très connue, d'autant plus que 75 % du vin prend le chemin de l'exportation. Il se veut dans l'esprit de ses grands voisins, Lafite et Mouton... On ne peut choisir de meilleur modèle.

COTATIONS COMMENTÉES

1975	9	*On peut le commencer... enfin!* ● A BOIRE
1976	6	*Souplesse de ce millésime chaud, (puis humide!)* ● A BOIRE
1977	4	*Réservé, sans grâce* ● A COMMENCER
1978	8	*Équilibré avec moelleux* ● A BOIRE
1979	7	*Fluide* ● A BOIRE
1980	5	*Léger* ● A BOIRE
1981	8	*Belle extraction, tannins sérieux* ● 10 ANS
1982	10	*Tannins très mûrs, plus généreux que fin* ● 7 ANS
1983	7	*Fluide, gouleyant* ● 6 ANS
1984	6	*Léger* ● 5 ANS
1985	9	*Viril, tannique, plein* ● 12 ANS
1986	9,5	*Harmonieux et tannique, dans l'esprit des 1982* ● 15 ANS
1987	6	*Souple et fin* ● 6 ANS

Age idéal : 8-10 ans.   *Plat idéal : Carbonade.*

CHÂTEAU GRAND-DUROC-MILON, Pauillac, AOC Pauillac

Date de création du vignoble : *XXᵉ siècle*
Surface : *3,5 ha*
Nombre de bouteilles : *15-20000*
Répartition du sol : *3 lots*
Géologie : *graves*
Autre vin produit par le vignoble : *aucun*

Culture

Engrais : *compost*
Encépagement : *CS 70 %   CF 5 % M 20 % PV 5 %*
Age moyen : *25 ans*
Porte-greffe : *Riparia*

Densité de plantation : *8000 pieds/ha*
Rendement à l'hectare : *40 hl*
Traitement antibotrytis : *oui*
Vendange : *mécanique depuis 1983*

Vinification

Levurage : *première cuve*
Remontage : *biquotidien*
Type des cuves : *inox*
Température de fermentation : *32°*
Mode de régulation : *pompe à chaleur*
Temps de cuvaison : *22 jours*
Vin de presse : *première presse*
Filtration avant élevage : *sur terre*

Age des barriques : *3-4 ans*
Durée de l'élevage : *20 mois*
Collage : *poudre d'œuf*
Filtration : *à la mise*
Mise en bouteilles au château : *en totalité*
Type de bouteille : *lourde*
Maîtres de chai : *Bernard et Denis Jugla*
Œnologue-conseil : *laboratoire de Pauillac*

Commercialisation

Vente par souscription : *non*
Vente directe au château : *oui*
Commande directe au château : *oui*
Contrat monopole : *non*

Château HAUT-BAGES-MONPELOU

On a vu des marques ressurgir, y compris parmi les plus grandes et les plus prestigieuses, mais bien souvent elles avaient perdu leur vignoble. Ce n'est pas le cas de Haut-Bages-Monpelou qui retrouve sensiblement la même surface au même lieu qu'il y a un siècle et demi. Plus étonnant encore, ces terres retrouvent les descendants de la famille qui les avait abandonnées.

Les Castéja étaient propriétaires de Monpelou au milieu du siècle passé. D'indivision en division, le vignoble se morcelle pour finir absorbé pour l'essentiel par Duhart-Milon. En 1947 Marcel Borie récupère les parcelles dépendant de Duhart-Milon et s'emploie au remembrement de Monpelou. Son gendre Émile Castéja, par rachats successifs, complète la propriété. Château Haut-Bages-Monpelou est vinifié dans le chai de Batailley, autre propriété d'Émile Castéja.

TERROIR ET VIGNES

Le vignoble d'un seul tenant jouxte au nord celui de Grand-Puy-Ducasse et au sud celui de Colombier-Monpelou. Il est diversement orienté à l'est et à l'ouest à une altitude de 25 mètres environ.

Cette terre de graves argilo-sablonneuses est drainée naturellement. Elle accueille de bons porte-greffe au service d'une forte majorité de Cabernet-Sauvignon, en conformité avec l'usage en vigueur dans l'appellation Pauillac. A noter la bonne densité à l'hectare de cet encépagement.

VINIFICATION ET VIN

La vinification est conduite selon les principes mis en œuvre au Château Batailley, cru Classé. C'est dire qu'elle est classique. L'élevage se fait dans des barriques du vin de Batailley.

Château Haut-Bages-Monpelou appartient à la catégorie des Pauillac dont l'encavement, dix années et plus, n'est pas indispensable. Son fruit est soutenu par une charpente dépourvue d'excès tannique.

COTATIONS COMMENTÉES

Année	Note	Commentaire
1975	9	Ouvert, ferme • A BOIRE
1976	6	Sur le déclin • DEVRAIT ÊTRE BU
1977	4	Conforme au millésime et à sa triste réputation • A TERMINER
1978	8	Complet et équilibré • A BOIRE
1979	7,5	Dans l'esprit du précédent • A BOIRE
1980	5	Léger • A BOIRE
1981	8	Complet, médaillé fort justement • A BOIRE
1982	10	Ampleur, vigueur, gras, long • A BOIRE
1983	7	Souple, facile à boire • A BOIRE
1984	5	Un peu dur • A GOUTER
1985	9	Excellent, sans valoir 1982 • 7 ANS
1986	10	Du grain avec longueur • 10 ANS
1987	5,5	Fruité • 4 ANS

Age idéal : 5-7 ans. *Plat idéal : Gratin dauphinois.*

CHÂTEAU HAUT-BAGES-MONPELOU, Pauillac, AOC Pauillac

Date de création du vignoble : *XIXe-XXe siècle*
Surface : *10 ha*
Nombre de bouteilles : *30000*
Répartition du sol : *un seul tenant*
Géologie : *graves argilo-siliceuses*
Autre vin produit par le vignoble : *aucun*

Culture

Engrais : *organique-chimique*
Encépagement : *CS 75 % M 25 %*
Age moyen : *25 ans*
Porte-greffe : *3309, 101-14*
Densité de plantation : *8500 pieds/ha*

Rendement à l'hectare : *50 hl*
Vendange : *mécanique*

Vinification

Levurage : *non*
Remontage : *quotidien*
Type des cuves : *ciment, acier*
Température de fermentation : *28°-30°*
Mode de régulation : *refroidisseur*
Temps de cuvaison : *15-20 jours*
Vin de presse : *0-20 %*
Filtration avant élevage : *parfois*
Durée de l'élevage : *18 mois*
Collage : *blanc d'œuf*

Filtration : *sur plaques*
Mise en bouteilles au château : *en partie*
Type de bouteille : *standard*
Maître de chai : *Henri Valade*
Œnologue-conseil : *prof. Pascal Ribéreau-Gayon*

Commercialisation

Vente par souscription : *non*
Vente directe au château : *non*
Commande directe au château : *non*
S'adresser à : Borie-Manoux
86, cours Balguerie 33000 Bordeaux
Contrat monopole : *oui*

Château PEY-LA-ROSE

CHÂTEAU
Pey la Rose
1982
PAUILLAC
APPELLATION PAUILLAC CONTRÔLÉE
CRU BOURGEOIS
MIS EN BOUTEILLE AU CHÂTEAU

DENIS JUGLA PROPRIÉTAIRE À PAUILLAC (GIRONDE)
PRODUCE OF FRANCE   75d

Médaille de bronze
Concours National Agricole Paris 1984

COTATIONS COMMENTÉES

1979	7	*Souple et facile* • A BOIRE
1980	5	*Vin de Cabernet, peu gras* • A BOIRE
1981	8	*Charpenté* • 10 ANS
1982	9	*Plein, généreux, tannins enrobés* • 8 ANS
1983	7	*Fluide* • 6 ANS
1984	6	*Léger, Cabernet* • 5 ANS
1985	9	*Puissant et charpenté style 1975* • 15 ANS
1986	9	*Charnu, équilibré* • 12 ANS
1987	6	*Bouqueté* • 5 ANS

Age idéal : 10 ans.

Plat idéal : *Filet de bœuf à la Saint-Germain.*

Les Jugla sont insatiables. Ils possèdent autant de marques que de vignobles — et même un peu plus ! Cela ne leur suffit pas, ils continuent, et les enfants suivent le chemin tracé par leurs pères et grands-pères.

Ainsi Denis, fils de Bernard, a-t-il créé son vignoble et sa marque : Château Pey-La-Rose. Bien entendu, il n'est pas parti de rien. En fait, il a eu la chance de pouvoir remembrer une quinzaine de petites parcelles afin d'en faire un tout. Sur ces parcelles existaient déjà de vieilles vignes. C'est pour cela qu'un nouveau Château, « inventé » depuis quelques années seulement, peut posséder un vignoble d'un âge respectable. Ce vignoble est situé à l'ouest du bourg d'Artigues, lequel occupe le sommet (ou presque) d'une croupe qui se prolonge par le plateau d'Artigues. C'est à croire que l'eau remonte à cette altitude, puisqu'en patois *Artigues* veut dire « sources multiples ».

TERROIR ET VIGNES

Ces « sources multiples » ne sont pas de bon augure pour le vignoble à moins d'organiser un drainage, ce qui est le cas à Pey-La-Rose. L'emplacement du vignoble marque le point culminant de la région ; il est légèrement incliné à l'ouest-nord-ouest. Les vieux ceps cités plus haut complantent un sol de graves siliceuses de faible profondeur sur socle d'alios.

Le sage Riparia et quelques autres porte-greffe portent une forte majorité de Cabernet-Sauvignon.

VINIFICATION ET VIN

Denis Jugla vinifie « son » vin comme il vinifie celui du Château Colombier-Monpelou : beaucoup de remontages, température élevée facilitant les extractions, macérations prolongées, élevage dans le bois. Une méthode qui a fait ses preuves et qui est continuellement approuvée par une collection de médailles. Ces médailles couronnent un Pauillac solide, coloré et de longue garde.

Environs de Pauillac

CHÂTEAU PEY-LA-ROSE, Pauillac, AOC Pauillac

Date de création du vignoble : *1979*
Surface : *4 ha*
Nombre de bouteilles : *15-20 000*
Répartition du sol : *un seul tenant*
Géologie : *graves siliceuses*
Autre vin produit par le vignoble : *aucun*

Culture

Engrais : *compost*
Encépagement : *CS 70 % CF 5 % M 20 % PV 5 %*
Age moyen : *35 ans*
Porte-greffe : *principalement Riparia*
Densité de plantation : *8000 pieds/ha*
Rendement à l'hectare : *40 hl*

Traitement antibotrytis : *oui*
Vendange : *mécanique*

Vinification

Levurage : *première cuve*
Remontage : *biquotidien*
Type des cuves : *inox*
Température de fermentation : *32°*
Mode de régulation : *pompe à chaleur*
Temps de cuvaison : *22 jours*
Vin de presse : *première presse*
Filtration avant élevage : *sur terre*
Age des barriques : *3-4 ans*
Durée de l'élevage : *20 mois*

Collage : *poudre d'œuf*
Filtration : *à la mise*
Mise en bouteilles au château : *en totalité*
Type de bouteille : *lourde*
Maître de chai : *Denis Jugla*
Œnologue-conseil : *laboratoire de Pauillac*

Commercialisation

Vente par souscription : *oui*
Vente et commande directe au château : *oui*
S'adresser au Château Pédesclaux, 33250 Pauillac
Contrat monopole : *non*

Château PIBRAN

On se perdrait aisément dans ces vignobles bordelais dont les noms se chevauchent et se ressemblent sous le prétexte qu'ils sont nés d'un partage ou qu'ils se trouvent au même lieu-dit. Ainsi ne faut-il pas confondre le Château Pibran et le Château Tour-Pibran (voir p 46).

Château Pibran apparaît avec le siècle. La famille Decombe l'exploite. En 1941, Paul Billa prend les rênes puis transmet la propriété à son gendre Pierre Gauthier. Sur le quai de la ville de Pauillac, non loin du Château Grand-Puy-Ducasse, à l'angle de la rue Édouard-de-Pontet un petit bâtiment arbore l'écriteau Château Pibran. Le 1er octobre 1987, Pierre Gauthier vend son domaine à Jean–Michel Caze dont le cru Classé, Château Lynch–Bages, brille dans toutes les dégustations comparatives.

TERROIR ET VIGNES

Les parcelles sont diversement orientées. Celle sise du côté d'Artigues est pratiquement horizontale, les deux autres bordant la voie du chemin de fer Bordeaux-Pauillac s'inclinent vers le nord-ouest alors que la dernière, celle du hameau de Pibran, « regarde » la Gironde en s'abaissant à l'est. Un sol de graves moyennes reçoit un peu de chaux, de potasse et de compost car le vrai fumier est rare.

Dans le respect des traditions, les vignes ne sont pas désherbées chimiquement mais labourées. Des porte-greffe de qualité, pas trop productifs, sont plantés à 1,20 × 1 m, une honnête densité. Toujours dans le respect de la tradition, les vendanges sont manuelles.

VINIFICATION ET VIN

Traditionnelle aussi la vinification, bien que le levurage passe par l'assistance de l'Institut Pasteur !

Tous les jours le vin est remonté une ou deux heures. Il séjourne l'hiver en cuves et au mois d'avril va se reposer un an et demi ou deux ans dans des barriques « d'un vin » rachetées à un cru Classé (plus quelques neuves). De quoi remplir 20 000 bouteilles dont l'heureux propriétaire fait son affaire, le reste du vin étant mis en bouteilles un peu plus tôt sur place pour le négoce.

Château Pibran glane les médailles (argent 1978-1979-1982-1983). Le hasard n'y est pour rien. Elles honorent un cru corsé et corpulent, à l'attaque vive, exigeant un long vieillissement.

COTATIONS COMMENTÉES

1970	9	Évolution très lente, très tannique • A BOIRE
1975	9	Semblable au 1970 • 15 ANS
1976	7,5	Pluie : un orage de 2 heures, 9 années pour évoluer, bon et rond • A BOIRE
1977	4	100 % Cabernet, s'est « fait » tout doucement • A BOIRE
1978	8	Corsé et complet • A COMMENCER
1979	7	Un 1978 en plus aimable, moins d'extraits • A BOIRE
1980	5	Presque que du Cabernet, un peu léger • A COMMENCER
1981	8	Très tannique • 10 ANS
1982	10	Rond, gras, moelleux, très riche • A BOIRE PENDANT 20 ANS
1983	8	Semblable au 1981 • 10 ANS AU MOINS
1984	6	Cabernet et Petit Verdot, fruité léger • 5 ANS
1985	8,5	Vaut presque le 1982 • 8 ANS
1986	9	Un 1985 plus tannique (dernier millésime de Pierre Gauthier) • 10 ANS
1987	6	Un 1987 gras, plaisant, fruité • 4 ANS

Age idéal : 7 à 10 ans.   *Plat idéal : Rôti de biche.*

CHÂTEAU PIBRAN, Pauillac, AOC Pauillac

(jusqu'au millésime 1986 inclusivement)

Date de création du vignoble : *début XXe siècle*
Surface : *9 ha*
Nombre de bouteilles : *50 000*
Répartition du sol : *4 lots*
Géologie : *graves moyennes*
Autre vin produit par le vignoble : *aucun*

Culture

Engrais : *compost et minéral*
Encépagement : *CS 60 % CF 10 % M 24 % PV 6 %*
Age moyen : *30-35 ans*
Porte-greffe : *Riparia, 101-14*

Densité de plantation : *8 000 pieds/ha*
Rendement à l'hectare : *40 hl*
Traitement antibotrytis : *non*
Vendange : *manuelle*

Vinification

Levurage : *oui*
Remontage : *quotidien*
Type des cuves : *ciment vitrifié, 1 cuve acier – 175 hl*
Température de fermentation : *28°-30°*
Mode de régulation : *par remontage*
Temps de cuvaison : *3-4 semaines*
Vin de presse : *première presse*
Filtration avant élevage : *non*

Age des barriques : *4 ans*
Durée de l'élevage : *20-24 mois*
Collage : *poudre d'œuf*
Filtration : *à la mise*
Mise en bouteilles au château : *en totalité (voir texte)*
Type de bouteille : *lourde*
Maître de chai : *Pierre Gauthier*
Œnologue-conseil : *laboratoire de Pauillac*

Commercialisation

Vente par souscription : *non*
Vente et commande directes au château : *oui 1, rue Édouard-de-Pontet 33250 Pauillac*
Contrat monopole : *non*

Château TOUR-PIBRAN

Château Tour Pibran
PAUILLAC

1983

APPELLATION PAUILLAC CONTRÔLÉE
CRU BOURGEOIS
Sté DES VIGNOBLES JUGLA - 33250 PAUILLAC   75cl

MIS EN BOUTEILLE AU CHATEAU
PRODUCE OF FRANCE

COTATIONS COMMENTÉES

1981	9	Belle robe, bonne extraction • A COMMENCER
1982	10	Comme tous, excellent • A COMMENCER ET A GARDER
1983	6	Plus clair, un peu léger • A COMMENCER
1984	5	Léger fruité • A BOIRE
1985	9	Tonnique et concentré • 12 ANS
1986	9,5	Puissant dans l'esprit du 1982 • 14 ANS
1987	5,5	Souple et léger • 5 ANS

Age idéal : 6-8 ans.

Plat idéal : Gigot boulangère.

Au milieu du siècle passé les Ardilley vinifient l'équivalent de 15 à 20 000 bouteilles dans leur vignoble de Pibran. Ils possèdent également d'autres vignobles dans la commune de Pauillac. Il semble qu'ils annexèrent La Tour-Pibran qui a appartenu aux Castéja. Entre les deux guerres, Frédéric et Augustin Ardilley, deux frères, se partagent Château La Tour-Pibran. Un vin dont la majeure partie prend directement le chemin de la Belgique et de la Hollande sans passer par le négoce bordelais, ce qui était rare (et mal vu) à l'époque.

Aujourd'hui Jean-Jacques Gounel en est propriétaire. Propriétaire non exploitant puisqu'il a confié depuis 1981 ses terres en fermage à la société des vignobles Jugla, donc à Bernard Jugla, l'homme de Pédesclaux et autres crus. Ainsi que beaucoup de « La Tour quelque chose », à la suite des pressions, voire des procès, exercées ou intentés par Château Latour, Premier Cru de Pauillac, l'article « La » a disparu. C'est ainsi que La Tour-Pibran est devenu Tour-Pibran.

TERROIR ET VIGNES

Le vignoble de Tour-Pibran se développe à quelques encablures de Pauillac, entre le chenal du Gaer et le hameau de Pibran. Il domine le vallon creusé par le chenal, il est donc orienté en direction de la Gironde qui s'écoule à un kilomètre de là.

Le sol de graves argilo-calcaires et de graves siliceuses d'épaisseur moyenne, naturellement drainé par la pente, accueille le porte-greffe Rupestris qui est tardif. Les vendanges sont donc quelque peu retardées par rapport aux autres vignobles.

VINIFICATION ET VIN

La vinification est classique. Bernard et Denis Jugla appliquent les règles qu'ils se sont fixées pour l'élaboration de leurs propres vins. L'élevage se fait par rotation entre des barriques « de deux vins » et des cuves. Le vin est diffusé par le commerce bordelais. Son encépagement, sa vinification et son élevage sont bien adaptés à la création d'un Pauillac dépourvu d'agressivité et de dureté que l'on peut consommer assez rapidement.

CHÂTEAU TOUR-PIBRAN, Pauillac, AOC Pauillac

Date de création du vignoble : XIXe siècle
Surface : 10 ha
Nombre de bouteilles : 60000
Répartition du sol : un seul tenant
Géologie : graves argilo-calcaires et siliceuses
Autre vin produit par le vignoble : aucun

Culture

Encépagement : CS 60 % CF 10 % M 24 % PV 6 %
Age moyen : 30 ans
Porte-greffe : Riparia, Rupestris

Densité de plantation : 8000 pieds/ha
Rendement à l'hectare : 40 hl
Traitement antibotrytis : oui
Vendange : mécanique

Vinification

Levurage : pied de cuve
Remontage : biquotidien
Type des cuves : acier revêtu — 100 hl
Température de fermentation : 30°
Mode de régulation : ruissellement
Temps de cuvaison : 18-20 jours
Vin de presse : première presse
Filtration avant élevage : sur terre

Age des barriques : 4-5 ans et cuve
Durée de l'élevage : 18 mois
Collage : poudre d'œuf
Filtration : à la mise
Mise en bouteilles au château : en totalité
Type de bouteille : lourde
Maître de chai : Bernard et Denis Jugla
Œnologue-conseil : laboratoire de Pauillac

Commercialisation

Vente par correspondance : oui
Vente directe au château : oui
Commande directe au château : oui
Contrat monopole : non

Saint-Estèphe
AOC Saint-Estèphe

Au sud de la jalle du Breuil une forte rampe conduit à la commune de Saint-Estèphe qui a donné son nom à l'AOC bien connue s'étendant sur près de 1 100 ha.

Le modelé de la commune relativement diversifié comprend une dorsale de Marbuzet à Saint-Estèphe (altitude 20-23 mètres), un vaste plan incliné à l'ouest (point bas : 7 mètres). Au-delà du chenal de Calon, au nord, une croupe de 19 mètres de hauteur est brusquement coupée par l'estey d'Un (3 mètres).

Le fameux calcaire (marne argilo-calcaire) — dit Calcaire de Saint-Estèphe — existe mais n'affleure qu'en de rares endroits. Dans les bons terroirs il est surmonté d'une forte épaisseur de graves garonnaises günziennes mêlées de marnes argilo-calcaires et de sable surtout à l'ouest.

Bordeaux est éloigné de près de soixante kilomètres.

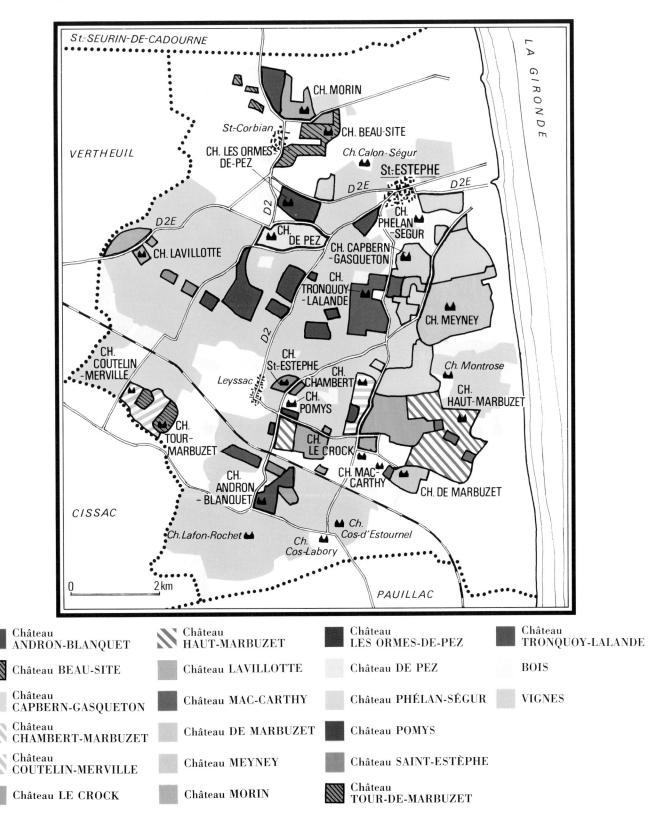

Château ANDRON-BLANQUET

Château BEAU-SITE

Château CAPBERN-GASQUETON

Château CHAMBERT-MARBUZET

Château COUTELIN-MERVILLE

Château LE CROCK

Château HAUT-MARBUZET

Château LAVILLOTTE

Château MAC-CARTHY

Château DE MARBUZET

Château MEYNEY

Château MORIN

Château LES ORMES-DE-PEZ

Château DE PEZ

Château PHÉLAN-SÉGUR

Château POMYS

Château SAINT-ESTÈPHE

Château TOUR-DE-MARBUZET

Château TRONQUOY-LALANDE

BOIS

VIGNES

Château ANDRON-BLANQUET

Blanquet est le nom du hameau et du plateau qui accueille le vignoble de ce château, ainsi que d'autres vignobles d'ailleurs. Le plus célèbre d'entre eux appartient à l'illustre Château Lafite et produit du Pauillac Premier Cru par dérogation spéciale. Quant au nom « Andron », c'est celui du premier propriétaire et créateur du cru (1822). Ses successeurs et héritiers furent les familles Coucharrière et Lignard jusqu'à ce que François Audoy, en 1971, l'incorpore à son patrimoine. Depuis son décès, Bernard Audoy, son fils, gouverne Andron-Blanquet comme il gouverne Cos-Labory, autre propriété familiale.

TERROIRS ET VIGNES

Une couche de graves günziennes assez grosses, d'une épaisseur d'environ un mètre repose sur un socle de marnes calcaires. Le drainage s'effectue naturellement, néanmoins à l'occasion de la replantation d'une pièce gelée, des drains ont étés enfouis. Des engrais minéraux, organiques et du fumier sont répandus alternativement selon un cycle trisannuel. L'encépagement comprend une forte proportion (35 %) de Cabernet franc. Cette particularité mérite d'être soulignée, le Cabernet franc apportant plus de finesse que de structure.

Les vieilles vignes sont vendangées manuellement à la différence des nouveaux plantiers qui sont récoltés à la machine.

VINIFICATION ET VIN

Le cuvier, sis au Blanquet, est bien conçu. Les remontages sont fréquents ainsi qu'il se doit. Le vin passe un premier hiver en cuve, un soutirage mensuel contribue au développement des bouquets. Après filtration sur kieselguhr, la totalité du vin est logée douze mois en barriques de trois à quatre ans environ. Il retourne dans les cuves pour le collage puis est mis en bouteilles au mois de juin. Château Andron-Blanquet se pare d'une robe rubis modérément soutenue, il est caractérisé par un nez au bouquet aussi présent que fin.

COTATIONS COMMENTÉES

Année	Note	Commentaire
1975	9	S'entrouvre, bon pour 10 ans • A BOIRE
1976	5	Excessivement souple — déclin • DEVRAIT ÊTRE BU
1977	4	Petit et limité • DEVRAIT ÊTRE BU
1978	8	Atteint un équilibre idéal • A COMMENCER
1979	6	Un peu dilué • A BOIRE
1980	4,5	Dans la catégorie des 1980 réussis • A BOIRE
1981	7,5	Robe noire, nez finement boisé, tannins lisses • A BOIRE
1982	10	L'année « étalon » • 8 ANS
1983	7	Plus concentré il serait parfait • A BOIRE
1984	5	Évolution rapide • A BOIRE
1985	8,5	Esprit 1982, gabarit moins important • 10 ANS
1986	9	Proche du précédent, évolution lente, 20 % de bois neuf • 12 ANS
1987	5,5	Sélection : 30 % de vin éliminé • 5 ANS

Age idéal : 7-8 ans.

Plat idéal : Bœuf grillé.

Château Andron Blanquet

1981

SAINT-ESTÈPHE MÉDOC

Appellation St-Estèphe Contrôlée

AUDOY, Propriétaire à Saint-Estèphe (Gironde)

MIS EN BOUTEILLES AU CHATEAU

PRODUCE OF FRANCE

75cl

CHÂTEAU ANDRON-BLANQUET, Saint-Estèphe, AOC Saint-Estèphe

Date de création du vignoble : XIXᵉ siècle
Surface : 16 ha
Nombre de bouteilles : 80 000
Répartition du sol : 2 lots
Géologie : graves günziennes
Autre vin produit par le vignoble : Château Saint-Roch

Culture

Engrais : voir texte
Encépagement : CS 30 % CF 35 % M 30 % PV 5 %
Age moyen : 25 ans
Porte-greffe : Riparia, 101-14, 420 A

Densité de plantation : 9 600 pieds/ha
Rendement à l'hectaure : 45-50 hl
Traitement antibotrytis : oui
Vendange : mécanique et manuelle

Vinification

Levurage : non
Remontage : biquotidien
Type des cuves : ciment revêtu — 150 hl
Température de fermentation : 30°
Mode de régulation : pompe à chaleur
Temps de cuvaison : 20-25 jours
Vin de presse : première presse
Filtration avant élevage : sur terre
Age des barriques : 3-4 ans

Durée de l'élevage : 12 mois
Collage : blanc d'œuf séché
Filtration : à la mise
Mise en bouteilles au château : en totalité
Type de bouteille : lourde
Maître de chai : Bernard Audoy
Œnologue-conseil : Bernard Audoy et laboratoire de Pauillac

Commercialisation

Vente par souscription : oui
Vente directe au château : oui
Commande directe au château : oui
Contrat monopole : non

Château BEAU-SITE

COTATIONS COMMENTÉES

1975	9	Ouvert et excellent ● A BOIRE
1976	6	Plein et rond ● A TERMINER
1977	–	Il a grêlé, très peu de vin ● DEVRAIT ÊTRE BU
1978	8	Solide et équilibré ● A BOIRE
1979	6	Un vin aimable assez facile ● A BOIRE
1980	5	Léger ● A BOIRE
1981	6,5	Proche du 1979 ● A BOIRE
1982	10	Excellent comme partout ● A BOIRE, A ENCAVER
1983	7	Coloré, construit, plein ● 7 ANS
1984	5	Un peu dur, les Merlots ne le « graissent » pas ● 5 ANS
1985	9	Vin sain, direct, élégant, construit ● 8 ANS
1986	9,5	Tannins mûrs ; long, évolution lente ● 10 ANS
1987	5,5	Fruité, manque de longueur ● 3-4 ANS

Après avoir traversé le chenal de Calon, venant de Saint-Estèphe la route monte d'une dizaine de mètres jusqu'au hameau de Saint-Corbian. Tout au long de cette rampe, un fossé sépare la route du vignoble de Beau-Site. Au sommet de cette côte, toujours à droite, on découvre le château et le chai, avec vue sur la Gironde et le vignoble de Calon-Ségur. Beau site en vérité...

Dans l'entre-deux-guerres, M. Faugeras y vinifie l'équivalent de 120 000 bouteilles. En 1955 Émile Castéja en prend possession et la maison Borie-Manoux, qu'il dirige, se charge de la vente exclusive du vin Château Beau-Site. Une faible partie de la récolte est vendue « en générique » pour reprendre la terminologie en usage (c'est-à-dire avec AOC Saint-Estèphe et mise en bouteilles par le négoce bordelais).

TERROIR ET VIGNES

La majeure partie du vignoble est située sur le coteau — c'est plus qu'une modeste croupe — dont le point haut est proche du château, à l'altitude de 17 mètres puis s'abaisse à l'est et au sud d'une dizaine de mètres, procurant ainsi aux vignes une parfaite exposition.

Trois petites parcelles complémentaires au nord de Saint-Corbian connaissent une orientation très différente car elles s'inclinent fortement en direction de l'ouest. La grande parcelle est faite de graves fines et moyennes sur socle argileux alors que les trois parcelles ouest sont constituées de terres argilo-calcaires. On note une forte densité de plantation, conforme à la bonne habitude communale. Le nouveau maître de chai qui est également chef de culture entend abandonner la non-culture pour reprendre les labours.

VINIFICATION ET VIN

La vinification est très classique. La totalité de chaque cuve est remontée deux fois par jour, la température des fermentations avoisine les trente degrés et les cuvaisons sont longues. Le vin demeure quinze jours sur colle avant son élevage en cuves et en barriques par rotation.

Le terroir graveleux de Château Beau-Site et sa complantation logique en Cabernet-Sauvignon tend à la création d'un vin plus fin et plus élégant que puissant.

Age idéal : 5-7 ans. Plat idéal : Fromage de Hollande.

CHÂTEAU BEAU-SITE, Saint-Estèphe, AOC Saint-Estèphe

Date de création du vignoble : XIXᵉ siècle
Surface : 25 ha
Nombre de bouteilles : 150 000
Répartition du sol : 5 lots
Géologie : graves fines
Autre vin produit par le vignoble : aucun

Culture

Engrais : organique
Encépagement : CS 70 % M 30 %
Age moyen : 25 ans
Porte-greffe : 101-14 et autres
Densité de plantation : 8500-9000 pieds/ha

Rendement à l'hectare : 50-55 hl
Vendange : manuelle

Vinification

Levurage : première cuve
Remontage : biquotidien
Type des cuves : acier émaillé – 150 hl
Température de fermentation : 29°-30°
Mode de régulation : aspersion
Temps de cuvaison : 20 jours
Vin de presse : première presse
Filtration avant élevage : gélatine
Age des barriques : renouvelée par tiers annuel
Durée de l'élevage : 3 mois + cuve

Collage : blanc d'œuf en poudre
Filtration : à la mise
Mise en bouteilles au château : en partie
Type de bouteille : standard
Maître de chai : Robert Montinard
Œnologue-conseil : Duval Arnould

Commercialisation

Vente par souscription : non
Vente directe au château : non
Commande directe au château : non
S'adresser à : Borie-Manoux
86, cours Balguerie-Stattenberg
33082 Bordeaux Cédex
Contrat monopole : oui

Château CAPBERN-GASQUETON

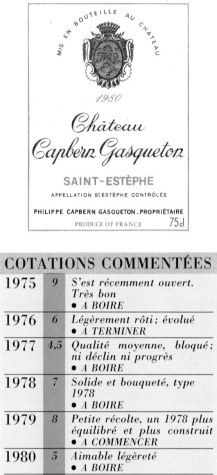

COTATIONS COMMENTÉES

1975	9	S'est récemment ouvert. Très bon • A BOIRE
1976	6	Légèrement rôti ; évolué • A TERMINER
1977	4,5	Qualité moyenne, bloqué ; ni déclin ni progrès • A BOIRE
1978	7	Solide et bouqueté, type 1978 • A BOIRE
1979	8	Petite récolte, un 1978 plus équilibré et plus construit • A COMMENCER
1980	5	Aimable légèreté • A BOIRE
1981	6	Pourrait être plus concentré • A BOIRE
1982	10	Finesse, corps, bouquet • 7 ANS
1983	5,5	Couleur un peu faible, peu d'extrait • A COMMENCER
1984	5	Léger, peu de suite • LE GOÛTER
1985	7,5	Fin et délicat • 7 ANS
1986	9	Typé, construit, équilibré • 8 ANS
1987	5	Léger • 4 ANS

Age idéal : 7-8 ans.

Plat idéal : Carré de porc en gelée.

Cette propriété ancienne fut détachée du vignoble de Calon. En 1850, les Capbern sont déjà au travail dans ce futur Capbern-Gasqueton. Juste avant la fin du siècle est bâti le château dont l'entrée, un peu austère, donne sur l'église de Saint-Estèphe, du côté de l'abside. La façade donnant sur le parc et le vignoble est plus riante. Sa terrasse domine la Gironde.

Philippe Gasqueton conduit cette propriété, comme il gouverne Calon-Ségur, presque voisin, Le Tertre du côté de Margaux et Agassac. Il gouverne l'œuvre de dix générations de vignerons dans la commune, belle preuve de continuité !

TERROIR ET VIGNES

Lorsqu'on descend la Gironde, que trouve-t-on sur la rive gauche au-delà de Pauillac ? Haut-Marbuzet, Montrose, Meyney, Capbern-Gasqueton, Calon-Ségur... bel alignement !

Le lot le plus important de Capbern-Gasqueton borde Canteloup en son point haut à 25 mètres pour s'abaisser jusqu'à 3-4 mètres, tout près de la Gironde. Le deuxième lot, également incliné dans la même direction (22-13 m) jouxte Meyney et Tronquoy-Lalande.

Le sol de graves relativement fines de quarante centimètres d'épaisseur repose sur un socle d'alios ferrugineux.

Philippe Gasqueton croit aux vertus du drainage. La totalité du vignoble est drainée, une machine spéciale a même permis de poser des drains dans le vignoble déjà planté, y compris dans les pentes. Les règes sont larges, la densité de plantation faible. Cette particularité s'associe à une diminution de rendement à l'hectare. Philippe Gasqueton soutient que cette particularité maintient l'excellent état sanitaire de la vigne et le dispense de traitements antibotrytis.

Il tient également à son système « d'engrais vert » favorisant tout ce qui pousse dans la vigne de l'automne au printemps, des végétaux qui pompent l'eau et « kidnappent » les prédateurs.

VINIFICATION ET VIN

La vinification ne présente pas de particularité, l'élevage est réalisé dans des barriques provenant de Calon-Ségur auquel est réservé le bois neuf. Elles quittent Calon-Ségur au bout de trois ans pour une utilisation de même durée à Capbern-Gasqueton.

Le deuxième vin étiqueté Château Grand-Village-Capbern est identique au premier. Le vin de Château Capbern-Gasqueton n'a pas la puissance qu'on prête volontiers aux Saint-Estèphe, mais il est plus fin. Les millésimes de forte récolte lui sont particulièrement favorables car le rendement à l'hectare demeure sage.

CHÂTEAU CAPBERN-GASQUETON, Saint-Estèphe, AOC Saint-Estèphe

Date de création du vignoble : XIXᵉ siècle
Surface : 35 ha
Nombre de bouteilles : 100 000
Répartition du sol : 2 lots
Géologie : graves
Autre vin produit par le vignoble : Château Grand-Village-Capbern

Culture

Engrais : voir texte
Encépagement : CS 70 % CF 20 % M 10 %
Age moyen : 30 ans
Porte-greffe : Riparia Gloire, 101-14, 3309
Densité de plantation : 5700 pieds/ha

Rendement à l'hectare : 35 hl
Traitement antibotrytis : non
Vendange : mécanique et manuelle

Vinification

Levurage : première cuve
Remontage : quotidien
Type des cuves : acier revêtu — 100 hl
Température de fermentation : 30°
Mode de régulation : aspersion
Temps de cuvaison : 21 jours
Vin de presse : première presse
Filtration avant l'élevage : non
Age des barriques : voir texte

Durée de l'élevage : 1 an
Collage : blanc d'œuf
Filtration : à la mise
Mise en bouteilles au château : en totalité
Type de bouteille : lourde
Maître de chai : André Ellisalde
Œnologue-conseil : Pascal Ribéreau-Gayon

Commercialisation

Vente par souscription : non
Vente directe au château : non
Commande directe au château : oui
Contrat monopole : oui (CVBG)

Château COUTELIN-MERVILLE

COTATIONS COMMENTÉES

1975	7	S'ouvre; n'est peut-être pas le grand millésime espéré • A COMMENCER
1976	7	Vendangé avant les pluies; rond et souple • A BOIRE
1977	4	Léger • A TERMINER
1978	9	Belle robe, de l'attaque, tannins fins, finale longue • A BOIRE
1979	8	Dans l'esprit du 1978 • A BOIRE
1980	5	Millésime léger • A BOIRE
1981	6	Manque de concentration • A BOIRE
1982	10	Construit avec rondeur, vin complet • A COMMENCER
1983	7	Moins complet que le 1978 • A BOIRE
1984	5,5	Charpente courte, un vin de Cabernet qui évolue vite • A BOIRE
1985	9	Complet, couleur, fruité, charme • 8-10 ANS
1986	9	Médaille de bronze au Concours agricole (Paris); charpenté, le laisser évoluer • 10 ANS
1987	5,5	Un joli fruité, évolue vite • 3 ANS

Château Coutelin-Merville est né de la volonté de M. Lefort, propriétaire du Château Hanteillan, qui créa cette nouvelle marque. Il la baptisa Coutelin du nom d'un lieu-dit proche de ce vignoble.

Au début du siècle, Coutelin-Merville et Hanteillan sont acquis par la famille Estager qui les exploite jusqu'en 1972. Au décès d'Antoine Estager, le règlement de sa succession a conduit ses héritiers à vendre Hanteillan, et permis à un de ses enfants, son fils Guy, de conserver Château Coutelin-Merville.

TERROIR ET VIGNES

Le sud du vignoble est situé à la limite des communes de Saint-Estèphe et de Cissac.

Il occupe un vaste plan incliné en direction de l'est entre 28 et 18 mètres d'altitude.

Son sol est argileux, argilo-calcaire dans sa plus grande partie. Quelques plantiers s'enracinent dans des terres graveleuses aux points les plus élevés.

Guy Estager n'applique pas le traitement antibotrytis se réservant de lutter contre l'araignée rouge et le ver de la grappe. A noter, les bons porte-greffe qui évitent le piège du SO4 et à un moindre degré du 420A. Il faut mentionner tout particulièrement la très forte proportion du Cabernet franc, source de finesse. Guy Estager pousse l'originalité jusqu'à planter du Malbec « pour se faire plaisir ». Il doit être le seul à rendre hommage à cette variété mal aimée des Médocains.

Au décès de son père en 1987, Bernard Estager reprend le flambeau.

VINIFICATION ET VIN

La vinification suit la méthode classique bordelaise. Les températures de fermentations contribuent à une bonne extraction de la couleur. La presse n'est incorporée qu'avec parcimonie. Le vin n'est pas filtré avant son élevage. Il est collé au blanc d'œuf frais en barrique. Une partie de la production est vendue en vrac au négoce.

Le Coutelin-Merville a sa personnalité. Il ne cherche pas à « rouler les épaules », il évite le fruité mou et facile. Son objectif vise l'élaboration de tannins subtils sans rien de rêche, destinés à supporter un vin au fruité incisif et viril. Il est caractéristique des vins de l'appellation Saint-Estèphe.

Age idéal : 5-8 ans.   *Plat idéal : Tournedos Luynes.*

CHÂTEAU COUTELIN-MERVILLE, Saint-Estèphe, AOC Saint-Estèphe

Date de création du vignoble : *XIXe siècle*
Surface : *15 ha*
Nombre de bouteilles : *40 000*
Répartition du sol : *un seul tenant*
Géologie : *argilo-calcaire*
Autre vin produit par le vignoble : *Château-Merville*

Culture

Engrais : *fumures d'entretien*
Encépagement : *CS 20 % CF 35 % M 35 % PV 5 % Mc 5 %*
Age moyen : *25 ans*
Porte-greffe : *Riparia, 3309*

Densité de plantation : *7500-8 000 pieds/ha*
Rendement à l'hectare : *38 hl*
Traitement antibotrytis : *non, voir texte*
Vendange : *manuelle*

Vinification

Levurage : *naturel*
Remontage : *quotidien*
Type des cuves : *ciment − 180 hl*
Température de fermentation : *32°*
Mode de régulation : *serpentin*
Temps de cuvaison : *21 jours*
Vin de presse : *première presse*
Filtration avant élevage : *non*

Age des barriques : *3 ans*
Durée de l'élevage : *18-22 mois*
Collage : *blancs d'œufs frais*
Filtration : *à la mise*
Mise en bouteilles au château : *en partie*
Type de bouteille : *lourde*
Maître de chai : *Jean Verdier*
Œnologue-conseil : *laboratoire de Pauillac*

Commercialisation

Vente par souscription : *non*
Vente directe au château : *oui*
Commande directe au château : *oui*
Contrat monopole : *non*

Château CHAMBERT-MARBUZET

Age idéal : 6-7 ans.

Plat idéal : Pigeonneaux farcis.

La création de Chambert–Marbuzet, « Cru » devenu « Château » dans les années cinquante quand s'impose cette mode, remonte à la première moitié du XIXᵉ siècle.

En 1850, les Chambert déclarent une récolte de trente tonneaux, soit l'équivalent de plus de 35 000 bouteilles. Dans l'entre-deux-guerres, le vignoble a changé de mains mais le nouveau propriétaire J. Naugé y vinifie toujours un peu plus de 35 000 bouteilles.

Fort de son succès, comme pour marquer le dixième anniversaire de l'acquisition de Haut-Marbuzet (1952), Hervé Duboscq s'offre en 1962 la marque Chambert et le vignoble s'y rapportant.

Il applique la méthode qui lui a si bien réussi, sans toutefois refaire un vin semblable à Haut-Marbuzet qui garde le premier rang parmi ses productions.

TERROIR ET VIGNES

Le vignoble de Chambert jouxte celui de Château Le Crock et celui de Château Phélan-Ségur. Il occupe un plateau incliné en direction du sud entre 20 et 14 mètres d'altitude. Le terrain n'est pas graveleux mais argilo-calcaire. Le sous-sol calcaire est fort justement nommé calcaire de Saint-Estèphe.

Pour Henri Duboscq, l'encépagement choisi fait ressortir la typicité du terroir : 70 % de Cabernet-Sauvignon et 30 % de Merlot. Un encépagement proche de la moyenne de l'Appellation.

VINIFICATION ET VIN

Chambert-Marbuzet est vinifié suivant les mêmes pratiques que Haut-Marbuzet, dans les mêmes locaux. Il s'en distingue par son élevage : tout d'abord un an de cuve puis 18 mois de barrique de trois années.

Ce vin doit son originalité au Cabernet-Sauvignon planté dans l'argilo-calcaire et non en pleines graves comme si souvent. Il perd quelque peu de son potentiel tannique tout en conservant sa finesse.

Château Chambert-Marbuzet évolue plus rapidement que Château Haut-Marbuzet. Vers six ou sept ans, il atteint son apogée.

CHÂTEAU TOUR-DE-MARBUZET

Ce n'est pas un second vin de Chambert-Marbuzet, bien que trois hectares de vignoble soient fortement contigus et quoique l'esprit de l'encépagement soit le même (65 % de C dont 35 % de CF) et que les deux soient vinifiés dans le chai de Haut-Marbuzet.

Deux parcelles plus à l'ouest, à la limite des communes de Saint-Estèphe et de Pauillac, proches de Château Hanteillan et enserrées par Château Coutelin-Merville, quelque peu inclinées en direction du sud-sud-est et à l'altitude moyenne d'une vingtaine de mètres complètent le vignoble.

Le sol argilo-calcaire est complanté de puissants porte-greffe. La vinification suit le chemin tracé par Château Chambert encore que les cuvaisons soient notablement écourtées (12 jours) de même que l'élevage (12 mois de cuve, 6 mois de barriques de trois années).

Tout cela concourt à la création d'un vin gouleyant, plein d'agrément, à boire rapidement et qui n'est jamais si bon que dans ses quatre premières années.

et Château TOUR-DE-MARBUZET

Saint-Estèphe

COTATIONS COMMENTÉES

1975	8	Tannique mais s'est « fait » ● A BOIRE
1976	–	Sa souplesse s'oppose à une longue conservation ● A TERMINER
1977	4	Ne mérite guère de commentaire ● A TERMINER
1978	9	Complet et construit ● A BOIRE
1979	8	Tannique ● A BOIRE
1980	5	Vin léger ● A TERMINER
1981	7	Rondeur et charme ● A BOIRE
1982	10	Comme partout, excellent ● A BOIRE
1983	8,5	Dans l'esprit du 1979 ● 7 ANS
1984	6	Léger et franc ● A COMMENCER
1985	9,5	Fruité et généreux ● 5 ANS
1986	9	Construction très robuste style 1975 ● 20 ANS ?
1987	6	Féminin, délicat dans l'esprit des 1981 ● 6 ANS

CHÂTEAUX CHAMBERT-MARBUZET et TOUR-MARBUZET, St-Estèphe, AOC St-Estèphe

Date de création du vignoble :
XIXᵉ siècle
Surface : *7 ha*
Nombre de bouteilles : *45 000*
Répartition du sol : *un seul tenant*
Géologie : *argilo-calcaire*
Autre vin produit par le vignoble :
aucun

Culture

Engrais : *organique*
Encépagement :
— *C 70 %, M 30 %*
— *CS 30 %, CF 35 %, M 30 %*
Age moyen : *20-25 ans*
Porte-greffe : *Riparia, 420 A*

Densité de plantation : *9000 pieds/ha*
Rendement à l'hectare : *45 hl*
Traitement antibotrytis : *oui*
Vendange : *manuelle*

Vinification

Levurage : *non*
Remontage : *biquotidien*
Type des cuves : *béton vitrifié*
Température de fermentation : *34°*
Mode de régulation : *remontage*
Temps de cuvaison : *2-4 semaines*
Vin de presse : *0-65 %*
Filtration avant élévage : *non*

Age des barriques : *3 ans*
Durée de l'élevage : *cuve 12 mois,*
barrique 18 mois
Collage : *blanc d'œuf*
Filtration : *non*
Mise en bouteilles au château : *en totalité*
Type de bouteille : *lourde*
Maître de chai : *Henri Duboscq*
Œnologue-conseil : *Henri Duboscq*

Commercialisation

Vente par souscription : *oui*
Vente directe au château : *oui*
Commande directe au château : *oui*
Contrat monopole : *non*

Château LE CROCK

Château Le Crock
Saint-ESTÈPHE
1982
Appellation St-Estèphe Contrôlée
CRU BOURGEOIS SUPÉRIEUR

H. CUVELIER & Fils
Propriétaires à Saint-Estèphe (Gironde) France

PRODUCE OF FRANCE   75 cl

COTATIONS COMMENTÉES

Année	Note	Commentaire
1970	9	Atteint son apogée • A BOIRE
1971 à 74		Trop tard, décline • DEVRAIT ÊTRE BU
1975	8,5	S'ouvre, tient ses promesses • A BOIRE
1976		A été bien. Décline • DEVRAIT ÊTRE BU
1977	4	Pointe d'acidité • DEVRAIT ÊTRE BU
1978	8	Équilibré, bien constitué • 10 ANS
1979	7	Un 1978 beaucoup moins concentré • A BOIRE
1980	5	Un tout petit corps • A TERMINER
1981	6,5	Bon millésime dans la norme • A COMMENCER
1982	10	Exemplaire • A BOIRE POUR 15 ANS
1983	9	Un 1981 plus concentré • 8-10 ANS
1984	5,5	Léger, léger... fruité sympathique • A BOIRE
1985	9	Belle robe, parfumé, de la mâche • 10 ANS
1986	9,5	Concentré, coloré, sérieux (30 % bois neuf) • 13 ANS
1987	5,5	Léger • 5 ANS

En 1788, les Merman se portent acquéreurs du domaine du Crock. En 1850, ils produisent quelque 90 tonneaux (soit près de 120 000 bouteilles). Un Merman participe au fameux classement de 1855. On raconte qu'il est « trop honnête » pour faire classer son propre domaine. C'est un peu vite dit car c'était le cours des vins des dix années précédentes qui déterminait l'appartenance au classement et le rang attribué aux crus.

Cette longue exploitation ne prendra fin qu'en 1904 lorsque les Cuvelier, négociants de vieille souche dans le Nord, à Haubourdin, ville dans laquelle ils exercent encore de nos jours la même activité, achètent Château Le Crock. Cette acquisition est suivie de celle de Camensac (revendu depuis) et prélude à celle de Léoville-Poyferré, 2ᵉ Cru classé, seize années plus tard (1920).

Le château lui-même a subi quelques modifications par l'adjonction de balcons et d'éléments décoratifs. En revanche, la belle cave voûtée abrite aujourd'hui comme par le passé le chai à barriques.

TERROIR ET VIGNES

La plus vaste parcelle occupe une partie de l'excellente butte de Marbuzet. Le deuxième groupe composé de trois lots jouxte les deux Cos d'Estournel et Labory, crus Classés. Le dernier lot de parcelles sis au nord-ouest des précédents est plus éparpillé.

La totalité du sol est graveleuse, des graves profondes sur socle calcaire ou marno-calcaire. Les orientations sont diverses. A noter la forte densité de plantation, traditionnelle dans cette commune, l'âge respectable du vignoble et la qualité des porte-greffe.

VINIFICATION ET VIN

La vinification ne présente pas de caractère particulier. Le vin est élevé dans des barriques modérément renouvelées. Il présente les caractères des Saint-Estèphe qui font la gloire de ses grands voisins crus Classés, sans leur concentration.

Age idéal : 8 ans.

Plat idéal : Entrecôtes marseillaises (l'échalotte est remplacée par l'oignon.)

CHÂTEAU LE CROCK, Marbuzet-Saint-Estèphe, AOC Saint-Estèphe

Date de création du vignoble : *XVIIIᵉ siècle*
Surface : *31 ha*
Nombre de bouteilles : *180 000*
Répartition du sol : *3 lots principaux*
Géologie : *graves situées sur des croupes*
Autre vin produit par le vignoble : *aucun*

Culture

Engrais : *fumier et engrais bactérien*
Encépagement : *CS 62 % CF 10 % M 25 % PV 3 %*
Age moyen : *30 ans*
Porte-greffe : *Riparia 101-14, 3309*

Densité de plantation : *9000 pieds/ha*
Rendement à l'hectare : *50 hl*
Traitement antibotrytis : *oui*
Vendange : *manuelle*

Vinification

Levurage : *non*
Remontage : *oui*
Type des cuves : *ciment — 200 hl*
Température de fermentation : *30°*
Mode de régulation : *refroidisseur*
Temps de cuvaison : *18 jours environ*
Vin de presse : *première presse*
Filtration avant élevage : *non*
Age des barriques : *6 ans*

Durée de l'élevage : *18 mois en barrique*
Collage : *blanc d'œuf*
Filtration : *à la mise*
Mise en bouteilles au château : *oui*
Type de bouteille : *lourde*
Maître de chai : *M. Garrigou*
Régisseur : *M. Garrigou*
Œnologue-conseil : *M. Jacques Boissenot*

Commercialisation

Vente par souscription : *oui, H. Cuvelier fils, 72-76, rue Reignier, 33100 Bordeaux*
Vente directe au château : *oui*
Commande directe au château : *oui*
Contrat monopole : *oui*

Château LAVILLOTTE

COTATIONS COMMENTÉES

Année	Note	Commentaire
1975	9	*Vin charnu, toujours fermé* • 15 ANS
1976	7	*Souple* • A BOIRE
1977		*Léger et vieilli* • DEVRAIT ÊTRE BU
1978	8	*Un 1976 plus corsé, évolution lente* • 12 ANS
1979	7	*Un 1978 fruité et empyreumatique* • A BOIRE
1980	5	*Léger* • A BOIRE
1981	8,5	*Un 1978 plus riche et plus gras* • 11 ANS
1982	10	*Gras, plein, rond, acidité basse* • 15 ANS
1983	9	*Proche du 1981 en plus achevé* • 11 ANS
1984	6	*Fruité léger, un 1981 très amélioré* • 5 ANS
1985	10	*Raisins mûrs, acidité correcte, de garde* • 15 ANS
1986	9,5	*Charnu, gras, tannins riches* • 14 ANS
1987	6,5	*Fruité, élégant, souple* • 6 ANS

Age idéal : 12-15 ans.

Plat idéal : Aloyau à la Godard.

Jacques Pédro, devenu depuis maire de la commune de Vertheuil, a acheté Château Lavillotte en 1965. Son dynamisme l'y portait, d'autant plus qu'il avait acquis cinq ans auparavant le Château Le Meynieu (commune de Vertheuil, voir page 126) distant de Lavillotte de quelque 800 mètres. Il avait d'ailleurs l'habitude des remises en état pour avoir eu l'occasion de se faire la main au Meynieu. Il lui a suffi d'appliquer la même méthode à Lavillotte, qui en avait bien besoin après un quart de siècle d'abandon. La marque « Lavillotte » n'apparaît pas dans le négoce du XIXᵉ et du début du XXᵉ siècle mais dans l'entre-deux-guerres.

Lorsque Jacques Pédro reprend cette propriété, il doit tout replanter car les quelques ceps qui demeurent ne produisent plus rien. Cette replantation tient compte des futures machines à vendanger d'où la densité à l'hectare de 6000 pieds, une densité relativement faible.

Aujourd'hui Château Lavillotte s'étend sur 12 hectares et produit 65000 bouteilles par an.

Le deuxième vin de la propriété porte l'étiquette Domaine de La Ronceray. Sa production annuelle oscille entre 15000-20000 bouteilles.

TERROIR ET VIGNES

Le vignoble du Meynieu, appartenant également à Jacques Pédro, est traversé par la route Vertheuil-Saint-Estèphe. Celui de Lavillotte, proche du précédent mais pratiquement horizontal l'est également. Le sol de ces deux vignobles est semblable : argilo-calcaire.

Au Meynieu l'argile est dominant, à Lavillotte c'est le calcaire. Dans les deux cas, la couche de terre arable est faible : 30 à 40 centimètres sur une assise compacte rocheuse. L'encépagement, comme c'est l'usage, privilégie le Cabernet-Sauvignon, sensiblement ou à peine plus que la moyenne de l'appellation Saint-Estèphe.

VINIFICATION ET VIN

La vinification est en accord avec les habitudes d'aujourd'hui, aux filtrations près, car Jacques Pédro ne filtre pas, ni avant la mise en barriques, ni avant la mise en bouteilles. Le vin est élevé dans des barriques d'un vin originaires de Latour. Château Lavillotte est un Saint-Estèphe, en dépit de sa position marginale. Généreux, ample, mais exigeant une lente évolution.

CHÂTEAU LAVILLOTTE, Saint-Estèphe, AOC Saint-Estèphe

Date de création du vignoble : *XXᵉ siècle*
Surface : *12 ha*
Nombre de bouteilles : *65000*
Répartition du sol : *un seul tenant*
Géologie : *argilo-calcaire*
Autre vin produit par le vignoble : *Domaine de la Ronceray (15000 bouteilles)*

Culture

Engrais : *fumure organique*
Encépagement : *CS 75 % M 25 %*
Age moyen : *20 ans*
Porte-greffe : *5BB, SO4, 41B*
Densité de plantation : *6000 pieds/ha*

Rendement à l'hectare : *45 hl*
Traitement antibotrytis : *oui*
Vendange : *mécanique*

Vinification

Levurage : *naturel*
Remontage : *quotidien*
Type des cuves : *ciment*
Température de fermentation : *32°*
Mode de régulation : *pompe à chaleur*
Temps de cuvaison : *3-4 semaines*
Vin de presse : *première presse*
Filtration avant élevage : *non*

Age des barriques : *barrique d'un vin*
Durée de l'élevage : *18 mois*
Collage : *blanc d'œuf*
Filtration : *non*
Mise en bouteilles au château : *en totalité*
Type de bouteille : *lourde*
Maître de chai : *Joseph Chollet*
Œnologue-conseil : *Bernard Couasnon*

Commercialisation

Vente par souscription : *oui*
Vente directe au château : *oui*
Commande directe au château : *oui*
Contrat monopole : *non*

Château HAUT-MARBUZET

1983
CHATEAU
HAUT-MARBUZET
« Qualité est ma vérité »

APPELLATION
SAINT-ESTÈPHE
CONTROLÉE

MIS EN BOUTEILLES
H. DUBOSCQ & FILS
PROPRIÉTAIRES A SAINT-ESTÈPHE (GIRONDE)
AU CHATEAU

PRODUCE OF FRANCE   75 cl.

COTATIONS COMMENTÉES

Année	Note	Commentaire
1975	?	*L'attendre toujours; sera-t-il fin ?* ● 15 ANS
1976	6,5	*A atteint son apogée* ● A BOIRE
1977	4	*Vert il fut, vert il demeure* ● A BOIRE
1978	8	*L'équilibre dans la grandeur et dans l'ampleur* ● A BOIRE
1979	7	*Un vin très tannique, style 1981 au 1983* ● 10-12 ANS
1980	5	*A boire sur le fruit. Ne dé-passera pas 10 ans d'âge* ● A BOIRE
1981	6,5	*Un 1976 rond et soyeux* ● LE COMMENCER
1982	10	*Fruité, harmonieux; raisins surmûris, non chaptalisé* ● TOUJOURS
1983	7,5	*Le charme du 1981 avec plus de tannins et plus de profondeur* ● 10-12 ANS
1984	5,5	*Vin de Cabernet; à surveiller* ● 6 ANS
1985	9	*Raisins surmûris, très fruité, belle harmonie* ● 12 ANS
1986	10	*Un 1985 plus réservé, un 1970 plus aristocratique* ● 20 ANS
1987	6,5	*Dans l'esprit du 1976* ● 6 ANS

En 1952 Hervé Duboscq achète un vignoble plus ou moins délabré. Il le replante, l'améliore, le reconstitue, l'agrandit. Son fils Henri est associé à l'entreprise. En quelques années, ils créent une marque, constituent une clientèle et accèdent à la notoriété : réussite étonnante d'un vin devenu en quelques lustres un modèle souvent cité.

TERROIR ET VIGNES

Le vignoble principal « regarde » la Gironde. C'est un plan incliné en direction de l'est (20-3 mètres). Une deuxième parcelle, orientée au sud entre 18 et 12 mètres, domine le vallon emprunté par la voie de chemin de fer Pauillac-Lesparre. Ce sol de graves profondes argilo-calcaires ne nécessite pas de drainage (à l'exception de cinq hectares). Les désherbants chimiques sont proscrits pour sauvegarder le réservoir de levures.

Les vendanges sont toujours manuelles. 80 personnes dont 35 appartenant à l'exploitation n'engagent jamais le travail avant dix heures du matin afin d'éviter la rosée.

VINIFICATION ET VIN

La température des fermentations est la plus élevée possible. Un préposé arrose le chapeau lors des remontages. L'écoulage n'est décidé que lorsqu'il y a risque d'apparition d'acidité volatile (85 : 4 semaines, 84 : 2 semaines, 83-82 : 3 à 4 semaines). Le vin de presse sourd lentement d'une vieille presse qui assure la finesse des tannins.

Cas unique parmi les crus Bourgeois, le vin n'est élevé qu'en barriques neuves, disposées bondes dessus neuf mois avec soutirages bi ou tri-hebdomadaires, puis bonde de côté neuf à onze mois. Chaque barrique est collée avec six blancs d'œufs frais. Le chêne de la futaille est originaire du Nivernais et du Tronçais. Le vin de ces deux types de barriques est uniformisé avant la mise en bouteilles dans une cuve de 150 hectolitres, remis dans le bois et tiré deux barriques par deux barriques à l'aide d'une tireuse à six becs.

Tout ce travail procure un vin de charme, souple, profond, complexe, harmonieux bien souvent bu jeune, mais pourquoi l'attendre s'il plaît...

CHÂTEAU MACCARTHY-MOULA

Il faut bien le considérer comme le deuxième vin du Château Haut-Marbuzet puisqu'il naît du même vignoble. Dans l'entre-deux-guerres, sous la conduite de P. Germain, le Château Maccarthy-Moula-Marbuzet livrait environ 35 tonneaux (plus de 40 000 bouteilles). Le nom de Maccarthy rappelle les Mac Carthy qui furent propriétaires du plateau de Marbuzet et Moula le créateur du cru par acquisition de parcelles en 1858.

Aujourd'hui le vin portant cette étiquette se distingue de celui du Haut-Marbuzet par la vinification de vignes plus jeunes (douze ans) et par un élevage évidemment moins luxueux : il passe tout d'abord un an en cuve, puis 18 mois en barriques de trois ans d'âge. Maccarthy-Moula ressemble mais en plus modeste au Château Haut-Marbuzet. La qualité relative des millésimes est semblable à celle de Haut-Marbuzet, mais il faut le consommer plus rapidement, l'apogée moyenne se situant vers la septième année.

et Château MACCARTHY-MOULA

1983

CHATEAU MACCARTHY-MOULA

SAINT-ESTÈPHE
HAUT-MÉDOC

Appellation Saint-Estèphe Contrôlée

H. DUBOSCQ & Fils
PROPRIÉTAIRES A SAINT-ESTÈPHE (GIRONDE)

Mis en bouteilles au château   75 cl

Age idéal :
10 ans pour un Haut-Marbuzet,
7 ans pour un Maccarthy-Moula.

Plat idéal : Aloyau de bœuf
sur sarments.

Saint-Estèphe

CHÂTEAU HAUT-MARBUZET, CHÂTEAU MACCARTHY-MOULA,
Saint-Estèphe, AOC Saint-Estèphe

Date de création du vignoble : *XXᵉ s.*
Surface : *40 ha*
Nombre de bouteilles : *240 000*
Répartition du sol : *2 lots*
Géologie : *graves argilo-calcaires*
Autre vin produit par le vignoble :
   Château Maccarthy-Moula (30 000 bout.)

Culture

Engrais : *organique*
Encépagement : *CS 50 %   CF 10 %   M 40 %.*
Age moyen : *28 ans*
Porte-greffe : *420 A, Riparia*

Densité de plantation : *9 000 pieds/ha*
Rendement à l'hectare : *45 hl*
Traitement antibotrytis : *oui*
Vendange : *manuelle*

Vinification

Levurage : *non*
Remontage : *biquotidien*
Type des cuves : *béton revêtu — 200 hl*
Température de fermentation : *34°*
Mode de régulation : *par remontage*
Temps de cuvaison : *2-4 semaines*
Vin de presse : *0 à 65 %*
Filtration avant élevage : *non*

Age des barriques : *neuves*
Durée de l'élevage : *18-22 mois*
Collage : *œufs frais*
Filtration : *non*
Mise en bouteilles au château : *en totalité*
Type de bouteille : *lourde*
Maître de chai : *Henri Duboscq*
Œnologue-conseil : *Henri Duboscq*

Commercialisation

Vente par souscription : *oui*
Vente directe au château : *oui*
Commande directe au château : *oui*
Contrat monopole : *non*

Château MAC-CARTHY

Château peut-être, plutôt maison des champs, ou plus exactement des vignes. Côté cour : cuvier, chai, bâtiments d'exploitation ; côté jardin : des vignobles et plus loin encore du vignoble. La vue est étendue puisque la maison est heureusement disposée plein sud en bordure du hameau de Marbuzet, lequel domine le vallon emprunté par la voie de chemin de fer Pauillac-Lesparre. Le Château Mac-Carthy porte le nom d'une illustre famille comtale d'origine irlandaise dont les armoiries ornent les étiquettes du vin qui pérennise son nom.

Les Mac Carthy, seigneurs de La Marlière, installés en France au XVIIIᵉ siècle, possédèrent tout le plateau de Marbuzet. Une succession douloureuse, la dispute d'un frère et d'une sœur, s'est soldée par le morcellement de leur terre. Cela a permis à l'arrière-grand-père de M. Jean Raymond, le propriétaire actuel, d'acquérir en 1852 cette terre précieuse que ses héritiers se sont transmise. Jean Raymond ne recherche ni l'expansion ni la quantité mais la qualité. En témoigne son refus de mettre en bouteilles des vins qu'il estime insuffisants, tel le millésime 1980 par exemple.

Durant l'été 1987 Jean Raymond cède son vignoble à Henri Duboscq (Haut-Marbuzet, voir pages 56 et 57). 1985 est donc son dernier millésime.

TERROIR ET VIGNES

Non seulement le vignoble est très petit mais il est divisé en quatre lots, 70 % de sa surface est tributaire de graves, les 30 % restants se composent de terres argileuses sur alios. Généralement ces parcelles s'inclinent vers l'est, en direction de la Gironde et vers le nord en direction de Pauillac. Les pentes activent le drainage. Dans les 70 % de Cabernet-Sauvignon est incluse une petite part de Cabernet franc. Jean Raymond déplore l'impossibilité de trouver du véritable fumier de vache. Des engrais organiques sont répandus après la vendange.

VINIFICATION ET VIN

De la glace refroidit le serpentin. Cela permet de maintenir la température des cuves en dessous de 30°, vers 27-28°. L'élevage se fait en barriques usagées. Chaque année quelques futailles neuves remplacent les plus anciennes.

Le vin étiqueté Château La Rose-Marbuzet est identique à celui qui porte le nom de la propriété. Aux USA, en Grande-Bretagne, en Allemagne on préfère les consonances anglo-saxonnes à l'inverse des acheteurs belges qui acquièrent du Château La Rose-Marbuzet.

Château Mac-Carthy est un solide Saint-Estèphe fortement coloré et tannique. Sa consommation hâtive est déconseillée.

COTATIONS COMMENTÉES

1975	9	Est ouvert, complet, excellent pour plusieurs années • A BOIRE
1976	6,5	Souple comme tous les 1976... • A TERMINER
1977	–	Petit millésime, petit vin — vendu « en générique » • DEVRAIT ÊTRE BU
1978	8,5	Complet, équilibré, aimable • A BOIRE
1979	6	Facile, manque de concentration • A BOIRE
1980		Pas de mise en bouteilles
1981	7	Vendangé en pleine pluie froide, raisins sains, bon vin • A BOIRE
1982	9,5	Le millésime de référence • 10 ANS
1983	8	Fait songer à un 1982 dur • 10-12 ANS
1984	5	Mieux que sa réputation • 7 ANS
1985	10	Peut-être supérieur à 1982 • 10 ANS
1986 et 1987		Voir texte

Age idéal : 8-10 ans.

Plat idéal : Filet de bœuf aux cèpes.

CHÂTEAU MAC-CARTHY, Saint-Estèphe, AOC Saint-Estèphe

Date de création du vignoble : *XIXᵉ siècle*
Surface : *7 ha*
Nombre de bouteilles : *25 000*
Répartition du sol : *4 lots*
Géologie : *graves, argile*
Autre vin produit par le vignoble : *La Rose-Marbuzet*

Culture

Engrais : *organique et chimique*
Encépagement : *CS 70 % M 30 %*
Age moyen : *25-30 ans*
Porte-greffe : *420 A*

Densité de plantation : *8 000 pieds/ha*
Rendement à l'hectare : *45-50 hl*
Traitement antibotrytis : *oui*
Vendange : *manuelle*

Vinification

Levurage : *naturel*
Remontage : *quotidien*
Type des cuves : *ciment — 125 hl*
Température de fermentation : *30°*
Mode de régulation : *serpentin*
Temps de cuvaison : *3-4 semaines*
Filtration avant élevage : *non*
Age des barriques : *divers*

Durée de l'élevage : *18 mois*
Collage : *poudre d'œuf*
Filtration : *à la mise*
Mise en bouteilles au château : *en totalité*
Type de bouteille : *lourde*
Maître de chai : *Jean Raymond, voir texte*
Œnologue-conseil : *laboratoire de Pauillac*

Commercialisation

Vente par souscription : *non*
Vente directe au château : *oui*
Commande directe au château : *oui*
Contrat monopole : *non*

CHATEAU DE MARBUZET
Saint Estèphe
Appellation Saint Estèphe Controlée

1982

MIS EN BOUTEILLE AU CHATEAU
Société Fermière des Domaines Prats à Saint-Estèphe (Gironde).
PRODUCE OF FRANCE

750 ml

COTATIONS COMMENTÉES

1970	8	Robe soutenue, brune dans la masse. Net, franc, aristocratique • A BOIRE
1975	7	Sa richesse s'ouvre • A BOIRE
1976	6	Bien, ne plus l'attendre • A BOIRE
1977	5	La simplicité du millésime, bouquet sympathique • A BOIRE
1978	8	Complet, bel équilibre • A BOIRE
1979	8	Proche du précédent, un peu plus fumé • A COMMENCER
1980		Pas de Château Marbuzet
1981	9	Très tannique, style 1970 • 9 ANS
1982	10	Belles structures, rondeur sans astringence, ampleur • A BOIRE ET A GARDER
1983	7	Robe foncée, souplesse, Merlots bien mûrs • A BOIRE
1984	5,5	Net et fruité, de la mâche, belle robe • A BOIRE
1985	9	40 % Merlot-60 % Cabernet, fruité explosif, empyreumatique, corsé, fondu, long • 10 ANS
1986	9,5	50 % Merlot-50 % Cabernet, charpenté et charnu • 11 ANS
1987	6	30 % Merlot-70 % Cabernet, robe légère, finesse et fruité • 3 ANS

Cette terre, parmi tant d'autres, a appartenu au légendaire prince des Vignes, Alexandre de Ségur. Lors de sa succession en 1776, Marbuzet est vendu à Marc-Antoine Domenger, régisseur du Château Latour. Fin XIXe, il devient la propriété de Jules Merman, issu d'une importante dynastie de courtiers qui participèrent à l'établissement du classement de 1855. Dans la commune de Saint-Estèphe ils étaient propriétaires depuis 1788 du Château Le Crock. Jules Merman, acquéreur du vignoble de Marbuzet, fit élever le superbe château de style Louis XVI caractérisé par ses hautes colonnes ioniques, sa vaste terrasse et l'escalier majestueux descendant vers le parc. Toutes ces merveilles étaient destinées à Régina Badet, danseuse étoile qui s'illustra dans *Bacchus Triomphant* donné en 1905 sur les Quinconces. Cette femme de rêve y apparaissait si peu vêtue qu'on frisa le scandale. Jules Merman, après s'être ruiné pour elle, en fut abandonné et, en 1921, dut vendre son château désormais sans châtelaine à Fernand Ginestet. Depuis la propriété n'a pas quitté la famille : les Prats, ses petits-fils, gouvernent actuellement le domaine.

Château de Marbuzet jouit depuis toujours d'une réputation flatteuse auprès des connaisseurs. Depuis la guerre, le vin issu du vignoble sis à proximité du château est complété sinon dominé par ceux du second vin de Cos-d'Estournel, 2e cru Classé en 1855*.

TECHNIQUES DE SÉLECTION ET VIN

La possibilité de sélection se situe avant les vendanges, lors de l'établissement du plan de ramassage, lequel tient compte de l'état du raisin, sous tous rapports (maturité, état sanitaire, cépages, etc.). Les contrôles de qualité se poursuivent jusqu'au dernier instant puisqu'une vanne à bascule permet d'orienter le moût in extremis dans telle ou telle cuve. Les sélections portent sur les cuves de vins de goutte ; les presses fractionnées en sept barriques successives participent à l'élaboration de trois types de vin : la première barrique peut s'incorporer au Grand Vin (Cos-d'Estournel) mais pas obligatoirement, les quatre suivantes renforcent le Château de Marbuzet, le dernier pressurage est destiné « au générique » comme on dit. Château de Marbuzet est un vin de grande classe. Habillé d'une robe fortement colorée, son nez fruité est discrètement boisé ; en bouche, rondeur soyeuse dépourvue d'astringence.

* Voir notre *Encyclopédie des Crus Classés du Bordelais*, Julliard, 1986.

Age idéal : 7 ans. Plat idéal : Poule farcie à la bordelaise.

CHÂTEAU DE MARBUZET, Saint-Estèphe, AOC Saint-Estèphe

Date de création : *XVIe s.*
Nombre de bouteilles : *350 000*
Répartition du sol : *1 lot*
Géologie : *graves güntziennes*

Culture

Identique au Château Cos-d'Estournel
Engrais : *compacts organiques*
Encépagement : *CS 60 % M 40 %*
Age moyen : *10 ans*
(jeunes vignes du Château Cos-d'Estournel)
Porte-greffe : *101-14, Riparia Gloire*
Densité de plantation : *8000 pieds/ha*
Rendement à l'hectare :
dans la limite de l'AOC Saint-Estèphe

Traitement antibotrytis : *oui*
Vendange : *manuelle*

Vinification

Levurage : *oui*
Remontage : *biquotidien*
Type des cuves : *acier émaillé, ciment*
Température de fermentation : *28°-35°*
Mode de régulation : *pompe à chaleur*
Temps de cuvaison : *20-30 jours*
Vin de presse : *incorporé selon les millésimes*
Filtration avant élevage : *sur terre*
Age des barriques : *barriques d'un vin de Cos-d'Estournel*

Durée de l'élevage : *18 mois*
Collage : *blanc d'œuf*
Filtration : *oui*
Mise en bouteilles au château : *100 %*
Type de bouteille : *lourde*
Maître de chai : *Robert Hallay*
Régisseur : *J. Pelissié*
Œnologue-conseil : *Pr. Ribereau-Gayon*

Commercialisation

Vente par souscription :
par le Cercle d'Estournel
Vente directe au château : *oui*
Commande directe au château : *oui*
Contrat monopole : *oui à l'exportation*

COTATIONS COMMENTÉES

1979	?	*Encore dur...* ● 13-14 ANS ?
1976	7	*Flatteur, à point* ● A BOIRE
1977	5	*Mince mais précis* ● A BOIRE
1978	8	*Bon équilibre, s'ouvre* ● A COMMENCER
1979	7	*Nez boisé-fauve, demi-gras, un peu arrogant* ● A BOIRE
1980	8,5	*Robe normale ; serré, pointu, fin et léger* ● A BOIRE
1981	7	*Concentré pour un 1981* ● A COMMENCER
1982	10	*Imposant et rond, avenant* ● A BOIRE, A ENCAVER
1983	7,5	*Ensemble harmonieux, concentration normale* ● 7 ANS
1984	6	*Robe réussie, ni astringent, ni gras ; fin* ● A BOIRE
1985	9,5	*Fruité exubérant, chaud et long* ● 7 ANS
1986	10	*Tannique, évolution lente* ● 12 ANS
1987	6,5	*Charme et fraîcheur* ● 3 ANS

Age idéal : 7-8 ans.

Plat idéal : Entrecôte aux cèpes.

Cet ensemble quadrangulaire ordonné autour d'une vaste cour a l'aspect d'une véritable forteresse. Côté route, une immense façade recouverte d'une vigne vierge n'a pour seule ouverture que le châtelet d'entrée percé d'une porte arrondie et surmonté d'un toit à quatre pentes. Le corps de logis fut construit en 1662 par les pères Feuillants qui développèrent le vignoble et l'exploitèrent jusqu'à la Révolution. Ce bien fut alors acquis par un gentilhomme suédois, négociant en vin et propriétaire depuis quatre lustres du Château La Tour-Carnet, M. de Luetkens.

En 1850, les Luetkens sont les premiers producteurs de la commune avec M. Phélan : pas moins de 160 tonneaux (presque 200 000 bouteilles !).

Meyney – dit parfois Prieuré des Couleys — demeura dans la famille jusqu'en 1919, jusqu'à ce que le baron du Sault le vende à Georges Cordier. Depuis il est entretenu « façon Cordier » comme Château Talbot et Château Gruaud-Larose, c'est-à-dire exemplairement.

TERROIR ET VIGNES

Le château occupe le centre du vignoble superbement situé, pratiquement d'un seul tenant. Il s'abaisse très lentement en direction de l'est, c'est-à-dire vers la Gironde, de 13 à 4 mètres d'altitude. Des graves siliceuses sur socle calcaire accueillent un encépagement d'âge respectable — gage de qualité — fortement marqué par le Cabernet-Sauvignon.

VINIFICATION ET VIN

Les cuves en ciment complétées par une batterie de cuves en acier inoxydable dont la hauteur égale la largeur — la proportion idoine — garnissent un cuvier fonctionnel. Dans un chai de première année, le vin est élevé neuf mois en foudres et trois mois en barriques. Le chai de deuxième année ne contient que des barriques disposées perpendiculairement au sens habituel. Le vin est collé au mois de janvier et mis en bouteilles dans l'été.

Château Meyney mérite sa réputation : vins construits, charpentés, pleins, bel équilibre entre tannins fins et sapidité.

CHÂTEAU MEYNEY, Saint-Estèphe, AOC Saint–Estèphe

Date de création du vignoble : *1662*
Surface : *53 ha*
Nombre de bouteilles : *250 000*
Répartition du sol : *sol silico-graveleux*
Autre vin produit par le vignoble :
Prieur du Château Meyney

Culture

Engrais : *fumier, engrais minéraux*
Encépagement : *CS 70 % CF 4 % M 24 % PV 2 %*
Age moyen : *42 ans*
Porte-greffe : *Riparia 3309, 101-14, SO 4, 5 BB*
Densité de plantation : *7500 pieds/ha*
Rendement à l'hectare : *48 hl de moyenne sur 10 ans*

Traitement antibotrytis : *oui*
Vendange : *manuelle*

Vinification

Levurage : *naturel*
Remontage : *fréquents et adaptés au millésime*
Type des cuves : *ciment vitrifié et cuve inox — 200 hl*
Température de fermentation : $\simeq 30°$
Mode de régulation : *ruissellement*
Temps de cuvaison : *18-20 jours*
Vin de presse : *8 à 10 % incorporés*
Filtration avant élevage : *non*
Age des barriques : *renouvellement annuel : 20 %*

Durée de l'élevage : *20 et 22 mois*
Collage : *aux blancs d'œufs frais*
Filtration : *à la mise*
Mise en bouteilles au château : *en totalité*
Type de bouteille : *jusqu'à 1979 : spéciale Cordier — depuis 1979 : lourde*
Maître de chai : *Jean-Claude Payeur*
Régisseur : *Roger Moreau*
Œnologue-conseil : *Georges Pauli*

Commercialisation

Vente par souscription : *oui*
Vente directe au château : *non*
Commande directe au château : *oui*
Contrat monopole : *oui (Ets Cordier) 10 Quai de Paludate, 33000 Bordeaux*

Château MORIN

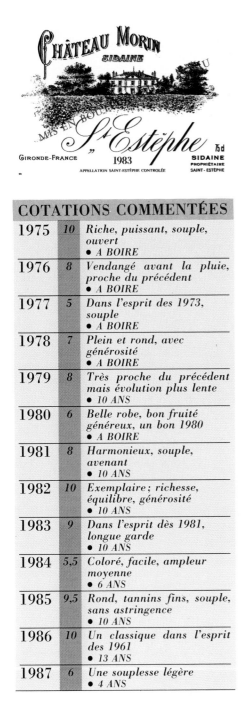

Au cœur du petit bourg de Saint-Corbian, terre de très anciens vignobles, à l'ouest la route D2 Saint-Estèphe-Saint-Seurin-de-Cadourne, un vaste portail ouvre sur le parc d'un domaine qui déborde la croupe donnant sur la Gironde. Le Château Morin est là, calme, paisible, presque un peu endormi dans la netteté de son style XVIIIᵉ. Le domaine naît dans le premier tiers du XVIIIᵉ siècle. Les Morin de Camiran l'exploitent. Au début du siècle passé, ils produisent l'équivalent de 130 000 bouteilles, presque autant que leur tout voisin Château du Bosq. Par la suite Morin entre dans le patrimoine de la famille Alibert. En 1894, Paul Alibert conduit la propriété. Sa fille épouse Jean Sidaine et hérite de Château Morin qu'elle transmet à ses enfants, Marguerite et Maxime Sidaine, actuels propriétaires.

Depuis près d'un siècle, le graphisme de l'étiquette n'a pas été modifié.

TERROIR ET VIGNES

Le vignoble d'un seul tenant s'étale devant le château face à la Gironde. Il occupe un point culminant à 19 mètres et s'abaisse au nord de quelques mètres en direction de l'estey d'Un. Il complante un sol de graves argilo-calcaires fortes et profondes.

Cabernets-Sauvignons et Merlots se partagent à parts sensiblement égales les 10 hectares plantés. Cette proportion de Merlot est supérieure à la moyenne communale. A noter le respect de la forte densité de plantation heureusement habituelle dans cette Appellation.

VINIFICATION ET VIN

La vinification est traditionnelle. Le vin de presse n'est que faiblement incorporé au grand vin qui n'est pas filtré avant son élevage par rotation dans des cuves et des barriques.

Château Morin est un vin habillé d'une robe très foncée sans être opaque pour autant. Il s'avère très civilisé, souple dans sa rondeur aucunement troublée par des tannins fins totalement enrobés.

🌢 *Age idéal : 10 ans.*

🍽 *Plat idéal : Rôti de bœuf.*

COTATIONS COMMENTÉES

Année	Note	Commentaire
1975	10	Riche, puissant, souple, ouvert • A BOIRE
1976	8	Vendangé avant la pluie, proche du précédent • A BOIRE
1977	5	Dans l'esprit des 1973, souple • A BOIRE
1978	7	Plein et rond, avec générosité • A BOIRE
1979	8	Très proche du précédent mais évolution plus lente • 10 ANS
1980	6	Belle robe, bon fruité généreux, un bon 1980 • A BOIRE
1981	8	Harmonieux, souple, avenant • 10 ANS
1982	10	Exemplaire ; richesse, équilibre, générosité • 10 ANS
1983	9	Dans l'esprit dès 1981, longue garde • 10 ANS
1984	5,5	Coloré, facile, ampleur moyenne • 6 ANS
1985	9,5	Rond, tannins fins, souple, sans astringence • 10 ANS
1986	10	Un classique dans l'esprit des 1961 • 13 ANS
1987	6	Une souplesse légère • 4 ANS

CHÂTEAU MORIN, Saint-Estèphe, AOC Saint-Estèphe

Date de création du vignoble : *XVIIIᵉ siècle*
Surface : *10 ha*
Nombre de bouteilles : *60 000*
Répartition du sol : *un seul tenant*
Géologie : *graves argilo-calcaires*
Autre vin produit par le vignoble : *aucun*

Culture

Engrais : *fumier*
Encépagement : *CS 50% M 49% PV 1%*
Age moyen : *25 ans*
Porte-greffe : *4453, SO4*
Densité de plantation : *9000 pieds/ha*
Rendement à l'hectare : *45-48 hl*

Traitement antibotrytis : *oui*
Vendange : *manuelle*

Vinification

Levurage : *première cuve*
Remontage : *quotidien*
Type des cuves : *béton*
Température de fermentation : *28°-29°*
Mode de régulation : *serpentin*
Temps de cuvaison : *21-31 jours*
Vin de presse : *très limité, fraction de la 1ʳᵉ presse*
Filtration avant élevage : *non*
Age des barriques : *6-8 ans*
Durée de l'élevage : *rotation cuve/barrique*

18 mois
Collage : *poudre d'œuf*
Filtration : *à la mise*
Mise en bouteilles au château : *en totalité*
Type de bouteille : *lourde*
Maître de chai : *Maxime et Marguerite Sidaine*
Œnologue-conseil : *Bernard Couasnon — laboratoire de Pauillac*

Commercialisation

Vente par souscription : *non*
Vente directe au château : *non*
Commande directe au château : *oui*
Contrat monopole : *non*

Château LES ORMES-DE-PEZ

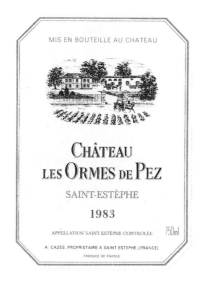

MIS EN BOUTEILLE AU CHATEAU

CHÂTEAU
LES ORMES DE PEZ
SAINT-ESTÈPHE
1983
APPELLATION SAINT ESTÈPHE CONTRÔLÉE   750 ml
A. CAZES, PROPRIÉTAIRE A SAINT ESTÈPHE, (FRANCE).
PRODUCE OF FRANCE

COTATIONS COMMENTÉES

Année	Note	Commentaire
1975	9	Il est ouvert... enfin • A BOIRE
1976	5	Sa souplesse l'a fatigué • DEVRAIT ÊTRE BU
1977	4	Goûts herbacés • DEVRAIT ÊTRE BU
1978	8	Charnu, évolution lente • A COMMENCER
1979	7	Mâche, fruité, rondeur • A BOIRE
1980	5	Léger, tannins limités • A BOIRE
1981	7	Presque facile, vite ouvert • A BOIRE
1982	10	Riche, concentré, corpulent • A BOIRE, A ENCAVER
1983	9	Vigueur, harmonie, complexité • A COMMENCER
1984	6	90 % Cabernet; coloré et fondu • A BOIRE
1985	9,5	Un 1982 plus ferme ou un 1983 plus souple ? • 6-7 ANS
1986	9	Tannique, boisé, long, dans le style de 1970 • 7-8 ANS
1987	6	Un fruité équilibré • 2-3 ANS

La date de construction du chai gravée dans la pierre — 1792 — atteste son ancienneté. Cinquante ou soixante ans plus tard, le citoyen Southard produit « aux Ormes » l'équivalent de quelque 120 000 bouteilles. A la fin du siècle dernier, les Ormes-de-Pez appartiennent à Marcel Alibert, puis en 1927 une société en prend le contrôle pour une dizaine d'années, jusqu'à ce que la famille Cazes, bien connue à Pauillac, déjà propriétaire de Lynch-Bages, en fasse l'acquisition.

Aujourd'hui, l'équipe qui œuvre avec le succès que l'on connaît à Lynch-Bages applique des méthodes toutes semblables aux Ormes-de-Pez.

TERROIR ET VIGNES

Les parcelles sont disséminées au sud, au nord et à l'est du hameau de Pez, jusqu'à la limite nord de la commune. Dans l'ensemble elles sont plutôt inclinées en direction du nord. Une couche de graves sablo-argileuses de un à plusieurs mètres d'épaisseur recouvre un socle marno-calcaire ou de calcaire fissuré. L'amélioration de l'écoulement des eaux de quelques parcelles a nécessité la pose de drains. A noter la forte densité de plantation, traditionnelle dans cette commune et le maintien de l'âge respectable du vignoble.

VINIFICATION ET VIN

La vinification suit la méthode mise au point à Lynch-Bages, en particulier par les remontages par saignée, procédé qui consiste à vider la cuve puis à la remplir en très peu de temps afin de noyer le chapeau. Jean-Michel Cazes démontre la puissance extractive de ce procédé en faisant remarquer que le vin de presse n'est pas plus tannique que le vin de goutte. Le vin est filtré sur terre avant l'élevage en barriques. Pour le collage aux blancs d'œufs lyophilisés, il est remis en cuve.

Château Les Ormes-de-Pez est coloré, avec des tannins abondants mais fins, mûrs et civilisés. Il tient la gageure d'être consommable assez rapidement tout en conservant un bon potentiel de garde.

Age idéal : 3 à 6 ans.

Plat idéal : Canard nantais.

CHÂTEAU LES ORMES-DE-PEZ, Saint-Estèphe, AOC Saint-Estèphe

Date de création du vignoble : XVIIᵉ siècle
Surface : 30 ha
Répartition du sol : 8 lots
Géologie : graves sablo-argileuses, sous-sol marno-calcaire
Autre vin produit par le vignoble : aucun

Culture

Engrais : fumier naturel, par rotation tous les 5 ans environ
Encépagement : CS 55% CF 10% M 35%
Age moyen : 30 à 35 ans
Porte-greffe : 420A, Riparia, 101-14, 4453

Densité de plantation : 9000 pieds/ha
Rendement à l'hectare : 40 hl
Traitement antibotrytis : oui
Vendange : manuelle

Vinification

Levurage : naturel
Remontage : biquotidien
Type des cuves : acier inoxydable — 190 hl
Température de fermentation : 30°
Mode de régulation : par ruissellement d'eau et pompe à chaleur
Temps de cuvaison : 2 semaines
Vin de presse : 10 à 15%
Filtration avant l'élevage : sur terre

Age des barriques : 2 à 4 ans
Durée de l'élevage : 12 à 15 mois
Collage : aux blancs d'œufs
Filtration : légère, sur plaques
Mise en bouteilles au château : en totalité
Type de bouteille : lourde
Maître de chai : Guy Bergey
Régisseur : Daniel Llose
Œnologue-conseil : laboratoire de Pauillac

Commercialisation

Vente par souscription : non
Vente directe au château : non
Commande directe au château : non
Contrat monopole : non

Château DE PEZ

GRAND VIN

Château de Pez

SAINT - ESTÈPHE

1982

APPELLATION SAINT-ESTÈPHE CONTROLÉE

S^{té} Cie de Château de Pez

750 ml   PROPRIÉTAIRE A St-ESTÈPHE (GIRONDE)

Mis en bouteille au Château

COTATIONS COMMENTÉES

1970	9	3,85 acidité, évolution lente • 20 ANS
1975	7	S'entrouvre ; n'est pas celui qu'on annonçait • A COMMENCER
1976	6,5	Robe d'époque, souple • A TERMINER
1977	4,5	9° le 31 mars 1977 ; 100 % C-S nerveux, déséquilibré • A BOIRE
1978	8	Fermé, évolution parallèle à celle des 1970 • A COMMENCER
1979	7,5	Plus aimable que le précédent, évolution style 1971 • LE GOÛTER
1980	5	Vendange 14 octobre-début novembre ; léger et sain • A BOIRE
1981	9	Construit, complet, évolution lente style 1966 • 10 ANS
1982	10	Rien de comparable depuis 1955, ou mieux 1945 • 10-15 ANS
1983	7,5	Un 1981 moins cencentré • 7 ANS
1984	6	Les Cabernets étaient mûrs — complexité limitée • 5 ANS
1985	9,5	Fruité et plein (C-S 11°, M 12°, 3,65° d'acidité) • 10 ANS
1986	10	Grand millésime classique • 15 ANS
1987	6,5	Aimable • 6 ANS

P ez est, avec Calon, le plus ancien vignoble de Saint-Estèphe. Sa création remonterait au XVe siècle. En 1452, le damoiseau Jean de Briscos le gouverne ; en 1526, c'est au tour du « noble homme » Ducos, suivi dès 1585 de Jean de Pontac.

C'est aux Pontac, également créateurs de Haut-Brion, que Pez doit son vignoble. Pez demeura dans cette famille jusqu'à la Révolution au travers du marquis d'Aulède et du comte de Fumel, qui fut guillotiné. Vendu comme « bien national », Pez appartint successivement aux Tarteiron, aux Balguerie, aux Lawton, aux du Vivier puis en 1920 à Jean Bernard, grand-père maternel du propriétaire actuel, Robert Dousson.

Depuis 1680 ce vignoble n'a été ni agrandi ni amputé.

TERROIR ET VIGNES

La propriété forme un ensemble unitaire encerclé par des routes. Cette croupe dont le point culminant atteint l'altitude de 18 m s'abaisse en direction du nord jusqu'à 12 m.

Le sol de graves günziennes d'une épaisseur d'un mètre au moins repose sur le socle argilo-calcaire de Saint-Estèphe. L'eau de ruissellement s'écoule vers les routes qui entourent la propriété en empruntant d'anciens fossés conçus pour le drainage.

Depuis 1920, la taille Guyot double, taille traditionnelle médocaine, est appliquée à Pez. Les ceps sont plantés « au carré », c'est-à-dire à 125 × 125 cm sur un unique porte-greffe : le Riparia Gloire, souvent considéré comme le meilleur par les producteurs qui ne cherchent pas le rendement ou qui n'ont pas un sol trop calcaire. A noter la très forte proportion des Cabernets. Les vignes très basses interdisent l'emploi de la machine à vendanger.

VINIFICATION ET VIN

Château de Pez demeure volontairement fidèle à la cuverie de bois. Le vin est remonté une heure par jour et le refroidissement est assuré par un serpentin rafraîchi. Dans les cuves de bois les fermentations malolactiques ne posent jamais de problèmes. Depuis 1970, le vin de presse n'est plus jamais incorporé au grand vin. Les assemblages sont réalisés au mois de mars, puis le vin est logé en barriques, soutiré tous les trois mois, collé au blanc d'œuf frais au bout d'un an, c'est-à-dire au milieu de leur élevage. A noter l'absence totale de filtration.

Château de Pez se présente habillé de forte couleur. Une longue garde convient au plein épanouissement de ce vin complet, puissant et dense dont les nombreux composants se conjuguent harmonieusement.

Age idéal : 5 à 10 ans.

Plat idéal : Lamproie bordelaise.

CHÂTEAU DE PEZ, Saint-Estèphe, AOC Saint-Estèphe

Date de création du vignoble : *1680*
Surface : *25 ha*
Répartition du sol : *un seul tenant*
Géologie : *graves*
Autre vin produit par le vignoble : *aucun*

Culture

Engrais : *organiques*
Encépagement : *CS 70 %   CF 15 %   M 15 %*
Porte-greffe : *100 % Riparia*
Densité de plantation : *6 750 pieds/ha*
Rendement à l'hectare : *55 hl*
Traitement antibotrytis : *oui*
Vendange : *manuelle*

Vinification

Levurage : *naturel*
Remontage : *quotidien*
Type des cuves : *bois — 170-225 hl*
Température de fermentation : *28°-29°*
Mode de régulation : *serpentin*
Temps de cuvaison : *3 semaines*
Vin de presse : *non incorporé*
Filtration avant élevage : *non*
Age des barriques : *renouvellement par quart annuel*
Durée de l'élevage : *20-22 mois*
Collage : *blanc d'œuf frais*

Filtration : *non*
Mise en bouteilles au château : *en totalité*
Type de bouteille : *lourde*
Maître de chai : *Robert Dousson*
Œnologue-conseil : *Marc Cartigué*

Commercialisation

Vente par souscription : *non*
Vente directe au château : *non*
Commande directe au château : *non*
Contrat monopole : *oui*
Gilbey de Loudenne
Saint-Yzans-de-Médoc
33340 Lesparre

Château PHÉLAN-SÉGUR

Mis en bouteille au Château

1981

Grand Vin du
Château Phélan Ségur
SAINT ESTÈPHE
APPELLATION S⁺ ESTÈPHE CONTRÔLÉE

G.F.A. de Château Phélan Ségur
Propriétaire à S⁺ Estèphe (Gironde)
PRODUCE OF FRANCE   75 cl

COTATIONS COMMENTÉES

1975	?	*Toujours pas ouvert*
1976	6	*Vendangé « presque » avant la pluie, fin. Dilution* • A TERMINER
1977	4	*A été léger et parfumé* • DEVRAIT ÊTRE BU
1978	9	*Complet mais demeure dur* • A BOIRE
1979	7	*Un 1978 un peu dilué* • A BOIRE
1980	5	*Style léger* • A BOIRE
1981	7	*Genre 1979, souple* • A BOIRE
1982	10	*Style vieux Médoc, gras, tannins très mûrs* • A BOIRE ET A ENCAVER
1983*	7	*Plus près de 1979 que 1978, avec une pointe de nervosité, vendangé trop tôt* • A COMMENCER
1984*	5,5	*Parfumé, évolue vite* • A BOIRE
1985*	9	*Acidité 1982 : 3 à 3,2 ; acidité 1985 : 3,4 à 3,5 ; frais* • 10 ANS
1986	9	*Corpulent, structuré et long ; de garde* • 10 ANS
1987	5,5	*Dans l'esprit du 1981 ; 55 % de la récolte éliminé* • 4 ANS

Age idéal : 10 ans.

Plat idéal : Pigeonneaux / petits pois.

C e domaine porte le nom de son créateur, Bernard Phélan qui possédait le cru de Garramey. En 1810, il achète le cru Basserot aux héritiers de Joseph Marie de Ségur. (Ne pas confondre avec un autre Ségur, Alexandre, qui fut surnommé le prince des Vignes.) Plus tard le cru ne s'appela pas Garramey-Basserot mais Garramey-Ségur, pour d'évidentes raisons commerciales.

Dans les premières décennies du siècle une société civile rassemble les vignobles de Roche, de Fontpetite et de Phélan-Ségur. Des problèmes successoraux conduisirent à vendre Phélan-Ségur. Xavier Gardinier, ex-actionnaire majoritaire du groupe Pommery-Lanson, a repris cette propriété en 1985 et entend lui donner un nouveau souffle par de larges investissements.

TERROIR ET VIGNES

Le chemin qui conduit à Montrose longe au sud les vignes de Haut-Marbuzet et au nord celles de Fontpetite alias Phélan-Ségur. Une terre noire presque sablonneuse. Ce plateau horizontal est drainé : il recèle des sources, Fontpetite signifiant sans doute *petite fontaine*. Les trois autres parcelles sont proches de Saint-Estèphe, les deux premières « regardant » (à l'est) la Gironde, la troisième plus argileuse inclinée au nord surplombe le chenal de Calon. Le porte-greffe 420 A est abandonné au profit du 3304 plus précoce. Le sol est enrichi suivant un roulement trisannuel : engrais organique, minéraux et chaux. Les vendanges sont faites à la main.

VINIFICATION ET VIN

Le cuvier comporte de hautes cuves en inox de 300 hectolitres. Pour une meilleure exploitation du chapeau (problème d'extraction), l'usage de cuves dont la hauteur égale la largeur est à l'étude. L'élevage quant à lui a été amélioré. Pour le millésime 1985, 800 barriques neuves ont rejeuni le parc de futailles souvent âgées de dix ans.

Les sélections doivent conduire à la création d'une seconde marque, soit Domaine de Garramey, soit Domaine de Fontpetite, deux noms qui désignent des parcelles de Phélan-Ségur. Les investissements de Xavier Gardinier, son sens du savoir-faire et son habitude de la réussite doivent stimuler toutes les qualités du vin de Phélan-Ségur. Une nouvelle vinification renforce sa robe et un élevage « de luxe » complexifie un bouquet naturellement riche.

* Notes de dégustation de vins jeunes. Il s'est avéré que ces vins ne supportaient pas le climat oxydo-réducteur de la garde en bouteille et qu'ils développaient des arômes type mercaptan. Un produit de traitement, l'Orthène, un insecticide contre le ver de la grappe est la cause de ce défaut qui a conduit le propriétaire à retirer de la vente (et à reprendre) les bouteilles portant ces 3 millésimes.

CHÂTEAU PHÉLAN-SÉGUR, Saint-Estèphe, AOC Saint-Estèphe

Date de création du vignoble : *XIXᵉ siècle*
Surface : *58 ha*
Nombre de bouteilles : *350 000*
Répartition du sol : *4 lots*
Géologie : *graves sablonneuses*
Autre vin produit par le vignoble : *voir texte*

Culture

Engrais : *organique et minéral*
Encépagement : *CS 55 % CF 15 % M 30 %*
Age moyen : *25 ans*
Porte-greffe : *3309, 420 A, SO 4*
Densité de plantation : *8 600 pieds/ha*

Rendement à l'hectare : *45-50 hl*
Traitement antibotrytis : *oui*
Vendange : *manuelle*

Vinification

Levurage : *oui*
Remontage : *2,5 fois par jour*
Type des cuves : *inox, 300 hl*
Température de fermentation : *30°-31°*
Mode de régulation : *ruissellement*
Temps de cuvaison : *20 jours*
Vin de presse : *première presse*
Filtration avant élevage : *non*
Age des barriques : *bientôt 20 %*

de barriques neuves annuellement
Durée de l'élevage : *20-22 mois*
Collage : *blanc d'œuf frais*
Filtration : *à la mise*
Mise en bouteilles au château : *en partie*
Type de bouteille : *lourde*
Maître de chai : *Claude Lopez*
Œnologue-conseil : *Jacques Boissenot*

Commercialisation

Vente par souscription : *non*
Vente directe au château : *non*
(la maison du Vin à Saint-Estèphe)
Commande directe au château : *non*
Contrat monopole : *oui*

Château POMYS

1983

CHATEAU POMYS
CRU BOURGEOIS

SAINT-ESTÈPHE

APPELLATION SAINT-ESTÈPHE CONTRÔLÉE

S.A.R.L. ARNAUD

CHÂTEAUX St ESTÈPHE et POMYS
33250 SAINT-ESTÈPHE

75 cl

MIS EN BOUTEILLES AU CHATEAU

COTATIONS COMMENTÉES

1975	8	*Puissant, corsé, manque un peu de gras* • A COMMENCER
1976	9,5	*Plein, rond, ample, raisins surmûris* • A BOIRE
1977	4	*Le contraire du 1976* • A TERMINER
1978	8	*Complet, évolution lente et bénéfique* • 14 ANS
1979	7	*Du corps avec beaucoup de souplesse* • A BOIRE
1980	5	*Léger, passe-partout* • A BOIRE
1981	7,5	*Un 1979 plus corsé* • 11 ANS
1982	9,5	*Une amplification intégrale du 1976, grand vin peu typé* • 10 ANS
1983	10	*Très typé Saint-Estèphe avec une puissance rustique* • 13 ANS
1984	6	*1980 avec plus de caractère* • 6 ANS
1985	9	*Plein avec une rondeur élégante* • 9 ANS
1986	9,5	*Tient du 1976 et du 1982, typé, tannique, puissant* • 10 ANS
1987	6	*Rondeur sans prétention* • 5 ANS

Avant-guerre, on vantait la beauté et l'agrément du Château Pomys et de son parc. Ce bel ensemble existe toujours mais a été détaché du vignoble dont il était le porte-drapeau. Il figure toujours sur les étiquettes de château Pomys comme il y a plus de cinquante ans.

Cette propriété appartint au célèbre Gaspard d'Estournel, créateur du fameux 2e Cru de Saint-Estèphe qui porte toujours son nom et dont le chai de style oriental demeure la curiosité architecturale du Médoc.

Au milieu du siècle dernier, Gaspard d'Estournel vinifiait près de 100 000 bouteilles (ou leur équivalent) à Pomys. Le fastueux d'Estournel gagnait de l'argent mais en dépensait plus encore et dut vendre ses terres.

A la fin du XIXe siècle, Pomys appartient à la famille Hostein, également propriétaire de Cos-d'Estournel et de Montrose entre autres ! Louis-Victor Charmolüe qui avait acquis une partie de Montrose et épousé une demoiselle Hostein hérite des diverses propriétés et s'installe au Château Pomys.

Dans l'entre-deux-guerres, Pomys, classé cru Bourgeois Supérieur en 1932 appartient à Max Vero. La production a baissé de moitié depuis Gaspard d'Estournel. Elle est encore plus faible pendant la guerre, alors que Pomys est la propriété de la Société des Grands Vins de Pauillac. Il est vrai qu'au cours d'un siècle la surface du vignoble a fondu. En 1950, la famille Arnaud rachète les vignes restantes, divers bâtiments (mais pas le château) et l'étampe (la marque, si l'on préfère). Aujourd'hui, François Arnaud gouverne ce vignoble avec la même compétence qu'au Château Saint-Estèphe, autre propriété de la famille.

TERROIR ET VIGNES

Les deux vignobles de Pomys sont situés entre Marbuzet et Leyssac à une vingtaine de mètres d'altitude, quelque peu inclinés en direction du sud. Le sol de graves argileuses profondes accueille des Cabernets et des Merlots d'âge respectable.

VINIFICATION ET VIN

La vinification tend à de bonnes extractions : longue cuvaison à des températures élevées et contrôlées.

Le vin de Château Pomys allie la puissance des Saint-Estèphe à une élégance soulignée par des arômes de cassis et de cuir. Il serait regrettable de le boire trop rapidement.

Age idéal : 10-12 ans.

Plat idéal : Canapés de filets de bécasses.

CHÂTEAU POMYS, Saint-Estèphe, AOC Saint-Estèphe

Date de création du vignoble : *très ancien, mais très réduit*

Surface : *7 ha*

Nombre de bouteilles : *40 000 à 45 000 environ*

Répartition du sol : *2 lots*

Géologie : *graves argileuses profondes*

Culture

Engrais : *fumier de ferme + K²O + Hg*

Encépagement : *CS 55% CF 15% M 30%*

Age moyen : *28 ans*

Porte-greffe : *Riparia, 101-14, 3309*

Densité de plantation : *8 000 pieds/ha*

Rendement à l'hectare : *40 à 55 hl*

Traitement antibotrytis : *suivant les années*

Vendange : *manuelle*

Vinification

Levurage : *première cuve*

Remontage : *biquotidien*

Type des cuves : *ciment – 150 hl*

Température de fermentation : *28°-30°*

Mode de régulation : *pompe à chaleur*

Temps de cuvaison : *3 semaines ou plus*

Vin de presse : *séparé*

Filtration avant élevage : *sur terre*

Age des barriques : *4 ans*

Durée de l'élevage : *20 à 24 mois*

Collage : *albumine d'œufs*

Filtration : *si nécessaire*

Mise en bouteilles au château : *totalité*

Type de bouteille : *lourde*

Maître de chai : *F. Arnaud*

Œnologue-conseil : *laboratoire œnologique de Pauillac, M. Couasnon*

Commercialisation

Vente par souscription : *oui*

Vente directe au château : *oui*

Commande directe au château : *oui*

Contrat monopole : *non*

Château SAINT-ESTÈPHE

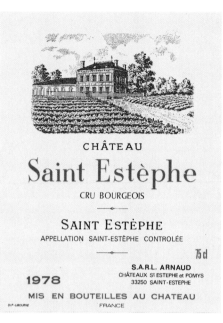

On dénombre dans le Médoc six communes qui ont donné leur nom à une appellation d'origine contrôlée. Dans la moitié d'entre elles un château porte le nom de sa commune : Château Margaux, Château Moulis (voir p. 79) et Château Saint-Estèphe.

Le Château Saint-Estèphe, qui a l'aspect d'une maison bourgeoise, ne revendique pas une origine très ancienne ou glorieuse. Il fut fondé il n'y a guère plus d'un siècle, en 1870 par Georges Mège qui a rassemblé des parcelles appartenant à divers crus aujourd'hui disparus mais dont les noms sont souvent connus : Marbuzet-Mac-Carthy, Leyssac-Clauzet, Veuve Bert, Lille-Coutelin, Les Ormes-Southard. Au fil des années la surface du vignoble de Château Saint-Estèphe double en passant de 7 à 14 hectares.

En 1950, l'acquisition par les Arnaud du « château » proprement dit rendit son unité à cette propriété. Une unité bien relative car les diverses parcelles du Château Saint-Estèphe ne sont pas contiguës.

TERROIR ET VIGNES

Elles s'étendent du nord de Blanquet, au nord du lieu-dit Lavillotte. Les terrains se diversifient par l'orientation et par le sol : graves profondes sur argile, graves sableuses sur calcaire et terres argilo-calcaires sur socle pierreux entre 10 et 20 mètres d'altitude. Les Cabernets et Merlots, greffés sur des porte-greffe de qualité plantés à 110 × 120 cm, atteignent un bel âge. Leur proportion, environ 2/3-1/3 est conforme à l'esprit de l'Appellation.

VINIFICATION ET VIN

François Arnaud prépare un pied de cuve afin de hâter le départ des fermentations de la première cuve. Une pompe à chaleur permet de maintenir la température du moût (et du vin) à 30° environ. La première presse est incorporée — en proportion variable — en fonction du millésime.

Château Saint-Estèphe est un vin ample au caractère quelque peu rustique marqué par les arômes de Cabernet-Sauvignon (violette). Comme tous les vins de garde, il s'affine au vieillissement.

COTATIONS COMMENTÉES

Année	Note	Commentaire
1975	8	corsé, sèche un peu • A COMMENCER
1976	8	Rond, sans aspérité • A BOIRE
1977	4	A manqué de soleil, herbacé • A TERMINER
1978	9	Construit, complet • 12 ANS
1979	6,5	Souple et facile • A BOIRE
1980	4	Léger, sans grand caractère • A BOIRE
1981	7	Gracieux avec corpulence • 9 ANS
1982	9	Raisins surmûris, souplesse, rondeur, charpente • 8 ANS
1983	9,5	Représentatif de l'Appellation, beau vin • 11 ANS
1984	5	Léger mais avec du type • 6 ANS
1985	8,5	Charnu, bon équilibre • 8 ANS
1986	10	Raisins surmûris, tannique, racé • 9-10 ANS
1987	6	Gentiment fruité • 5 ANS

Age idéal : 10 ans.   Plat idéal : Chevreuil en civet.

CHÂTEAU SAINT-ESTÈPHE, Saint-Estèphe, AOC Saint-Estèphe

Date de création du vignoble : 1870
Surface : 14 ha
Nombre de bouteilles : 90 000
Répartition du sol : 6 lots
Géologie : graves et argilo-calcaire

Culture

Engrais : organique (fumier) et complément potassique et magnésien
Encépagement : CS 55 % CF 10 % M 30 % PV et Mc 5 %
Age moyen : 30 ans
Porte-greffe : Riparia, 101-14, 3309, 420 A
Densité de plantation : 7600 pieds/ha
Rendement à l'hectare : 45 à 60 hl

Traitement antibotrytis : si nécessaire
Vendange : manuelle

Vinification

Levurage : pied de cuve + première cuve
Remontage : biquotidien
Type des cuves : ciment — 150 hl
Température de fermentation : 20°-30°
Mode de régulation : (cryo Boule-Kreyer) pompe à chaleur
Temps de cuvaison : 3 semaines et plus
Vin de presse : séparé. Première presse incorporée si nécessaire
Filtration avant élevage : sur terre
Age des barriques : 20 % de barriques

neuves tous les ans
Durée de l'élevage : 20-24 mois
Collage : albumine d'œufs
Filtration : si nécessaire
Mise en bouteilles au château : en totalité
Type de bouteille : lourde à 90 %
Maître de chai : F. Arnaud
Œnologue-conseil : laboratoire Pauillac, M. Couasnon

Commercialisation

Vente par souscription : oui
Vente directe au château : oui
Commande directe au château : oui
Contrat monopole : non

Château TRONQUOY-LALANDE

1979
CHATEAU
TRONQUOY-LALANDE

SAINT-ESTÈPHE
MÉDOC

Appellation St-Estèphe Contrôlée 75 cl

S.V.S.E. PROPRIÉTAIRE A St-ESTÈPHE GIRONDE. Mme JEAN PHILIPPE CASTÉJA

MISE EN BOUTEILLES AU CHATEAU

COTATIONS COMMENTÉES

1975	9,5	S'entrouvre • A BOIRE
1976	6,5	Rond et souple • A BOIRE
1977	3	« Bon petit vin » • DEVRAIT ÊTRE BU
1978	7	Construit, solide, complet • A COMMENCER
1979	6	Élégant, manque de concentration • A BOIRE
1980	4	Léger, gouleyant • A TERMINER
1981	8	Très fin, tout en élégance • A BOIRE
1982	10	Chaleureux, souple, tannins très mûrs • A BOIRE POUR LONG-TEMPS
1983	9	Un 1981 plus charpenté • 8 ANS
1984	5	Jolie robe • A BOIRE
1985	9,5	Récolte inférieure en quantité, couleur, fruité, etc. • 10 ANS
1986	9	Complet, généreux, bons tannins • 8 ANS
1987	5,5	Souple et aimable • 4 ANS

Age idéal : 7-8 ans.

Plat idéal : Grillade à la mode provençale.

Au milieu du siècle dernier, la famille Tronquoy vinifiait l'équivalent de 100 000 bouteilles dans le domaine de Lalande. Industrieux, les Tronquoy élaboraient aussi un notable volume de vin — la moitié — dans leur domaine de Bel-Orme sur la commune voisine (voir p. 132).

De père en fils, le domaine demeura dans leur patrimoine jusqu'en 1859. C'est alors que les Célérier le reprirent par l'achat qu'en fit Pierre Célérier aîné.

Roger Célérier, dans l'entre-deux-guerres, produisait plus de 150 000 bouteilles (ou leur équivalent). Cette propriété, comme bien d'autres, subit les contrecoups des diverses crises. Jean-Philippe Castéja et sa femme, en 1969, s'installent dans le château, ou plutôt dans ce que les outrages du temps et les Allemands qui l'occupèrent avaient laissé intact. Château, vignoble, cuvier et chai furent remis en état. Au décès subit de Jean-Philippe Castéja en 1973, sa femme prend le relais et poursuit l'œuvre entreprise. Chaque année la maison Dourthe achète toute la production de Tronquoy-Lalande.

TERROIR ET VIGNES

Le château, remarquable bâtiment de style Chartreuse, « embelli » au XIXe siècle par l'adjonction de deux tours d'angle et dont la toiture est désormais ceinte de ballustres, a malheureusement perdu son fronton central camouflé ou remplacé par une toiture un peu lourde dans le goût pseudo-Louis XVI. Il est entouré de vignes, toutes lui appartenant sauf au nord-est. Le vignoble ne s'incline pas du côté que l'on imagine, il s'abaisse de 6 mètres environ en direction de l'ouest. Son sol se compose de graves fines et sablonneuses très profondes, ainsi qu'en atteste la gravière creusée au nord de la propriété.

Les engrais divers, répandus par rotation, compensent les exportations végétales. Arlette Castéja s'oppose vivement aux machines à vendanger et tient à sa troupe d'Espagnols, toujours la même, qui lui cueillent des grains entiers.

VINIFICATION ET VIN

Lors des remontages, un préposé arrose le chapeau toute la journée. La pompe à chaleur en service dès 1985 s'est avérée très utile. Lorsque le moût atteint 27º, elle est mise en action. Le vin n'est pas filtré avant son élevage par rotation entre cuves neutres et barriques usagées.

Le vin de Tronquoy-Lalande reflète l'image de son lieu de naissance, tout d'équilibre et de mesure, sans rien d'excessif. De la couleur, des tannins sans agressivité, un fruité souple, tout cela lui confère une élégance naturelle.

CHÂTEAU TRONQUOY-LALANDE, Saint-Estèphe, AOC Saint-Estèphe

Date de création du vignoble : *XVIIIe siècle*
Surface : *17 ha*
Nombre de bouteilles : *100 000*
Répartition du sol : *un seul tenant*
Géologie : *graves fines*
Autre vin produit par le vignoble : *aucun*

Culture

Engrais : *d'entretien*
Encépagement : *CS 50 % M 50 %*
Age moyen : *25 ans*
Densité de plantation : *9 000 pieds/ha*

Rendement à l'hectare : *40 hl*
Traitement antibotrytis : *oui*
Vendange : *manuelle*

Vinification

Levurage : *première cuve*
Remontage : *quotidien*
Type des cuves : *bois*
Température de fermentation : *27º-29º*
Mode de régulation : *pompe à chaleur*
Temps de cuvaison : *3 semaines*
Vin de presse : *première presse*
Filtration avant élevage : *non*
Age des barriques : *usagées*

Durée de l'élevage : *22 mois (cuve et barrique)*
Collage : *poudre de blanc d'œuf*
Filtration : *à la mise*
Mise en bouteilles au château : *en totalité*
Type de bouteille : *standard*
Maître de chai : *Arlette Castéja*
Œnologue-conseil : *Bernard Couasnon*

Commercialisation

Vente par souscription : *non*
Vente directe au château : *oui*
Commande directe au château : *non*
Contrat monopole : *oui*

Moulis
AOC Moulis

Moulis vient de *mola*, moulin. Ce n'est pas tout à fait logique si l'on songe que les points hauts sont généralement sis dans l'aire d'appellation Listrac. Il est à noter que ces deux Appellations contiguës et de formes tarabiscotées sont d'autant plus intriquées que nombre de vignobles débordent de l'un à l'autre.

35 vignerons exploitent 350 hectares de vignes et produisent deux millions de bouteilles.

Géologiquement il convient de distinguer les terroirs proches de la route Bordeaux-Lesparre (ouest), de graves pyrénéennes du Pliocène, des graves garonnaises sableuses du Günz, à l'est, du côté du Grand Poujeaux et de la voie de chemin de fer. Entre les deux une plaine calcaire dont l'axe nord-sud passe par Moulis et Peyrelebade. La limite sud de l'Appellation est marquée par les alluvions tourbeuses du ruisseau d'Ayguebelle et de la jalle de Tiqueforte.

Moins de quarante kilomètres séparent Moulis de Bordeaux.

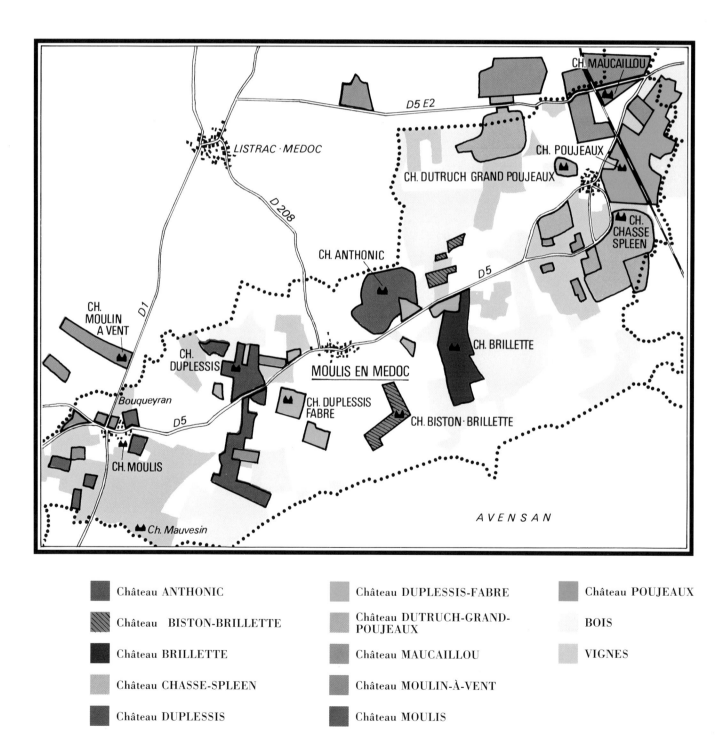

Château ANTHONIC	Château DUPLESSIS-FABRE	Château POUJEAUX
Château BISTON-BRILLETTE	Château DUTRUCH-GRAND-POUJEAUX	BOIS
Château BRILLETTE	Château MAUCAILLOU	VIGNES
Château CHASSE-SPLEEN	Château MOULIN-À-VENT	
Château DUPLESSIS	Château MOULIS	

Château ANTHONIC

CRU BOURGEOIS SUPÉRIEUR
1982
Château Anthonic
MOULIS — MÉDOC
APPELLATION MOULIS CONTROLÉE
Pierre CORDONNIER Propriétaire à Moulis - Gironde — 75cl
PRODUCE OF FRANCE — MIS EN BOUTEILLE AU CHÂTEAU

Curieux nom : d'où vient-il ? Au cimetière tout proche on peut lire sur une pierre tombale Anthonic Hugon, Anthonic ayant la même origine que Antoine. La famille Hugon fut propriétaire de ce vignoble depuis sa création au XIXᵉ siècle.

En 1850, il est répertorié sous le nom de Puy-de-Minjon. Il produit, sous la conduite des Hugon, une vingtaine de tonneaux (= 25 000 bouteilles). Dans les années 1870-1880, Puy-de-Minjon ou Graves-Queytignan, car la propriété change de nom sinon de propriétaire, glane des médailles. En 1922, curieuse habitude, il change à nouveau de nom : Château Anthonic apparaît. A cette époque, André Hugon vinifie sous cette nouvelle étiquette l'équivalent de 60 000 bouteilles. Cabernet et Merlot sont accompagnés comme il se doit dans l'entre-deux guerres de Malbec.

Lorsqu'on examine la situation de cette propriété, enclavée dans Château Clarke et que l'on songe qu'elle était à vendre dans les années 70, un acquéreur s'impose : Edmond de Rothschild. La transaction s'engagea mais n'aboutit pas : François Cordonnier était alors fermier de cette propriété et Pierre Cordonnier s'en rendit acquéreur en 1977. Il entreprit aussitôt la reconstitution du vignoble et la modernisation du cuvier.

TERROIR ET VIGNES

Le vignoble jouxte celui de Château Clarke. Il est modérément incliné en direction du nord-ouest entre 23 et 16 mètres. Une terre argileuse et argilo-calcaire d'une épaisseur d'un mètre repose sur un socle calcaire. Des vignes de 25 ans couvrent un hectare, les autres ont été plantées en 1977 en règes distantes d'un mètre cinquante sur de bons porte-greffe.

Des drains et les fossés de Château Clarke épongent les eaux de pluie.

La rareté des vendangeurs espagnols qui ne viennent plus en Charente parce que remplacés par des machines a conduit Anthonic, en partage avec Dutruch-Grand-Poujeaux, à acquérir une machine à vendanger.

VINIFICATION ET VIN

La vinification est classique. Des cuves d'acier inoxydable ont remplacé les cuves de bois (à l'exception de quatre).

Le vin du Château Anthonic vinifié dès 1981 dans le nouveau chai présente un caractère fruité accusé, souligné par une charpente légère et souple.

COTATIONS COMMENTÉES

1978		Vinifié à Dutruch-Grand-Poujeaux
1979		Vinifié à Dutruch-Grand-Poujeaux
1980		Vinifié à Dutruch-Grand-Poujeaux
1981	9	Fait songer au 1978 ● A BOIRE
1982	8	Généreux, fruité, souple ● A BOIRE
1983	7	Un 1981 dilué, genre 1979 ● A BOIRE
1984	5	Une légèreté fruitée ● A BOIRE
1985	10	Belle extraction, robe et arômes ● 8 ANS
1986	8	Belle construction ● 6-7 ANS
1987	5,5	Fruité plus élégant que dense ● 4 ANS

Age idéal : 6 ans.

Plat idéal : Veau à la Duxelle.

CHÂTEAU ANTHONIC, Moulis, AOC Moulis

Date de création du vignoble : XIXᵉ siècle
Surface : 14 ha
Nombre de bouteilles : 90 000
Répartition du sol : un seul tenant
Géologie : argilo-calcaire
Autre vin produit par le vignoble : les Graves de Guitignan

Culture

Engrais : fumier, engrais organiques
Encépagement : CS 60 % M 40 %
Age moyen : 25 et 11 ans, voir texte
Porte-greffe : 101-14, 3309, Riparia
Densité de plantation : 7 000 pieds/ha

Rendement à l'hectare : 50 hl
Traitement antibotrytis : non
Vendange : mécanique depuis 1985

Vinification

Levurage : non
Remontage : quotidien
Type des cuves : inox – 200-280 hl + 4 cuves bois
Température de fermentation : 28⁰
Mode de régulation : ruissellement
Temps de cuvaison : 15 jours
Vin de presse : première presse
Filtration avant élevage : non
Age des barriques : renouvellement

par quart annuel
Durée de l'élevage : 20 mois
Collage : poudre d'écailles d'œufs
Filtration : à la mise
Mise en bouteilles au château : en totalité
Type de bouteille : lourde
Maître de chai : Pierre Garbay
Œnologue-conseil : Jacques Boissenot

Commercialisation

Vente par souscription : oui
Vente directe au château : oui
Commande directe au château : oui
Contrat monopole : non sauf exportation

Château BISTON-BRILLETTE

CHATEAU BISTON-BRILLETTE

MOULIS

APPELLATION MOULIS CONTROLÉE

1979

CRU BOURGEOIS — MICHEL BARBARIN
PROPRIÉTAIRE
Mise en Bouteilles au Château — A MOULIS-EN-MEDOC - GIRONDE - FRANCE 75 cl

COTATIONS COMMENTÉES

1970	10	*Beau vin qui s'ouvre* ● *A COMMENCER*
1971	5	*Léger et parfumé, apogée atteinte* ● *A BOIRE*
1972		*Pas de mise en bouteilles*
1973	6	*Tannique et équilibré* ● *A BOIRE*
1974	4	*Léger, apogée dépassée* ● *A TERMINER*
1975	8	*Corsé, fruité, acidité faible* ● *A BOIRE*
1976	5,5	*Souple, léger, parfumé* ● *A BOIRE*
1977	4,5	*Léger* ● *A BOIRE*
1978	9,5	*Un 1970 dur et fermé* ● *DÈS 14 ANS*
1979	7,5	*Équilibré, tannique* ● *A COMMENCER*
1980	4,5	*Léger, un 1974 amélioré* ● *A BOIRE*
1981	8,5	*Des tannins féminins mais abondants* ● *DÈS 10 ANS*
1982	8	*Style 1975, acidité basse* ● *A COMMENCER*
1983	9	*Complet et fruité* ● *A COMMENCER*
1984	4,5	*Dans l'esprit des 1980* ● *A BOIRE*
1985	9	*Parfaitement équilibré* ● *DÈS 6-7 ANS*
1986	10	*Tannique, néanmoins souple, riche* ● *DÈS 7-8 ANS*
1987	5	*Un fruité souple* ● *DÈS 5 ANS*

Cette propriété porte le nom d'un lieu-dit : Brillette. Elle se distingue d'autres Brillette par le nom de son premier propriétaire, sans doute créateur du cru en 1806. Durant la plus grande partie du XIXᵉ siècle le cru n'est connu que sous le patronyme de son fondateur.

En 1850, un certain Menessier déjà propriétaire à Rouat dans la commune de Moulis produit un cru connu sous le nom de « Biston ». Il vinifie l'équivalent de 25 000 bouteilles alors que son voisin le comte du Périer de Larsan en produit 10 000 de plus à Brillette. Puis il faut croire que le mot Brillette a essaimé, car, fin XIXᵉ début XXᵉ, on en trouve plusieurs : Biston-Brillette, Lancien-Brillette, etc.

Après la Grande Guerre, Biston-Brillette est divisé. Labrunie produit quelque 15 000 flacons (ou leur équivalent) de Biston-Brillette alors qu'Alain Hugon livre 12 000 bouteilles étiquetées du même nom. En 1934, la famille Barbarin reprend vignobles, bâtiments et étampe.

Aujourd'hui, Michel Barbarin cultive ses 19 hectares tout en modernisant son chai.

TERROIR ET VIGNES

Le vignoble est divisé en deux lots principaux distants d'un kilomètre. Tous deux presque horizontaux, mais à des altitudes différentes : 10 et 20 mètres. On y décèle plusieurs types de sols dans les proportions suivantes : un tiers graveleux, un tiers argilo-calcaire, un tiers marneux à prédominance argilo-calcaire. Les anciennes plantations sont plus denses que les nouvelles (9 000-6 500 pieds/ha). La proportion Cabernet-Merlot correspond à la moyenne de l'Appellation.

VINIFICATION ET VIN

La régulation de la température des fermentations s'opère par transfert dans les cuves inox et par ruissellement. Le chapeau est généreusement arrosé pour favoriser les extractions. Le vin n'est pas filtré sur terre avant élevage mais exploite la sédimentation naturelle (par gravitation) en cuve.

Château Biston-Brillette est vendu directement aux particuliers. C'est un vin qui allie solidité et souplesse avec des tannins très présents dans les grands millésimes.

Age idéal : 8-10 ans.

Plat idéal : Civet de lièvre.

CHÂTEAU BISTON-BRILLETTE, Moulis, AOC Moulis

Date de création du vignoble : *début XIXᵉ siècle*
Surface : *19 ha*
Nombre de bouteilles : *70 000*
Répartition du sol : *3 lots*
Géologie : *graves, argilo-calcaire*
Autre vin produit par le vignoble : *aucun*

Culture

Engrais : *organique*
Encépagement : *CS 55 % M 40 % PV et Mc 5 %*
Age moyen : *20 ans*
Porte-greffe : *Riparia, 3309*

Densité de plantation : *9 000-6 500 pieds/ha*
Rendement à l'hectare : *40 hl*
Traitement antibotrytis : *non*
Vendange : *manuelle*

Vinification

Levurage : *rarement*
Remontage : *quotidien*
Type des cuves : *inox, ciment — 100-150 hl*
Température de fermentation : *30°*
Mode de régulation : *ruissellement, transfert*
Temps de cuvaison : *20 jours*
Vin de presse : *première presse*
Filtration avant élevage : *parfois*

Age des barriques : *2 à 7 ans*
Durée de l'élevage : *cuves : 6 mois + 20-24 mois en barriques*
Collage : *blanc d'œuf*
Filtration : *généralement*
Mise en bouteilles au château : *en totalité*
Type de bouteille : *standard*
Maître de chai : *Michel Barbarin*
Œnologue-conseil : *M. Bariteau*

Commercialisation

Vente par souscription : *oui (peu)*
Vente directe au château : *oui*
Commande directe au château : *oui*
Contrat monopole : *non*

Château BRILLETTE

Plus que la désignation du château lui-même, ce qui frappe dans les étiquettes de Château Brillette, c'est le nom, celui de Comte du Périer de Larsan. Cette famille n'est pas propriétaire du cru, mais l'a été longtemps. Elle est sans doute fondatrice de la marque. Cinq années avant le fameux classement de 1855, un du Périer de Larsan vinifie à Brillette quelque trente tonneaux soit plus de 35 000 bouteilles.

Lors de la dernière guerre, le domaine appartient au docteur Constantini. Les circonstances ne sont guère favorables à Brillette qui tombe en léthargie. L'année du « millésime du siècle » — pour une fois c'est peut-être vrai — c'est-à-dire en 1961, la propriété change fort heureusement de mains. Il était temps, elle ne produisait pratiquement plus rien, ses 70 hectares ne comprenaient que deux ou trois hectares de vignes !

En 1976, nouveau changement de mains, Raymond Berthault, brillant homme d'affaire, l'un des propagateurs en France des « grandes surfaces » s'offre Brillette, replanté, en état de marche. Dans un souci de qualité, il perfectionne le cuvier mais décède en 1981 avant d'avoir mené à terme tous ses projets, entre autres l'agrandissement du vignoble. De nos jours, sa femme, Monique Berthault conduit la propriété avec brio.

TERROIR ET VIGNES

Brillette doit son nom aux reflets nombreux des cailloux qui jonchent son sol. Ces pierres appartiennent à des graves garonnaises günziennes, maigres, mêlées d'une forte proportion d'argile. Le vignoble a la forme d'un long rectangle de plus d'un kilomètre de long s'abaissant très modérément puis de plus en plus en direction du sud (21-12 mètres). L'encépagement type 60-40 (Cabernet-Merlot) représente bien l'appellation Moulis.

VINIFICATION ET VIN

La vinification, mise au point par le professeur Peynaud, ne présente aucune particularité. A noter le soin apporté à l'élevage.

Château Brillette a la rondeur pleine des Moulis mais aussi un caractère voulu par Monique Berthault, un certain style féminin.

COTATIONS COMMENTÉES

1973	–	Bonne année sympathique • DEVRAIT ÊTRE BU
1974	–	Petit vin • DEVRAIT ÊTRE BU
1975	8	Intéressant, mais reste dur • 14 ANS
1976	–	Rond et simple, sur son déclin • DEVRAIT ÊTRE BU
1977	–	Bouquet fin, trop vieux • DEVRAIT ÊTRE BU
1978	9	Beau vin complet, modèle d'équilibre • A BOIRE
1979	7	Un 1978 à évolution rapide, concentration moyenne • A BOIRE
1980	4,5	Vin léger « pour dame » • A TERMINER
1981	9	Prunes bien mûres, tannique, fin • 10 ANS
1982	9,5	Tannins ronds et moelleux; gras, ample • 8 ANS
1983	8	Un 1981 mais plus tannique • 7 ANS
1984	5	Étiqueté « vignoble Berthault-AOC Moulis »; vin léger • A COMMENCER
1985	10	Un 1982 plus fin et de plus longue garde • 9 ANS
1986	10	Proche du précédent • 8 ANS
1987	5,5	Léger, comme partout • 3-4 ANS

Age idéal : 7-10 ans.

Plat idéal : Saumon frais de Reykjavik.

CHÂTEAU BRILLETTE, Moulis, AOC Moulis

Date de création du vignoble : début XIXᵉ siècle
Surface : 32 ha
Nombre de bouteilles : 160 000
Répartition du sol : un seul tenant
Géologie : graves, sable, argile
Autre vin produit par le vignoble : aucun

Culture

Engrais : organique
Encépagement : CS 50 % CF 5 % M 40 % PV 5 %
Age moyen : 25 ans
Porte-greffe : SO4

Densité de plantation : 6 000 pieds/ha
Rendement à l'hectare : 40 hl
Traitement antibotrytis : non
Vendange : mécanique

Vinification

Levurage : non
Remontage : biquotidien
Type des cuves : ciment revêtu
Température de fermentation : 28°-30°
Mode de régulation : échangeur
Temps de cuvaison : 20 jours
Vin de presse : incorporé
Filtration avant élevage : non
Age des barriques : renouvellement annuel

par tiers
Durée de l'élevage : 2 ans
Collage : poudre de blanc d'œuf
Filtration : à la mise
Mise en bouteilles au château : en totalité
Type de bouteille : lourde
Maître de chai : M. Lascaze
Œnologue-conseil : Jacques Boissenot

Commercialisation

Vente par souscription : non
Vente directe au château : oui
Commande directe au château : oui
Contrat monopole : non

Château CHASSE-SPLEEN

CHATEAU CHASSE-SPLEEN
1982
Moulis en Médoc

APPELLATION MOULIS EN MÉDOC CONTROLÉE
SOCIÉTÉ FERMIÈRE DU CHATEAU CHASSE-SPLEEN
A MOULIS-EN-MEDOC (GIRONDE)
PRODUCE OF FRANCE
75cl e
MIS EN BOUTEILLES AU CHATEAU

COTATIONS COMMENTÉES

1970	10	Tannique sur fond de truffe • A BOIRE
1971	6,5	Belle robe, de l'attaque, du nerf • A BOIRE
1973	6	Robe soutenue, bel équilibre, ne présente pas les défauts habituels du millésime • A BOIRE
1974	3	Léger, de peu d'intérêt • DEVRAIT ÊTRE BU
1975	10	Dans l'esprit du 1970 • A COMMENCER
1976	9	Corpulent, charpenté, du fruit, de la longueur • A BOIRE
1977	5	Coloré pour le millésime, fruité, un beau 1977 • A BOIRE
1978	9	Robe profonde; bouqueté, concentré, complexe • A COMMENCER
1979	8	Un 1978 un soupçon plus léger • A BOIRE
1980	5	Léger, élégant • A BOIRE
1981	8,5	Vin classique, un peu janséniste • 10 ANS
1982	7	Un séducteur qui fait la roue • A COMMENCER
1983	7,5	Direct et fruité • 6 ANS
1984	5,5	De la couleur malgré tout • 5 ANS
1985	10	Sera grand, cumul de toutes les qualités • 10 ANS
1986	10	Tannique, complet, évolution lente • 20 ANS
1987	6	Tout en finesse mais léger • 3 ANS

Que ce château mondialement célèbre ait une longue histoire ne surprendra personne. Cette histoire débute en 1560 avec le « sieur Gressier » dont le nom se perpétue de siècle en siècle. Ce vigneron était tout à la fois propriétaire et fermier. En tant que fermier et sans doute également en tant que propriétaire, il paie des redevances au roi, au seigneur local et à la commanderie de l'Ordre de Malte d'Arcins. Des redevances en monnaie sonnante et trébuchante, et en nature, sous forme de vin.

Petit à petit, les Gressier s'affranchissent et en 1630 leur statut de propriétaire s'affirme.

En 1820, les frères et sœurs Gressier se partagent la propriété qui porte le nom de Château Grand-Poujeaux. Apparaissent donc le Grand-Poujeaux-Gressier, appelé aujourd'hui Château Gressier-Grand-Poujeaux, et le Château Poujeaux appartenant à Mme Castaing née Gressier.

Les Castaing qui disposent de quelques revenus originaires des Antilles démolissent un bâtiment du XVIIIe siècle et élèvent le château actuel tout en restaurant le vignoble.

En 1821, lord Byron qui avait un faible pour le vin de Grand-Poujeaux suggère à M. Castaing de baptiser sa terre Chasse-Spleen. Ainsi fut fait comme en témoigne une mention cadastrale à ce nom. Pourtant, en 1850, le domaine est toujours répertorié sous le nom de Château Poujeaux (production 120 tonneaux soit près de 150 000 bouteilles). Le règne des Castaing s'achève en 1905 lorsqu'un négociant de Brême se porte acquéreur de la propriété.

Sa qualité de négociant, son implantation en Allemagne donnent une dimension internationale au Château Chasse-Spleen. Survient la guerre de 14-18, le domaine, bien allemand, est mis sous séquestre. Il sera vendu aux enchères en 1922. La même mésaventure s'est abattue sur la famille Mumm en Champagne avec les mêmes résultats.

Acheté aux enchères à la barre du Tribunal, Chasse-Spleen est exploité par la famille Lahary jusqu'en 1976, date à laquelle un groupe sous la conduite de Jacques Merlot en prend possession. Depuis, sous l'impulsion perfectionniste et efficace de sa fille, Bernadette Vilars, Chasse-Spleen vole de succès en succès.

TERROIR ET VIGNES

Le château s'élève en lisière sud du village de Grand-Poujeaux. Le vignoble qui lui est contigu s'étend sur une croupe et connaît donc plusieurs orientations; la plus grande partie s'abaisse de 25 à 11 mètres en direction du sud. La parcelle proche de Médrac est pratiquement horizontale. La détermination des porte-greffe et du traitement des sols donne lieu à des analyses (parcelle par parcelle) d'une grande précision dont voici un exemple ci-contre.

Dans l'ensemble les deux tiers des terres de la propriété (croupe de Poujeaux) sont graveleux et se drainent naturellement alors que le tiers restant est argileux (type Listrac) et a nécessité la pose de drains. Il va de soi que les graves conviennent aux Cabernets qui apportent la finesse alors que l'argile sied aux Merlots auxquels il confère couleur et vigueur.

Ni azote, ni acide phosphorique ne contribuent à l'entretien du sol.

Les traitements sont appliqués avec la plus grande prudence. Un essai très limité de non-culture a démontré que la vigne se portait moins bien que lorsqu'on la laboure.

VINIFICATION ET VIN

Les cuves sont remontées deux fois une heure chaque jour. Le chapeau est fortement arrosé par des tourniquets. La température est sérieusement contrôlée et maîtrisée par divers procédés. Les nouvelles cuves comportent un système annulaire de régulation thermique. Les vins de presse sont filtrés sur kieselguhr contrairement au vin de goutte qui maigrit si on lui inflige ce traitement.

Les assemblages sont réalisés par un collège de huit personnes. Le soin le plus attentif est porté à l'élevage dans le remarquable (premier du genre, imité depuis) chai à barriques souterrain.

Le vin est collé barrique par barrique au blanc d'œuf frais. Les nombreux soutirages dispensent de toute filtration avant la mise en bouteilles.

Château Chasse-Spleen brille par sa construction rigoureuse, ce qui n'implique ni dureté ni manque de charme. Une nuance boisée épaule un fruité rond soutenu par des tannins au grain fin. Une réussite du terroir magnifiée par une vinification exemplaire.

Age idéal : 8-12 ans.

Plat idéal :
Contrefilet de bœuf
aux pleurotes.

CHÂTEAU CHASSE-SPLEEN, Moulis, AOC Moulis

Date de création du vignoble : *XVIᵉ-XIXᵉ siècle*
Surface : *65 ha*
Nombre de bouteilles : *300 000*
Répartition du sol : *4 lots*
Géologie : *2/3 graves, 1/3 argile*
Autre vin produit par le vignoble : *l'Ermitage de Chasse-Spleen (Haut-Médoc)*

Culture

Engrais : *fumure, chaux*
Encépagement : *CS 60 % CF 2 % M 35 % PV 3 %*
Age moyen : *35 ans*
Porte-greffe : *Riparia, 101-14, 3301*

Densité de plantation : *10 000 pieds/ha*
Rendement à l'hectare : *40-45 hl*
Traitement antibotrytis : *limité*
Vendange : *mécanique et manuelle*

Vinification

Levurage : *première cuve*
Remontage : *biquotidien*
Type des cuves : *inox et béton — 130-180 hl*
Température de fermentation : *30°*
Mode de régulation : *pompe à chaleur, ruissellement, serpentin*
Temps de cuvaison : *3 semaines*
Vin de presse : *10 %*
Filtration avant élevage : *non*

Age des barriques : *renouvellement par moitié annuellement*
Durée de l'élevage : *18-26 mois*
Collage : *blanc d'œuf frais*
Filtration : *non*
Mise en bouteilles au château : *en totalité*
Type de bouteille : *lourde*
Maître de chai : *Éric Sirac*
Œnologue-conseil : *Jacques Boissenot*

Commercialisation

Vente par souscription : *oui*
Vente directe au château : *possible*
Commande directe au château : *oui*
Contrat monopole : *non*

Château DUPLESSIS

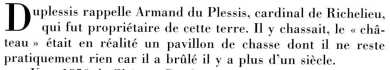

Duplessis rappelle Armand du Plessis, cardinal de Richelieu, qui fut propriétaire de cette terre. Il y chassait, le « château » était en réalité un pavillon de chasse dont il ne reste pratiquement rien car il a brûlé il y a plus d'un siècle.

Vers 1850, le Château Duplessis appartient à M. Fabre. On y fait du vin, la production s'élève à une trentaine de tonneaux (l'équivalent de 35 000 bouteilles). A son décès une dizaine d'années plus tard, Duplessis est partagé entre son fils Léon Fabre et son gendre Alcide Hauchecorne. Depuis ces deux propriétés ont suivi chacune leur destin, l'une portant la désignation Duplessis-Fabre (voir p. 75), l'autre divers noms : Duplessis-Haut-Vignoble, Duplessis-Hauchecorne et plus simplement Duplessis tout court.

Alcide Hauchecorne, courtier et négociant, augmenta la surface du vignoble par de nouvelles plantations et par l'acquisition de nouvelles terres. C'est ainsi que la production passa de 30 à 70 tonneaux, puis lorsque la grande maison de négoce Delors reprit Duplessis, elle dépassa l'équivalent de 120 000 bouteilles. Parallèlement un nouveau cuvier et un nouveau chai furent élevés. Dans l'entre-deux-guerres la maison Delors augmenta encore la production de 30 %.

Après la guerre, ce fut au tour de la Société des Grands Crus Réunis de conduire Duplessis que Lucien Lurton, déjà actionnaire, reprit totalement en 1983.

TERROIR ET VIGNES

Le vignoble se développe autour d'un axe nord-sud selon une forme irrégulière et allongée, à l'altitude moyenne d'une vingtaine de mètres. Un kilomètre et demi sépare les points extrêmes de cette propriété. Le sol, diversement orienté, de sable et de gravier de faible épaisseur est assis sur un socle de calcaire fissuré propice à l'écoulement des eaux. Par endroit, l'épaisseur de ces graves sableuses est si faible que le rocher calcaire s'opposait au passage du soc de la charrue. L'encépagement comportant 9 % de Malbec présente une certaine originalité. A noter l'excellente densité de plantation.

VINIFICATION ET VIN

Lucien Lurton, pour tous ses vignobles, a toujours suivi les conseils du professeur Peynaud. Duplessis, aujourd'hui suivi par Jacques Boissenot, ne fait pas exception à cette règle. François Clauzel, dont la famille posséda d'importants vignobles au siècle passé (dont Citran), y conduit une vinification traditionnelle. Le vin est filtré sur terre avant son élevage en barriques.

Château Duplessis est un vin fortement coloré, au fruité rond dont l'harmonie est favorisée par des tannins très civilisés.

COTATIONS COMMENTÉES

1981	9	Robe très soutenue, homogène, harmonieux avec de la classe • A COMMENCER
1982	8	Aimable et long avec une touche de dureté en finale • 8 ANS
1983	10	De la mâche, du fruit, beaucoup de fond • 8 ANS
1984	6	Du nez, un Cabernet qui évolue rapidement, en bouche des tannins fondus • A BOIRE
1985	9	Nez puissant, bouche tannique, tout à la fois souple et ferme • 5 ANS
1986	9,5	Plein et construit, beau millésime • 7 ANS
1987	6	Un fruité gouleyant, élégant • 3 ANS

Age idéal : 6-8 ans.

Plat idéal : Noisettes de veau.

CHÂTEAU DUPLESSIS, Moulis, AOC Moulis

Date de création du vignoble : *XVIIe siècle*
Surface : *25 ha*
Nombre de bouteilles : *70 000*
Répartition du sol : *2 lots groupés*
Géologie : *argilo-calcaire*
Autre vin produit par le vignoble : *aucun*

Culture

Engrais : *organiques et minéraux*
Encépagement : *CS 36 % CF 15 % Mc 9 % M 38 % PV 2 %*
Age moyen : *20-25 ans*
Porte-greffe : *3309-420 A*

Densité de plantation : *10 000 pieds/ha*
Rendement à l'hectare : *40 hl*
Traitement antibotrytis : *non*
Vendange : *mécanique et manuelle*

Vinification

Levurage : *naturel*
Remontage : *quotidien*
Type des cuves : *béton*
Température de fermentation : *27°-31°*
Mode de régulation : *serpentin dans les cuves*
Temps de cuvaison : *15-17 jours*
Vin de presse : *5 %*
Filtration avant élevage : *sur terre*

Age des barriques : *1 à 5 ans*
Durée de l'élevage : *18 mois*
Collage : *poudre d'albumine d'œuf*
Filtration : *à la mise*
Mise en bouteilles au château : *en totalité*
Type de bouteille : *lourde*
Maître de chai : *François Clauzel*
Œnologue-conseil : *Jacques Boissenot*

Commercialisation

Vente par souscription : *oui*
Vente directe au château : *oui*
Commande directe au château : *oui*
Contrat monopole : *non*

74

Château Duplessis Fabre

MOULIS-EN-MÉDOC

APPELLATION MOULIS-EN-MÉDOC CONTRÔLÉE

1982

MIS EN BOUTEILLE AU CHATEAU

S.ᵗᵉ Civile du Château Duplessis Fabre

ALC. 12° PROPRIÉTAIRE A MOULIS-EN-MÉDOC (GIRONDE) FRANCE 75cl

Cette bouteille porte le № 30859

PRODUCE OF FRANCE

COTATIONS COMMENTÉES

1980	5	Robe légère, joli nez amusant, peu de bouche, vin d'été • A TERMINER
1981	7	Nez direct et balsamique, bouche élégante, harmonieuse un peu courte • A BOIRE
1982	9	Nez fruité-épicé, bouche ample et concentrée • A BOIRE
1983	10	Nez mûri, mentholé, bouche fruité, de la mâche, belle longueur • A BOIRE
1984	6	Belle robe, fruité et généreux • A COMMENCER
1985	9	Robe soutenue, finesse et fruit • 8 ANS
1986	9	Nez et tannins très fins • 8 ANS
1987	6	Les Merlots donnent de la souplesse, trop léger • 5 ANS

Age idéal : 5-7 ans.

Plat idéal : Brochettes de bœuf.

---

ministre se soignait au bon vin. Mais du rendez-vous de chasse qu'il possédait presque rien ne demeure. Deux propriétés sont nées de la division de la terre de Duplessis : Duplessis-Hauchecorne et Duplessis-Fabre.

Au XIXᵉ siècle, Léon Fabre et son beau-frère Alcide Hauchecorne (courtier en vin) héritent Duplessis et son vignoble de 80 hectares. Peu après, le vignoble est divisé, Léon Fabre conserve les bâtiments et sa part de vignes et laisse (de même que son beau-frère) son nom à sa propriété. Les négociants Delors reprennent Duplessis-Fabre et en 1929, millésime miraculeux, y vinifient l'équivalent de 180 000 bouteilles. La propriété survit mal à la guerre et lorsque la société civile du Château Fourcas-Dupré achète Duplessis-Fabre en 1974, le vignoble n'occupait plus qu'un hectare ! Les bâtiments furent heureusement restaurés et le vignoble replanté, sur une superficie de près de 17 hectares.

TERROIR ET VIGNES

Quatre parcelles proches du château et deux autres du côté de Brillette et d'Anthonic composent le vignoble dont cinq hectares et demi sont loués. Les lots proches du château, diversement orientés, sur terres fortes argilo-calcaires truffées de nodules calcaires, recouvrent un socle de calcaire à astéries. Vers Brillette le vignoble s'étend sur des graves d'origine garonnaises.

Les règes des nouvelles vignes sont distantes d'un mètre cinquante. Ce vignoble de densité moyenne comprend des porte-greffe vigoureux.

VINIFICATION ET VIN

Le chapeau est arrosé par un tourniquet. Une légère filtration sur terre précède la mise en barriques du vin pour 18 mois d'élevage. Cette futaille est renouvelée par quart ou par cinquième grâce à l'achat de barriques « d'un vin » de Grand Cru.

Le vin de Château Duplessis-Fabre propose un nez fruité et balsamique, une bouche aux tannins fins. C'est un vin gai.

CHÂTEAU DUPLESSIS-FABRE, Moulis, AOC Moulis

Administration au Ch. Fourcas-Dupré à Listrac
Date de création du vignoble : *XIXᵉ s.*
Surface : *17 ha 50*
Répartition du sol : *6 lots*
Géologie : *argilo-calcaire et argilo-graveleux*
Autre vin produit par le vignoble : *Château Laborde-Canterane*

Culture

Engrais : *organique, fumure minérale*
Encépagement : *CS 42 % CF 6 % M 42 % PV 6 % Mc 4 %*
Age moyen : *15 à 20 ans*
Porte-greffe : *3309, 101-14, SO 4, 420A*
Densité de plantation : *10 000-7 000 pieds/ha*
Rendement à l'hectare : *40 à 50 hl*
Traitement antibotrytis : *1 ou 2*
Vendange : *mécanique et manuelle*

Vinification

Levurage : *première cuve*
Remontage : *journalier*
Type des cuves : *inox, béton-époxy — 220 hl*
Température de fermentation : *27° à 30°*
Mode de régulation : *par ruissellement*
Temps de cuvaison : *21 jours minimun*
Vin de presse : *première presse*
Filtration avant élevage : *débourbage sur terres d'infusoire*

Age des barriques : *barriques d'un vin de Grand Cru gardées 4 ou 5 ans*
Durée de l'élevage : *environ 18 mois*
Collage : *à la gélatine extra n° 1*
Filtration : *à la mise*
Mise en bouteilles au château : *en totalité*
Type de bouteille : *standard*
Chef de culture : *Robert Creuzin*
Œnologue-conseil : *Jacques Boissenot*

Commercialisation

Vente par souscription : *oui*
Vente directe au château : *oui*
Commande directe au château : *oui*
Contrat monopole : *non*

Au début du siècle le cru Grand-Poujeaux a l'avantage d'être possédé par M. Dutruch qui va lui adjoindre son patronyme. La famille Dutruch, Dutruch-Lambert et, depuis 1967, François Cordonnier, petit-fils de Mme Dutruch ont dirigé le domaine.

A la faveur — malheureuse — des indivisions, le château, une grande maison fin XIXᵉ dans le style du pays, a été détachée du vignoble. François Cordonnier, par l'agrandissement de sa maison dans le même style et avec les mêmes matériaux, reconstitue un deuxième château à Dutruch-Grand-Poujeaux.

Parallèlement la modernisation du cuvier et du chai s'est poursuivie.

TERROIR ET VIGNES

Neuf dixièmes du vignoble sont dépendants de la commune de Moulis, le dixième restant, contigu du vignoble de Chasse-Spleen déborde sur celle d'Arcins. Trois lots sont originaires du Grand-Poujeaux, le quatrième de Brillette. Ils sont horizontaux ou s'inclinent en direction du sud-est à des altitudes variables de 20 à 10 mètres.

Les vignes proches de Grand-Poujeaux s'enracinent dans une couche de graves moyennes sur alios d'une épaisseur de 50 à 80 centimètres. Celles sises à proximité de Brillette plongent dans une terre plus lourde argilo-calcaire. L'ensemble du vignoble est drainé. Une fumure importante assiste les jeunes vignes. Ultérieurement elles se satisfont d'engrais d'entretien répandus tous les deux ou trois ans.

Des porte-greffe peu productifs et une forte densité de plantation contribuent à l'avènement de la qualité.

VINIFICATION ET VIN

Le système de refroidissement mérite une mention : c'est le *drapeau* bourguignon, c'est-à-dire un serpentin refroidi qui plonge dans la cuve. Les vins naturellement tanniques sont décuvés assez rapidement ; l'élevage soigné fait appel à une notable quantité de barriques neuves.

On peut souscrire à des « vins vendus en primeur » selon la terminologie courante mais seulement pour des commandes égales ou supérieures à 25 caisses.

Le vin étiqueté Gravière-Grand-Poujeaux, du nom d'une parcelle, est identique au Dutruch-Grand-Poujeaux. Il est réservé à la Belgique.

Dutruch-Grand-Poujeaux allie la vigueur à la finesse de telle façon qu'il peut être consommé entre cinq et dix ans d'âge.

COTATIONS COMMENTÉES

1970	9	Ouvert, très bon ● A BOIRE
1975	?	Il tarde ● 14 ANS
1976	7	Chaleureux ● A TERMINER
1977	4	Sur le déclin ● TROP TARD
1978	9,5	Grand vin complet ● A BOIRE
1979	6	Trop de vin ; facile, dilué ● A TERMINER
1981	10	Complet, équilibré, style 78 ● 9 ANS
1982	8	Tannins ronds et souples, acidité très basse ● A BOIRE
1983	9	Un 1982 plus fin ● 8 ANS
1984	5,5	Robe légère, fruité, court, plus tannique que le 1980 ● A COMMENCER
1985	9,5	Concentré, équilibré ; indice de Follain 55 ! ● 9 ANS
1986	9,5	Charpenté tannique ● A FAIRE VIEILLIR
1987	5,5	Arômes fins, évolution rapide ● 4-5 ANS

Age idéal : 5-7 ans.

Plat idéal : Magret de canard au poivre vert avec un 1976.

CHÂTEAU DUTRUCH-GRAND-POUJEAUX, Moulis, AOC Moulis

Date de création du vignoble : *XIXᵉ siècle*
Surface : *25 ha*
Nombre de bouteilles : *135 000*
Répartition du sol : *4 lots*
Géologie : *argilo-calcaire, graves*
Autre vin produit par le vignoble : *La Gravière-Grand-Poujeaux*

Culture

Engrais : *fumier, engrais organique*
Encépagement : *CS 40 % CF 20 % M 30 % PV 10 %*
Age moyen : *25 ans*
Porte-greffe : *Riparia, 101-14*

Densité de plantation : *10 000 pieds/ha*
Rendement à l'hectare : *40 hl*
Traitement antibotrytis : *non*
Vendange : *mécanique depuis 1985*

Vinification

Levurage : *non*
Remontage : *quotidien*
Type des cuves : *ciment et inox*
Température de fermentation : *28°*
Mode de régulation : *circulation d'eau froide*
Temps de cuvaison : *15 jours*
Vin de presse : *première presse*
Filtration avant élevage : *non*

Age des barriques : *1/4 barriques neuves par an*
Durée de l'élevage : *18 mois à 2 ans*
Collage : *blanc d'œufs congelés*
Filtration : *à la mise*
Mise en bouteilles au château : *en totalité*
Type de bouteille : *lourde*
Maître de chai : *Dominique Nemetz*
Œnologue-conseil : *Jacques Boissenot*

Commercialisation

Vente par souscription : *oui*
Vente directe au château : *oui*
Commande directe au château : *oui*
Contrat monopole : *non (sauf exportation)*

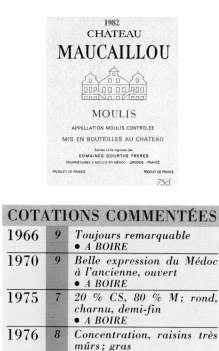

1982
CHATEAU
MAUCAILLOU

MOULIS

APPELLATION MOULIS CONTROLÉE
MIS EN BOUTEILLES AU CHATEAU

Société Civile Agricole des
DOMAINES DOURTHE FRERES
PROPRIÉTAIRES A MOULIS EN MÉDOC - GIRONDE - FRANCE

PRODUCT OF FRANCE   PRODUIT DE FRANCE

75cl

COTATIONS COMMENTÉES

1966	9	*Toujours remarquable* • A BOIRE
1970	9	*Belle expression du Médoc à l'ancienne, ouvert* • A BOIRE
1975	7	*20 % CS, 80 % M; rond, charnu, demi-fin* • A BOIRE
1976	8	*Concentration, raisins très mûrs; gras* • A BOIRE
1977	4	*Faible, non herbacé; fin* • A BOIRE
1978	8	*Ample, riche, gras; plus riche que fin* • A BOIRE
1979	6,5	*Fin dans sa maigreur* • A BOIRE
1980	5	*Bouqueté et court* • A BOIRE
1981	6,5	*Peu d'ampleur, tannins non mûrs, fin dans sa minceur* • A BOIRE
1982	9	*Généreux, tannins surmûrs* • A BOIRE
1983	9,5	*Corpulent, ample avec finesse, tannins un peu durs; de garde* • A BOIRE
1984	5,5	*Belle robe, attaque ronde; réussi pour le millésime* • A BOIRE
1985	9	*Ample et complet (rendement normal)* • 4 ANS
1986	10	*Rappelle la concentration de 1945 : le grand Maucaillou* • 6 ANS
1987	6,5	*55 % de la récolte (tris). Un 1987 remarquable.* • 3 ANS

En 1871, l'entreprise de négoce Petit-Laroche a l'idée — originale pour l'époque — de construire des chais dans la région de Moulis pour entreposer les vins qu'elle achetait dans le Médoc. Bientôt un cru naquit et un château fut édifié en 1875 au centre d'un petit vignoble. Cette construction tardive pour le Médoc reflète les modes architecturales de l'époque : le néo-classicisme, les doubles toits Pagode et l'ornementation gréco-romaine des premières gares ferroviaires.

Château, entrepôt, chais et vignoble ont été repris par la société Dourthe qui a grandement développé la production.

TERROIR ET VIGNES

L'essentiel du vignoble entoure le château. La partie nord est horizontale, à l'altitude de 16 mètres, la parcelle ouest séparée de la précédente par la voie de chemin de fer culmine à 23 mètres et s'abaisse au nord et au sud. Au nord-ouest de Médrac, une autre parcelle investit une croupe culminant à 22 mètres et s'incline de quelques mètres en direction de l'est.

Une parcelle prolonge le vignoble de Peyrelebade (Clarke), quelques plantiers s'enclavent dans ceux de Chasse-Spleen et de Dutruch-Grand-Poujeaux. Une dernière parcelle jouxte le village de Lamarque au sud.

Le sol de graves günziennes de moyenne grosseur accueille un vignoble de densité de plantation normale pour la région.

VINIFICATION ET VIN

La vinification est résolument moderne, les cuves inox sont importantes (270 hl), le chapeau est fortement arrosé, surtout le deuxième jour pour « oxygéner » les levures. La température, sérieusement contrôlée, n'excède pas 24-25° les trois premiers jours pour le fruité, mais est poussée jusqu'à 30° en fin de fermentation. Les cuvaisons sont courtes (7-8 jours). Elles cessent dès que l'indice de permanganate atteint 50 (chiffre élevé).

L'élevage en barriques neuves et d'un vin est particulièrement soigné dans un vaste chai à barriques isotherme: les sélections conduisent à l'élaboration du Château Cap-de-Haut qui « fait » également de la barrique.

Franc-Caillou naît des vignes de moins de quatre ans. Il ne peut donc revendiquer une Appellation.

Château Maucaillou est habillé d'une robe exemplaire. C'est un vin harmonieux, gras, ample et riche, aux tannins abondants totalement dépourvus d'agressivité, d'où souplesse et possibilité de consommation rapide.

Age idéal : dès 4 ans.   *Plat idéal : Poulet à la crapaudine.*

CHÂTEAU MAUCAILLOU, Moulis, AOC Moulis

Date de création du vignoble : *1875*
Surface : *55 ha*
Nombre de bouteilles : *300 000*
Répartition du sol : *9 lots*
Géologie : *graves günziennes*
Autres vins produits par le vignoble :
  Château Cap-de-Haut,
  Franc-Caillou (sans millésime ni Appellation)

Culture

Encépagement : *CS 58 % M 35 % PV 7 %*
Age moyen : *17 ans*
Porte-greffe : *SO4, 101-14*
Densité de plantation : *6 600 pieds/ha*

Rendement à l'hectare : *54 hl*
Traitement antibotrytis : *oui*
Vendange : *mécanique depuis 1982*

Vinification

Remontage : *quotidien*
Type des cuves : *inox – 270 hl*
Température de fermentation :
  25° puis 30°
Mode de régulation : *ruissellement*
Temps de cuvaison : *7-8 jours*
Vin de presse : *tout ou partie*
Filtration avant élevage : *sur terre*
Age des barriques : *60 % neuves, 40 % 2 ans*

Durée de l'élevage : *2 ans*
Collage : *blanc d'œuf*
Filtration : *à la mise*
Mise en bouteilles au château : *en totalité*
Type de bouteille : *lourde*
Maître de chai : *Jean-Marc Gobinau*
Œnologue-conseil : *Philippe Dourthe*

Commercialisation

Vente par souscription : *oui*
Vente directe au château : *oui*
Commande directe au château : *oui*
Contrat monopole : *oui*
  (CVBG)

Il fallait bien qu'un château perpétuât par son nom l'image d'une commune vouée à l'exploitation éolienne : au sommet des croupes des moulins broyaient le grain. Est-ce M. Brun qui vers 1830 donna ce nom à son domaine ? Sans doute ne le saura-t-on jamais. En revanche, il est acquis qu'à cette époque le vignoble est en cours de reconstitution. A la fin du siècle la production s'élève à 60 000 bouteilles (ou l'équivalent). Dès 1917, Château Moulin-à-Vent appartient à Georges Dourthe. Ainsi que le veut la mode de l'époque, il crée un petit vignoble de cépages blancs et livre à la consommation plus de 10 000 bouteilles « d'un vin délicat et séveux et possédant le moelleux des grands vins blancs » (Sauvignon, Sémillon, Muscadelle).

En 1977, M. Darricarrère cède son domaine aux époux Hessel. Dominique Hessel met à profit ses connaissances et son expérience d'ingénieur agronome et d'œnologue pour affiner la vinification et l'élevage de son vin.

Château Moulin-de-Saint-Vincent n'est pas un *deuxième vin*, il est identique à celui portant le nom de la propriété. Seules des raisons de distribution commerciale justifient cette deuxième étiquette.

TERROIR ET VIGNES

Le vignoble déborde quelque peu sur la commune voisine de Listrac. Il comprend plusieurs parcelles soumises à des conditions géologiques et des situations variées. Dans l'ensemble il est orienté en direction du sud-est. Une couche de petites graves d'épaisseur variable, de 50 centimètres à deux mètres, repose sur un sous-sol marneux. Les parcelles du sud-est de terre argileuse de 20 à 60 centimètres exigent d'être drainées. Ces deux types de sol interviennent dans une proportion de 4/5-1/5.

La densité de plantation parfaite pour 70 % des règes chute malheureusement pour le reste.

VINIFICATION ET VIN

Les remontages sont soignés, le chapeau est arrosé par un tourniquet. Dominique Hessel améliore progressivement l'élevage du vin. De la cuve, il est passé à la barrique usagée en rotation avec les cuves. Depuis 1983 des barriques neuves renouvellent régulièrement le parc de futailles. Il loge désormais son vin en bouteilles lourdes — ce qui ne modifie en rien sa qualité.

Château Moulin-à-Vent tend — et parvient —, grâce sans doute à son terroir de graves, à la finesse des bons Moulis connus pour leur équilibre.

Age idéal : 8-10 ans. *Plat idéal : Faisan.*

COTATIONS COMMENTÉES

1970	7	Très (trop) protégé • A COMMENCER
1975	7	Est ouvert, un peu rigide • A BOIRE
1976	–	Vendanges après la pluie; souple et dilué • DEVRAIT ÊTRE BU
1977	4	Dur, tannins agressifs • A BOIRE
1978	9	Grand vin concentré; évolution lente • A COMMENCER
1979	6	Rendement trop élevé, manque de concentration • A BOIRE
1980	4	Un 1977 plus léger • A BOIRE
1981	8,5	Fermé, structuré, tannins pas encore fondus • 9 ANS
1982	9,5	Excellent, acidité bonne (3,3-3,4), chaleureux • A BOIRE POUR 15 ANS
1983	10	Un 1982 aux tannins plus fins (apparition des barriques neuves) • 7 ANS
1984	5	Aimable, manque de maturité des raisins • A BOIRE
1985	10	Sévère à évolution lente • 10 ANS
1986	9	1985 aux tannins souples • 8 ANS
1987	5,5	Léger, fruité • 4-5 ANS

CHÂTEAU MOULIN-À-VENT, Bouqueyran-Moulis, AOC Moulis

Date de création du vignoble : *1800*
Surface : *25 ha*
Nombre de bouteilles : *120 000*
Répartition du sol : *7 lots*
Géologie : *graves, argilo-calcaire*
Autre vin produit par le vignoble :
Château Moulin-de-Saint-Vincent

Culture

Encépagement : *CS 65 % M 30 % PV 5 %*
Age moyen : *20 ans*
Porte-greffe : *420A, Riparia*
Densité de plantation :
10 000-6 500 pieds/ha

Rendement à l'hectare : *40-50 hl*
Traitement antibotrytis : *non*
Vendange : *mécanique depuis 1984*

Vinification

Levurage : *non*
Remontage : *quotidien*
Type des cuves : *béton*
Température de fermentation : *25°-30°*
Temps de cuvaison : *15-20 jours*
Vin de presse : *30 à 50 %*
Filtration avant élevage : *non*
Age des barriques : *18 mois*
(cuve et barrique)

Collage : *blanc d'œuf séché*
Filtration : *à la mise depuis 1981*
Mise en bouteilles au château : *en totalité*
Type de bouteille : *lourde dès 1984*
Maître de chai : *Dominique Hessel*
Œnologue-conseil : *Dominique Hessel et laboratoire de Pauillac*

Commercialisation

Vente par souscription : *non*
Vente directe au château : *oui*
Commande directe au château : *oui*
Contrat monopole : *non*

Château MOULIS

COTATIONS COMMENTÉES

1981	7	*Classique, bon équilibre* • *A COMMENCER*
1982	10	*Robe superbe, nez nerveux, aucune mollesse en bouche, belle longueur* • *10 ANS*
1983	9	*Belle robe, boisé cannelle, légère astringence* • *7 ANS*
1984	6	*Vin de Cabernet, concentré pour le millésime, boisé épicé* • *A BOIRE*
1985	9,5	*Gras, fruité avec de la mâche* • *15 ANS*
1986	9,5	*Tient du 1982 et du 1985, en plus souple* • *10 ANS*
1987	6,5	*Vendangé avant la pluie* • *5 ANS*

Age idéal : 7-8 ans.

Plat idéal : Faisan poêlé.

Ce château qui porte le nom de l'Appellation n'est pas situé dans le bourg de Moulis mais dans le hameau de Bouqueyran. En 1868, M. Anglas y vinifie l'équivalent de 35 000 bouteilles. Dans l'entre-deux-guerres, Maurice Lasserre puis sa veuve livrent une production réduite de 25 000 flacons, ce qui ne devait guère occuper le chai conçu pour recevoir 400 barriques (de quoi emplir 120 000 bouteilles).

Cette importante surface donne à penser qu'au début du XIXe siècle le vignoble devait être plus important. C'est probablement à la même époque qu'a été élevé le « château », belle maison bourgeoise qui figure sur les étiquettes de Château Moulis.

Jacques Darricarrère a rénové la propriété, en particulier le cuvier qui, en 1980 a fait peau neuve, lorsque les vieilles cuves de bois ont cédé la place à des cuves d'acier inoxydable de 120 hectolitres d'un bon rapport hauteur-largeur, proportion si importante pour une bonne exploitation du chapeau.

TERROIR ET VIGNES

Les trois parcelles sises au lieu-dit Lagorce, à l'ouest de la route Bordeaux-Lesparre sont sablo-graveleuses mêlées d'argile, à peu près horizontales à la forte altitude de 37-38 mètres.

A Mourichot, au nord du château, le sol sablo-graveleux a nécessité la pose de drains alors que le plantier du sud du château argilo-calcaire bénéficie d'un drainage naturel dû à la pente inclinée en direction du sud.

Toutes ces terres reposent sur un socle calcaire. La moitié du vignoble est planté à « un sur un », c'est-à-dire à 10 000 pieds/hectare, excellente densité. L'autre moitié, tributaire de règes plus larges — 1,50 mètre — ne comporte que 6 666 pieds/hectare. Cabernet-Sauvignon et Merlot dans une proportion classique pour l'Appellation ont une vingtaine d'années, à l'exception de deux hectares replantés en 1980. Toutes ces vignes sont greffées sur des porte-greffe de qualité connus pour leur faible productivité.

VINIFICATION ET VIN

La vinification est classique : cuvaison longue, bonne température, remontages fréquents. Les vins de presse sont particulièrement soignés, élevés deux ans, enzymés, filtrés sur kieselguhr avant d'être incorporés au vin de goutte. L'élevage est réalisé dans des barriques d'âge divers ; un tiers : 6 ans, un tiers : 5 ans, un tiers : 4 ans.

Château Moulis se distingue par sa belle couleur, une solide constitution et une légère astringence — non herbacée — qui implique quelques années de vieillissement.

CHÂTEAU MOULIS, Bouqueyran-Moulis, AOC Moulis

Date de création du vignoble : *XIXe siècle*
Surface : *12 ha 42 a 25 ca*
Nombre de bouteilles : *50 000*
Répartition du sol : *5 lots*
Géologie : *sablo et argilo-graveleux*
Autre vin produit par le vignoble : *aucun*

Culture

Engrais : *organique*
Encépagement : *CS 60 % M 40 %*
Age moyen : *20 ans*
Porte-greffe : *Riparia, 101-14*

Densité de plantation : *10 000 et 6 666 pieds/ha*
Rendement à l'hectare : *35 hl*
Traitement antibotrytis : *non*
Vendange : *mécanique*

Vinification

Levurage : *oui*
Remontage : *quotidien*
Type des cuves : *inox — 120 hl*
Température de fermentation : *28°-30°*
Mode de régulation : *ruissellement*
Temps de cuvaison : *1 mois*
Vin de presse : *incorporé (voir texte)*
Filtration avant élevage : *sur terre*

Age des barriques : *4 à 6 ans*
Durée de l'élevage : *20-30 mois*
Collage : *blanc d'œuf*
Filtration : *à la mise*
Mise en bouteilles au château : *en totalité*
Type de bouteille : *standard*
Maître de chai : *Philippe Darricarrère*
Œnologue-conseil : *Pierre Bariteau*

Commercialisation

Vente par souscription : *non*
Vente directe au château :
possible sur rendez-vous : 57 42 25 95
Commande directe au château : *oui*
Contrat monopole : *non*

Château POUJEAUX

Château Poujeaux appartenait à un vaste ensemble connu sous le nom de La Salle de Poujeaux. Gaston de l'Isle en était le détenteur en 1544. Au XVIIIe siècle alors que le marquis de Brassier fait construire le château Beychevelle, sa sœur, Mme de Montmorin Saint-Herem est propriétaire de La Salle Poujeaux, ex-dépendance de La Tour Saint-Lambert (aujourd'hui Château Latour). En 1806, elle s'en sépare au profit d'André Castaing.

Au XIXe siècle, la famille Castaing « invente » plusieurs domaines dans la région de Moulis : Chasse-Spleen et, en 1880, les trois Châteaux Poujeaux, à la suite d'indivisions. Il y eut dès lors : Château Poujeaux-Philippe Castaing, Château Poujeaux-Élisabeth Castaing (épouse Clauzel, puis veuve Clauzel), Château Poujeaux-Jeanne Castaing (épouse Clavière).

Fin 1920, F. Theil achète aux héritiers Castaing l'un des Château Poujeaux et son fils acquiert ultérieurement les deux autres. Ainsi dès 1957, la propriété est-elle reconstituée. F. Theil meurt en 1981, ses deux fils Philippe et François lui succèdent.

TERROIR ET VIGNES

Le vignoble prolonge au nord celui de Chasse-Spleen, ce qui n'a rien d'étonnant puisque tous deux ont appartenu aux Castaing.

Il est coupé en deux par la voie de chemin de fer Bordeaux-Pauillac qui emprunte une tranchée de cinq mètres de profondeur. Il n'est pas impensable d'imaginer que cela a contribué à un abaissement de la nappe phréatique. Ce vignoble de forme allongée s'abaisse très légèrement en direction du nord (20-15 mètres) et beaucoup plus sensiblement du côté de l'est (23-13 mètres). Son sol de graves fines et de sable mêlés est complanté d'un encépagement assez particulier puisque Cabernet-Sauvignon et Merlot se font une part presque égale, assistés de 12 % de subtil Cabernet franc et d'un pourcentage égal de Petit Verdot, ce qui est tout à fait rare.

VINIFICATION ET VIN

La vinification s'inspire des principes habituels du professeur Peynaud : les cuvaisons sont particulièrement longues, les remontages fréquents. L'élevage soigné situe les ambitions du vin.

Château Poujeaux présente un compromis très réussi entre la solidité de la charpente et la possibilité d'une consommation qui n'impose pas une trop longue garde, une rondeur ample qui n'efface pas sa finesse, un fruité bien relayé par des arômes tertiaires complexes.

COTATIONS COMMENTÉES

1975	9	Corsé, tannique, concentré • 14-15 ANS
1976	6	Souple et moelleux • A TERMINER
1977	4	Un 1977 habillé d'une jolie robe; fin sans ampleur • A TERMINER
1978	9	Beaux tannins; puissant et gras • A COMMENCER
1979	9	Empyreumatique; en bouche sous-bois, truffe • A BOIRE
1980	5	Vin de Cabernet, floral et noyaux; léger • A BOIRE
1981	8	Puissant, ample, évolution lente • 10 ANS
1982	9	Bouquet complexe, vanille, réglisse, puissant • A BOIRE ET A GARDER
1983	10	Nez floral, puissant, gras, charpente fondue • 8-10 ANS
1984	5,5	Fruité (groseille) léger • 5 ANS
1985	9,5	Prunes, noyaux, puissant, plein, opulent, souple • 10 ANS
1986	10	Tient du 1983 et du 1985 • 12 ANS
1987	5,5	Un fruité souple • 6 ANS

Age idéal : 7-8 ans.

Plat idéal : Filet de bœuf Wellington.

CHÂTEAU POUJEAUX, Moulis, AOC Moulis

Date de création du vignoble :
XVIe siècle et 1806
Surface : 50 ha
Nombre de bouteilles : 250 000
Répartition du sol : un seul tenant
Géologie : sablo-graveleux
Autre vin produit par le vignoble :
Château La Salle-de-Poujeaux

Culture

Engrais : fumier, déchets végétaux
Encépagement : CS 40 % CF 12 % M 36 % PV 12 %
Age moyen : 25-30 ans
Porte-greffe : 101-14, 420A, 3309

Densité de plantation : 10 000 pieds/ha
Rendement à l'hectare : 40 hl
Traitement antibotrytis : parfois
Vendange : manuelle

Vinification

Levurage : première cuve
Remontage : biquotidien
Type des cuves : béton et inox — 180 hl
Température de fermentation :
28° à 30° maxi
Mode de régulation : pompe à chaleur
Temps de cuvaison : 4 à 6 semaines
Vin de presse : première presse
Filtration avant élevage : non

Age des barriques : 1 à 4 ans
Durée de l'élevage : 18 mois
Collage : blanc d'œuf
Filtration : légère à la mise
Mise en bouteilles au château :
en totalité
Type de bouteille : lourde
Maître de chai : M. Bercion
Œnologue-conseil : Jacques Boissenot

Commercialisation

Vente par souscription : oui
Vente directe au château : oui
Commande directe au château : oui
Contrat monopole : non sauf exportation

Listrac
AOC Listrac

Trois millions de bouteilles sont étiquetées chaque année AOC Listrac. Elles sont l'œuvre d'une centaine de déclarants.

Le nom de Listrac semble trouver son origine dans sa situation hydrographique : partage des eaux entre l'est et l'ouest (limite, lisière, lista, listra).

Le terroir de Listrac prolonge au sud celui de Moulis, les vignobles « frontaliers » ne tenant guère compte des tracés administratifs.

A l'ouest, une forte accumulation de graves pyrénéennes (le point le plus haut du Médoc, 45 mètres), sur calcaire à astéries du Stampien. Au sud-ouest de Listrac, toujours des graves pyrénéennes, fortement argileuses du Pliocène (tertiaire).

Au centre, la dépression de Peyrelebade argilo-calcaire sur soubassement calcaire de l'Éocène (un curieux phénomène d'évidement géologique).

A l'est les graves garonnaises günziennes traditionnelles du Médoc culminant autour de Médrac et Château Maucaillou. Listrac est un terroir diversifié dominé par l'argilo-calcaire, d'où l'excellence de ses Merlots.

Une quarantaine de kilomètres séparent Bordeaux de Listrac.

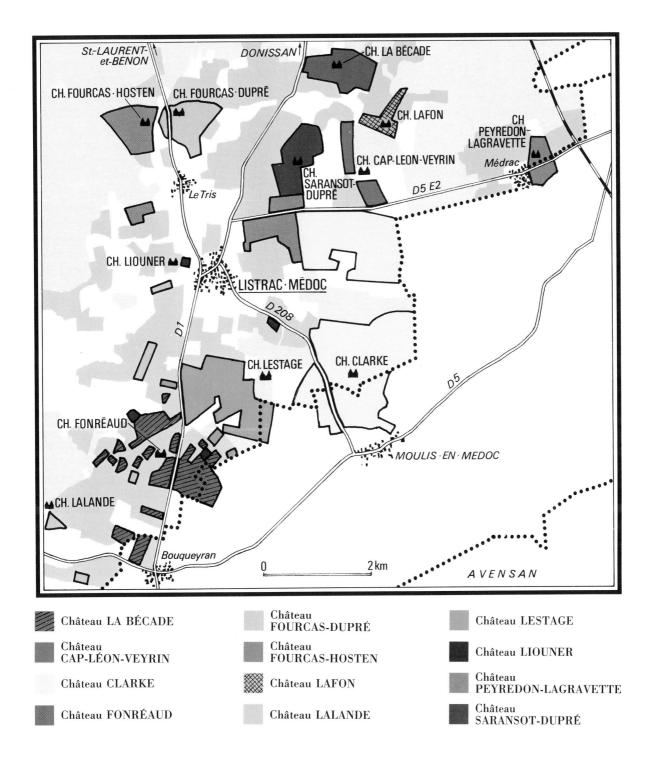

Château LA BÉCADE

Château CAP-LÉON-VEYRIN

Château CLARKE

Château FONRÉAUD

Château FOURCAS-DUPRÉ

Château FOURCAS-HOSTEN

Château LAFON

Château LALANDE

Château LESTAGE

Château LIOUNER

Château PEYREDON-LAGRAVETTE

Château SARANSOT-DUPRÉ

Château CLARKE

COTATIONS COMMENTÉES

1978	–	*1er millésime Ch. Clarke-Rothschild. Vignes jeunes, influence du millésime peu accentuée, vin léger* ● *A BOIRE OU A TERMINER*
1979	–	*Vignes jeunes, influence du millésime peu accentuée, vin léger* ● *A BOIRE OU A TERMINER*
1980	–	*Vignes jeunes, influence du millésime peu accentuée, vin léger* ● *A BOIRE OU A TERMINER*
1981	7,5	*Vin sévère, fermé, habillé d'une robe très foncée* ● *A BOIRE*
1982	8	*Nez boisé, de la mâche, de la rondeur avec une touche d'astringence sur fond de réglisse* ● *A COMMENCER*
1983	7,5	*Un 1982 moins rond aux tannins plus accentués* ● *6 ANS*
1984	5	*Fluide, fruité, boisé* ● *A COMMENCER*
1985	9	*Coloré, fruité, plein, marqué par les M, typé Clarke* ● *7 ANS*
1986	10	*70 % C-S; un anti-85, un Clarke spécial, vendanges tardives, tannins superbes, évolution lente* ● *10 ANS*
1987	5,5	*Sélections + saignées; belle robe; beau fruité* ● *4 ANS*

Age idéal : 6-7 ans.

Plat idéal : Perdreaux à la broche.

Une aventure unique en France dont on ne trouve guère l'équivalent qu'en Italie avec la création de la Villa Banfi en Toscane. Jamais un domaine et une marque ne furent si près de disparaître, jamais une renaissance ne fut aussi rapide et glorieuse. L'histoire mérite d'être contée.

En 1760, Pierre Penne acquiert le « petit bourdieu » des Granges. En 63 achats successifs, il crée une vaste propriété de 230 hectares, dont un petit vignoble, sur laquelle il élève une maison de maître et divers bâtiments d'exploitation. Le 21 février 1771, il se dessaisit de son bien moyennant 94 000 livres tournois au profit de Tobie Clarke de Dromantin, d'origine irlandaise.

Les Clarke conservèrent cette propriété jusqu'en 1820. A cette date, les Saint-Guirons, déjà propriétaires de Grand-Puy (Lacoste) entre autres, s'en portent acquéreurs. Le vignoble ne couvre que 17 hectares (sur 232) et produit 18 tonneaux (20 000 bouteilles). Sa surface augmente puisque, en 1850, la production se hisse jusqu'à 200 tonneaux (240 000 bouteilles, chiffre qui semble un peu exagéré). Non seulement les Saint-Guirons plantent de la vigne mais, en 1865, ils font construire le château dont les étiquettes de Château Clarke immortaliseront l'existence durant un bon demi-siècle.

La propriété demeure dans la famille jusqu'en 1955, parfois en indivision, mais sous des noms divers car la plupart des héritiers appartiennent au beau sexe : Abriet, Merman, Cantegril, Autran, John-Durand, Nairac, Fadhuile.

En 1868 les 70 tonneaux de Château Clarke sont admis au rang de cru Bourgeois. Dès 1893 les 120 tonneaux produits ont droit au statut de cru Bourgeois Supérieur (50 hectares de vignes environ). La propriété s'enorgueillit de son vignoble blanc, une anomalie, une originalité pour la région, d'où le nom de « Merle Blanc » donné à cette production en augmentation constante : 1890, 20 tonneaux (25 000 bouteilles) ; 1908, 40 tonneaux (50 000 bouteilles) ; 1929, 60 tonneaux (75 000 bouteilles).

Château Clarke n'échappe pas aux répercussions de la mévente des vins avant et après la dernière guerre, la production tombe, une partie de la propriété est vendue le 28 décembre 1955 à Jean-Georges Bidon qui détruit le château. Le point de non-retour devrait être atteint mais survient le baron Edmond de Rothschild qui, en 1973, achète Château Clarke (76 ha), reconstitue la propriété en 1979 (173 ha).

TERROIR ET VIGNES

Le domaine se compose de deux lots contigus : au nord Clarke, au sud Peyrelebade, une propriété dans laquelle le grand peintre Odilon Redon séjourna fréquemment. Certes de nombreux vignobles sont perpétuellement reconstitués mais l'entreprise menée à Clarke, par son ampleur et par les moyens mis en œuvre, n'a pas d'équivalent : ouverture de 27 kilomètres de fossés, pose de 47 kilomètres de drains, construction d'un cuvier équipé de 24 cuves en acier inoxydable thermorégulée, plantation de 132 hectares de divers cépages choisis en fonction des études de sols et 65 personnes qui assurent la bonne marche de la propriété.

Le vignoble est pratiquement horizontal, à peine s'abaisse-t-il en direction de l'est. Il s'étend assez sensiblement au nord sur la commune de Moulis (AOC Listrac malgré cela).

Le sol argilo-calcaire et argilo-silico-calcaire se distingue des sols graveleux courants dans le Médoc. Les porte-greffe choisis pour n'être pas trop vigoureux sont bien adaptés au sol, en particulier le 41 B si fréquent dans le Saint-Émilionnais et en Champagne. Ils sont plantés en règes larges : 160 × 110. La dominante argilo-calcaire a conduit à privilégier le Merlot.

Les engrais sont répartis en fonction des analyses des sols. Fumures de correction, chaux magnésienne, éventuellement potasse. Il est prévu d'établir un bilan analytique tous les cinq ou dix ans.

VINIFICATION ET VIN

Dans ce cuvier moderne, on pratique une vinification traditionnelle. Le chapeau est arrosé par un système statique, en deux heures la totalité de la cuve est remontée.

La vinification de 60 000 bouteilles anuelles d'un rosé excellent vinifié à froid (à boire dans l'année) permet de saigner les cuves après 24 heures, d'où concentration des moûts destinés à l'élaboration du vin rouge. Cette méthode semble particulièrement bien adaptée à un vignoble jeune, ce qui est le cas à Clarke. L'élevage offre quelques particularités : le vin non filtré est logé huit mois en foudre (de l'âge du chai), puis douze mois en barriques de chêne de l'Allier renouvelées sur quatre années. Les opérations les plus importantes ne sont pas détaillées dans ces lignes : la sélection parcellaire et la sélection-assemblage au cuvier, très poussées au Château Clarke.

Le premier Château Clarke signé Rothschild porte le millésime 1978. Un vin très bien vinifié de vignes jeunes. A dater du millésime 1981 apparaît un vin dense, complet à la robe pourpre foncée, dont chair et structure s'équilibrent parfaitement.

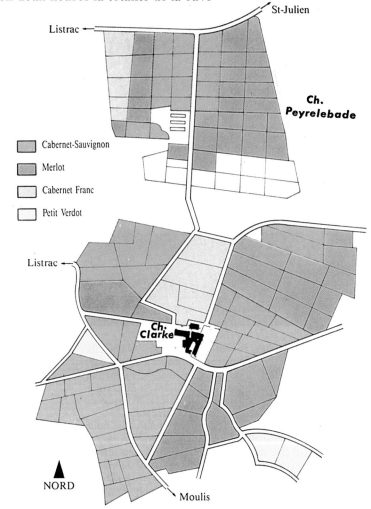

Cabernet-Sauvignon

Merlot

Cabernet Franc

Petit Verdot

CHÂTEAU CLARKE, Listrac, Castelnau-de-Médoc, AOC Listrac

Date de création du vignoble : *XVIIIᵉ et 1973*
Surface : *130 ha – 105 en production*
Nombre de bouteilles : *300 000*
Répartition du sol : *2 lots (Clarke et Peyrelebade)*
Géologie : *argilo-calcaire*
Autre vin produit par la vignoble : *AOC Haut-Médoc-Baron Ed. de Rothschild*

Culture

Engrais : *organique/minéral*
Encépagement : *CS 45 % CF 8 % M 45 % PV 2 %*
Age moyen : *4-12 ans*
Porte-greffe : *101-14, Riparia, 41 B : 60 %*

Densité de plantation : *6 600 pieds/ha*
Rendement à l'hectare : *28-60 hl*
Traitement antibotrytis : *oui*
Vendange : *mécanique*

Vinification

Levurage : *première cuve*
Remontage : *2 h/jour, volume de la cuve*
Type des cuves : *inox – 150-220 hl*
Température de fermentation : *28°-30°*
Mode de régulation : *eau chaude (drapeau) – ruissellement eau froide*
Temps de cuvaison : *2-3 semaines*
Vin de presse : *première presse*
Filtration avant élevage : *non*

Age des barriques : *de neuves à 4 ans d'âge*
Durée de l'élevage : *12 mois + 8 mois (cuve)*
Collage : *blanc d'œuf*
Filtration : *plaque*
Mise en bouteilles au château : *oui*
Type de bouteille : *lourde*
Maître de chai : *Philippe Bonnin*
Œnologue-conseil : *Jacques Boissenot*

Commercialisation

Vente par souscription : *oui*
Vente directe au château : *oui*
Commande directe au château : *oui*
Contrat monopole : *sauf Distribution CMR France (CVBG) et exportations*

Château CAP-LÉON-VEYRIN

GRAND VIN DE BORDEAUX

**CHATEAU
Cap Léon Veyrin**

CRU BOURGEOIS

LISTRAC – MÉDOC

APPELLATION LISTRAC CONTROLÉE

MIS EN BOUTEILLE AU CHATEAU

A. & J. MEYRE - Propriétaires-Récoltants
33480 Listrac-Médoc (France)

COTATIONS COMMENTÉES

1970	8	*Commence à s'ouvrir* • A BOIRE
1975	8	*Toujours fermé* • A ESSAYER
1976	7	*Vendangé après la pluie, bon, facile* • A BOIRE
1977	–	*S'est dégradé, le Cabernet a évolué trop vite* • DEVRAIT ÊTRE BU
1978	9	*Tannique, concentré* • A BOIRE
1979	7	*Trop de vin, manque de concentration* • A BOIRE SANS ATTENDRE
1980	4	*A été très bon, ne peut que décliner* • DEVRAIT ÊTRE BU
1981	8	*Nez surmûri, bonne attaque* • A BOIRE
1982	10	*Rondeur et souplesse, ample et long* • A BOIRE
1983	7	*Un 1981 dilué* • A BOIRE
1984	5	*Vin de Cabernet, robe légère, peu de longueur* • A BOIRE
1985	9	*Vendangé dès le 12 octobre, fruité et tannique* • 10-15 ANS
1986	8,5	*Complet, coloré, construit* • 6 ANS
1987	6	*Fruité, fin et léger* • 3-4 ANS

Ce n'est pas le Cap'tain Cap cher à Alphonse Allais. Cap signifie en patois tête, ce qu'il faut traduire en l'occurrence par sommet, hauteur.

Ces terres de l'ancien Château Cap-Léon sont travaillées depuis cinq générations par les Meyre qui, dans les années trente, ont complété cette propriété en reprenant le Château Veyrin-Domecq qui produisait quelque trente tonneaux (= 36 000 bouteilles) sous la houlette de M. Richard. Depuis, les Meyre s'adonnent à la viticulture et à l'élevage. De plus, ils offrent à l'œnophile ou à l'amateur de verdure la possibilité de « vivre la vie du vin », particulièrement active au moment des vendanges car le château-ferme Cap-Léon-Veyrin est également un gîte rural (le seul du Médoc dans une propriété vinicole).

TERROIR ET VIGNES

La propriété est située au nord-est de Listrac. Les deux parcelles de vignes s'abaissent quelque peu en direction des Marcieux, c'est-à-dire au nord pour l'une (26-21 mètres) et très peu à l'est pour l'autre (25-23 mètres). Dans cette couche de 60 centimètres d'argile sur socle calcaire les eaux de ruissellement sont éliminées par des drains et des fossés. Le fumier provient de l'exploitation fermière des Meyre. A noter la bonne densité de plantation et les porte-greffe de qualité.

VINIFICATION ET VIN

Lors des remontages le chapeau est arrosé avec soin. Le vin de presse n'est que rarement incorporé. Le vin n'est filtré ni avant son élevage ni avant sa mise en bouteilles.

L'élevage mérite qu'on s'y arrête. M. Meyre a fait construire dix cuves horizontales en acier inoxydable. Horizontales car le propriétaire soutient que les cuves verticales ont pour effet de « comprimer » le vin, ce qui lui serait dommageable (?).

Ce cuvier d'élevage est unique dans le Médoc. Le vin y séjourne dix à douze mois en rotation avec l'élevage traditionnel dans des barriques, neuves pour 25 % d'entre elles.

Château Cap-Léon-Veyrin est un Listrac traditionnel qui enveloppe sa chair dans un moelleux qui n'exclut pas la netteté. Son attaque est franche.

Age idéal : 6 ans.

Plat idéal : Matelote d'anguille.

CHÂTEAU CAP-LÉON-VEYRIN, Donissan, Listrac, AOC Listrac

Date de création du vignoble : *1850*
Surface : *12 ha*
Nombre de bouteilles : *80 000*
Répartition du sol : *2 lots*
Géologie : *graves argilo-calcaires*
Autre vin produit par le vignoble : *aucun*

Culture

Engrais : *fumier*
Encépagement : *CS 40 %   CF 2 %   M 55 %   PV 3 %*
Age moyen : *30 ans*
Porte-greffe : *101-14, 3309, Riparia*
Densité de plantation : *7000 pieds/ha*

Rendement à l'hectare : *50 hl*
Traitement antibotrytis : *non*
Vendange : *manuelle*

Vinification

Levurage : *première cuve*
Remontage : *quotidien*
Type des cuves : *inox – 150 hl*
Température de fermentation : *30°*
Mode de régulation : *ruissellement*
Temps de cuvaison : *15-21 jours*
Vin de presse : *rarement incorporé*
Filtration avant élevage : *non*
Age des barriques : *renouvellement par quart annuel*

Durée de l'élevage : *20-24 mois*
Collage : *blanc d'œuf frais*
Filtration : *non*
Mise en bouteilles au château : *en totalité*
Type de bouteille : *standard*
Maître de chai : *Alain Meyre*
Œnologue-conseil : *Jacques Boissenot*

Commercialisation

Vente par souscription : *oui*
Vente directe au château : *oui*
Commande directe au château : *oui*
Contrat monopole : *non*

Château FONRÉAUD

COTATIONS COMMENTÉES

1975	7,5	Très, sans doute trop tannique • A BOIRE
1976	–	Victime de la pluie, léger; sur le déclin • DEVRAIT ÊTRE TERMINÉ
1977	4	A dépassé son apogée (1984) • DEVRAIT ÊTRE TERMINÉ
1978	8	De la classe dans sa subtilité • A BOIRE
1979	7	Agréable, a bien évolué • A BOIRE
1980	4	Léger • A TERMINER
1981	7,5	Bien construit • A BOIRE
1982	8	Bon, mais pas autant qu'on le dit; à attendre en dépit de son acidité basse • 8 ANS
1983	10	La grande année; 1er vin élevé en barriques neuves, 10 % • 10 ANS
1984	5,5	20 hl/ha, vin de Cabernet élevé uniquement en barriques, 25 % de bois neuf • A COMMENCER
1985	7,5	Merlot : qualité 1982; les Cabernets moins mûrs, 25 % de bois neuf • 10 ANS
1986	9	Très complet, rappel 1978, 25 % de bois neuf • 12 ANS
1987	6	Léger, genre 1973 • 4 ANS

Immédiatement à la sortie de Bouqueyran en direction de Lesparre la route descend, traverse un ruisseau, la Jallette, puis, suivant une rampe régulière, s'élève de vingt mètres. Sur la gauche, un château très blanc, parfaitement symétrique. Il a été élevé en 1859 par Henri Le Blanc de Mauvezin dont les initiales et les armes figurent toujours dans le médaillon surplombant la porte d'entrée.

Les Mauvezin avaient hérité cette terre de Font-Réaux — c'est ainsi qu'on l'appelait à l'époque, ce qui veut dire Fontaine Royale — des Laboyrie, lesquels l'avaient acquise du consul de Danemark Guillaume von Hemert, un consul qui fut surtout négociant en vin.

A l'époque de la construction du château la production est très importante, de quoi remplir 200 000 bouteilles. En 1885 la marquise de La Tremblaye, vicomtesse de Coulogne, Louise de La Cropte de Chantérac, reçoit Fonréaud en legs. Au temps du cubisme et de l'art-déco ses filles en sont propriétaires et le volume de la production demeure élevée.

Après la dernière guerre, en 1962, les Chanfreau, de retour d'Algérie, en font l'acquisition en même temps que celle du proche Château Lestage.

TERROIR ET VIGNES

Le vignoble s'étend à l'ouest et à l'est de la route Bordeaux-Lesparre sur diverses parcelles groupées autour du château et des chais de Fonréaud.

Le sol graveleux siliceux de 40 à 80 centimètres d'épaisseur repose sur un socle de graves calcaires et de calcaire ferrugineux. Ces diverses parcelles connaissent toutes une orientation identique puisqu'elles occupent un vaste plan incliné s'abaissant de 43 à 23 mètres en direction du sud-sud-est.

Du fumier fourni par un troupeau de 80 brebis est régulièrement répandu. Le Merlot, majoritaire dans ce vignoble, est greffé sur Riparia.

VINIFICATION ET VIN

Un cuvier fonctionnel et bien équipé facilite une vinification traditionnelle. L'élevage se fait en cuves et en barriques par rotation de six mois.

Dans certains cas le vin est filtré sur terre avant l'élevage. Toujours très légèrement.

Château Fonréaud doit son fruité et sa souplesse au terroir et à sa forte proportion de Merlot. En dépit de ces caractères, il vieillit bien.

Age idéal : 6 ans.　　Plat idéal : Poitrine de mouton farcie.

CHÂTEAU FONRÉAUD, Listrac, AOC Listrac

Date de création du vignoble : XVIIIe siècle
Surface : 36 ha
Nombre de bouteilles : 200 000
Répartition du sol : un seul tenant
Géologie : graves argilo-calcaires
Autre vin produit par le vignoble : Château Fontaine-Royale

Culture

Engrais : d'entretien
Encépagement : CS 40 % CF 18 % M 40 % PV 2 %
Age moyen : 20 ans
Porte-greffe : Riparia, 101-14, SO 4

Densité de plantation : 6500 pieds/ha
Rendement à l'hectare : 39 hl
Traitement antibotrytis : oui
Vendange : mécanique et manuelle

Vinification

Levurage : première cuve
Remontage : 1-2 par jour
Type des cuves : béton – 180-200 hl
Température de fermentation : 28°-29°
Mode de régulation : pompe à chaleur
Temps de cuvaison : 18-25 jours
Vin de presse : 3-4 %
Filtration avant élevage : rarement
Age des barriques : renouvellement

par cinquième annuellement
Durée de l'élevage : 6 mois en barriques, 6 mois en cuve
Collage : albumine
Filtration : à la mise
Mise en bouteilles au château : en totalité
Type de bouteille : standard et lourde
Maître de chai : Paul Valverde
Œnologue-conseil : Jacques Boissenot

Commercialisation

Vente par souscription : oui
Vente directe au château : oui
Commande directe au château : oui
Contrat monopole : non

Château
Fourcas Dupré

LISTRAC - MÉDOC

APPELLATION LISTRAC CONTROLÉE

1981

MIS EN BOUTEILLE AU CHATEAU

Ste Civile du Château Fourcas Dupré

75cl   PROPRIÉTAIRE A LISTRAC-MÉDOC (GIRONDE) FRANCE   ALC 12°

PRODUCE OF FRANCE

Cette bouteille porte le

COTATIONS COMMENTÉES

1976		*Souple, peu concentré, évolution rapide* • *DEVRAIT ÊTRE BU*
1977	4	*Vin de Cabernet, a manqué de soleil, ingrat, herbacé* • *A BOIRE*
1978	8	*Bon boisé, beaucoup de finesse; ampleur?* • *A BOIRE*
1979	6	*Un équilibre facile; se boit tout seul* • *A BOIRE*
1980	5	*Un 1980 réussi; belle robe, boisé discret, un peu court* • *A BOIRE*
1981	8	*Teinte soutenue, nez balsamique, bouche dense, tannins lisses* • *9 ANS*
1982	9	*Robe très foncée, nez fruité; bouche longue mais l'équilibre n'est pas (encore) atteint* • *10 ANS*
1983	10	*Nez fin et complexe; bouche équilibrée, longueur et classe, 10 % de barriques neuves* • *9 ANS*
1984	5,5	*Fruité distingué, trame serrée, monocorde, court, 20 % de barriques neuves* • *A BOIRE*
1985	9	*Très fruité, riche; attendre, notes boisées, charpenté* • *10 ANS*
1986	10	*Complexité, finesse, concentration* • *10 ANS*
1987	6	*Genre 1973, fruits mûrs* • *5 ANS*

Ce domaine porte le nom du plateau de Fourcas d'excellente réputation géologico–vineuse. Dupré rappelle le patronyme du propriétaire créateur de la marque dans la deuxième moitié du XIXᵉ siècle. Maître Dupré, avoué à la cour de Bordeaux, exploite un vignoble ancien qui figure déjà sur la fameuse carte de Belleyme dressée au XVIIIᵉ siècle. En 1875, Maître Cathala, notaire à Bordeaux l'acquiert. Ses héritiers, Maurice, Daniel et Louis Cathala, lui succèdent simultanément.

En 1967, les Cathala passent la main. Guy Pagès qui a quitté la Tunisie et dont le frère, avec deux associés, avait acheté deux ans auparavant le Château de La Tour-de-By crée une société civile et reprend Fourcas-Dupré. Les rapatriés d'Afrique du Nord prennent ainsi pied dans le Médoc. Ils seront nombreux à suivre leur exemple et à prouver leur science vinicole.

Guy Pagès fait appel au professeur Peynaud afin de superviser la vinification et modernise considérablement chai et cuvier. A son décès, Patrice Pagès reprend le flambeau.

TERROIR ET VIGNES

La route Bordeaux-Lesparre au niveau du hameau de Fourcas sépare deux vignobles symétriquement disposés : à l'ouest celui de Fourcas-Hosten, à l'est celui de Fourcas-Dupré. Le sol de fines graves pyrénéennes, par endroit sablonneux ou argileux d'épaisseur irrégulière, de 50 centimètres à 5 mètres sur socle d'alios, est sillonné de drains. Il s'abaisse en direction de l'est de 40 à 30 mètres d'altitude.

Les vieilles vignes plantées en règes serrées sont vendangées à la main par une troupe du pays.

VINIFICATION ET VIN

La vinification est classique. Des tourniquets électriques arrosent les chapeaux pour améliorer les extractions. Le vin est filtré sur terre avant son élevage en barriques. Il est remis en cuve pour le collage.

Château Fourcas-Dupré se présente habillé d'une robe remarquable, même dans les millésimes réputés « clairs » (1980, 1984), finement boisé-fruité au nez et offrant en bouche une trame serrée, des tannins fins, presque lisses.

Équilibre et classicisme.

Age idéal : 8 ans.   *Plat idéal : Bœuf à la ficelle.*

CHÂTEAU FOURCAS-DUPRÉ, Listrac, AOC Listrac

Date de création du vignoble :
XVIIᵉ siècle, reconstitué en partie depuis 1967
Surface : *42 ha*
Répartition du sol : *3/4 graves avec sous-sol d'alios, 1/4 sables et argile*
Géologie : *un seul tenant*
Autre vin produit par le vignoble :
Château Bellevue-Laffont

Culture

Engrais : *organique et minéral (apport bisannuel de scories potassiques)*
Encépagement : *CS 50 % CF 10 % M 37 % PV 3 %*
Age moyen : *25 ans*
Porte-greffe : *Riparia Gloire, 3309, 101-14, 420 A, SO 4, 3306*

Densité de plantation : *10 000 à 7 000 pieds/ha*
Rendement à l'hectare : *40 à 50 hl*
Traitement antibotrytis : *1 ou 2*
Vendange : *manuelle 35 ha — mécanique 17 ha*

Vinification

Levurage : *première cuve*
Remontage : *quotidien*
Type des cuves : *bois, béton revêtu et inox — 170/250 hl*
Température de fermentation : *27° à 30°*
Mode de régulation : *ruissellement, réfrigérant tubulaire*
Temps de cuisson : *21 jours minimum*
Filtration : *avant élevage, débourbage sur terres d'infusoires*

Age des barriques : *neuves/4 vins*
Durée de l'élevage : *18 mois*
Collage : *blanc d'œuf en poudre, gélatine extra n° 1*
Mise en bouteilles au château : *en totalité*
Type de bouteille : *lourde dès 1984*
Maître de chai : *Patrice Pagès*
Chef de culture : *Robert Creuzin*
Œnologue-conseil : *Jacques Boissenot*

Commercialisation

Vente par souscription : *oui*
Vente directe au château : *oui*
Commande directe au château : *oui*
Contrat monopole : *non*

Château FOURCAS-HOSTEN

L'examen de la carte de Belleyme dressée au XVIIIe siècle est instructive. On y voit la route Bordeaux-Lesparre avec son tracé actuel, le hameau de Fourcas traversé par ladite route et les vignobles qui enserrent le hameau. Au XVIIIe siècle comme aujourd'hui les mérites vinicoles du plateau de Fourcas étaient reconnus et exploités.

À l'est du village, Fourcas-Dupré, à l'ouest Fourcas-Hosten. Dans les premières années du siècle passé la famille de Saint-Affrique y fait du vin. En 1850, la même famille vend 60 tonneaux de vin de Fourcas-Hosten (plus de 70 000 bouteilles). Dans l'entre-deux-guerres la production dépasse largement 100 000 flacons. Le vignoble est divisé, puis réuni. En 1971, après ce long règne, les Saint-Affrique vendent le domaine à un groupe de négociant comprenant MM. Peter Sichel, de Rivoyre, Schiller, des Danois et des Américains. Comme d'habitude les nouveaux propriétaires reconstruisent chais, cuvier et replantent nombre d'hectares.

TERROIR ET VIGNES

Cabernet-Sauvignon et Cabernet franc prospèrent sur le plateau de graves pyrénéennes à l'est de Fourcas. Cette couche de graves fines d'un demi-mètre à plusieurs mètres d'épaisseur recouvre un sous-sol d'alios. Le Merlot, plus à l'aise dans les sols argileux, complante la parcelle jouxtant Peyrelebade (Clarke) à dominante argilo-calcaire de 80 centimètres d'épaisseur recouvrant un sous-sol de cailloux calcaires. Drains et fossés assurent l'essuyage des terres.

VINIFICATION ET VIN

Les cuvaisons sont longues, plus encore pour le Merlot que pour le Cabernet-Sauvignon qui, lorsqu'il subit des extractions trop poussées, finit toujours par devenir herbacés. Les températures sont élevées et les chapeaux fortement arrosés.

L'élevage se perfectionne d'année en année. Les barriques neuves ont fait leur apparition dès 1984 : 350 barriques d'un vin de Margaux et de La Lagune, 110 barriques neuves. Ce renouvellement tend à se faire par quart annuellement.

Au fil des années, il semble que Château Fourcas-Hosten habille son vin de robes de plus en plus soutenues. Un nez de fruits rouges légèrement empyreumatiques et une bouche bien construite soulignée d'une astringence fine, dépourvue de verdeur, s'accordent à l'homogénéité d'un vin raffiné.

COTATIONS COMMENTÉES

1970	8	Très bon, très rond • A BOIRE
1971	–	Souple, sur le déclin • DEVRAIT ÊTRE BU
1973	–	Merlot dominant. A été bon • DEVRAIT ÊTRE BU
1975	7	Évolution lente ; très tannique • ATTENDRE ENCORE
1976	6	Bien, quoique les Merlot ne soient pas au mieux • A TERMINER
1977	–	Il est maigre, il sèche • DEVRAIT ÊTRE BU
1978	8,5	Balsamique et fruité, bouche fine et longue • A BOIRE
1979	7	Dans l'esprit du 1978, moins concentré • A BOIRE
1980	4	Nez de fruits rouges, net en bouche sans rondeur • A BOIRE
1981	9	Empyreumatique et balsamique, serré, trame fine, construit, long • A COMMENCER
1982	9,5	Rondeur et fruité, fine astringence, tannins serrés • A BOIRE, A GARDER
1983	10	Dense, homogène • 10 ANS
1984	5	Bouche nette, peu concentré, agréable, court • A BOIRE
1985	9	Raisins sains, construit • 8 ANS
1986	9,5	Un 1985 plus concentré et plus ample • 10 ANS
1987	5,5	Sélection à la vendange et en cuve (50 %), boisé fin (barriques d'un vin) • 3-4 ANS

Age idéal : 6-7 ans.   Plat idéal : Pintadeaux à la forestière.

CHÂTEAU FOURCAS-HOSTEN, Listrac, AOC Listrac

Date de création du vignoble : XVIIIe et XIXe siècle
Surface : 43 ha
Nombre de bouteilles : 240 000
Répartition du sol : 3 lots
Géologie : argilo-calcaire
Autre vin produit par le vignoble : aucun

Culture

Engrais : d'entretien
Encépagement : CS 50 % CF 10 % M 40 %
Age moyen : 20 ans
Porte-greffe : Riparia, 3309, SO 4

Densité de plantation : 7-8 000 pieds/ha
Rendement à l'hectare : 50 hl
Traitement antibotrytis : oui
Vendange : mécanique et manuelle

Vinification

Remontage : quotidien
Type des cuves : acier émaillé – 170-250 hl
Température de fermentation : 32°
Mode de régulation : ruissellement
Temps de cuvaison : 10-21 jours
Vin de presse : première presse
Filtration avant élevage : oui
Age des barriques : voir texte

Durée de l'élevage : 20 mois
Collage : poudre de blanc d'œuf
Filtration : à la mise
Mise en bouteilles au château : en totalité
Type de bouteille : lourde
Maître de chai : Claude Bibeyran
Œnologue-conseil : Jean-Claude Barthe

Commercialisation

Vente par souscription : oui par le négoce
Vente directe au château : oui
Commande directe au château : oui
Contrat monopole : de fait, ventes par les propriétaires-négociants

Châteaux LAFON et LA BÉCADE

CRU BOURGEOIS

Château La Bécade

1981

LISTRAC

APPELLATION LISTRAC CONTROLÉE

JEAN-PIERRE THÉRON PROPRIÉTAIRE A LISTRAC-MEDOC (GIRONDE)

MIS EN BOUTEILLE AU CHATEAU 75 cl

PRODUCE OF FRANCE

COTATIONS COMMENTÉES

1975	7	Ouvert, bien • A BOIRE
1976	6	Souple, sur le déclin • DEVRAIT ÊTRE BU
1977	4	Ne peut que décliner • DEVRAIT ÊTRE BU
1978	9	Classique, équilibré, typé • A GOÛTER
1979	6	Dans l'esprit du précédent; plus facile, moins concentré • LE COMMENCER
1980		Vendu en totalité au négoce • LE COMMENCER
1981	7	A bien évolué depuis 1984 • A BOIRE
1982	9	Grande bouteille fortement marquée par le Merlot • A BOIRE LENTEMENT
1983	10	Un 1982, la finesse en plus • 7-8 ANS
1984	5	Style 1977, vendangé au soleil • A COMMENCER
1985	8,5	Belle robe, tannique, équilibré dans son agressivité; typé Cabernet (vignoble Merlot à 90 %); (vendange machine) • 7-8 ANS
1986	9	Plus rond que le précédent. Évolution lente très marquée par le Cabernet (vendange à la main) • 8-9 ANS
1987	6	Issu de sélections. Aromatique • 3-4 ANS

Age idéal : 7 ans.

Plat idéal : Rognons de veau à l'étouffée.

En 1964 Jean-Pierre Théron achète à M. Dancausse le Château La Bécade, réduit à quatre hectares de vignes. Cette propriété de vieille réputation produisait quelque 25 tonneaux (environ 30 000 bouteilles) dans les années trente sous la conduite de M. Potard.

Jean-Pierre Théron, à l'étonnement de ses voisins, échange des parcelles de bois contre des terres à vignes ! Son entreprise de remembrement porta sur 81 échanges pour former 30 ha de vignes.

En 1969, il acquiert Château Lafon, tenté par la proximité de La Bécade mais surtout par les importants bâtiments que l'agrandissement du vignoble rendait nécessaires. Lafon conserve, en effet, le souvenir d'un grand vigneron du siècle passé, Dominique Douat, et dans l'entre-deux-guerres, celui d'André Boyer qui y vinifiait l'équivalent de 70 000 bouteilles. Jean-Pierre Théron a ajouté à Lafon une terre contiguë, le Clos-du-Mas, qu'il a rachetée à Flamerie de Lachapelle.

Les raisins cueillis dans ces propriétés fermentent dans le chai très moderne de Lafon. Ils sont confondus, un seul et même vin reçoit plusieurs étiquettes selon les exigences du négoce, les marques Lafon et La Fleur-Bécade sont réservées à certains acheteurs.

TERROIR ET VIGNES

Le vignoble de La Bécade culmine à 29 mètres d'altitude. Il est presque horizontal. Sa terre fort argileuse repose sur un socle argilo-calcaire. L'écoulement des eaux est assuré par des fossés curés tous les quatre ans.

Les vignes de Lafon sont plantées du côté du plateau de Marcieux caractérisé par ses terres à dominante argileuse semblables à celles de Peyrelebade (Ch. Clarke). Ados et fossés reçoivent les eaux de ruissellement. Avant les dernières plantations, des drains ont été enfouis. Les ceps plantés à 150 × 100, une densité correcte, sont greffés sur le vigoureux porte-greffe 420 A.

Les vendanges se font environ huit à dix jours plus tard que dans la région de Listrac plus tempérée par la Gironde. La moyenne des températures hivernales, par exemple, est inférieure de 3-4°.

VINIFICATION ET VIN

Les cuves de ciment sont surmontées d'un bassin, l'extraction se fait donc chapeau immergé. Les remontages portent deux fois par jour sur le tiers ou la moitié du volume des cuves. Les vins sont mis en bouteilles sans connaître la barrique.

Château La Bécade privilégie les caractères de fruité frais bien protégé plutôt que les fortes charpentes.

CHÂTEAUX LAFON et LA BÉCADE, Listrac, AOC Listrac

Date de création du vignoble : *XIXe siècle*
Surface : *Lafon 10 h, La Bécade 20 ha*
Volume : *1500 hl*
Répartition du sol : *2 fois un seul tenant*
Géologie : *argile*
Autre vin produit par le vignoble : *Haut-des-Marcieux, La Fleur-Bécade*

Culture

Engrais : *d'entretien*
Encépagement : *CS 55 %   M 45 %*
Age moyen : *12 ans*
Porte-greffe : *420 A*

Densité de plantation : *6650 pieds/ha*
Rendement à l'hectare : *50 hl*
Traitement antibotrytis : *non*
Vendange : *mécanique ou manuelle*

Vinification

Levurage : *rarement*
Remontage : *biquotidien*
Type des cuves : *ciment, inox — 130,95 hl*
Température de fermentation : *30°*
Mode de régulation : *ruissellement*
Temps de cuvaison : *15-21 jours*
Vin de presse : *première presse*
Filtration avant élevage : *rarement*

Durée de l'élevage : *2 ans en cuves*
Collage : *poudre d'œuf*
Filtration : *à la mise*
Mise en bouteilles au château : *en partie*
Type de bouteille : *standard*
Maître de chai : *François-Xavier Gravellier*
Œnologue-conseil : *M. Bariteau*

Commercialisation

Ch. La Bécade / Ch. Lafon :
Vente par souscription : *non / non*
Vente directe au château : *oui / non*
Commande directe au château : *oui / non*
Contrat monopole : *non / oui*

Château LALANDE

Château Lalande apparaît dans la deuxième moitié du XIXe siècle, en témoigne une médaille d'or gagnée en 1895. Il provenait d'une propriété dont une petite partie seulement était vouée à la vigne.

Le château, une aimable maison bourgeoise toute en longueur, rehaussée d'un étage sur rez-de-chaussée, a été bâti en 1889 et le vin de Château Lalande est mentionné dans le Féret, — « La Bible du Bordeaux » — dès 1898. Dès cette époque la famille Dubosc réside à Lalande, comme encore aujourd'hui.

A partir de 1908, les vignes du Champ-de-la-Grêle et du Champ-de-Lalande entrent en production. Ces terres font toujours partie de la propriété.

Dans l'entre-deux-guerres, M. Jean Dubosc, dit Jeandère, vinifie de 30 à 50 000 bouteilles (ou leur équivalent) de Château Lalande. En 1932, son vin est classé « cru Bourgeois ». Il l'est à nouveau en 1986 par le syndicat en exercice.

TERROIR ET VIGNES

Pour se rendre au Château Lalande, il faut traverser le hameau de Mayne-de-Lalande. La route ne va pas plus loin. Ce point extrême ouest est situé en forêt, en plein sable landais. Toute trace de vignoble a disparu depuis un kilomètre, depuis que les graves pyrénéennes sont submergées de sable éolien.

Les cinq lots du vignoble de Lalande s'étendent à l'ouest de la RN 215 reliant Bordeaux à Lesparre. Ils ne présentent guère de dénivelé mais leur altitude moyenne est élevée, entre 35 et 40 mètres. Leur sol se compose de graves pyrénéennes bien que du côté du plateau de Fonréaud apparaissent des terres argilo-calcaires. L'encépagement présente quelques particularités puisque les proportions de Cabernet et de Merlot sont inversées (en référence à la moyenne de l'Appellation) et que les Petits Verdots sont beaucoup plus nombreux que dans les autres vignobles. Comme partout — ou presque — la densité de plantation tend à diminuer.

VINIFICATION ET VIN

Les extractions sont poussées. Durant trois jours la température est maintenue à 30°, puis, durant trois ou quatre semaines, elle ne descend pas en dessous de 25°. Le cuvier est plus souvent réchauffé que refroidi. Les remontages corrigent les excès de température éventuels. Le vin est filtré sur terre avant le classique élevage en barrique.

Château Lalande est un Listrac équilibré et fin. Il est plus orienté vers le fruité, puis vers les arômes tertiaires, que vers la primauté de la charpente, mais c'est un vin de longue garde.

COTATIONS COMMENTÉES

Année	Note	Commentaire
1950, 55 et 59		Trois millésimes encore excellents • A BOIRE
1966	9	Robe marquée, bouquets tertiaires, bouche suave • A BOIRE
1970	9,5	Robe brunie dans la masse; tannique, viandé, sérieux • A BOIRE
1975	7	Ouvert, millésime surfait • A BOIRE
1976	6	Souple sans concentration • A TERMINER
1978	8	Complet, équilibré, harmonieux, construit • A BOIRE
1979	7	Un 1978 léger et souple • A BOIRE
1980	5	Bon, médaillé à Bordeaux • A BOIRE
1981	6,5	Fruité, aromatique, léger • A BOIRE
1982	9	Tannins fondus, plein • 10 ANS
1983	7,5	Fruité, évolution rapide • 8 ANS
1984	4	Petit millésime gouleyant • A BOIRE
1985	10	1982 + la rigueur du 1970 • 10 ANS
1986	9	Bien construit, complet • 9 ANS
1987	5	Parfumé, léger • 3 ANS

Age idéal : 10 ans.

Plat idéal : Lamproie bordelaise.

CHÂTEAU LALANDE, Listrac, AOC Listrac

Date de création du vignoble : XIXe siècle
Surface : 12 ha
Nombre de bouteilles : 60 000
Répartition du sol : 5 lots
Géologie : 3/4 graves, 1/4 argilo-calcaire
Autre vin produit par le vignoble : aucun

Culture

Engrais : organique
Encépagement : CS 35 % M 50 % PV 15 %
Age moyen : 20 ans
Porte-greffe : Richter, 110, 420 A
Densité de plantation : 6 600 à 9 000 pieds/ha

Rendement à l'hectare : 40 hl
Traitement antibotrytis : non
Vendange : manuelle

Vinification

Levurage : oui
Remontage : biquotidien
Type des cuves : acier émaillé, ciment — 91 et 104 hl
Température de fermentation : 30°
Mode de régulation : voir texte
Temps de cuvaison : 3-4 semaines
Vin de presse : première presse
Filtration avant élevage : sur terre

Age des barriques : 3 à 5 ans
Durée de l'élevage : 18 mois
Collage : blanc d'œuf lyophilisé
Filtration : à la mise
Mise en bouteilles au château : en totalité
Type de bouteille : standard
Maître de chai : Guy Mallet
Œnologue-conseil : Bernard Couasnon

Commercialisation

Vente par souscription : non
Vente directe au château : oui
Commande directe au château : oui
Contrat monopole : non

COTATIONS COMMENTÉES

Année	Note	Commentaire
1975	8?	*Encore trop dur* • A ESSAYER
1976	–	*Il a plu, même dans le vin* • DEVRAIT ÊTRE BU
1977	5	*Supérieur à la réputation du millésime* • A BOIRE
1978	8	*Bonne année, harmonieuse* • A BOIRE
1979	9	*Très tannique, vin de garde* • 9 ANS
1980	4	*Léger, vin d'été* • A BOIRE
1981	7	*Bon mais un peu facile* • A BOIRE
1982	8	*On se croirait à Saint-Émilion; riche, animal, viandé* • 7 ANS
1983	10	*Un 1981 plus concentré et plus tannique* • 8 ANS
1984	4	*Mince pour ne pas dire maigre* • A BOIRE
1985	7,5	*Un 1982 nerveux; harmonie? (30 % de bois neuf)* • 10 ANS
1986	10	*Concentré, tannique, évolution lente, 20 % de bois neuf* • 14 ANS
1987	4,5	*Style 1973...* • 4 ANS

Age idéal : 8 ans.

Plat idéal : Bœuf à la bordelaise.

Le château est imposant. En empruntant la RN 215 reliant Lesparre à Bordeaux, à mi-distance de Bouqueyran et de Listrac, à l'est, on devine le faîtage de hautes toitures surmontées d'un clocheton. En hiver, car en été les feuilles du parc masquent la vue. Ce beau spécimen d'architecture Napoléon III, orné et surchargé comme il se doit, a été élevé en trois ans vers 1870 alors que le domaine appartenait aux Saint-Guirons. A l'époque du fameux classement de 1855 qui n'a distingué aucun cru dans la commune de Listrac, les Saint-Guirons produisaient l'équivalent de 120 000 bouteilles à Lestage et autant à Clarke qu'ils possédaient également. Les descendants du célèbre avocat bordelais furent très actifs dans le Médoc et ont laissé leur nom à un cru Classé — tout au moins figure-t-il toujours sur l'étiquette de l'excellent Grand-Puy-Lacoste-Saint-Guirons. Cette importante production s'accroît encore dans l'entre-deux-guerres et atteint l'équivalent de 180 000 bouteilles sous l'impulsion de M. Régnier. Pendant la guerre les Eschenauer gouvernent Lestage et vendent beaucoup de vin à l'occupant. Après la Libération Édouard Eschenauer doit vendre la propriété.

Lorsqu'en 1962, les Chanfreau, chassés d'Oranie, s'intéressent à Lestage, le domaine n'est plus ce qu'il était. Le docteur Seynat, trop absorbé par de nombreuses activités — dont celle de député — a mis en sommeil l'exploitation de Lestage qui ne comporte plus que 17 ha de vignes. Depuis ce temps, un cuvier fonctionnel a été élevé et la propriété remise sur ses rails.

TERROIR ET VIGNES

A quelques arpents près le vignoble est d'un seul tenant. Il borde la route nationale à l'est. Son point le plus élevé (43 mètres) est marqué par une tour d'observation (anti-feu). Il s'abaisse au nord et au sud. Des graves pyrénéennes marneuses de 40 à 80 centimètres d'épaisseur reposent sur un calcaire dur. Des drains sont posés à chaque replantation.

VINIFICATION ET VIN

Rien à signaler concernant la vinification. L'élevage, dès le millésime 1985, fait appel au bois. Le cycle est amorcé par 150 barriques neuves.

Château Lestage représente bien le caractère Listrac, dur dans sa jeunesse, une solidité bien assise en bouche, annonciateur d'arômes tertiaires qui le complexifient.

CHÂTEAU LESTAGE, Listrac, AOC Listrac

Date de création du vignoble : *ancienne*
Surface : *52 ha*
Nombre de bouteilles : *250 000*
Répartition du sol : *4 lots groupés*
Géologie : *graves — marnes calcaires*
Autre vin produit par le vignoble : *Château Caroline*

Culture

Engrais : *d'entretien*
Encépagement : *CS 46 %   CF 5 %   M 56 %   PV 3 %*
Age moyen : *18 ans*
Porte-greffe : *Riparia, 101-14, SO 4*

Densité de plantation : *6 500 pieds/ha*
Rendement à l'hectare : *39 hl*
Traitement antibotrytis : *oui*
Vendange : *mécanique et manuelle*

Vinification

Levurage : *première cuve*
Remontage : *1-2 par jour*
Type des cuves : *béton — 180-200 hl*
Température de fermentation : *28°-29°*
Mode de régulation : *pompe à chaleur*
Temps de cuvaison : *18-25 jours*
Vin de presse : *3-4 %*
Filtration avant élevage : *parfois*

Age des barriques : *voir texte*
Durée de l'élevage : *18 mois*
Collage : *albumine*
Filtration : *légère à la mise*
Mise en bouteilles au château : *en totalité*
Type de bouteille : *standard et lourde*
Maître de chai : *Paul Valverde*
Œnologue-conseil : *Jacques Boissenot*

Commercialisation

Vente par souscription : *oui*
Vente directe au château : *oui*
Commande directe au château : *oui*
Contrat monopole : *non*

Château LIOUNER

La plupart des crus du Médoc portent le nom de leur lieu de naissance (lieu-dit, parcelle). Lorsque ce n'est pas le cas, ils portent le nom d'un des propriétaires, généralement le premier, l' « inventeur » du cru.

Château Liouner présente un cas rare, probablement unique. Plutôt que de donner son nom au cru dont il fut propriétaire, M. Renouil chercha à se dissimuler dans une anagramme. C'est le grand-père du propriétaire actuel qui créa ce cru, classé Bourgeois en 1932.

Lors de la dernière guerre le vignoble produit du vin de consommation courante. En 1956, il est totalement replanté. En 1973 la propriété s'agrandit. Le vignoble du château Cantegric — un cru connu avant-guerre — classé cru Bourgeois en 1932 lorsque P. Chemioux y vinifiait quelque 30 000 bouteilles (ou leur équivalent) est incorporé à Liouner. A vrai dire, il faudra attendre la fin du contrat qui lie Cantegric à une coopérative (1976) pour que la production de Liouner augmente.

TERROIR ET VIGNES

La constitution du vignoble par achats successifs explique sa dissémination. Les lots se répartissent à l'ouest et à l'est de la RN 215 Bordeaux-Lesparre, particulièrement sur le plateau de Fonréaud, essentiellement composé de graves pyrénéennes du Pliocène. Plus à l'est, les vignes de Liouner complantent un sol argilo-calcaire. L'altitude moyenne du vignoble est élevée : entre 30 et 40 mètres. Les anciennes plantations respectaient la règle de la forte densité (10 000 pieds/ha) alors que des rangs plus larges séparent les pieds plus jeunes (6 600 pieds/ha). La proportion Cabernet-Merlot représente la moyenne de l'Appellation (50-40). A noter le pourcentage inusité de Petit Verdot, excellent cépage les années chaudes.

VINIFICATION ET VIN

Pierre Bosq tient aux méthodes traditionnelles. Deux remontages par jour contribuent à une bonne extraction. La température des fermentations est régulée par transfert dans les cuves inox s'il y a lieu. Le propriétaire est opposé à la filtration avant élevage, il ne la pratique donc pas. Il ne filtre pas non plus avant la mise en bouteilles, ce qui est rare. Il considère que les soutirages et le collage sont suffisants et qu'il ne convient pas d'appauvrir le vin ni par une ni par deux filtrations.

Château Cantegric n'est pas un deuxième vin mais une seconde marque. Peu de flacons portent cette étiquette. Le vin est rigoureusement identique à celui de Château Liouner.

Château Liouner illustre bien son Appellation : vin solide, séveux, de bonne garde, non dépourvu d'une touche de rusticité, dans le bon sens du terme.

COTATIONS COMMENTÉES

Année	Note	Commentaire
1975	8,5	Commence à s'ouvrir • A COMMENCER
1976	6	Souple, manque d'extraits, léger • A TERMINER
1977	4	Petit malgré la faiblesse du rendement à l'hectare • A TERMINER
1978	9	Vin complet et riche, évolution lente • 12 ANS
1979	6,5	Plus concentré que le 1976 quoique aussi souple • A BOIRE
1980	4,5	Facile, souple, plaisant, sans prétention • A BOIRE
1981	8	Un 1978 qui évoluerait plus rapidement • A BOIRE
1982	9,5	Très complet, tannins très mûrs, acidité basse • 14 ANS
1983	8,5	Moins corsé que 1982 mais plus fin, souple et gracieux • 8 ANS
1984	5	Peu tannique, évolution rapide • 5 ANS
1985	10	La grande bouteille dans l'esprit du 1961 • 20 ANS
1986	9	Plus corsé que 1983, moins complet que 1985 • 10 ANS
1987	5	Facile • 4-5 ANS

Age idéal : 10 ans au moins.

Plat idéal : Bécasse flambée.

CHÂTEAU LIOUNER, Listrac, Castelnau, AOC Listrac

Date de création : 1920/1956
Surface : 18 ha
Nombre de bouteilles : 60 000
Répartition du sol : 6 lots
Géologie : graveleux et argilo-limoneux
Autre vin produit par le vignoble : Château Cantegric

Culture

Engrais : guano, poisson. Chaulage, engrais organique
Encépagement : CS 50 % M 40 % PV 10 %
Age moyen : 20 ans
Porte-greffe : 101-14, SO 4; Riparia

Densité de plantation : 10 000 pieds et 6 600 pieds/ha
Rendement à l'hectare : 40 hl
Traitement antibotrytis : non
Vendange : mécanique

Vinification

Levurage : non
Remontage : biquotidien
Type des cuves : ciment et inox
Température de fermentation : 28°
Mode de régulation : ruissellement
Temps de cuvaison : 15 jours ou plus
Vin de presse : première presse
Filtration avant élevage : pas de filtration

Age des barriques : 4 ans
Durée de l'élevage : 2 ans
Collage : albumine
Filtration : pas de filtration
Mise en bouteilles au château : oui
Type de bouteille : lourde
Maître de chai : MM. Bosq Père et Fils
Œnologue-conseil : M. Bariteau

Commercialisation

Vente par souscription : oui
Vente directe au château : oui
Commande directe au château : oui
Contrat monopole : non

Château PEYREDON-LAGRAVETTE

Au XVIᵉ siècle les terres de Médrac qui composent encore aujourd'hui cette propriété étaient inféodées au seigneur Gaston de L'Isle de la maison noble de La Salle-Poujeaux, ce qui n'empêchait nullement les ancêtres de Paul Hostein, maître actuel du Château Peyredon-Lagravette, d'être propriétaires « au hameau » ainsi qu'en témoignent d'anciens titres parcheminés datant du 26 novembre 1546. Depuis cette époque lointaine la propriété est toujours restée dans la même famille. Peyredon-Lagravette, en tant que cru (ou que marque), n'apparaît que beaucoup plus tard, avant la seconde moitié du XIXᵉ siècle. Les bâtiments d'exploitation et le « château » — en fait une aimable maison bourgeoise basse — datent de 1868. Mathurin Hostein après la Grande Guerre produit quelque 18 000 bouteilles (ou leur équivalent) de Château Peyredon-Lagravette. En 1986, Paul Hostein voit ses efforts couronnés par son admission au sein des crus Bourgeois.

TERROIR ET VIGNES

Les terroirs de Moulis jouxtent ceux de Listrac. Ils se confondent parfois car certains vignobles chevauchent la « frontière » qui sépare discrètement l'aire d'appellation Listrac de l'aire d'appellation Moulis. C'est le cas de Peyredon-Lagravette, coupé en deux par cette ligne plus administrative que géologique.

Les deux lots principaux de ce vignoble sont situés à l'est de Médrac, bordés à l'est et à l'ouest par celui de Maucaillou. Dans le cadre d'opérations de remembrement, près de deux hectares appartenant à Chasse-Spleen ont été affectés à Peyredon-Lagravette. L'ensemble présente fort peu de déclivité, avec une altitude de 17 à 24 m (orientation nord). Au nord le sol est argilo-calcaire sur plusieurs mètres de profondeur ; à l'ouest aboutit la nappe de graves pyrénéennes, alors qu'à l'est s'étendent les graves garonnaises du Günz d'une profondeur de 4 à 5 m.

Une forte densité de plantation contribue à la qualité de ce vignoble privilégiant le Cabernet-Sauvignon associé à des porte-greffe bien adaptés au sol et à la vigueur modérée.

VINIFICATION ET VIN

Paul Hostein affirme son goût de la tradition en refusant la « non-culture » (désherbant chimique) et en usant de la bonne vieille bouillie bordelaise pour traiter ses vignes.

Le vin de presse est remis à fermenter l'année suivante, la filtration sur terre, « qui dépouille les vins » dit Paul Hostein, n'est pas pratiquée. Ensuite le vin est élevé dans le bois neuf et dans des barriques de 1ᵉʳ Cru classé n'ayant logé qu'un vin.

Château Peyredon-Lagravette s'apparente assez naturellement aux vins de Grand-Poujeaux : plus Moulis que Listrac. Il a le charme, la distinction et la finesse des Moulis appuyés sur la solide construction des Listrac.

COTATIONS COMMENTÉES

Année	Note	Commentaire
1975	6,5	Se sont ouverts ; un millésime surfait. Pour certains on les a trop attendus, pour d'autres il faut les attendre • A BOIRE
1976	7,5	Tannins très mûrs, douceur et suavité • A BOIRE
1977	4	Verdeur et manque de soleil • A BOIRE
1978	8	Presque trop de tannins, évolution lente, à demi-aimable pour l'instant • A COMMENCER
1979	6	Le contraire du 1978, évolution rapide, manque de concentration • A TERMINER
1980	5	Une souplesse légère • A BOIRE
1981	9	Classique, distingué, fin ; évolution lente • A COMMENCER
1982	9,5	Plein, rond, souple, tannins très mûrs ; évolution rapide • A BOIRE
1983	10	Coloré, structuré, riche ; évolution très lente, longue garde (25 ans) • 9 ANS
1984	5	Un 1980 moins souple • A COMMENCER
1985	8	Fruité, aromatique ; n'a pas la charpente du 1983 • 5 ANS
1986	9	Proche du 1981 • 6 ANS
1987		Gouleyant, évolution rapide • 3 ANS

Age idéal : 6-7 ans.

Plat idéal : Canard rôti aux endives braisées.

CHÂTEAU PEYREDON-LAGRAVETTE, Médrac, Listrac, AOC Listrac

Date de création du vignoble : 26 novembre 1546
Surface : 7 ha
Nombre de bouteilles : 40000
Répartition du sol : 4 lots
Géologie : 80 % graves, 20 % argilo-calcaire
Autre vin produit par le vignoble : aucun

Culture

Engrais : organique
Encépagement : CS 65 % CF 5 % M 30 %
Age moyen : 25 ans
Porte-greffe : Riparia, 101-14, 44-53
Densité de plantation : 9000 pieds/ha

Rendement à l'hectare : 40 hl
Traitement antibotrytis : non
Vendange : manuelle

Vinification

Levurage : naturel (pied de cuve)
Remontage : biquotidien
Type des cuves : bois (155 hl), acier (100 hl)
Température de fermentation : 28°
Mode de régulation : ruissellement
Temps de cuvaison : 20-25 jours
Vin de presse : voir texte
Filtration avant élevage : non
Age des barriques : 0-6 ans, voir texte

Durée de l'élevage : 18 mois
Collage : gélatine d'œuf
Filtration : sur plaque à la mise
Mise en bouteilles au château : en totalité
Type de bouteille : lourde
Maître de chai : Paul Hostein
Œnologue-conseil : CEIŒ Médoc et Haut-Médoc

Commercialisation

Vente par souscription : oui
Vente directe au château : oui
Commande directe au château : oui
Contrat monopole : non

Château SARANSOT-DUPRÉ

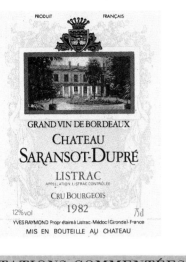

COTATIONS COMMENTÉES

1975	8,5	12°75 naturel. Ferme et net, direct et long • A BOIRE SANS SE PRESSER
1976	–	Vendange : 13 septembre; facile, a décliné • DEVRAIT ÊTRE BU
1977	–	Belle robe, tannins verts • DEVRAIT ÊTRE BU
1978	9	S'ouvre à peine, beau vin complet • A BOIRE SANS SE PRESSER
1979	5	Vin léger, récolte abondante • A BOIRE
1980	4	Un 1979 encore plus léger • A TERMINER
1981	8	Belle robe, structuré • 10 ANS
1982	10	Générosité, ampleur, rondeur; vin complet (vendange 15/9) • 10 ANS
1983	7	Un 1981 souple, fruité. Vin flatteur type Merlot • 7 ANS
1984	5,5	75 % CS; robe légère, vin léger • A BOIRE
1985	9	M parfaits, CF-S assez mûrs • 10 ANS
1986	9,5	Richesse et suavité • 10 ANS
1987	6	Parfums mûrs, style 1973 • 4-5 ANS

Age idéal : 8 ans.

Plat idéal : Filet mignon de veau, foie gras et macis.
Fromage : Saint-Nectaire.

Saransot signifierait en patois petit ruisseau. Adolphe Dupré, créateur du cru, acquiert le 11 juin 1843 le Cru Roulet, vignoble important qui s'étend sur 45 hectares.

La désignation Cru Roulet ne disparaîtra que peu avant 1870. En 1855, d'Armailhac évoquera le Cru Roulet comme étant l'un des meilleurs de Listrac et Frank, dans son fameux traité des vins du Médoc de 1868, évoque la qualité de ce vin dit « autrefois Cru Rouleté ».

Adolphe Dupré a curieusement divisé ce Cru Roulet en deux, donnant naissance à deux vins qui portent encore aujourd'hui son nom : Fourcas-Dupré et Saransot-Dupré. Pourtant, lorsque les héritiers Dupré vendent ces deux vignobles le 10 août 1875, ils sont tous les deux achetés par le même acquéreur, Ovide Raymond, pour la somme de 400 000 francs or.

Le mildiou et la crise qui en résulte auront raison de cette réunion et les Raymond revendent pour 100 000 francs (or toujours) le deuxième vignoble pour concentrer tous leurs efforts sur Saransot. Depuis cette époque, il n'a plus quitté la famille Raymond. Aujourd'hui, Yves Raymond, jeune œnologue, a engagé un plan de restauration des bâtiments, du vignoble et du chai.

TERROIR ET VIGNES

Le vignoble s'étend au nord-est de Listrac dans le prolongement de Fourcas-Hosten à l'altitude de 25 mètres sur un plateau si peu incliné à l'est qu'il paraît horizontal. Un sol argilo-calcaire d'un mètre d'épaisseur au moins, toujours drainé, accueille des règes distantes d'un mètre cinquante (150 × 100). L'encépagement, conforme à la tradition de l'Appellation, privilégie le Merlot, très à l'aise dans l'argilo-calcaire. Le Riparia, l'un des meilleurs porte-greffe, au rendement limité, a été planté chaque fois que faire se peut (le Riparia craint les terres trop calcaires). Il faut noter la présence de près de deux hectares de vignes blanches de Sémillon, de Muscadelle et depuis peu de 25 % de Sauvignon, à l'origine de 10 000 bouteilles de vin blanc, vinifié en cuve inox et vendu dans l'année.

VINIFICATION ET VIN

Le moût est remonté soir et matin. Un quart du volume de la cuve arrose chaque fois le chapeau.

Dès le millésime 1987, l'achèvement d'un chai à barriques a autorisé un élevage dans des conditions parfaites d'une durée de 18 à 24 mois selon la constitution du millésime.

Château Saransot-Dupré allie rondeur, souplesse et bonne constitution sans austérité. Le vin blanc, à boire frais et jeune, rappelle les Graves de même couleur, peut-être avec moins d'attaque.

CHÂTEAU SARANSOT-DUPRÉ, Listrac, AOC Listrac

Date de création du vignoble : XIXe siècle
Surface : 12 ha
Nombre de bouteilles : 80 000
Répartition du sol : un seul tenant
Géologie : argilo-calcaire
Autre vin produit par le vignoble : Bordeaux blanc, 10 000 bouteilles (voir texte)

Culture

Engrais : organique
Encépagement : CS 40 % M 60 %
Age moyen : 20 ans
Porte-greffe : Riparia

Densité de plantation : 6660 pieds/ha
Rendement à l'hectare : 45 hl
Traitement antibotrytis : oui
Vendange : mécanique et manuelle

Vinification

Levurage : première cuve
Remontage : biquotidien
Type des cuves : ciment époxy – 160 hl
Température de fermentation : 30°
Mode de régulation : serpentin, canne chauffante
Temps de cuvaison : 3 semaines
Vin de presse : première presse
Filtration avant élevage : sur terre

Age des barriques : voir texte
Durée de l'élevage : 18-24 mois
Collage : poudre de blanc d'œuf
Filtration : à la mise
Mise en bouteilles au château : en totalité
Type de bouteille : standard
Maître de chai : Yves Raymond
Œnologue-conseil : Bernard Couasnon

Commercialisation

Vente par souscription : oui
Vente directe au château : oui
Commande directe au château : oui
Contrat monopole : non

Communes de Blanquefort
et de Taillan-Médoc
AOC Haut-Médoc

BLANQUEFORT A l'est, alluvions récentes ; au centre, sol sablo-graveleux devenant argilo-calcaire à l'ouest. Les terroirs proches de la départementale D2 Bordeaux-Pauillac offrent de belles structures graveleuses, malheureusement l'urbanisation les menace. Soixante hectares de vignes sont encore exploités.

LE TAILLAN-MÉDOC A peine plus de dix kilomètres séparent Le Taillan de Bordeaux. Les meilleurs terroirs s'étendent à l'est de la commune sur un sol argilo-calcaire au sous-sol d'alios ou de graves 35 hectares de vignobles ont résisté à l'urbanisation.

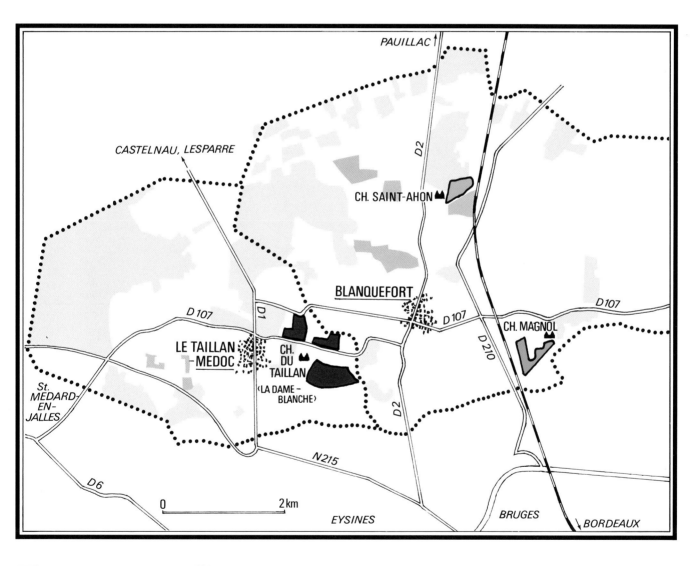

- ▮ Château MAGNOL
- ▮ Château SAINT-AHON
- ▮ Château DU TAILLAN
- ▮ BOIS
- ▮ VIGNES

Château MAGNOL

La création du Château Magnol en tant que marque remonte à 1979 lors de l'acquisition par la grande maison de négoce Barton et Guestier du château du Dehez, antérieurement propriété de M. Biotteau.

Le château du Dehez, élégante chartreuse médocaine dans l'esprit du XVIIIᵉ siècle, gouverne depuis plus d'un siècle et demi un vignoble qui, en 1850, sous la houlette de M. Delisse, produisait l'équivalent de 25 000 bouteilles. Henri Cruse, dans l'entre-deux-guerres n'y vinifiait plus que 5 ou 6 000 flacons.

Lorsque Barton et Guestier prend possession du Château du Dehez, douze hectares de vignes sont productifs. Dans les années qui suivent cinq hectares sont replantés et un cuvier moderne est élevé.

TERROIR ET VIGNES

Si l'on quitte Bordeaux en direction du Médoc par la route du lac, à peine a-t-on quitté Bruges et traversé la jalle d'Eysines que l'on rencontre le vignoble de Château Magnol. Il est situé sur la croupe médocaine la plus au sud et la plus à l'est. Il entoure sur deux côtés le château, les chais et bureaux de Barton et Guestier. Cette disposition lui assure plusieurs orientations, encore que les dénivellations soient très faibles.

Le sol, composé de graves günziennes mêlées de sable accueille des porte-greffe de qualité. La densité de plantation est moyenne, l'encépagement classique privilégie le Cabernet-Sauvignon.

Les vieilles vignes, qui comptent jusqu'à trente ans d'âge, ont assuré la totalité de la production jusqu'en 1984 inclusivement. Dès le millésime suivant les nouveaux plantiers avaient atteint l'âge réglementaire pour être vinifié en AOC Haut-Médoc.

VINIFICATION ET VIN

Barton et Guestier a choisi la vinification traditionnelle, en cuve inox. Le vin est remonté avec aération une ou deux fois en début de fermentation pour activer le travail des levures, puis sans aération.

Une bonne température favorise les extractions. La robe soutenue du millésime 1984, si souvent habillé légèrement, démontre l'efficacité de la méthode.

Château Magnol, dans sa robe pourpre soutenue, est un vin tendre, aimable, fruité, caractérisé par des tannins fins, jamais agressifs. De ce fait, il n'exige pas une longue attente.

Age idéal : 6 ans.   Plat idéal : Poulet sauté à la Marengo.

COTATIONS COMMENTÉES

1979	5	Charpente moyenne, charmeur, plus élégant que riche • A BOIRE
1980	4	Vin léger à évolution rapide • A TERMINER
1981	8	Tannins affirmés mais tendres, touche boisée, fin • A BOIRE
1982	9	Nez de fruits rouges, groseilles et arômes de torréfaction • A BOIRE
1983	9,5	Sobre, homogène, dense, belle finale • A COMMENCER
1984	6	Nez et bouche directs, robe superbe, un 1984 très concentré • A BOIRE
1985	9	Cassis-groseille, rondeur et amabilité tendre. • 8 ANS
1986	10	Complet, évolution lente • 10 ANS
1987	5,5	Léger, fruité • 3-4 ANS

CHÂTEAU MAGNOL, Blanquefort, AOC Haut-Médoc

Date de création du vignoble : *Vignoble ancien, XVIIIᵉ (?) et 1979*
Surface : *17 ha*
Nombre de bouteilles : *85 000*
Répartition du sol : *un seul tenant*
Géologie : *graves et sables*
Autre vin produit par le vignoble : *aucun*

Culture

Engrais : *base organique, complément phosphorique et potassique*
Encépagement : *CS 66 % M 34 %*
Age moyen : *15 ans*
Porte-greffe : *Riparia, 3309*
Densité de plantation : *6 600 pieds/ha*
Rendement à l'hectare : *40 hl*

Traitement antibotrytis : *selon opportunité*
Vendange : *mécanique et manuelle*

Vinification

Levurage : *premières cuves*
Remontages : *quotidien*
Type des cuves : *acier inoxydable*
Température de fermentation : *30° maximum*
Mode de régulation : *ruissellement*
Temps de cuvaison : *3 à 4 semaines*
Vin de presse : *partiellement écarté*
Filtration avant élevage : *sur terre*
Age des barriques : *3 à 6 ans*
Durée de l'élevage : *18 à 20 mois*

Collage : *gélatine ou albumine d'œuf*
Filtration : *sur terre d'infusoire à la sortie de colle*
Mise en bouteilles au château : *en totalité*
Type de bouteille : *lourde*
Maître de chai : *M. Laurent*
Régisseur : *M. Fouchaux*
Œnologue-conseil : *M. Albert*

Commercialisation

Vente par souscription : *non*
Vente directe au château : *non*
Commande directe au château : *oui*
Contrat monopole : *oui*
Barton et Guestier
Château du Dehez
BP 30, 33290 Blanquefort

Château SAINT-AHON

COTATIONS COMMENTÉES

1970	10	Enfin parfait • A BOIRE
1975	6,5	Toujours replié sur lui-même • 15 ANS
1976	–	Victime de la pluie • DEVRAIT ÊTRE BU
1977	5	Un bon 1977 • A BOIRE
1978	9	Complet, de la réserve, tannique, construit • A COMMENCER
1979	6	Souple, un peu facile • A COMMENCER
1980	5,5	Vendu comme 2e vin : Château La Grave Caychac a très bien évolué • A BOIRE
1981	7	Tannique avec rondeur et souplesse • 9 ANS
1982	10	Parfait, style 1970 • 10 ANS
1983	7,5	Médaille d'or (Blaye) élégant et étoffé • 10 ANS
1984	5,5	Médaille d'or (Paris) gentiment tannique • 6 ANS
1985	8	Très tannique, rond, parfumé • 10 ANS
1986	7,5	Bloqué, sans être de grande garde • 5 ANS
1987	5	Gouleyant • 4 ANS

Age idéal : 10 ans.

Plat idéal : Faisan sauce smitane.

Ahon ou Haon ? L'orthographe est incertaine, mais la forme Ahon a finalement prévalu.

Au XIIe siècle, Amanien de Saint-Ahon est propriétaire de ce lieu ainsi que du château du Luc (Dulamon) dans la même commune. Deux siècles plus tard, les Saint-Ahon demeurent propriétaires, mais un château et une chapelle ont été élevés. De grandes familles se succèdent à Saint-Ahon, les Budos, les Montesquieu, ceux du château de la Brède.

Château et chapelle ne résistent pas à la Révolution. Sous le 1er Empire, le propriétaire du moment, Monsieur Dutarta bâtit un nouveau château qui entre par alliance dans le patrimoine de la famille de Matha. En 1850, celle-ci livre 70 000 bouteilles (ou leur équivalent) de Château Saint-Haon. Puis la propriété est vendue à plusieurs reprises : en 1859 aux Brinon, en 1872 à Jean-François Edmond Daurade qui donne au château son aspect actuel « style François 1er ». En 1903, Victor Jehin l'achète à crédit. Il meurt trois ans plus tard et ses héritiers ne peuvent acquitter le solde : Saint-Ahon est vendu à la barre du tribunal en 1910 à Alfred Dupuy qui, en 1940, préfère démolir toiture et plancher de son château plutôt que d'y accueillir les Allemands.

Au début du siècle, Saint-Ahon ne produit presque plus rien, et n'est même plus mentionné dans les ouvrages spécialisés.

En 1961, Pierre Roger Dupuy vend à André Boingnère le château en ruine et le vignoble à replanter.

Vingt-quatre ans plus tard, le GFA Jean Boingnère propose à la vente une propriété « de rapport » en parfait état. Le comte de Colbert, homme d'expérience qui vinifie au très beau château de Brézé d'excellents vins AOC Saumur, s'en porte acquéreur et devient ainsi le 67e propriétaire de Saint-Ahon.

TERROIR ET VIGNES

Le vignoble, d'un seul tenant, occupe un quadrilatère irrégulier, horizontal, à une douzaine de mètres d'altitude. De fines graves recouvrent un sous-sol d'argile et d'alios sillonné de drains. L'encépagement est dominé par le Cabernet-Sauvignon et le Merlot.

VINIFICATION ET VIGNES

La vinification exploite un matériel moderne permettant un rigoureux contrôle de la température. L'élevage fait de plus en plus appel au bois neuf. La recherche de la qualité a conduit à la création d'un deuxième vin, La Grave Caychac, issu de jeunes vignes et des vins non retenus pour le « grand vin ». Le Château Saint-Ahon brille surtout par son équilibre. C'est un vin relativement long à se faire (et bien évidemment de longue garde) qui convient bien à une cuisine riche et élaborée.

CHÂTEAU SAINT-AHON, Caychac, Blanquefort, AOC Haut-Médoc

Date de création du vignoble : ancienne
Surface : 27 ha
Nombre de bouteilles : 160 000
Répartition du sol : un seul tenant
Géologie : sablo-graveleux et argilo-graveleux
Autre vin produit par le vignoble :
La Grave Caychac

Culture

Engrais : fumier avant plantation
Encépagement : CS 46 % CF 10 %
M 40 % PV 4 %
Age moyen : 15 ans
Porte-greffe : 101-14

Densité de plantation : 6666 pieds/ha
Rendement à l'hectare : 50 hl
Traitement antibotrytis : oui
Vendange : mécanique

Vinification

Levurage : non
Remontage : oui, 4-5 au total
Type des cuves : inox — 160 hl
Température de fermentation : 28°
Mode de régulation : ruissellement
Temps de cuvaison : 3 semaines
Vin de presse : première presse
Filtration avant élevage : non

Age des barriques : 1 an
Durée de l'élevage : 18 mois
Collage : blanc d'œuf congelé
Filtration : très légère sur plaque à la mise
Mise en bouteille au château : oui
Type de bouteille : lourde
Maître de chai : M. Atero
Œnologue-conseil : M. Gendrot

Commercialisation

Vente par souscription : oui
Vente directe au château : oui
Commande directe au château : oui
Contrat monopole : non

Château DU TAILLAN
Château LA DAME-BLANCHE

Cru Bourgeois

Château du Taillan

HAUT-MÉDOC

APPELLATION HAUT-MÉDOC CONTROLÉE

1982

Henri-François Cruse

PROPRIÉTAIRE AU TAILLAN-MÉDOC (GIRONDE)

75 cl

PRODUCE OF FRANCE

COTATIONS COMMENTÉES

Année	Note	Commentaire
1975	6,5	Commence à s'ouvrir, n'est pas ce que l'on a trop longtemps attendu • A COMMENCER
1976	6	Souple, on le croit toujours mort, il est toujours bon • A BOIRE
1977	–	A décliné • DEVRAIT ÊTRE BU
1978	10	Parfait équilibre, complet, fin • A BOIRE
1979	6	Un 1978 sans concentration • A BOIRE
1980	5	Léger, fruité, fin, incisif • A BOIRE
1981	9	Classique, sobre, net • A BOIRE
1982	8	Ni lourd, ni violent, rond avec finesse • A BOIRE
1983	7	Léger, extraordinairement typé Le Taillan, nez exhubérant • A BOIRE
1984	6	Un bon 84, ni dur ni aride • A BOIRE
1985	9,5	Équilibré, de la robe et du fruit • 5 ANS
1986	8	Construit, tannins, boisé, de garde • 5-8 ANS
1987	6	Manque de concentration. Aimable • 3 ANS

Sur les étiquettes du Château du Taillan — Haut-Médoc — figure la façade du château *côté parc,* ainsi que quelques chevaux — des poulinières génératrices de futurs champions, car Le Taillan possède, outre ses activités viticoles, un élevage de pur-sang et d'anglo-normands. Sur les étiquettes du Château La Dame-Blanche — un bordeaux blanc — est représentée la façade *côté cour* du château du Taillan.

Ce château illustre à merveille l'architecture du XVIIIe siècle. Son parc ne lui cède en rien, statues, terrasse à balustres et arbres centenaires composent un écrin digne de ce château classé Monument Historique, digne du chai, classé lui aussi, l'un des plus anciens et l'un des plus curieux du Médoc, avec son double niveau d'arcs, avec sa mystérieuse rigole latérale (aération des vins?).

La seigneurie du Taillan est aussi ancienne que celle de Blanquefort, sa suzeraine. Au XVe siècle Geoffroy de Montaigne, cousin germain de Michel, y réside. Il faut remarquer que les Montaigne et leurs parents étaient fort nombreux dans le Médoc : Le Taillan, Arsac, La Tour-Carnet, Castéra et sans doute quelques autres lieux...

A partir de 1663, se suivent les Poitevin, Aste, Lavie, le marquis de Bryas, ce dernier, dont les armes ornent le chai, mérite une mention car il fut sacré en 1857 grand maître du drainage. C'est à lui que les terres de la propriété doivent leur assainissement. Viennent ensuite Borelli, Maliano-de-Leuze. En 1896, Henri Cruse se porte acquéreur du Taillan. Aujourd'hui, son petit-fils Henri-François Cruse poursuit l'exploitation du vignoble blanc inventé au début du siècle (Château La Dame-Blanche), vinifie le Haut-Médoc Château du Taillan et maintient la tradition d'élevage chevalin.

TERROIR ET VIGNES

Sur des terres argilo-calcaires amendées au fumier des vaches et des chevaux de la propriété, les porte-greffe adaptés au calcaire sont plantés au carré — 130 × 130 —, et donnent vie à un encépagement légèrement majoritaire de Cabernet. Les vendanges demeurent manuelles car cette région citadine est riche en main-d'œuvre.

VINIFICATION ET VIN

La vinification suit la voie habituelle. Les cuves en ciment du chai souterrain sont très froides. Un réchauffeur moderne remplace les cannes chauffantes qui brûlaient le vin.

CHÂTEAU DU TAILLAN, Le Taillan-Médoc, AOC Haut-Médoc

Date de création du vignoble : *XV-XVIe siècle?*
Surface : *20 ha*
Nombre de bouteilles : *100000*
Répartition du sol : *3 lots*
Géologie : *argilo-calcaire*
Autre vin produit par le vignoble : *Château La Dame-Blanche*

Culture

Engrais : *fumier*
Encépagement : *CS 55 % CF 5 % M 40 %*
Age moyen : *20 ans*
Porte-greffe : *41 B, 420 A*

Densité de plantation : *6000 pieds/ha*
Rendement à l'hectare : *40 hl*
Traitement antibotrytis : *oui*
Vendange : *manuelle*

Vinification

Levurage : *naturel*
Remontage : *quotidien*
Type des cuves : *ciment — 170 hl-100 hl, inox — 165 hl*
Température de fermentation : *30°*
Mode de régulation : *voir texte*
Temps de cuvaison : *15-20 jours*
Vin de presse : *première presse*
Filtration avant élevage : *non*

Age des barriques : *neuves*
Durée de l'élevage : *3-5 mois + 18 mois en foudre de 170 hl*
Collage : *voir texte*
Filtration : *légère*
Mise en bouteilles au château : *en totalité*
Type de bouteille : *standard*
Maître de chai : *Giovani Bozzo*
Œnologue-conseil : *Bernard Couasnon*

Commercialisation

Vente par souscription : *oui*
Vente directe au château : *oui*
Commande directe au château : *oui*
Contrat monopole : *non (sauf exportation)*

Les vins blancs sont vinifiés en cuves d'acier inoxydable refroidies par ruissellement (19° max.). Le vin rouge est passé sur terre avant élevage, soutiré quatre fois, collé, filtré sur kieselguhr et sur plaque à la mise. A noter l'élevage en foudres et en barriques neuves exclusivement.

Le vignoble blanc — planté dans l'aire d'appellation Haut-Médoc — comporte 34 % de Colombard et 66 % de Sauvignon. Vinification moderne sous azote sans SO2. Une expérience d'élevage en bois neuf est en cours ; ce vin Château La Dame-Blanche de première qualité se caractérise par son fruité plein, frais et équilibré.

Sans en avoir l'air, Henri-François Cruse avec son Château du Taillan produit l'un des vins les plus typés du Médoc. Typé selon ses vœux et suivant le terroir du Taillan.

Aucune lourdeur, aucune astringence, aucune agressivité tannique. Souple, fin, léger, nez presque floral et élégant en bouche. Parfaitement en accord avec le style du château.

Age idéal : 5 ans.

Plat idéal : Foie gras mi-cuit, avec un 1981.

Communes d'Arsac, Ludon, Macau, Parempuyre et Le Pian-Médoc
AOC Haut-Médoc

ARSAC A 22 kilomètres de Bordeaux, cette commune bénéficie (partiellement) de l'appellation Margaux et se flatte d'accueillir un cru Classé (Le Tertre). A l'ouest, sable sans intérêt pour la vigne, à l'est beau plateau de graves fines sur socle de graves argileuses (100 hectares de vignes).

LUDON 120 hectares de vignes à 16 kilomètres de Bordeaux, un cru Classé de grande renommée : La Lagune. Les meilleurs sols — des graves sur alios — longent la départementale D 2 Bordeaux-Pauillac et la voie de chemin de fer.

MACAU Commune distante d'une vingtaine de kilomètres de Bordeaux, honoré d'un excellent cru Classé (Cantemerle) et de 130 hectares de vignes — chiffre en progression —. Belles graves fines au sud du bourg, non loin de la voie de chemin de fer. Au nord, terres alluvionnaires récentes sans intérêt pour la vigne.

PAREMPUYRE A environ 15 kilomètres de Bordeaux, une cinquantaine d'hectares de vignes — surface en progression — sur des îlots graveleux de qualité qui émergent mystérieusement d'alluvions récentes.

LE PIAN-MÉDOC A 17 kilomètres de Bordeaux, 80 hectares de vignes — chiffre en progression — complantés sur des sols sablo-graveleux sur socle d'alios et de sable.

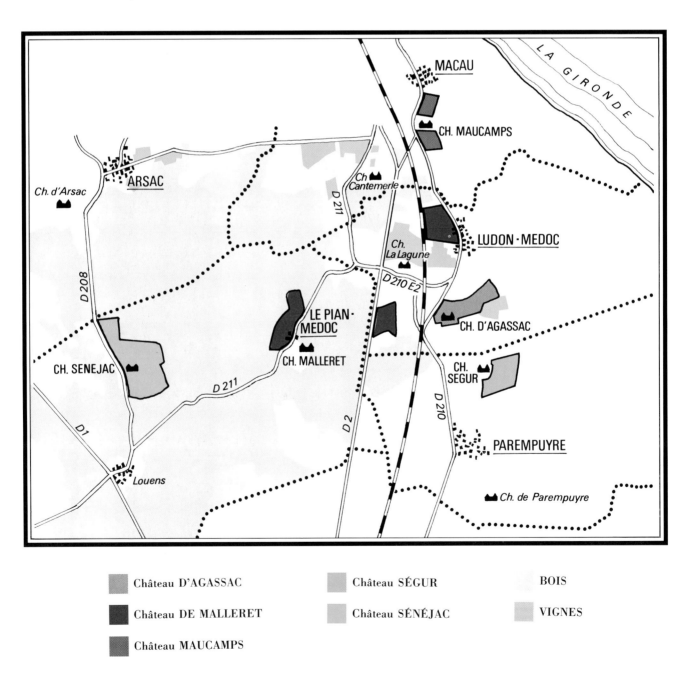

Château D'AGASSAC

Château DE MALLERET

Château MAUCAMPS

Château SÉGUR

Château SÉNÉJAC

BOIS

VIGNES

Château D'AGASSAC

GRAND BOURGEOIS EXCEPTIONNEL

CHATEAU D'AGASSAC

Mis en Bouteille au Château — LUDON MÉDOC — Appellation Haut-Médoc Controlée — Société Civile, Propriétaire — Récolte 1969

COTATIONS COMMENTÉES

1975	8,5	*Ouvert et bon* • A BOIRE
1976	5,5	*Souple* • A TERMINER
1977	4	*Léger* • A TERMINER
1978	7	*Construit, évolution lente* • A BOIRE
1979	8	*Un 1978 plus structuré et plus ample* • A COMMENCER
1980	5	*Léger* • A TERMINER
1981	7	*Parfumé, de la ressource* • A BOIRE
1982	10	*Excellent comme tous... ou presque* • A BOIRE, A GARDER ENCORE
1983	6	*Manque un peu de matière* • A BOIRE
1984	6	*Très bon 1984; avec des Merlots (mûrs), une rareté* • A COMMENCER
1985	9	*Plein, aromatique* • 6 ANS
1986	8	*Typé Cabernet, harmonieux, tannique* • 7 ANS
1987	5	*Il a plu, fortes sélections* • 3 ANS

Age idéal : 6 ans.

Plat idéal : Paupiettes de veau.

Le château figure évidemment sur l'étiquette du vin d'Agassac. Ce dessin ne restitue que modérément le charme verdoyant et insulaire de ce bâtiment. Ses vieux murs accusent six siècles d'existence au service de trop nombreux seigneurs pour être tous rappelés ici, et donneraient lieu, à commencer en 1238 avec Gaillard d'Agassac, à bien des histoires pittoresques.

A partir du XVIe siècle Pierre de Pommiers et ses descendants jouissent de ce petit manoir auquel ils ont ajouté des tours pointues. Sans doute un vignoble complétait-il la propriété depuis nombre de siècles. La proximité de Bordeaux — moins de vingt kilomètres — justifie son ancienneté.

En 1850, Marcel Richier y vinifie plus de 250 000 bouteilles (ou l'équivalent), ce qui laisse penser que le vignoble était plus vaste que de nos jours. Fin XIXe et début XXe, sous la conduite du baron de Floris, la production a diminué de moitié et la vigne couvre 35 hectares, production et surface actuelles.

Depuis 1960, la famille Gasqueton, bien connue dans le Bordelais, implantée depuis de nombreux lustres à Saint-Estèphe, gouverne cette belle propriété dont Philippe Gasqueton s'occupe directement, y appliquant les mêmes méthodes qu'au Château Calon-Ségur, qu'au Château du Tertre ou encore qu'à celui de Capbern-Gasqueton, avec la même équipe et le même succès.

TERROIR ET VIGNES

Le vignoble se développe au nord du château en direction de Ludon tout proche. Sis à très basse altitude, il s'incline très légèrement de 8 à 2 mètres en direction de l'est, c'est-à-dire du côté de la Gironde.

De gros cailloux sur une profonde couche de sable font songer au terroir de La Lagune, le cru Classé de la commune. Illustration de la « méthode Gasqueton », le vignoble est planté en rangs larges. Mais insiste Philippe Gasqueton, cette faible densité de plantation n'est une garantie de qualité qu'assortie à des rendements faibles.

VINIFICATION ET VIN

La vinification suit des méthodes traditionnelles. Le chai à barriques est garni de futailles originaires du Château du Tertre. Elles sont réformées après avoir élevé trois vins, chaque millésime y demeurant un an.

Château d'Agassac vieillit bien dans sa robe soutenue grâce à une solide construction que sa souplesse rend aimable. On peut en disposer sans trop attendre.

CHÂTEAU D'AGASSAC, Ludon-Médoc, AOC Haut-Médoc

Date de création du vignoble : *XVIIe-XVIIIe siècle*
Surface : *35 ha*
Nombre de bouteilles : *110 000*
Répartition du sol : *un seul tenant*
Géologie : *sable, gros cailloux*
Autre vin produit par le vignoble : *Château Pomiès-Agassac*

Culture

Engrais : *engrais vert*
Encépagement : *CS 60% CF 10% M 30%*
Age moyen : *25 ans*
Porte-greffe : *Riparia*

Densité de plantation : *5700 pieds/ha*
Rendement à l'hectare : *35 hl*
Traitement antibotrytis : *non*
Vendange : *mécanique et manuelle*

Vinification

Levurage : *première cuve*
Remontage : *quotidien*
Type des cuves : *acier revêtu — 100 hl*
Température de fermentation : *30°*
Mode de régulation : *aspersion*
Temps de cuvaison : *21 jours*
Vin de presse : *première presse*
Filtration avant élevage : *non*
Age des barriques : *voir texte*

Durée de l'élevage : *1 an*
Collage : *blanc d'œuf*
Filtration : *à la mise*
Mise en bouteilles au château : *en totalité*
Type de bouteille : *lourde*
Maître de chai : *André Ellissalde*
Œnologue-conseil : *Pascal Ribéreau-Gayon*

Commercialisation

Vente par souscription : *non*
Vente directe au château : *non*
Commande directe au château : *oui*
Contrat monopole : *Oui*
Société de distribution des Vins Fins

Château DE MALLERET

1981
Château de Malleret
HAUT-MÉDOC
APPELLATION HAUT-MÉDOC CONTROLÉE
CRU BOURGEOIS
SOCIETE CIVILE DU CHATEAU DE MALLERET
PROPRIETAIRE AU PIAN-MÉDOC (GIRONDE)
PRODUCE OF FRANCE   75 cl

COTATIONS COMMENTÉES

1975	?	*Toujours pas ouvert* • *15 ANS*
1976	6	*Vin parfumé,* *ne plus l'attendre* • *A BOIRE*
1977	3	*Vaut le millésime, pas plus* • *A BOIRE*
1978	8	*Complet, équilibré,* *rondeur harmonieuse* • *A COMMENCER*
1979	9	*Un 1978 moins concentré,* *à boire avant lui,* *plus aimable à âge égal* • *A BOIRE*
1980	4	*Robe légère, autant que le* *vin* • *A TERMINER*
1981	7	*Couleur, charpente,* *bouquet, style tannique* • *A COMMENCER*
1982	10	*Rondeur, générosité* • *6-8 ANS*
1983	8	*Un 1981 plus souple, meil-* *leur jeune, durera moins* • *A COMMENCER*
1984	5	*Bien coloré, sans ampleur* • *A BOIRE*
1985	9	*Charpenté, charnu, fruits* *rouges, long* • *5 ANS*
1986	9,5	*Fruits rouges, généreux,* *de garde* • *6 ANS*
1987	9,5	*50% Merlot, 50% Cabernet,* *un fruité charnu* • *4 ANS*

Age idéal : 5-6 ans.

Plat idéal : Poulet rôti.

Malleret est un grand domaine — 411 hectares — à un quart d'heure de Bordeaux. Au XVIIᵉ siècle, on y trouvait déjà de la vigne. Le château lui-même, une imposante demeure, a subi de nombreuses modifications. Par adjonction et absorption en 1840 des deux pavillons du XVIIᵉ siècle, l'ensemble comprend un pavillon central flanqué de deux ailes, elles-mêmes prolongées de deux ailes plus petites. L'intérieur, qu'occupe le comte du Vivier, a beaucoup de caractère. Les du Vivier se succèdent à Malleret depuis 1827. Neuf ans après leur installation ils créent — en 1836 — le haras de Malleret et font bâtir des écuries selon la mode anglaise, comprenant un vaste patio couvert et abritant les 15 poulinières dont les poulains animent la vente annuelle de Deauville et trottent ou galopent sur les champs de course du monde entier. Tout récemment encore les poulains étaient entraînés sur des pistes au cœur de la propriété.

Alors que les chevaux font partie depuis 150 ans sans discontinuité du paysage de Malleret, la vigne connaît des éclipses. Tantôt elle jouxte le château, tantôt la production décroît inexorablement, jusqu'à l'arrachage des vignes par le marquis du Vivier en 1931. Depuis la guerre, le vignoble bénéficie d'une phase ascendante et s'étend actuellement sur soixante hectares.

TERROIR ET VIGNES

Le vignoble se divise en trois lots de 20 hectares environ chacun. Le premier sur la commune du Pian-Médoc, les deux autres sur celle de Ludon à proximité du Château d'Agassac et du Château La Lagune. Toutes ces parcelles sont drainées, toutes sont graveleuses, des graves de 5 ou 6 mètres de profondeur sur socle d'alios ou de sable.

Les graves les plus pures, les moins argilo-calcaires sont bien entendu celles proche de La Lagune. Les vieilles vignes sont plantées à un mètre sur un mètre. Par la suite les règes s'élargirent : un mètre cinquante puis deux mètres. Bertrand du Vivier a constaté que dans ses terres pauvres le meilleur rendement était obtenu à partir de règes de 150 centimètres. Dès 1986, une machine à vendanger pour vignes étroites a permis de se passer de vendangeurs.

VINIFICATION ET VIN

La vinification est traditionnelle. L'élevage se fait par rotation cuves-barriques (moitié-moitié). La mise en bouteilles est effectuée au château par la maison De Luze dans des flacons de son choix.

Château Malleret est un vin direct dont on goûtera la franchise alliée à un fruité souligné d'une discrète touche boisée.

CHÂTEAU DE MALLERET, Le Pian-Médoc, AOC Haut-Médoc

Date et création du vignoble : *XVIIᵉ s.*
Surface : *60 ha*
Nombre de bouteilles : *135000*
Répartition du sol : *3 lots*
Géologie : *graves*
Autre vin produit par le vignoble :
Château Barthez (265000 b.)

Culture

Engrais : *d'entretien*
Encépagement : *CS 70% M 15% CF + PV 15%*
Age moyen : *15-20 ans*
Porte-greffe : *divers*
Densité de plantation :
10000/7500/5000 pieds/ha

Rendement à l'hectare : *43 hl*
Traitement antibotrytis : *oui*
Vendange : *manuelle à 50%*

Vinification

Levurage : *naturel*
Remontage : *quotidien*
Type des cuves : *acier émaillé*
Température de fermentation : *30°*
Mode de régulation : *ruissellement*
Temps de cuvaison : *3-4 semaines*
Vin de presse : *première presse*
Filtration avant élevage : *sur terre*
Age des barriques : *1 à 5 ans*
Durée de l'élevage : *20-22 mois*
(cuves et barriques)

Collage : *poudre d'œuf*
Filtration : *à la mise*
Mise en bouteilles au château : *en totalité*
Type de bouteille : *standard et lourde*
Maître de chai : *Guy Chamouleau*
Œnologue-conseil :
laboratoire œnotechnique Vaset

Commercialisation

Vente par souscription : *non*
Vente directe au château : *non*
Commande directe au château : *non*
Contrat monopole : *Société de Luze*
89, quai des Chartrons, 33000 Bordeaux

Château MAUCAMPS

CRU BOURGEOIS

HAUT-MÉDOC

1981

APPELLATION HAUT-MÉDOC CONTROLÉE

TESSANDIER PROPRIÉTAIRE A MACAU 33460 MARGAUX

MIS EN BOUTEILLE AU CHATEAU

12 % vol   750 ml

COTATIONS COMMENTÉES

1979	7	Bien construit en dépit de la jeunesse du vignoble • A BOIRE
1980	5	Léger, fruité • A BOIRE
1981	9	Belle robe, classique, un bon fond de vin, tannins lisses • A BOIRE
1982	10	Robe et nez profonds, groseilles, fruits rouges, de la mâche, de la rondeur • A BOIRE
1983	8	Nez très jeune, bouche plus en surface • A BOIRE
1984	7	Robe foncée, Cabernet bien mûr, encore dur • A COMMENCER
1985	8	Grêlé, 18 hl/ha, ne vaut ni 1981 ni 1982, vin élégant • 5-7 ANS
1986	10	Tannique, concentré, de garde • 12 ANS
1987	7	Style 1984 • 3-4 ANS

Age idéal : 4-5 ans.

Plat idéal : Croquettes de perdrix.

La propriété n'est plus ce qu'elle était car elle a été divisée en deux lots curieusement partagés. D'un côté le château et 3 hectares de vignes le jouxtant, de l'autre le chai — contigu au château — et 58 hectares de terres dont 15 consacrés au vignoble.

Il ne faut pas confondre le Château Maucamps-Courtois — vinifié à partir des raisins récoltés dans les 3 hectares proches du château associés à d'autres originaires de la commune du Pian-Médoc —, et Château Maucamps provenant exclusivement des vignes de la propriété et vinifié dans le chai de Maucamps.

Au XVIIIe siècle, Maucamps appartenait aux Lalanne. Au milieu du XIXe siècle des Basques le dirigent. MM. Aguirrevengoa et Uribarren livrent l'équivalent de 60 000 bouteilles. A la fin du siècle Dominique Cambours maintient cette production qui ne baissera que dans les années trente. Les Tessandier se portent acquéreurs des terres et du chai de Maucamps en 1954. Trois ans plus tard, ils arrachent la vigne et se livrent à l'élevage laitier : une façon assez sûre de perdre de l'argent.

1973, retour à la vigne, avec succès : articles élogieux, médailles et distinctions. Il faut dire que tout avait été mis en œuvre pour réussir, ainsi qu'il transparaît dans la fiche technique ci-dessous.

TERROIR ET VIGNES

Le vignoble serait d'un seul tenant s'il n'était coupé en deux par les 3 hectares réservés au château et à son environnement. Ces deux parcelles sont pratiquement horizontales puisqu'elles ne s'abaissent que d'un mètre en direction de la Garonne (6-5 mètres, est). Le sol comprend une très forte proportion de sable grossier, 5 à 10 % de sable fin et 2-3 % d'argile. Le bon porte-greffe 101-14 en rangs éloignés de 160 centimètres (100 × 160) donne vie à une faible majorité de Cabernet-Sauvignon et une faible minorité de Merlot. Ces vignes, encore jeunes, ne reçoivent jamais d'engrais azoté.

VINIFICATION ET VIN

Les remontages sont fréquents, trois fois par jour, trois fois un tiers de la cuve, les températures de fermentation sont élevées et les cuvaisons généreuses. L'élevage est soigné dans des barriques de trois ans maximum déposées dans un chai bien isolé.

Château Maucamps, en dépit de la jeunesse de son vignoble, est bien coloré, gras, fruité, d'un bon équilibre, avec des tannins lisses sans astringence.

CHÂTEAU MAUCAMPS, Macau, AOC Haut-Médoc

Date de création du vignoble : XIXe recréé en 1973
Surface : 15 ha
Nombre de bouteilles : 80000
Répartition du sol : 2 lots
Géologie : graves sableuses
Autre vin produit par le vignoble : aucun

Culture

Engrais : fumures potassiques
Encépagement : CS 55 % M 45 %
Age moyen : 12 ans
Porte-greffe : 101-14
Densité de plantation : 6250 pieds/ha

Rendement à l'hectare : 49 hl
Traitement antibotrytis : oui
Vendange : manuelle

Vinification

Levurage : première cuve
Remontage : triquoditien
Type des cuves : inox – 160 hl
Température de fermentation : 30°
Mode de régulation : ruissellement
Temps de cuvaison : 3 semaines
Vin de presse : première cuve
Filtration avant élevage : sur terre
Age des barriques : renouvellement par tiers annuel

Durée de l'élevage : 12-16 mois
Collage : blanc d'œuf en poudre
Filtration : à la mise
Mise en bouteilles au château : en totalité
Type de bouteille : standard
Maître de chai : Claude Gaudin, Pierre Drouillet
Œnologue-conseil : Bernard Couasnon

Commercialisation

Vente par souscription : oui
Vente directe au château : oui
Commande directe au château : oui
Contrat monopole : non

Château SÉGUR

MIS EN BOUTEILLE
AU CHÂTEAU

CHATEAU SEGUR

HAUT-MÉDOC
Appellation Haut Médoc Contrôlée

1982

J.& J.P. GRAZIOLI, VITICULTEURS, 33290 PAREMPUYRE

12% vol   75cl
PRODUCE OF FRANCE

ANCIENNE SEIGNEURIE DES COMTES DE SEGUR

AU PALMARES DU SYNDICAT, N'OT PE CRU A ÉTÉ CLASSÉ
CRU GRAND BOURGEOIS

COTATIONS COMMENTÉES

1975	?	*Toujours fermé* • *15 ANS ?*
1976	–	*Trop souple, décline* • *DEVRAIT ÊTRE BU*
1977	4,5	*Mieux que la réputation du millésime* • *A BOIRE*
1978	4	*Vendangé trop tôt, herbacé* • *A BOIRE*
1979	5	*Léger, facile* • *A TERMINER*
1980	5	*Fortes sélections* • *A BOIRE*
1981	7	*Surtout ne pas le décanter. A l'oxydation prend un goût fumé dû à un incendie proche du vignoble* • *A BOIRE SANS DÉLAI*
1982	9	*Très réussi, rondeur et générosité, tannins gras et mûrs* • *A BOIRE*
1983	10	*Un 1982, la finesse en plus* • *6 ANS*
1984	6	*Pas si léger qu'on le croit, jolie robe ; court* • *A COMMENCER*
1985	9	*Construit, de garde* • *6 ANS*
1986	9,5	*Un 1985 tannique, généreux, évolution lente* • *8 ANS*
1987	5,5	*Bonne couleur, fortes sélections, vendanges pluvieuses* •

Age idéal : *6-7 ans.*

Plat idéal : *Veau à la viennoise.*

C ette propriété porte un nom illustre que l'on retrouve accolé à d'autres en diverses communes. Ce n'est guère étonnant si l'on songe à l'importance des Ségur au XVIIIᵉ siècle dans le monde du vin.

Lorsqu'on vient de Bordeaux pour se rendre à Château Ségur par la route est, on passe devant le « Château Pichon ». La famille Pichon précéda les Ségur à la tête de la seigneurie de Parempuyre.

Après la Révolution, les Pichon poursuivent leur ascension au Château de Parempuyre et à celui qui porte leur nom à Saint-Lambert (Pauillac). Les Ségur n'ont pas survécu à la tourmente. La ruine et l'exil ont eu raison des descendants du Prince des Vignes. En 1850, un nommé Queyraud vinifie une trentaine de tonneaux à Château Ségur (plus de 35 000 flacons).

Dans l'entre-deux-guerres, A. Bacqué, directeur des établissements Pépin, en produit le double alors que Maurice Fillon au Cru Ségur-Fillon-Ile d'Arès exploite une dizaine d'hectares de vignes. La mention Ile d'Arès évoque le temps lointain où ces terres étaient entourées de l'eau de la Gironde. Lors de la dernière guerre, ces deux crus poursuivent leur production.

Joseph Grazioli, obligé de quitter le Maroc il y a une vingtaine d'années, acquiert le Château Ségur et le Cru Fillon. Il replante le vignoble qui avait disparu. Aujourd'hui son fils, Jean-Pierre Grazioli, conduit l'exploitation agricole et viticole.

TERROIR ET VIGNES

Le vignoble d'un seul tenant est cerné par des fossés et des canaux.

Ses graves fines reposent sur un sous-sol varié, y compris rocheux et caillouteux. Il est rigoureusement horizontal, des drains facilitent l'essuyage des terres.

A noter la forte proportion de Merlot.

VINIFICATION ET VIN

Le cuvier moderne comprend des cuves inox aux proportions idéales (la hauteur égale la largeur).

Les cuves sont remontées deux fois une heure chaque jour (deux fois 2/3 de la cuve). La température limitée en début de fermentation augmente par la suite afin de favoriser les extractions.

Le vin est filtré sur terre avant un élevage en cuves et en barriques dont certaines sont neuves.

Château Ségur atteint un bon équilibre, flatté par une souplesse qui exclut les fortes structures tanniques. L'abondance du Merlot n'impose pas une trop longue garde avant consommation.

CHÂTEAU SÉGUR, Parempuyre, AOC Haut-Médoc

Date de création du vignoble : *XVIIᵉ-XVIIIᵉ siècle*
Surface : *35 ha*
Nombre de bouteilles : *160 000*
Répartition du sol : *un seul tenant*
Géologie : *graves fines*
Autre vin produit par le vignoble : *Ségur-Fillon*

Culture

Engrais : *fumier*
Encépagement : *CS 35 % CF 15 % M 45 % PV 5 %*
Age moyen : *15 ans*
Porte-greffe : *3309, 101-14, SO4*

Densité de plantation : *6 700 pieds/ha*
Rendement à l'hectare : *50 hl*
Traitement antibotrytis : *oui*
Vendange : *mécanique*

Vinification

Levurage : *première cuve*
Remontage : *biquotidien*
Type des cuves : *inox — 250 hl*
Température de fermentation : *ruissellement*
Temps de cuvaison : *15-20 jours*
Vin de presse : *première presse*
Filtration avant élevage : *sur terre*
Age des barriques : *renouvellement*

par dixième
Durée de l'élevage : *14-16 mois + 4 mois de barrique*
Collage : *albumine*
Filtration : *à la mise*
Mise en bouteilles au château : *en totalité*
Type de bouteilles : *standard*
Maître de chai : *Jean-Pierre Grazioli*
Œnologue-conseil : *Jacques Boissenot*

Commercialisation

Vente par souscription : *oui*
Vente directe au château : *oui*
Commande directe au château : *oui*
Contrat monopole : *non (sauf exportation)*

Château SÉNÉJAC

Château Sénéjac
1979
CRU BOURGEOIS
HAUT-MÉDOC
APPELLATION HAUT-MÉDOC CONTROLÉE

75d

C. DE GUIGNÉ, PROPRIÉTAIRE – 33290 LE PIAN MÉDOC

COTATIONS COMMENTÉES

1945	10	Plein, tannique, puissant • A BOIRE
1970		Acidité volatile sensible • A BOIRE
1974	5	Nerveux et tannique. Élevé en barriques neuves • A BOIRE
1975	8	Complet, enfin ouvert • A BOIRE
1976	6,5	Fruité, arômes tertiaires • A BOIRE
1977	4	Vin de CS, un peu âcre • A BOIRE
1978	8	Structures et concentration • LE COMMENCER
1979	7	Fruité (cerise, prune), structures élégantes • A BOIRE
1980	5	Une petite musique • A TERMINER
1981	9	Tannique, épicé (cannelle) • A BOIRE
1982	8	Vin de charme, tout en rondeur (3,4 acidité) • A BOIRE
1983	10	Puissant, tannique, charpenté, fruité (framboise, prune) (3,4 acidité) • 7 ANS
1984	6	Un 1980 amélioré • A COMMENCER
1985	9,5	60 % barriques neuves, plein, tannins fins et mûrs • 7 ANS
1986	10	Charpenté, tannique, fin • 9 ANS
1987	6	Cerise, framboise avec élégance • 3-4 ANS

Dès le XVIᵉ siècle, la baronnie de Sénéjac apparaît. Les Bloys, le maréchal d'Ornano, les Chatard en font leur fief. Sans doute y plante-t-on de la vigne dès le XVIᵉ siècle. Au début du XIXᵉ siècle, M. Baour améliore la production ; au milieu du siècle Roques vinifie l'équivalent de 100 000 bouteilles, soit autant qu'aujourd'hui.

En 1860 le comte de Guigné prend possession de cette terre qui ne quittera plus la famille. Depuis plus de 120 ans, la production subit des hauts et des bas. A partir de 1973, Charles de Guigné s'est attaché à rendre au vin de Sénéjac la gloire qu'il a connu. Pour cela, il a engagé Jenny Bailey, une jeune Néo-Zélandaise, qui se passionne pour l'élaboration des vins rouges et des vins blancs... Car le « Blanc de Sénéjac », 5 000 bouteilles, intrigue et intéresse de plus en plus les œnophiles.

TERROIR ET VIGNES

Les vignes s'étendent au nord, au sud et à l'est du château. Le vignoble est très légèrement incliné en direction de la jalle de Ludon, c'est-à-dire au sud entre 34 et 22 mètres. Le sol de graves sableuses sur socle argileux accueille une majorité de Cabernet. A noter la forte proportion de Cabernet franc conforme aux habitudes du sud du Médoc. Des amendements organiques et la chaux magnésienne assistent une terre pauvre.

VINIFICATION ET VIN

Des remontages biquotidiens, le pigeage du chapeau et des fermentations chaudes contribuent à de bonnes extractions. Le vin de presse est incorporé en fonction de la structure des millésimes (0 % en 1983 par exemple). La filtration sur terre avant élevage n'est pas systématique. Le renouvellement des barriques s'accélère. Les vins non sélectionnés, les vins de jeunes vignes et les presses se retrouvent dans le deuxième vin étiqueté Domaine-de-l'Artigue.

La partie nord du vignoble plus basse, proche de la jalle de Ludon est dévolue aux vignes blanches de Sémillon. Pour tirer des arômes de ce raisin, la vinification se fait à température basse. Les fermentations sont lentes et le vin (1985) est élevé dans 20 % de barriques neuves. Le Blanc de Sénéjac rejoint le petit groupe des vins blancs d'origine médocaine (Pavillon-Blanc, Caillou-Blanc, Saransot blanc, La Dame-Blanche, Loudenne blanc). Tous renouent avec une tradition presque perdue depuis un demi-siècle.

Château Sénéjac spécule plus sur l'élégance que sur la puissance. Fruité, floral et épicé en sont les dominantes.

Âge idéal : 5 ans.   Plat idéal : Carré d'agneau.

CHÂTEAU SÉNÉJAC, Le Pian-Médoc, AOC Haut-Médoc

Date de création du vignoble : XVIIᵉ s.
Surface : 20 ha
Nombre de bouteilles : 100 000
Répartition du sol : un seul tenant
Géologie : graves fines
Autre vin produit par le vignoble : Domaine-de-l'Artigue

Culture

Engrais : organique
Encépagement : CS 47% CF 25% M 23% PV 3% Mc 2%
Age moyen : 20 ans
Porte-greffe : Riparia, 5 BB, 3309, SO 4, 101-14
Densité de plantation : 6500 pieds/ha

Rendement à l'hectare : 40-45 hl
Traitement antibotrytis : oui
Vendange : mécanique

Vinification

Levurage : parfois
Remontage : biquotidien
Type des cuves : ciment – 100 hl, inox – 160 hl
Température de fermentation : 30°
Mode de régulation : serpentin, ruissellement
Temps de cuvaison : 25-35 jours
Vin de presse : première presse
Filtration avant élevage : sur terre

Age des barriques : renouvellement annuel par cinquième
Durée de l'élevage : 1 an
Collage : blanc d'œuf en poudre
Filtration : à la mise
Mise en bouteilles au château : en totalité
Type de bouteille : lourde
Maître de chai : Jenny Bailey-Dobson
Œnologue-conseil : laboratoire de Pauillac

Commercialisation

Vente par souscription : oui
Vente directe au château : oui
Commande directe au château : oui
Contrat monopole : oui (Borie Manoux)

Communes d'Arcins et de Lamarque
AOC Haut-Médoc

ARCINS Alluvions récentes à l'est et au sud (marais assaini de Soussans). Au nord de la commune, 175 hectares de vignobles sur un plateau incliné. A l'est, un sol sablo-graveleux (18-6 mètres).

Trente-trois kilomètres séparent Arcins de Bordeaux.

LAMARQUE Au centre de la commune, cinq hectares bénéficient de l'appellation Moulis. Les meilleurs terroirs de graves sont situés à la verticale sud de Lamarque. Les autres terres à vignes sont sablo-graveleuses ; socle de graves argileuses. Surface du vignoble : 120 hectares.

Bordeaux-Lamarque : trente-six kilomètres.

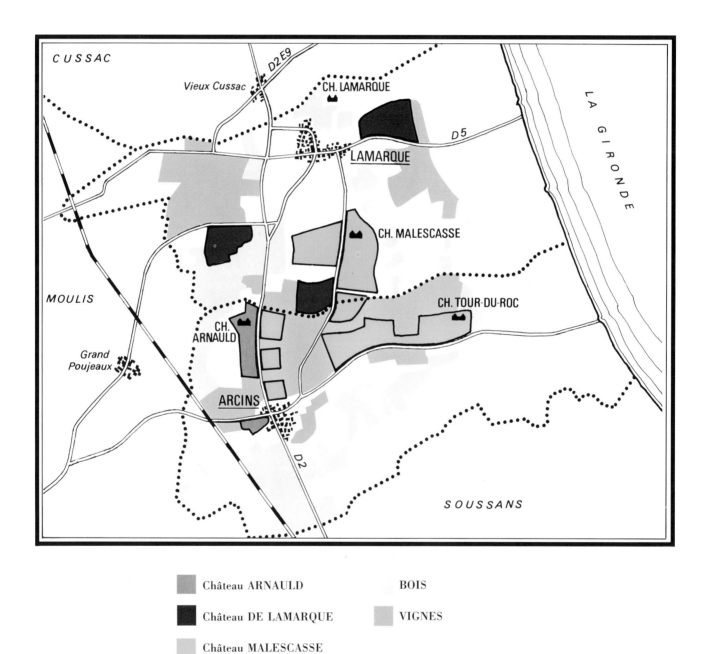

Château ARNAULD

Château DE LAMARQUE

Château MALESCASSE

Château TOUR-DU-ROC

BOIS

VIGNES

Château ARNAULD

Les Châteaux bordelais prennent soit le nom d'une terre, d'un lieu, soit le nom d'un de leurs détenteurs. C'est ainsi que le prieuré d'Arcins a pris le nom de son propriétaire, Pierre-Jacques Arnauld, magistrat à Bordeaux dans le courant du XVIIᵉ siècle. Y faisait-on du vin ? Sans doute, car on sait que la vigne a pris pied dans la commune d'Arcins dès le Moyen Age. Beaucoup plus tard, au début du XXᵉ siècle, les Laffarge vinifient quelque trente ou quarante tonneaux, soit l'équivalent de près de 50 000 bouteilles. Le vin se vendait alors sous le nom « Cru Arnauld ». Un cru qui devint « Château » suivant en cela une mode qui semble défier la démocratie...

En 1956, les Roggy quittent l'Algérie et se rendent acquéreurs de la propriété. Une grande partie du vignoble avait gelé. Il ne fut replanté que plus tard petit à petit. Les Roggy avaient deux filles alors que Jean Theil, propriétaire de Château Poujeaux, à moins de deux kilomètres avait deux fils. Qu'arriva-t-il ? Comme dans les contes de fées, les deux frères épousèrent les deux sœurs. Ce double mariage eut des conséquences œnologiques puisque les deux frères dès 1976 gèrent Château Arnauld comme ils gèrent depuis le décès de leur père en 1981 Château Poujeaux. Ils projettent de porter à 25 hectares le vignoble de Château Arnauld.

TERROIR ET VIGNES

Le vignoble presque horizontal, entre 16 et 13 mètres d'altitude, complante un sol de graves günziennes. Il a été planté en règes larges (180 centimètres) mais les nouvelles plantations renouent avec les anciennes traditions « du pied au m^2 », 10 000 pieds/hectare, densité toujours respectée dans les plus grands crus du Médoc. Refus du désherbage chimique, culture, labourages, fumier signent la conduite traditionnelle du vignoble. L'encépagement accorde une part égale au Merlot et au Cabernet.

VINIFICATION ET VIN

L'équipe du Château Poujeaux exerce ses talents à Château Arnauld. La vinification suit donc des chemins identiques. Elle est traditionnelle, comporte de fréquents remontages, des fermentations relativement chaudes et des cuvaisons longues, voire très longues. Le vin n'est pas passé sur terre avant son élevage dans des barriques bien renouvelées. Bon terroir, vinification et élevage soignés ne peuvent aboutir qu'à un vin de bonne tenue, alliant la finesse du terroir graveleux à la rondeur souple et aimable du Merlot.

Age idéal : 7-8 ans. Plat idéal : Rôti de bœuf.

COTATIONS COMMENTÉES

1976	7	Élégance fruitée et moelleuse • A TERMINER
1977	5	Bon bouquet, belle robe pour le millésime • A TERMINER
1978	9	Corpulent et gras, tannins puissants • A BOIRE
1979	8	Tannins veloutés, belle puissance en bouche • A BOIRE
1980	6	Long pour le millésime • A BOIRE
1981	7	Joli bouquet, charnu en bouche • A COMMENCER
1982	10	Puissant, généreux, tannins très mûrs • 10 ANS
1983	9,5	Robe très foncée ; du grain, tannins profonds, réglisse • 8 ANS
1984	6,5	Puissant pour le millésime • 5 ANS
1985	9	Robe rubis soutenu, construit et charpenté • 9 ANS
1986	9,5	Sérieux, construit, complet • 8 ANS
1987	6,5	Un fruité élégant • 5-6 ANS

CHÂTEAU ARNAULD, Arcins, AOC Haut-Médoc

Date de création du vignoble : XVIIᵉ-XIXᵉ siècle
Surface : 17 ha
Nombre de bouteilles : 100 000
Répartition du sol : 2 lots
Géologie : sablo-graveleux
Autre vin produit par le vignoble : aucun

Culture

Engrais : fumier
Encépagement : CS 40 % CF 10 % M 50 %
Age moyen : 20 ans
Densité de plantation : 5500-10000 pieds/ha

Rendement à l'hectare : 45 hl
Traitement antibotrytis : parfois
Vendange : manuelle

Vinification

Levurage : première cuve
Remontage : biquotidien
Type de cuves : ciment revêtu − 120 hl
Température de fermentation : 28°-30°
Mode de régulation : pompe à chaleur
Temps de cuvaison : 4-6 semaines
Vin de presse : première presse
Filtration avant élevage : non
Age des barriques : voir texte

Durée de l'élevage : 18 mois
Collage : blanc d'œuf
Filtration : légère à la mise
Mise en bouteilles au château : en totalité
Type de bouteille : standard, lourde
Maître de chai : M. Bercion
Œnologue-conseil : Jacques Boissenot

Commercialisation

Vente par souscription : oui
Vente directe au château : oui
Commande directe au château : oui
Contrat monopole : non

Château DE LAMARQUE

Vers 1300, Pons de Castillon étoffe une forteresse établie en ce lieu depuis deux siècles. Le duc de Gloucester, le Prince Noir, Henri V, les barons de Castelnau, le maréchal de Matignon, l'inévitable duc d'Épernon, le marquis de Brassier, M. de Budos s'y succèdent. La Révolution survient et met fin à cette succession armoriée ; elle séquestre Lamarque.

Le bâtiment sans maître tombe en ruines jusqu'à ce que le comte de Fumel s'en rende acquéreur, en 1841, restaure et agrandisse le château qui ne quittera plus la famille. En 1850, M. de Fumel vinifie l'équivalent de 50 000 bouteilles. Jusqu'à la Grande Guerre, le marché allemand absorbe une grande partie de la production qui décroît inexorablement. En 1963, Roger Gromand entreprend de larges plantations et toutes les installations ont été modernisées, y compris le spectaculaire cuvier de bois (on visite), en réalité constitué de cuves de ciment habillées de bois. Une vraie merveille, un étrange hommage au bois !

TERROIR ET VIGNES

Deux vignobles au nord d'Arcins à l'est et à l'ouest de la voie de chemin de fer complètent celui sis à l'est du château de Lamarque. Les parcelles sont diversement exposées. Celle de l'est à l'est, celle de l'ouest à l'ouest. Une couche de grosses graves de deux à trois mètres d'épaisseur recouvre un socle d'alios. Pentes et fossés assurent l'évacuation des eaux de pluie. Les vignes ont été plantées en 1963. La densité de plantation choisie est moyenne.

VINIFICATION ET VIN

Dès 1963, le professeur Peynaud a supervisé la vinification. Celle-ci est traditionnelle. La durée moyenne des cuvaisons et de l'élevage (en barrique) concourt à la création d'un type de vin bien adapté à son terroir et aux ambitions qu'on lui prête.

La deuxième étiquette Réserve des Marquis d'Évry est destinée à un vin comprenant une notable part de Merlot (48 %). Le deuxième vin du Château de Lamarque issu des jeunes vignes et des cuves non retenues pour le grand vin est étiqueté Marquis de Sorans. Un quatrième vin est vinifié dans le même cuvier : Château Cap-de-Haut. Il naît d'un autre vignoble toujours situé sur la commune de Lamarque. Château de Lamarque est un vin sain, direct, dont la rondeur fruitée n'exige pas un long vieillissement.

COTATIONS COMMENTÉES

1975	9	Ouvert depuis fin 1985 • A BOIRE
1976	6	Bonne bouteille facile • A BOIRE
1977	4	Très fortes sélections, un 1977 très honorable • A BOIRE
1978	8	Bel équilibre • A BOIRE
1979	6	Un 1978 dilué, léger et agréable • A BOIRE
1980	5	Un 1977 amélioré • A BOIRE
1981	7	A été sévère, corsé et nerveux • A BOIRE
1982	8	Plein, rond, souple, évolué • A BOIRE
1983	7,5	Tient du 1981 et du 1982, arômes de fruits sauvages • A COMMENCER
1984	6	55 % de la récolte normale. Les Cabernets sont réussis, corps léger • A BOIRE
1985	9	Vineux, plein, rond, charpenté • 4 ANS
1986	10	Complexe, gras, riche, puissant • 5-6 ANS
1987	6	Fruité mais léger • 3 ANS

Age idéal : Dès 4 ans. Plat idéal : Carré de mouton persillé.

CHÂTEAU DE LAMARQUE, Lamarque, AOC Haut-Médoc

Date de création du vignoble : XVIIIe siècle
Surface : 50 ha
Nombre de bouteilles : 20 000 + 330 000
Répartition du sol : 3 lots
Géologie : graves, argile
Autre vin produit par le vignoble : Château Cap-de-Haut — Réserve des Marquis d'Évry — Château Marquis-de-Sorans

Culture

Engrais : d'entretien
Encépagement : CS 46 % CF 24 % M 25 % PV 5 %
Age moyen : 25 ans

Porte-greffe : Riparia, SO 4, 5 BB
Densité de plantation : 6500 pieds/ha
Rendement à l'hectare : 50 hl
Traitement antibotrytis : oui
Vendange : mécanique depuis 1981

Vinification

Levurage : première cuve
Remontage : quotidien
Type des cuves : ciment
Température de fermentation : 28°-29°
Mode de régulation : serpentin
Temps de cuvaison : 10-12 jours
Vin de presse : suivant le millésime

Age des barriques : neuves à 5 ans
Durée de l'élevage : 10 mois + 8 mois en cuve
Filtration : à la mise
Mise en bouteilles au château : en totalité
Type de bouteille : standard
Maître de chai : André Coulary
Œnologue-conseil : Jacques Boissenot

Commercialisation

Vente par souscription : oui
Vente directe au château : oui
Commande directe au château : oui
Contrat monopole : oui pour exportation

Château MALESCASSE

CHATEAU MALESCASSE

HAUT-MÉDOC

APPELLATION HAUT-MÉDOC CONTROLEE

1981

STE CIVILE DU CHATEAU MALESCASSE
ADM. GUY TESSERON, PROPRIÉTAIRE A LAMARQUE MARGAUX-GIRONDE-FRANCE

MIS EN BOUTEILLE AU CHATEAU 75 cl

COTATIONS COMMENTÉES

1979	7	*Robe soutenue, du fruité avec une pointe de nervosité* • *A BOIRE*
1980	5	*Robe légère, bouche courte mais nette* • *A BOIRE*
1981	8	*Belle robe, fruité souple, bonne finale* • *A BOIRE*
1982	9	*De la violence avec de la souplesse* • *A BOIRE*
1983	10	*Robe foncée, nez de petits fruits ; traces de boisé, belle longueur* • *A COMMENCER*
1984	6	*Jolie robe, gentil, fruité, court* • *A BOIRE*
1985	9	*Très sain ; complet* • *5 ANS*
1986	8,5	*Construit, tannique* • *4-5 ANS*
1987	6	*Fruité, léger* • *3 ANS*

Age idéal : 5 ans.

Plat idéal : Brochettes d'agneau.

Au point culminant de la commune, à seize mètres très exactement, au centre de son vignoble, s'élève le Château Malescasse, avec ses deux ailes formant cour à usage de cuvier et de chai. Bâtiment sérieux, véritable château élevé dans le premier quart du siècle précédent.

Les Renouil, propriétaires de longue date dans la commune de Lamarque, vinifient quelques 120 000 bouteilles (ou leur équivalent) à Malescasse, dans les années 1870-1880. Puis la production diminue. Vers 1925-1930, M. Dugoujon atteint péniblement les 40 000 flacons. Pendant la guerre, les Fossé gouvernent la propriété, puis Raymond Philippe ne fait pas grand-chose des 20 000 ceps encore en terre. Le point bas est atteint. En 1970, des financiers anglo-saxons reprennent Malescasse et replantent plus de vingt hectares mais font preuve d'impatience et s'en dessaisissent neuf ans plus tard. Guy Tesseron déjà propriétaire de Pontet-Canet et de Lafon-Rochet, deux crus Classés, fort de son expérience, poursuit l'œuvre de restauration, porte la surface du vignoble à 32 hectares (et ce n'est pas terminé), achève la restauration des bâtiments d'exploitation et du château. Grâce aux soins diligents d'Alfred Tesseron, le succès de l'entreprise est déjà largement confirmé.

TERROIR ET VIGNES

Pour accéder directement au château, on traverse le vignoble. Il est pratiquement horizontal si l'on excepte la légère courbure des ados. Ados et drains contribuent à l'essuyage des graves garonnaises dont la forte épaisseur est visible dans une carrière contiguë. Plus profondément encore : un socle argileux. A peine deux kilomètres séparent les vignes de l'estuaire visible au-delà de la faible pente (quinze mètres de déclinaison). Dans des règes espacées (densité de plantation minimum ou presque) les Cabernets sont très fortement représentés. A noter la qualité des porte-greffe.

VINIFICATION ET VIN

Deux fois par jour des tourniquets arrosent le chapeau. Les premières presses sont généralement incorporées, mais pas systématiquement. L'élevage se fait, bien évidemment dans des barriques provenant de Pontet-Canet et de Lafon-Rochet, les deux autres crus maison, lesquels ont droit, lors des renouvellements annuels, aux barriques neuves.

Château Malescasse, toujours habillé de robes réussies n'est ni un vin gras, ni un vin mou. Il est précis, net, soutenu par des tannins fins et équilibrés.

CHÂTEAU MALESCASSE, Lamarque, AOC Haut-Médoc

Date de création du vignoble : *XIXe siècle*
Surface : *32 ha*
Nombre de bouteilles : *190 000*
Répartition du sol : *un seul tenant*
Géologie : *graves*

Culture

Engrais : *d'entretien*
Encépagement : *CS 70 %   CF 10 %   M 20 %*
Age moyen : *17 ans*
Porte-greffe : *Riparia, 3309, 101-14*
Densité de plantation : *5 800 pieds/ha*

Rendement à l'hectare : *45-50 hl*
Vendange : *mécanique*

Vinification

Levurage : *première cuve*
Remontage : *biquotidien*
Type des cuves : *acier — 145 hl*
Température de fermentation : *30°*
Mode de régulation : *ruissellement*
Temps de cuvaison : *20-25 jours*
Vin de presse : *première presse*
Filtration avant élevage : *non*
Age des barriques : *voir texte*

Durée de l'élevage : *16 mois*
Collage : *poudre d'œuf*
Filtration : *à la mise*
Mise en bouteilles au château : *en totalité*
Type de bouteille : *standard*
Maître de chai : *Roland Dufau*
Œnologue-conseil : *laboratoire Gendrot*

Commercialisation

Vente par souscription : *oui*
Vente directe au château : *possible*
Commande directe au château : *possible*
Contrat monopole : *non*

Château TOUR-DU-ROC

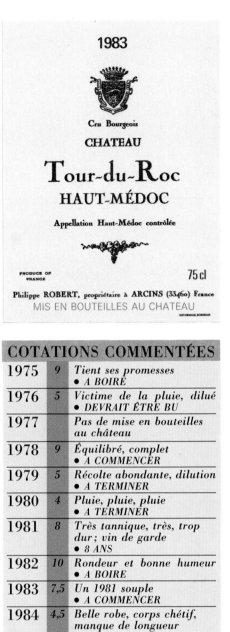

Les Robert-Renouil et les Robert ont toujours gouverné cette propriété qui, dans l'entre-deux-guerres, sous le nom de Château La-Tour-du-Roc, produisait l'équivalent de 60 000 bouteilles, c'est-à-dire autant qu'aujourd'hui.

Cette propriété n'a guère d'histoire en dehors de son nom amputé de l'article « la » (La-Tour-du-Roc) à l'instigation de Château-Latour, Premier Cru de Pauillac qui défend bec et ongles « sa » marque.

Philippe Robert a repris la tradition familiale et poursuit selon le mode artisanal la production de ce cru Bourgeois Haut-Médoc.

TERROIR ET VIGNES

Le vignoble est entièrement situé au nord du bourg d'Arcins, à l'est de la route Margaux-Pauillac. Le premier groupe de parcelles jouxte cette route à son point culminant (16 mètres) et s'abaisse au nord et au sud. Un deuxième groupe de parcelles plus à l'est, au champ de la Fosse, s'incline assez sensiblement en direction de la Gironde entre 16 et 6 mètres. Ce vignoble a été planté au début des années quarante. Tous ces sols sont sablo-graveleux, de bonne épaisseur (5-6 mètres).

Les vignes, plantées à un mètre sur un mètre selon la meilleure tradition, se partagent entre Cabernet et Merlot. Elles atteignent un âge respectable.

VINIFICATION ET VIN

La vinification ne présente pas de caractère particulier. La totalité de chaque cuve est remontée chaque jour.

Ce vin n'est pas filtré sur terre avant son élevage dans des barriques de réemploi. Il est remis en cuve pour être collé à la poudre d'œuf.

Le deuxième vin, étiqueté Château Fontanelle, est identique au Château Tour-du-Roc. Cette étiquette ne concerne que le négoce qui en a le monopole. La moitié de la production est vendue directement à la clientèle particulière.

Château Tour-du-Roc représente bien sa catégorie, dans sa robe pourpre, aux arômes fruités, souple en dépit d'un soupçon d'astringence et d'une bonne longueur.

COTATIONS COMMENTÉES

Année	Note	Commentaire
1975	9	Tient ses promesses ● A BOIRE
1976	5	Victime de la pluie, dilué ● DEVRAIT ÊTRE BU
1977		Pas de mise en bouteilles au château
1978	9	Équilibré, complet ● A COMMENCER
1979	5	Récolte abondante, dilution ● A TERMINER
1980	4	Pluie, pluie, pluie ● A TERMINER
1981	8	Très tannique, très, trop dur ; vin de garde ● 8 ANS
1982	10	Rondeur et bonne humeur ● A BOIRE
1983	7,5	Un 1981 souple ● A COMMENCER
1984	4,5	Belle robe, corps chétif, manque de longueur ● A BOIRE
1985	9,5	Proche du 1982, fruité, rond et souple ● 10 ANS
1986	9	Plein, souple, équilibré ● 10 ANS
1987	5	Souple et fruité ● 6 ANS

Age idéal : 8 ans. Plat idéal : Pigeons en cocotte.

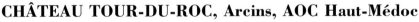

CHÂTEAU TOUR-DU-ROC, Arcins, AOC Haut-Médoc

Date de création du vignoble : *XIXe siècle*
Surface : *12 ha*
Nombre de bouteilles : *60000*
Répartition du sol : *5 lots*
Géologie : *sablo-graveleuse*
Autre vin produit par le vignoble : *Château Fontanelle*

Culture

Engrais : *organique – potasse*
Encépagement : *CS 45 % CF 5 % M 48 % PV 2 %*
Age moyen : *30 ans*
Porte-greffe : *420 A, 3309, SO 4*

Densité de plantation : *10000 pieds/ha*
Rendement à l'hectare : *40 hl*
Traitement antibotrytis : *non*
Vendange : *manuelle*

Vinification

Levurage : *première cuve*
Remontage : *quotidien*
Type des cuves : *ciment, bois – 150 hl*
Température de fermentation : *28°*
Mode de régulation : *refroidisseur*
Temps de cuvaison : *18 jours*
Vin de presse : *mis en barriques à part*
Filtration avant élevage : *non*

Age des barriques : *8 ans*
Durée de l'élevage : *24 mois*
Collage : *œufs en poudre*
Filtration : *à la mise*
Mise en bouteilles au château : *oui*
Type de bouteille : *standard*
Maître de chai : *Philippe Robert*
Œnologue-conseil : *M. Gendrot*

Commercialisation

Vente par souscription : *non*
Vente directe au château : *oui*
Commande directe au château : *oui*
Contrat monopole : *non*

Commune de Saint-Sauveur
(Cissac-Médoc)
AOC Haut-Médoc

La commune de Saint-Sauveur jouxte à l'est celle de Pauillac. Les terroirs se confondent par endroit puisque 34 hectares de Saint-Sauveur produisent des vins portant l'appellation Pauillac, ceux de Saint-Sauveur n'ayant droit qu'à l'étiquette Haut-Médoc. Au nord, la jalle du Breuil sépare Saint-Sauveur de l'excellente commune de Cissac. Les 250 hectares de vignes culminent à une trentaine de mètres d'altitude. Le vignoble est implanté sur des sols graveleux profonds ou graveleux sur socle d'alios. L'ouest de la commune est dévolu aux sables dont la forêt se satisfait. 51 kilomètres séparent Saint-Sauveur de Bordeaux.

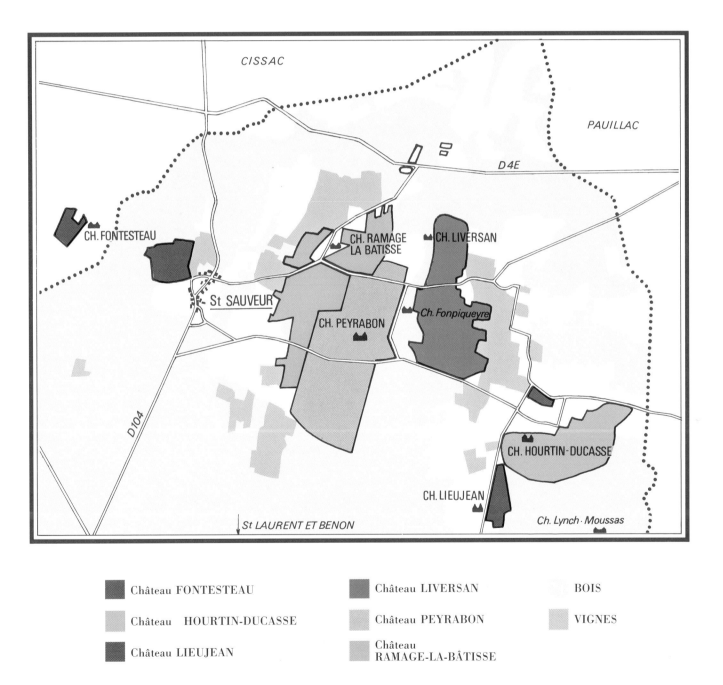

CISSAC

PAUILLAC

D 4 E

CH. FONTESTEAU

CH. RAMAGE LA BATISSE

CH. LIVERSAN

St SAUVEUR

CH. PEYRABON

Ch. Fonpiqueyre

D 104

CH. HOURTIN-DUCASSE

CH. LIEUJEAN

St LAURENT ET BENON

Ch. Lynch·Moussas

▉ Château FONTESTEAU	▉ Château LIVERSAN	BOIS
▨ Château HOURTIN-DUCASSE	▨ Château PEYRABON	VIGNES
▉ Château LIEUJEAN	▨ Château RAMAGE-LA-BÂTISSE	

1983

GRAND VIN

CHATEAU FONTESTEAU

CRU GRAND BOURGEOIS

MIS EN BOUTEILLE AU CHATEAU

R. A. LÉGLISE, VITICULTEUR A SAINT-SAUVEUR MÉDOC, FRANCE

Cette Bouteille est classée dans l'année 1983

12% Vol.   *sous le* N° **07716**   75 d

Le château, ou plus exactement ce qu'il en reste, est ancien : la tour centrale, encore debout, date de 1277. Derrière le corps de bâtiment subsistent deux autres tours arasées, décapitées il y a une quarantaine d'années — leur entretien paraissant superflu ! — par d'indignes propriétaires ignorant qu'ils mutilaient ainsi l'une des très rares constructions médiévales de défense qui demeurait dans le Médoc. Ce n'était pas une forteresse commandant un passage mais une simple protection pour les anciens occupants de ce lieu sauvage au milieu de forêts. Depuis quand fait-on du vin à Fontesteau ? Mystère. En 1850, Fontesteau est répertorié comme produisant douze tonneaux, soit près de 15 000 bouteilles. La propriété appartient à M. Seurin. Au début du XXᵉ siècle, sous la houlette de Matthieu Ludovic, la production a été multipliée par cinq. Avec René Léglise, le vignoble est réduit à huit hectares de vignes ; il commercialise 50 000 bouteilles annuellement. En 1984, il passe aux mains de Jean Renaud et Dominique Fouin qui ont quelques projets : augmenter la proportion de Cabernet-Sauvignon, jusqu'à 60 % car la propriété est gélive et le Cabernet-Sauvignon semble le mieux adapté à cette situation, agrandir le vignoble, allonger les cuvaisons, renouveler les barriques d'élevage, etc.

TERROIR, VIGNES, VINIFICATION

Le vignoble est implanté sur deux terrains presque plats de graville de 50 centimètres de profondeur sur socle argilo-calcaire très pierreux. Fontesteau voulant dire Fontaine d'Eau, allusion aux sept sources de la propriété, il est probable que les années de sécheresse sont favorables aux vignes de ce lieu. Cette terre pauvre nécessite l'apport d'engrais phosphoro-potassique, d'azote au printemps et de sulfate de magnésie en pulvérisation folière.

A noter l'originalité de l'encépagement, originalité qui disparaîtra ces prochaines années.

Il semble que René Léglise ne cherchait pas de fortes extractions. Cuvaison plutôt courte, technique de remontage peu exploitée ? Température des fermentations ? Néanmoins, les vins de cette propriété en mutation ont une réputation de grande longévité.

COTATIONS COMMENTÉES

1975	7	*La réalité ne vaut pas la légende* • *LE COMMENCER*
1976	8,5	*Rond et flatteur* • *A BOIRE*
1977	5,5	*Réussite d'un millésime difficile* • *A BOIRE*
1978	8	*Curieuse évolution* • *A BOIRE DOUCEMENT*
1979	9	*Beau vin, bonne évolution* • *LE GOÛTER*
1980	5	*Léger, fruité* • *A BOIRE*
1981	7	*Joli et aimable* • *A COMMENCER*
1982	10	*Équilibre et rondeur* • *DÈS MAINTENANT, POUR 15 ANS*
1983	10	*Aussi bien que 1982; plus de barriques neuves* • *8-10 ANS*
1984	6	*Bonne robe, tannique et construit pour le millésime* • *5 ANS*
1985	8,5	*Un nouveau 1976, sans vendanges pluvieuses* • *6 ANS*
1986	9	*Complet, bonne construction* • *8 ANS*
1987	6	*Léger* • *3 ANS*

Age idéal : 6 ans.

Plat idéal : Côte de bœuf avec un 1976.

CHÂTEAU FONTESTEAU, Saint-Sauveur, AOC Haut-Médoc

Date de création du vignoble : *ancien*
Surface : *8 ha en augmentation*
Répartition du sol : *2 lots*
Géologie : *graveleux, sous-sol calcaire*
Autre vin produit par le vignoble : *aucun*

Culture

Engrais : *chimiques*
Encépagement : *CS 30 % CF 30 % M 25 % PV 15 %*
Age moyen : *20 à 25 ans*
Porte-greffe : *101-14 — SO 4 — 3309*
Densité de plantation : *10000 pieds/ha*

Rendement à l'hectare : *90 hl*
Traitement antibotrytis : *non*
Vendange : *manuelle*

Vinification

Remontage : *2 fois par jour*
Type des cuves : *ciment, 2 × 135 hl, 210 hl*
Température de fermentation : *28°*
Mode de régulation : *serpentin*
Temps de cuvaison : *8 à 10 jours*
Vin de presse : *variable*
Filtration avant élevage : *non, clarification en barrique*
Age des barriques : *neuves 10 %, moyennes 70 %, âgées 20 %*

Durée de l'élevage : *12 à 14 mois*
Collage : *albumine*
Filtration : *plutôt un tamisage*
Mise en bouteilles au château : *oui*
Type de bouteille : *standard*
Maîtres de chai : *Jean Renaud et Dominique Fouin*
Œnologue-conseil : *laboratoire de Pauillac*

Commercialisation

Vente par souscription : *oui*
Vente directe au château : *oui*
Commande directe au château : *oui*
Contrat monopole : *non*

Château HOURTIN-DUCASSE

Tout porte à croire que ces deux noms furent ceux des deux propriétaires créateurs de ce domaine qui remonte au XVIIIe et XIXe siècles et à la tête duquel nous trouvons sous le Second Empire MM. de Chauvet et du Roy, personnalités connues du monde vinicole.

Aujourd'hui, Hourtin-Ducasse appartient à la famille Marengo qui en a fait l'acquisition en 1976.

Un cuvier impeccablement tenu, un matériel moderne et performant, un chai à barriques pratique et sympathique permettent à Jean-Claude Arcennathury, l'homme orchestre de la propriété, de vinifier de mieux en mieux. En témoignent les louanges de la presse spécialisée à l'égard de son vin de 1982.

TERROIR ET VIGNES

Une centaine de mètres séparent Hourtin-Ducasse de la commune de Pauillac. Le vignoble le plus proche et le plus connu est classé 5e Cru : Lynch-Moussas. Une partie de ce domaine — et le château — sont situés dans la commune de Saint-Sauveur.

Affirmer que Hourtin-Ducasse s'accroche à un coteau serait mentir. Les ceps, en rangs larges, poussent dans des graves siliceuses de 40 ou 50 centimètres d'épaisseur. Le sous-sol est argilo-calcaire pierreux. Quelques plantiers humides ont nécessité un drainage. Une fois de plus le porte-greffe SO 4 ne donne pas toute satisfaction. Les nouvelles plantations font appel au 3309 et au 101-14.

VINIFICATION ET VIN

Vinification traditionnelle, cuvaisons « sages », filtration sur terre avant l'élevage en barriques de cinq à dix ans. Le millésime 1985 a été honoré de 20 % de barriques neuves. Avant la mise en bouteilles et après collage à la gélatine, le vin traverse des plaques stériles. Des sélections en cuve conduisent à un deuxième vin : Château Peyrahaut et à un troisième vin : Château Sarabot.

Château Hourtin-Ducasse se fait assez rapidement, c'est une bonne introduction au vin de la très proche commune qu'est Pauillac.

COTATIONS COMMENTÉES

1975 à 1981		Vinification différente
1982	10	L'apothéose • 10 ANS
1983	9	Charpenté, tannique, réussi • 7 ANS
1984	5	Vin de Cabernet, cuvaison courte, évolution rapide • A COMMENCER
1985	9	Charpenté, complet, de garde • 6 ANS
1986	9	Vaut le 1985, tannique avec élégance, évolution lente • 7-8 ANS
1987	5,5	400 hl éliminés, fruité • 3 ANS

Age idéal : 7 ans.

Plat idéal : Chevreau à la Villeroi.

CHÂTEAU HOURTIN-DUCASSE, Saint-Sauveur, AOC Haut-Médoc

Date de création du vignoble : *XIXe siècle*
Surface : *30 ha*
Nombre de bouteilles : *100000*
Répartition du sol : *un seul tenant*
Géologie : *graves siliceuses*
Autre vin produit par le vignoble : *Château Peyrahaut, Château Sarabot*

Culture

Engrais : *organique*
Encépagement : *CS 70 %   CF 5 %   M 25 %*
Age moyen : *15 ans*
Porte-greffe : *SO 4, 3309, 101-14*

Densité de plantation : *6500 pieds/ha*
Rendement à l'hectare : *67 hl*
Traitement antibotrytis : *parfois*
Vendange : *mécanique depuis 1983*

Vinification

Levurage : *première cuve*
Remontage : *biquotidien*
Type des cuves : *acier revêtu*
Température de fermentation : *28°-30°*
Mode de régulation : *ruissellement, échangeur*
Temps de cuvaison : *12-15 jours*
Vin de presse : *15-20 %*
Filtration avant élevage : *sur terre*

Age des barriques : *renouvellement par cinquième annuel*
Durée de l'élevage : *1 an*
Collage : *gélatine*
Filtration : *à la mise*
Mise en bouteilles au château : *en totalité*
Type de bouteille : *standard*
Maître de chai : *Jean-Claude Arcennathury*
Œnologue-conseil : *M. Gendrot*

Commercialisation

Vente par souscription : *non*
Vente directe au château : *oui*
Commande directe au château : *oui*
Contrat monopole : *non*

Château LIEUJEAN

La création du Château Lieujean — parfois orthographié Château Lieujan — remonte à 1868 bien que le vignoble existât précédemment à cette date. En 1870, son propriétaire M. Couteau vinifie environ 25 000 bouteilles (ou leur équivalent) de Château « Lieujan ». Dans l'entre-deux-guerres, la production, sous la conduite de M. Gaussens, chute de moitié.

En 1965, André Baron rachète Château Lieujean. Le vignoble est à replanter, cuvier et chai doivent être modernisés. Ces travaux sont menés à bien et le vignoble est agrandi.

En 1983, la famille Audoin reprend le domaine et porte toute son attention sur la culture et la vinification, peut-être au détriment des aspects purement commerciaux de son exploitation.

1986, nouveau changement de main : Jacques Clotilde, déjà propriétaire du Château Real Martin, un excellent Côtes de Provence, se porte acquéreur de Lieujean sans pour autant abandonner ses terres provençales. Actuellement Château Lieujean s'étend sur 25 hectares dont 12 hectares de vignes en production auxquelles il faut ajouter 4 hectares de jeunes vignes.

TERROIR ET VIGNES

L'essentiel du vignoble fait face au château de l'autre côté de la route. Il est pratiquement horizontal à une trentaine de mètres d'altitude. Une deuxième parcelle, presque horizontale elle aussi (27-26 mètres), est située au nord du Fournas. La bonne densité de plantation (120 cm × 100 cm) est conforme aux habitudes communales. Lieujean est l'un des rares vignobles où la proportion de Cabernet franc est supérieure à celle du Cabernet-Sauvignon.

Le sol de graves siliceuses repose sur un soubassement diversifié : alios ferrugineux, graves argileuses et graves sableuses. Ces terres se drainent naturellement.

VINIFICATION ET VIN

La vinification, typiquement médocaine, remontages et cuvaison à une trentaine de degrés, assurent de bonnes extractions.

Le vin n'est pas filtré avant un élevage particulièrement soigné, sans rotation cuves-barriques (tout en barriques). L'achat de 180 barriques neuves en 1985 a rajeuni le chai d'élevage.

Château Lieujean est cousin des vins de Pauillac, en moins corsé mais avec plus de fruité. Ce vin aimable peut se boire dès sa cinquième année mais il faut savoir l'attendre deux ou trois ans de plus pour qu'il atteigne son apogée.

COTATIONS COMMENTÉES

1982	7	Plein, rond, généreux • 8 ANS
1983	8	Médaille d'argent, bouquet fin, bonne suite • 7 ANS
1984	5	Normalement léger • A BOIRE
1985	9	Passé en barriques neuves, bouquet vif, belle charpente • 8 ANS
1986	10	Passé en barriques neuves, rendement normal (750 hl) complet, construit, long • 7 ANS
1987	6	Léger • 4 ANS

Age idéal : 7 ans.

Plat idéal : Entrecôte braisée.

CHÂTEAU LIEUJEAN, Saint-Sauveur, AOC Haut-Médoc

Date de création du vignoble : 1868
Surface : 12 + 4 ha
Nombre de bouteilles : 80 000
Répartition du sol : 2 lots
Géologie : graves siliceuses
Autre vin produit par le vignoble : aucun

Culture

Engrais : organique et minéral
Encépagement : CS 25 % CF 35 % M 40 %
Age moyen : 15 ans
Densité de plantation : 8 000 pieds/ha
Rendement à l'hectare : 50-60 hl

Traitement antibotrytis : non
Vendange : mécanique et manuelle

Vinification

Levurage : naturel
Remontage : quotidien
Type des cuves : ciment et inox (50 à 200 hl)
Température de fermentation : 30-31°
Mode de régulation : remontage, ruissellement
Temps de cuvaison : 3 semaines
Vin de presse : 1re presse
Filtration avant élevage : aucune
Age des barriques : 1 et 3 ans

Durée de l'élevage : 18-24 mois
Collage : albumine
Filtration : sur plaques à la mise
Mise en bouteilles au château : en totalité
Type de bouteille : standard et lourde
Maître de chai : Joaquim Assunçao
Œnologue-conseil : Jacques Boissenot

Commercialisation

Vente par souscription : non
Vente directe au château : oui
Commande directe au château : oui
Contrat monopole : non

Château LIVERSAN

Entre la ville de Pauillac et le hameau de Saint-Sauveur, trois grands domaines pratiquement contigus occupent la belle croupe de graves de Saint-Sauveur : Ramage-La Bâtisse, Peyrabon et Liversan. D'Armailhacq, l'un des meilleurs viticulteurs du siècle passé, propriétaire non loin de Liversan (Mouton-d'Armailhacq) et auteur d'un *État des vignobles d'après leur réputation*, indique que le vin de Liversan peut être « considéré comme classé dans les 5ᵉ Crus » et précise que ce vignoble « est le premier de la commune de Saint-Sauveur ». Cette propriété appartint au marquis de la Treste, puis à M. Thomassin. M. Anglade y fit du vin ainsi que ses héritiers. A cette époque, vers 1850, les 25 ha du vignoble de Liversan produisent environ 75 000 bouteilles. Au temps de Mac-Mahon, les Fleury-Ducasse augmentent la production, puis les Boulant parviennent à vinifier quelque 250 000 flacons. Liversan, qui change souvent de mains, passe aux Labeunie, puis en 1971 à Asche von Campe. Ce dernier, en 1984, le cède aux Polignac, le prince de Polignac ne se résolvant pas à quitter le monde du vin après avoir dirigé 28 années Pommery.

Cette prise de possession par la famille de Polignac s'est immédiatement traduite par une refonte complète de la propriété : plantation et replantation, reconstitution intégrale du chai et du cuvier, etc. Dès les millésimes 1983-1984, les vins de Liversan bénéficient de tous ces efforts. Une ascension à suivre.

TERROIR ET VIGNES

L'ensemble du vignoble est sablo-graveleux sur socle calcaire. Le sable prédomine au sud, la grave au nord. Le sous-sol calcaire apparaît vers 25-50 cm. Deux facteurs de qualité : la moitié du vignoble dépasse 25 ans d'âge et les ceps sont plantés à 110 × 110 cm, soit 8 000 pieds/ha, une bonne densité.

VINIFICATION ET VIN

La vendange est transportée dans des bennes à vis qui font office de conquet. Elle est déversée directement dans un érafloir fouloir puis une pompe douce emplit les cuves. La vinification est inspirée par le professeur Pascal Ribéreau-Gayon. Les cuves sont remontées deux fois par jour (2 fois 2/3). Elles sont de proportion idoine (hauteur = largeur). L'eau de ruissellement peut être froide ou chaude. La température tout d'abord limitée à 28 degrés monte en fin de fermentation jusqu'à 32 degrés. L'élevage se fait par rotation dans 1/3 de barriques neuves, 1/3 de barriques d'un an, 1/3 de barriques de deux ans. Le vin est remis en cuve pour collage. Château Liversan : une touche boisée épice le bouquet. En bouche le grain fin des tannins souligne l'élégance naturelle de ce vin en plein renouveau.

COTATIONS COMMENTÉES

1981	7	*Un fruité fin et élégant* • A BOIRE
1982	9	*Généreux au détriment de la finesse* • A BOIRE
1983	8	*Barriques neuves présentes, bois toujours dominant, nez de charme, fortes structures en bouche* • 7 ANS
1984	6	*Robe étonnante, foncée, le fruité du CS* • A BOIRE
1985	10	*Équilibre et distinction, généreux fruité rond, tannins très fins ; féminin, marqué par 35 % de Merlot* • 7 ANS
1986	10	*Un 1985 masculin dominé par le CS* • 10-12 ANS
1987	6	*Sélection : 50 % ; très fruité* • 3 ANS

Age idéal : 7 ans.

Plat idéal : Gigot en enveloppe.

CHÂTEAU LIVERSAN, Saint-Sauveur, AOC Haut-Médoc

Date de création du vignoble : *XVIIᵉ-XVIIIᵉ siècle*
Surface : *40 ha*
Nombre de bouteilles : *200 000*
Répartition du sol : *un seul tenant*
Géologie : *sablo-graveleux*
Autre vin produit par le vignoble : *Château Fonpiqueyre*

Culture

Engrais : *organique*
Encépagement : *CS 49 % CF 10 % M 38 % PV 3 %*
Age moyen : *25 ans — voir texte*
Porte-greffe : *3309, 101-14, Riparia, Fercal*

Densité de plantation : *8000 pieds/ha*
Rendement à l'hectare : *40 hl*
Traitement antibotrytis : *non*
Vendange : *mécanique (2/3), manuelle (1/3)*

Vinification

Levurage : *parfois*
Remontage : *biquotidien*
Type des cuves : *inox — 200 hl*
Température de fermentation : *28°-32°*
Mode de régulation : *ruissellement*
Temps de cuvaison : *15-20 jours*
Vin de presse : *3 à 7 %*
Filtration avant élevage : *non*
Age des barriques : *renouvelées*

par tiers annuel
Durée de l'élevage : *18 mois*
Collage : *poudre de blanc d'œuf*
Filtration : *à la mise*
Mise en bouteilles au château : *en totalité*
Type de bouteille : *lourde*
Maître de chai : *Éric Gouinaud*
Œnologue-conseil : *prof. Pascal Ribéreau-Gayon*

Commercialisation

Vente par souscription : *oui*
Vente directe au château : *oui*
Commande directe au château : *oui*
Contrat monopole : *non*

Château PEYRABON

L'histoire du domaine de Peyrabon aura été assez mouvementée. Au XIXᵉ siècle, il appartient alors à Jean Antoine de Varré qui le vend en 1821 à M. Badimon. Les biens de ce dernier sont vendus après saisie en 1855 à la criée au Tribunal de Lesparre. Un négociant bordelais, Jean Alexandre Labot, s'en porte acquéreur mais la propriété est à nouveau saisie et vendue pour 42 000 francs à Hyacinthe Roux en 1860 qui la cède à son frère cinq ans plus tard moyennant le versement de 46 000 francs. Armand Roux, dépourvu d'héritiers directs, teste en faveur du baron et de la baronne Pawels puis revient sur sa décision : les Pawels ne toucheront qu'une rente de deux barriques annuelles. Estimé à 50 000 francs, Peyrabon, avec 251 000 francs d'Emprunts russes dont les intérêts doivent couvrir les frais d'exploitation, revient au marquis de Courcelles auquel Armand Roux est apparenté par sa cousine. Dans des conditions économiques si favorables, Armand Roux et les Courcelles ne vendirent pas le vin de Peyrabon mais s'en réservèrent l'exclusivité, pour eux et leurs amis ! En 1940, un filateur du nord, M. Béra, acquiert Peyrabon pour y loger sa famille. Dix-huit ans plus tard, quand René Babeau prend les choses en main il ne reste que sept hectares en production. Il reconstitue le vignoble, l'agrandit, son fils Jacques poursuit son action en rachetant en 1977 vingt hectares au Château Liversan.

VIGNES, VINIFICATION ET VIN

Le vignoble s'inscrit dans un vaste plan rectangulaire incliné de quelques mètres vers le nord (32-28 mètres). Cabernets et Merlots s'enracinent dans un sol sablo-graveleux sur socle d'argile. On notera la proportion inusitée du très fin cépage Cabernet franc. La vinification suit les chemins traditionnels. Avant la mise en barriques le vin est légèrement collé.

Il n'y a pas de différence qualitative entre Château Peyrabon et Château Lapiey (double étiquetage pour raisons commerciales). Les vins non retenus, lors des sélections, sont vendus comme Haut-Médoc, sans mention de Château.

Château Peyrabon cherche plus la finesse que la puissance. Il parvient parfaitement à son but. On peut le boire sans trop l'attendre. Il a du grain, signe de classe.

Age idéal : dès 3-4 ans.

Plat idéal : Gigue de chevreuil, sauce Grand-Veneur, avec un 1961.

COTATIONS COMMENTÉES

1969	6	Robe peu marquée, pointe d'acidité, astringence fine • A BOIRE
1970	9	Très bien, à son apogée • A BOIRE
1975	8,5	Il se libère, plein et rond, vaut sa longue attente • A BOIRE
1978	9	Charpenté, concentré, racé • A BOIRE
1979	7	Ne vaut pas le précédent, évolution imprévisible • A COMMENCER
1980	5	Léger, bien pour le millésime • A BOIRE
1981	8,5	Arrondi et assoupli • A COMMENCER
1982	10	Gras, violent, rond • A BOIRE, A GARDER
1983	8	Bien typé médoc • 6 ANS
1984	6	Vin de Cabernet à l'astringence fine • A COMMENCER
1985	9,5	Genre 1982, tannins mûrs, fruité • 7 ANS
1986	10	Fruits rouges, vanille, réglisse. Structuré • 13 ANS
1987	6	Violette et acacia. Fleuri et rondeur souple • 3 ANS

CHÂTEAU PEYRABON, Saint-Sauveur, AOC Haut-Médoc

Date de création du vignoble : *XIXᵉ siècle*
Surface : *53 ha*
Nombre de bouteilles : *300 000*
Répartition du sol : *un seul tenant*
Géologie : *sablo-graveleux*
Autre vin produit par le vignoble : *Château Lapiey*

Culture

Engrais : *d'entretien*
Encépagement : *CS 50 % CF 23 % M 27 %*
Age moyen : *20 ans*

Porte-greffe : *101-14, 420 A, Riparia*
Densité de plantation : *10 000 et 7500 pieds/ha*
Vendange : *mécanique et manuelle*

Vinification

Levurage : *pied de cuve*
Remontage : *quotidien*
Type des cuves : *ciment*
Température de fermentation : *25° à 30°*
Mode de régulation : *refroidisseur*
Temps de cuvaison : *25-30 jours*
Vin de presse : *première presse*
Filtration avant élevage : *léger collage*

Age des barriques : *de 2 à 8 ans*
Durée de l'élevage : *18-24 mois*
Collage : *blanc d'œuf*
Filtration : *à la mise*
Mise en bouteilles au château : *en totalité*
Type de bouteille : *lourde*
Maître de chai : *Gay Delestrac*
Œnologue-conseil : *laboratoire Gendrot*

Commercialisation

Vente par souscription : *oui*
Vente directe au château : *oui*
Commande directe au château : *oui*
Contrat monopole : *non (sauf exportation)*

Château RAMAGE-LA-BÂTISSE

Dans les années 20, il a existé un « Cru Ramage-La-Bâtisse » mais le Château Ramage-La-Bâtisse s'établit par achats successifs dès les années 60. Francis Monnoyeur avec obstination a rassemblé et remembré nombre de parcelles dont certaines importantes, comme celles de Château Tourteran qu'il acquiert de Louis Dubois — probablement l'ancien Tourtereau connu au XIXᵉ siècle.

Aujourd'hui, Ramage-La-Bâtisse s'étend sur 54 hectares presque d'un seul tenant ; il se compose d'un cœur très vaste accompagné d'une vingtaine de petites vignes disséminées mais proches.

En 1986, pour des raisons personnelles, Francis Monnoyeur a été contraint de se séparer du domaine auquel il s'était consacré.

VIGNOBLES, VINIFICATION, VIN

La densité de plantation est élevée, selon les habitudes prises dans la proche commune de Pauillac. Des graves fines voire sablonneuses mais de bonne épaisseur garnissent un sous-sol argilo-calcaire. Le vignoble paraît presque plat, il suit le plateau de la commune très légèrement incliné en direction de Pauillac.

La vinification ne présente aucune particularité, elle est réalisée dans un cuvier moderne et fonctionnel jouxtant un chai à barriques imposant, doublé d'une unité de stockage contenant un million de bouteilles. Le même vin est étiqueté soit Château Ramage-La-Bâtisse, soit Château Tourteran. Le vin non sélectionné porte l'étiquette Château Terrey ; en troisième rang, un vin de table est mis en bouteilles à la propriété comme les précédents.

Château Ramage-La-Bâtisse est un vin très classique typé Médoc. La proximité de Pauillac est décelable à la dégustation.

CHÂTEAU RAMAGE-LA-BÂTISSE, Saint-Sauveur, AOC Haut-Médoc

Date de création du vignoble : *1960*
Surface : *54 ha 60*
Nombre de bouteilles : *250 000*
Répartition du sol : *un seul tenant*
Géologie : *graves maigres ou argilo-calcaire*
Autre vin produit par le vignoble :
Château Tourteran/Château Terrey

Culture

Engrais : *organique (ni chimique, ni foliaire)*
Encépagement : *CS 64 % M 34 % PV 2 %*
Age moyen : *20 ans*
Porte-greffe : *161.49 Riparia, 420 A, 101-14*
Densité de plantation : *8350 pieds/ha*

Rendement à l'hectare : *45/50 hl*
Traitement antibotrytis : *parfois*
Vendange : *manuelle*

Vinification

Levurage : *non*
Remontage : *oui*
Type des cuves : *acier émaillé au four*
Température de fermentation : *24°-28°*
Mode de régulation : *naturel*
Temps de cuvaison : *18 jours*
Vin de presse : *3 à 5 %*
Filtration avant élevage : *non*
Age des barriques : *1/3 renouvelé chaque année*

Durée de l'élevage : *en fût 15 mois*
Collage : *poudre de blanc d'œuf*
Filtration : *sur plaque*
Mise en bouteilles au château : *en totalité*
Type de bouteille : *lourde*
Maître de chai : *M. Chevrier*
Régisseur : *M. Chevrier*
Œnologue-conseil : *prof. Peynaud*

Commercialisation

Vente par souscription : *oui*
Vente directe au château : *oui*
Commande directe au château : *oui*
Contrat monopole : *non*

Communes de Cissac-Médoc
et de Vertheuil
AOC Haut-Médoc

CISSAC-MÉDOC Le bourg occupe un point haut à 55 km de Bordeaux. Belles orientations est et sud, sol graveleux et argilo-calcaire sur sous-sol d'alios et de calcaire (280 hectares de vignes), sable à l'ouest.

VERTHEUIL Cette commune à 56 km de Bordeaux présente un relief accusé offrant de bonnes expositions. Sols très variés, tantôt argilo-calcaires, tantôt graveleux, mais souvent d'alluvions récentes ne convenant pas à la vigne (zone sud-est) ou sablonneux (nord-ouest). Surface du vignoble : 230 hectares.

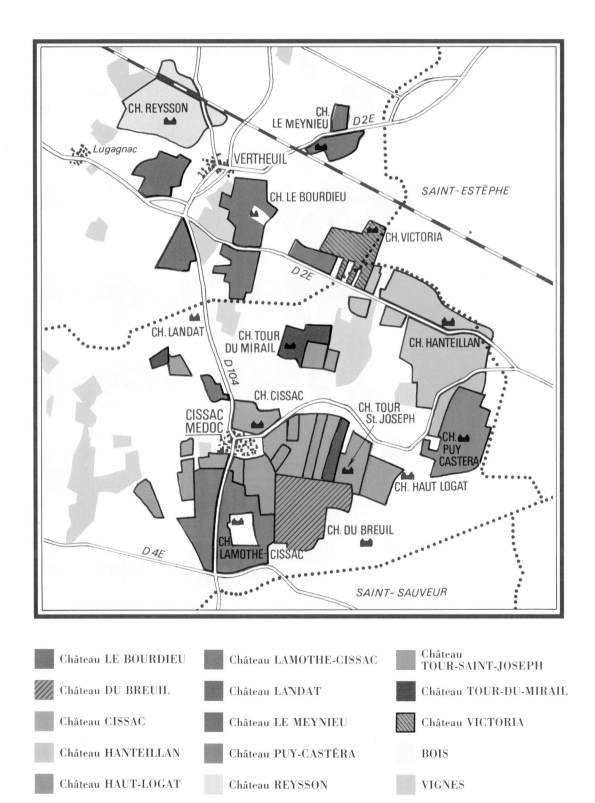

■ Château LE BOURDIEU	■ Château LAMOTHE-CISSAC	■ Château TOUR-SAINT-JOSEPH
▨ Château DU BREUIL	■ Château LANDAT	■ Château TOUR-DU-MIRAIL
■ Château CISSAC	■ Château LE MEYNIEU	▨ Château VICTORIA
■ Château HANTEILLAN	■ Château PUY-CASTÉRA	■ BOIS
■ Château HAUT-LOGAT	■ Château REYSSON	■ VIGNES

Château LE BOURDIEU

COTATIONS COMMENTÉES

1975	6	Ne tient pas ses promesses • A BOIRE
1976	6	Fruité, agréable, facile; a dépassé son apogée • DEVRAIT ÊTRE BU
1977	4	Maigre, à oublier • DEVRAIT ÊTRE BU
1978	9	Vin corpulent, équilibré et complet à évolution lente • 12 ANS
1979	7	Ressemble au 1971, bonne évolution • A COMMENCER
1980	5	Léger, fruité, petit • A BOIRE
1981	8	Puissant et complet, long, tannins souples • 8 ANS
1982	9	Parfumé, excellent mais sans type, évolution rapide • 7 ANS
1983	10	Très typé Médoc, dur et tannique • 12 A 15 ANS
1984	5	Léger • A BOIRE
1985	9,5	Coloré, tannique, long; dans l'esprit du 1981 • 8-10 ANS
1986	9	1985 et 1986 se ressemblent beaucoup • 8-10 ANS
1987	5,5	Peu concentré • 4 ANS

Age idéal : entre 10 et 15 ans.

Plat idéal : Viande de bœuf en sauce.

Le Bourdieu de Vertheuil semble des plus anciens puisque dès le XIᵉ siècle une abbaye est élevée à Vertheuil et que les moines déboisent et plantent un peu de vigne. Après la Révolution, nombre de propriétés livrent « au commerce » des vins de qualité, la plus importante étant l'Abbaye (appartenant aux Skinner). Le Bourdieu, ou Lebourdieu en 1850, produit, sous la conduite de Blanchard jeune, quelque 60 000 bouteilles. Les Coucharrières, dans l'entre-deux-guerres poursuivent la production, mais elle est tombée de moitié. La crise des années trente se fait durement sentir et lorsque le Bourdieu est acquis par Ernest Barbe en 1943, tout est à restaurer et le vignoble doit être intégralement replanté. En 1977, il laisse une propriété modèle à sa fille Monique Barbe, qui poursuit son œuvre avec autant de compétence que de dynamisme.

TERROIR ET VIGNES

Le vignoble du Bourdieu est composé de deux lots séparés par un bois qui appartient à Monique Barbe. Son altitude moyenne s'élève à trente mètres. On le croirait horizontal, en fait il s'abaisse de quelques mètres en direction du nord.

La couche sablo-graveleuse (graves fines) sur socle pierreux est complantée d'une majorité de Cabernet-Sauvignon. Les porte-greffe sont très divers, jusqu'au SO 4 « malheureusement » en passant par les classiques 101-14 ou 3309 (et 5BB).

Dans quelques parcelles très calcaires, le Fercal est à l'essai alors que le G1 (Gressat) est réservé à des lieux plus humides, surtout pour les Merlots. La densité de plantation est en baisse puisque les vignes de moins de 4 ans sont plantées espacées : 5 000 pieds/ha. Henri Reynaud (le régisseur) développe à ce propos une théorie personnelle tirée des expériences réalisées à partir des arbres fruitiers « les meilleurs fruits mûrissent sur les rameaux descendants », dit-il, « ceux-ci (dans la vigne) n'existent pas à 8 300 pieds/ha car les pieds sont trop rapprochés, mais peuvent se développer à 5 000 pieds/ha ».

VINIFICATION ET VIN

35 à 40 % de la cuve sont « remontés » deux fois par jour. Le vin est élevé principalement en cuves mais chaque année un lot de barriques neuves loge un vin de prestige qui n'est pas mis sur le marché. Le vin étiqueté Château Picourneau, surtout destiné au marché belge, est identique au Château Le Bourdieu. Cette étiquette n'a rien de fantaisiste, ce château existe, il fut même incorporé dans les crus Bourgeois en 1932. De nos jours, cette propriété est fondue dans Château Le Bourdieu. Château Le Bourdieu est un Haut-Médoc typique, net et fin dont l'équilibre étudié entre alcool, tannins et composants aromatiques contribue à une belle longévité.

CHÂTEAU LE BOURDIEU, Vertheuil-en-Médoc, AOC Haut-Médoc

Date de création du vignoble : XIXᵉ siècle
Surface : 35 ha
Nombre de bouteilles : 200 000
Répartition du sol : 2 lots
Géologie : sablo-graveleux
Autre vin produit par le vignoble : Château Picourneau

Culture

Engrais : fumure organo-minérale
Encépagement : CS 50 % CF 17 % M 30 % PV 3 %
Age moyen : 25 ans
Porte-greffe : 101-14, 3309, SO 4, G1 voir texte
Densité de plantation : 8300

et 5000 pieds/ha
Rendement à l'hectare : 50 ha
Traitement antibotrytis : non
Vendange : mécanique dès 1983

Vinification

Levurage : oui
Remontage : biquotidien
Type des cuves : ciment 200 hl
Température de fermentation : 28°-30°
Mode de régulation : serpentin et pompe à chaleur
Temps de cuvaison : 3 semaines
Vin de presse : première presse
Filtration avant élevage : sur terre

Age des barriques : voir texte
Durée de l'élevage : 18-24 mois
Collage : albumine
Filtration : sur plaques
Mise en bouteilles au château : en totalité
Type de bouteille : standard
Maître de chai : Alain Sauvèdre
Régisseur : Henri Reynaud
Œnologue-conseil : laboratoire de Coutras

Commercialisation

Vente par souscription : oui
Vente directe au château : oui
Commande directe au château : oui
Contrat monopole : non

Château DU BREUIL

COTATIONS COMMENTÉES

1975	8	Ouvert, bien • A BOIRE
1976	7	Dévalorisé par la réputation du 1975 • A BOIRE
1977	4	Maigre • A BOIRE
1978	8	Équilibré, bien constitué • A BOIRE
1979	6,5	Un 1978 souple, moins concentré • A BOIRE
1980	4	Léger • A BOIRE
1981	7	Proche du 1978 avec sévérité • 8 ANS
1982	8	Rond, joyeux, gras • A BOIRE, A GARDER
1983	6	Un 1981 sans concentration • A BOIRE
1984	4,5	Dépasse 1980 mais léger • A BOIRE
1985	7	Petit 1982 ou grand 1983 ? • 5 ANS
1986	6	Pourrait être plus concentré • 5 ANS
1987	7	Vinifié et élevé par le nouveau propriétaire, coloré, de grande finesse • 6-7 ANS

Il faut rendre un hommage particulier à la plus ancienne baronnie du Médoc (VIᵉ siècle) et à l'ancien château malheureusement ruiné à cause des malfaçons du maître d'œuvre chargé de sa construction aux XIIIᵉ-XIVᵉ siècles. Un bel appareillage extérieur, des parements (plutôt minces) recouvrent un blocage de pierres assemblées par un mortier. Lorsque le mortier est bon, l'ensemble est indestructible. Qu'il soit médiocre, que l'eau puisse le désagréger, tout s'écroule. Dans la nuit du 31 janvier 1861, une nuit de forte gelée, la famille Fort-Pomès qui l'habitait, alertée par de sourds craquements, n'eut que le temps de quitter les lieux. Depuis, le bâtiment est demeuré en l'état. Il figure bien entendu sur l'étiquette du vin Château du Breuil.

Un baron du Breuil, victime de la Terreur, est guillotiné à Bordeaux. Le dernier du nom possédait le plus grand vignoble de la commune. Son vin était considéré comme le meilleur. En 1850, il produit 120 tonneaux (150 000 bouteilles). Le domaine par voie successorale féminine demeura dans la famille jusqu'en 1934, mais la production s'amenuisa régulièrement. Des réfugiés politiques espagnols l'acquirent et le revendirent en 1962 à des rapatriés tunisiens qui ne purent le conserver que cinq ans, jusqu'à ce que M. et Mme Germain, eux aussi de retour d'Afrique du Nord, s'en portent acquéreurs. Mais ils sont dans l'obligation de mettre le domaine en vente en 1986. Tout naturellement les Vialard déjà propriétaires du vignoble contigu Château Cissac (voir p. 121) s'y intéressent et en prennent possession.

TERROIR ET VIGNES

Le vignoble jouxte ceux de Château Cissac et Château Lamothe-Cissac. Il s'incline en direction du sud-sud-est. Un sol de graves de grosseur moyenne et de bonne épaisseur sur socle calcaire mais argileux par endroit est complanté des Cabernet et Merlot habituels auxquels s'ajoute une notable proportion de Petit Verdot et de Malbec (un plant en voie de disparition dans le Médoc).

VINIFICATION ET VIN

Cuvier et chai ne donnaient pas l'impression d'opulence qu'on éprouve depuis quelques années dans les propriétés médocaines. Gérard Germain vinifiait au mieux avec le matériel dont il disposait. Quelques investissements ont dû stimuler l'expression de cet excellent terroir qui n'est pas sans rappeler celui de Lafite. Château du Breuil est un vin direct, de complexité modérée. Il gagne à être attendu au moins un lustre. Les nouveaux propriétaires mettent en application les méthodes qui réussissent si bien au Château Cissac.

🥩 Age idéal : 5-8 ans. 🍽 Plat idéal : Tournedos.

CHÂTEAU DU BREUIL, Civrac-Médoc, AOC Médoc (jusqu'au millésime 1986)

Date de création du vignoble : XIIIᵉ siècle ?
Surface : 25 ha
Nombre de bouteilles : 130 000
Répartition du sol : un seul tenant
Géologie : graves sur calcaire
Autre vin produit par le vignoble : Château Logat

Culture

Engrais : organique et chimique
Encépagement : CS 40 % CF 10 % Mc 10 % M 25 % PV 15 %
Age moyen : 24 ans
Porte-greffe : 161-49, 5BB, 44-53

Densité de plantation : 6666 pieds/ha
Rendement à l'hectare : 50 hl
Traitement antibotrytis : oui
Vendange : manuelle jusqu'en 1986 (voir texte)

Vinification

Levurage : non
Remontage : 4 par cuve
Type des cuves : ciment
Température de fermentation : 25° à 30°
Mode de régulation : serpentin plongeant
Temps de cuvaison : 2-3 semaines
Vin de presse : incorporé selon le millésime
Filtration avant élevage : non
Age des barriques : vieilles

Durée de l'élevage : 3 mois par roulement
Filtration : à la mise – sur plaques
Collage : albumine d'œuf
Mise en bouteilles au château : en totalité par entreprise
Type de bouteille : standard
Maître de chai : Gérard Germain
Œnologue-conseil : laboratoire de Pauillac

Commercialisation

Vente par souscription : oui (peu)
Vente directe au château : oui
Commande directe au château : oui
Contrat monopole : non

Château CISSAC

1981
Château Cissac
CRU BOURGEOIS
APPELLATION HAUT-MÉDOC CONTRÔLÉE
CISSAC (GIRONDE)
L. Vialard Propriétaire
PRODUCE OF FRANCE   75 cl ℮

COTATIONS COMMENTÉES

Année	Note	Commentaire
1970	8	*Complet* • A BOIRE
1971	6	*Robe marquée, sur le déclin* • A TERMINER
1972	–	*Ni couleur ni concentration* • DEVRAIT ÊTRE BU
1973	5	*Une élégance sur le déclin* • A TERMINER VITE
1974	4	*Robe claire. Dureté sans chair* • A BOIRE
1975	8	*N'a pas atteint son apogée* • A COMMENCER
1976	6	*Manque un peu de robe* • A BOIRE
1977	4	*Léger, fruité* • A BOIRE
1978	9	*Construit, charnu, à évolution lente* • 12 ANS
1979	7	*Plus léger, s'ouvre* • 10 ANS
1980	4,5	*Léger* • A TERMINER
1981	10	*Gras, tannins fins, équilibré* • 8 ANS
1982	9	*Aimable, acidité basse mais équilibré; typicité?* • A BOIRE, A GARDER
1983	9	*Dans l'esprit des 1981* • 8 ANS
1984	5	*Vin de Cabernet* • 5 ANS
1985	9,5	*Boisé, cuir, épicé, tannins très fins* • 10 ANS
1986	10	*Grenat très foncé, fruits cuits et vanillés, tannins fins; structuré et long* • 10 ANS
1987	6,5	*Coloré, balsamique; fruité monocorde, harmonieux* • 5 ANS

En 1985, on a fêté le centenaire de ce château qui porte le nom de sa commune. Il est né de la réunion de deux propriétés. En 1855, Louis Mondon acquiert le Château Martigny contigu à une propriété qu'il possédait déjà : le Château Abiet. Peut-être ne faisait-il que réunir ce qui avait été séparé ? Ce n'est que trente ans plus tard qu'apparaît le nom Château Cissac, un nom qui s'applique fort bien à une élégante construction du XVIIᵉ siècle, à la lisière du bourg. Les Mondon se succédèrent jusqu'en 1941. Puis Mme Vialard, née Mondon, hérite de la propriété. Triste époque à tous points de vue. La crise des années trente a laissé ses traces, à Château Cissac comme ailleurs. Il a fallu replanter les vignes et restaurer les bâtiments. Louis Vialard fit cela avant tout le monde. Il faillit avoir tort d'avoir raison trop tôt. Il produisait des vins — excellents — mais ne trouvait pas d'acquéreurs. Cette fâcheuse conjoncture le décida en 1951 à aller à Londres pour vendre ses vins. Il y réussit si bien qu'il y ouvrit un bureau de négoce dont les activités fructueuses se poursuivent de nos jours. Sa fille Danielle, œnologue, s'occupe de la propriété.

TERROIR ET VIGNES

Le vignoble s'étend sur un plateau de graves fines de bonne épaisseur sur socle argilo-calcaire imposant la pose de drains. Le Cabernet franc peu adapté au sol n'a pas été replanté, d'où la forte proportion de Cabernet-Sauvignon. Le vignoble, qui n'a pas gelé en 1956, atteint un âge supérieur à la moyenne. On rendra un hommage ému à l'une des dernières parcelles de vignes préphylloxériques encore en état de produire.

VINIFICATION ET VIN

Château Cissac est l'un des rares crus demeuré fidèle aux cuves de fermentation en bois. Le vin de presse s'écoule d'un pressoir pneumatique à baudruche. Il est très rarement joint au « grand vin », lequel n'est produit que par de vieilles vignes. Château Abiet recueille le reste. Les vins de chaque cépage sont élevés séparément, l'assemblage n'intervenant qu'après six mois d'évolution. On notera la très forte proportion de barriques neuves et récentes. Il est rare que le vin soit filtré sur terre avant d'y être logé.

Château Cissac est le contraire d'un vin mince ou fluet. Il est gras, plein, rond et s'appuie sur des tannins fins et riches, gages d'une très longue garde.

Age idéal : 10-12 ans.   *Plat idéal : Filet de bœuf truffé sauce demi-glace.*

CHÂTEAU CISSAC, Cissac-Médoc, AOC Haut-Médoc

Date de création du vignoble : *XIXᵉ siècle*
Surface : *30 ha*
Nombre de bouteilles : *240 000*
Répartition du sol : *pratiquement un seul tenant*
Géologie : *graves fines*
Autre vin produit par le vignoble : *Château Abiet*

Culture

Engrais : *fumures légères*
Encépagement : *CS 75 % M 20 % PV 5 %*
Age moyen : *25-30 ans*
Porte-greffe : *3309, Riparia*

Densité de plantation : *7000 pieds/ha*
Rendement à l'hectare : *50 hl*
Traitement antibotrytis : *parfois*
Vendange : *manuelle*

Vinification

Levurage : *naturel*
Remontage : *biquotidien*
Type des cuves : *bois*
Température de fermentation : *28°-30°*
Mode de régulation : *serpentin*
Temps de cuvaison : *3 semaines*
Vin de presse : *très rarement incorporé*
Filtration avant élevage : *parfois*
Age des barriques : *renouvellement important*

Durée de l'élevage : *18 mois*
Collage : *albumine d'œuf*
Filtration : *à la mise*
Mise en bouteilles au château : *en totalité*
Type de bouteille : *lourde*
Maître de chai : *Danielle Vialard*
Œnologue-conseil : *D. et L. Vialard*

Commercialisation

Vente par souscription : *oui*
Vente directe au château : *oui*
Commande directe au château : *oui*
Contrat monopole : *non (sauf exportation)*

Château HANTEILLAN

CHATEAU HANTEILLAN

HAUT·MEDOC

APPELLATION HAUT·MÉDOC CONTRÔLÉE

CRU BOURGEOIS

S.A.R.L. CHATEAU HANTEILLAN
PROPRIÉTAIRE A CISSAC·MÉDOC (GIRONDE)

PRODUCE OF FRANCE

12 % vol   1982   75 cl

MIS EN BOUTEILLES AU CHATEAU

COTATIONS COMMENTÉES

1975	9 ?	Sévère et très boisé, attendre • 15 ANS
1976	6	A été très boisé, décline • A TERMINER
1977	4	Nuances végétales • A TERMINER
1978	6	Raisins peu mûrs • A TERMINER
1979	7	Équilibré, type gouleyant • A BOIRE
1980	5	Robe légère, vin facile • A BOIRE
1981	9	Coloré, construit, équilibré • A BOIRE
1982	9,5	Très coloré, ample et gras • A BOIRE
1983	8	Un 1981 à peine plus léger • A COMMENCER
1984	6	Belle robe, grain fin, pas d'astringence • A BOIRE
1985	9,5	Raisins sains, un boisé de charme fruité • 7 ANS
1986	10	Puissant, construit, long, de garde • 10 ANS
1987	6	Forte sélection des fruits • 4 ANS

Age idéal : 5-6 ans.

Plat idéal : Paupiettes de bœuf.

Cette ancienne propriété figure sur la fameuse carte du Médoc dressée par le géographe Belleyme, début XVIIIe. En 1809, Antoinette Rose de Lapeyrière l'acquiert de plusieurs vendeurs. Sa petite-fille Gabrielle de Latour-Saint-Igest la cède à Jean-Jacques Lefort en 1852 pour 72 000 francs or. Quarante-cinq ans plus tard, MM. Blanchot et Sujet l'acquièrent mais la revendent en 1903 à Simon et Antonin Estager, récents propriétaires du vignoble contigu de Coutelin-Merville, sur la commune de Saint-Estèphe. Leurs petits-enfants sont contraints de s'en séparer pour régler des problèmes de succession. Guy Estager conserve Coutelin-Merville (voir p. 51) et Hanteillan commence une nouvelle vie sous le régime d'une SARL.

Trente hectares achetés au Château Larrivaux sont incorporés au domaine où un programme de replantation est mené tambour battant. Parallèlement, un cuvier modèle qu'envieraient bien des crus Classés — cuve inox de fermentation posée sur des cuves d'écoulage en béton revêtu — est élevé.

TERROIR ET VIGNES

Le vignoble est coupé par la route Pauillac-Lesparre. Sa majeure partie s'incline très légèrement en direction du nord-nord-est. La portion sud s'abaisse plutôt dans le sens du sud-est. Des fossés habilement disposés recueillent les eaux de ruissellement. De grosses graves mêlées de sable sur une belle profondeur investissent une trentaine d'hectares. Le solde se compose de terres argilo-calcaires. Ces deux types de sols recouvrent le prolongement du plateau calcaire de Saint-Estèphe. L'encépagement comprend une bonne part de Merlot, très à l'aise dans l'argilo-calcaire.

A noter les porte-greffe « spécial calcaire » 41B et le très moderne Fercal.

VINIFICATION ET VIN

Vinification classique : 30 à 32°, 34° au chapeau assurent de bonnes extractions. Le vin n'est pas filtré sur terre avant élevage. La sédimentation naturelle associée au froid de l'hiver — 6° environ — l'éclaircit. Les sélections sont sévères : les vignes de moins de dix ans sont réservées au deuxième vin qui porte le nom d'une parcelle de vigne : Tour-du-Vatican.

Les barriques qui ne sont pas neuves sont rachetées à Haut-Brion, Lafite ou Château Margaux.

Depuis le millésime 1979, Château Hanteillan a découvert son propre équilibre : une touche d'épice, un soupçon de boisé, des tannins au grain fin (ni astringents, ni herbacés) associés à un fruité élégant.

CHÂTEAU HANTEILLAN, Cissac-Médoc, AOC Haut-Médoc

Date de création du vignoble : *XVIIIe siècle*
Surface : *85 ha*
Nombre de bouteilles : *280 000*
Répartition du sol : *un seul tenant*
Géologie : *graves et argilo-calcaire*
Autre vin produit par le vignoble : *Tour-du-Vatican (180 000 bouteilles)*

Culture

Engrais : *chimique, organique*
Encépagement : *CS 48 %   CF 6 %   M 42 %   PV et Mc 4 %*
Age moyen : *17 ans*
Porte-greffe : *3309, 41 B, Fercal*

Densité de plantation : *10 000 et 6 000 pieds/ha*
Rendement à l'hectare : *25 hl*
Traitement antibotrytis : *oui*
Vendange : *mécanique*

Vinification

Levurage : *première cuve*
Remontage : *biquotidien*
Type des cuves : *inox*
Température de fermentation : *30°-32°*
Mode de régulation : *aspersion*
Temps de cuvaison : *20 jours*
Vin de presse : *première presse*
Filtration avant élevage : *non*

Age des barriques : *10-15 % neuves + barriques d'un vin*
Durée de l'élevage : *12-18 mois*
Collage : *blanc d'œuf séché*
Filtration : *à la mise*
Mise en bouteilles au château : *en totalité*
Type de bouteille : *lourde*
Maître de chai : *Gilles Paquereau*
Œnologue-conseil : *Jacques Boissenot*

Commercialisation

Vente par souscription : *oui*
Vente directe au château : *oui*
Commande directe au château : *oui*
Contrat monopole : *non*

Château LAMOTHE-CISSAC
et Château LANDAT

COTATIONS COMMENTÉES

1970	8	Bonne évolution • A BOIRE
1971	–	S'était fermé puis a évolué très vite • DEVRAIT ÊTRE BU
1972	–	Petit millésime • DEVRAIT ÊTRE BU
1973	–	Petit millésime • DEVRAIT ÊTRE BU
1974	–	Supérieur aux deux millésimes précédents • DEVRAIT ÊTRE BU
1975	8	Vignes encore jeunes donc pas trop dur • A BOIRE
1976	8	Flatteur et flamboyant, évolué • A TERMINER
1977	4,5	Une pointe d'acidité rappelant les 1972 • A BOIRE
1978	9	Plein, équilibré • LE GOÛTER
1979	7	De la dureté • LE COMMENCER, TOUT DOUCEMENT
1980	5	Léger comme il se doit • A BOIRE
1981	10	Charpenté, solide • 9 ANS
1982	9	Rondeur, souplesse, générosité • TOUJOURS, LONGTEMPS
1983	8	Un 1981 fluide et léger • 7 ANS
1984	6	Léger et court • A BOIRE
1985	9	1981, 1982, 1983, souple, puissant • 8 ANS
1986	9,5	Tannique, classique, complet • 12 ANS
1987	6	Forte sélection, coloré • 4 ANS

Age idéal : entre 5 et 10 ans.

Plat idéal : Gigot bien cuit accompagné de haricots.

A ne pas confondre avec les 17 autres Châteaux Lamothe de Gironde, ni avec le Château Cissac dans la même commune et appartenant au beau-père du propriétaire de Lamothe-Cissac (qui s'appelait Lamothe tout court jusqu'en 1975). Cette propriété pourrait être fort ancienne si l'on tient compte des poteries romaines que recèle son sol. Une forteresse occupa l'emplacement du sympathique château actuel élevé en 1912. Du début du siècle à 1964, le domaine s'endormit petit à petit, à tel point que lorsque la famille Fabre, de retour du Maroc, le reprit, la production de vin avait cessé. C'est pour cela qu'aujourd'hui le cuvier est neuf et que les bâtiments sont conçus pour une exploitation fonctionnelle.

TERROIR, VINIFICATION ET VIN

Le vignoble, d'un seul tenant et enserrant le château, occupe un vaste plan incliné de 11 à 26 mètres en direction du sud qu'on découvre en venant de Saint-Sauveur. Sur un socle calcaire, graves et argilo-calcaire se partagent la propriété traversée par la route de Cissac. La vinification est classique. Le vin n'est pas filtré sur terre avant son élevage mais légèrement sur plaque au moment de la mise en bouteilles, après avoir été collé en cuve au blanc d'œuf en poudre. Gabriel Fabre souhaite vinifier des vins plutôt souples, de style élégant. Dans les années 70, la jeunesse du vignoble l'y incitait et c'est pour cela que les vins se « faisaient » assez rapidement. Aujourd'hui encore, ils sont très bons à boire « sur leur fruit ».

CHÂTEAU LANDAT

En 1977 Gabriel Fabre, fort de l'expérience acquise à Lamothe-Cissac, a l'occasion d'acheter, compléter et replanter le vignoble de Château Landat, une propriété créée dans la deuxième moitié du XIXᵉ siècle (30 ha, 175 000 bouteilles, encépagement semblable à celui de Lamothe mais comprenant 5 % de plus de CS et 5 % de moins de CF). M. Jacques Boissenot, œnologue, apporte sa science aux deux propriétés. Le vignoble partagé en trois lots s'étend au nord-nord-ouest de Cissac sur des terrains plus légers que ceux de Château Lamothe-Cissac, comprenant une alternance de graves fines et de sols sablonneux. Il est producteur de vins fins et légers.

CHÂTEAU LAMOTHE-CISSAC, Cissac-Médoc, AOC Haut-Médoc

Date de création du vignoble : XVIIᵉ siècle
Surface : 47 ha
Nombre de bouteilles : 350 000
Répartition du sol : un seul tenant
Géologie : graves et argilo-calcaire
Autre vin produit par le vignoble : Château Fonsèche

Culture

Engrais : fumier de vache
Encépagement : CS 70 % CF et PV 5 % M 25 %
Age moyen : 20 ans
Porte-greffe : 41B, R 140

Densité de plantation : 5500, 7500 pieds/ha
Rendement à l'hectare : 42 hl
Traitement antibotrytis : en fin de saison
Vendange : mécanique depuis 1981

Vinification

Levurage : naturel
Remontage : biquotidien
Type des cuves : inox
Température de fermentation : 30° à 33°
Mode de régulation : aspersion
Temps de cuvaison : 3 semaines
Vin de presse : première presse
Filtration avant élevage : non
Age des barriques : renouvellement 20-25 %

Durée de l'élevage : 1 an
Collage : blanc d'œuf séché
Filtration : à la mise
Mise en bouteilles au château : en totalité
Type de bouteille : standard
Maître de chai : Vincent Fabre (régisseur : Éric Fabre ; PDG : Gabriel Fabre)
Œnologue-conseil : Vincent Fabre et Jacques Boissenot

Commercialisation

Vente par souscription : oui
Vente directe au château : oui
Commande directe au château : oui
Contrat monopole : non

Château HAUT-LOGAT
Château TOUR-SAINT-JOSEPH

Les Quancard sont viticulteurs depuis 1844. Au Château Tenefort (Cubzac-les-Ponts, 300 tonneaux), propriété qu'ils gouvernent toujours, ils avaient plus de clients que de vin, et devinrent alors négociants, tout en cherchant à augmenter leur production personnelle.

Ainsi se trouvent-ils aujourd'hui propriétaires dans les Premières Côtes (Château de Paillet). En 1967, ils ont l'occasion de reprendre en fermage le Château Tour-Saint-Joseph qui produisait dans l'entre-deux-guerres quelque 60 000 bouteilles (ou leur équivalent) signées F. Molineau. Les Quancard prennent pied dans le Médoc. Dans la commune de Cissac, ils ont l'occasion d'acquérir des terres et des vignes par endroits contiguës à celles de Tour-Saint-Joseph. Le Château Haut-Logat naît en 1978, Logat étant le nom d'un lieu-dit au nord du Château du Breuil.

TERROIR ET VIGNES

La plupart des parcelles de ces deux Châteaux sont contiguës à d'autres appartenant aux marques connues de la commune : Château Cissac, Château Lamothe-Cissac, Château du Breuil, Château Tour-du-Mirail.

Le vignoble jouxtant le village de Cissac (au sud) est horizontal. Les autres pièces de vignes s'abaissent soit au sud, soit à l'ouest.

Le sol de ces diverses parcelles n'est pas homogène, tantôt très graveleux, tantôt argilo-calcaire sur socle pierreux. Comme il se doit, le Cabernet-Sauvignon est majoritaire. A noter les porte-greffe de qualité et une bonne densité de plantation.

L'âge des vignes de ces deux propriétés est respectable : soixante ans pour un tiers du vignoble, trente ans pour le deuxième tiers, de cinq à dix ans pour le dernier tiers. Dès 1985 une machine à vendanger s'est imposée surtout par sa souplesse d'emploi qui permet de vendanger au bon moment, sans subir les contraintes imposées par une troupe de vendangeurs.

VINIFICATION ET VIN

Vinification classique dans un cuvier moderne efficace et isotherme. Le vin est refroidi lors de la fermentation alcoolique et le cuvier chauffé pour activer la fermentation malolactique.

Les sélections ont conduit les frères Quancard à créer une deuxième marque pour leur Château Haut-Logat : Château La Croix-Margautot.

CHÂTEAU HAUT-LOGAT, Cissac-Médoc, AOC Haut-Médoc

Date de création du vignoble : *XXe siècle*
Surface : *9 ha*
Nombre de bouteilles : *45000*
Répartition du sol : *8 lots*
Géologie : *graves argilo-calcaires*
Autre vin produit par le vignoble : *Château La Croix-Margautot*

Culture

Engrais : *d'entretien*
Encépagement : *CS 75 % M 25 %*
Age moyen : *35 ans*
Porte-greffe : *R 110, 3309*
Densité de plantation : *7800 pieds/ha*

Rendement à l'hectare : *54 hl*
Traitement antibotrytis : *parfois*
Vendange : *mécanique dès 1985*

Vinification

Levurage : *oui*
Remontage : *biquotidien*
Type des cuves : *inox – 150 hl*
Température de fermentation : *30°*
Mode de régulation : *ruissellement*
Temps de cuvaison : *12-15 jours*
Vin de presse : *première presse*
Filtration avant élevage : *sur Kieselguhr*
Age des barriques : *renouvellement par tiers annuel*

Durée de l'élevage : *12-18 mois*
Collage : *blanc d'œuf en poudre*
Filtration : *à la mise*
Mise en bouteilles au château : *en totalité*
Type de bouteille : *lourde depuis 1984*
Œnologue-conseil : *laboratoire Gendrot*

Commercialisation

Vente par souscription : *oui*
Vente et commande directe au château : *oui*
par la Société Les Fils de Marcel Quancard 13, rue Barlère 33440 Lagrave d'Ambarès
Contrat monopole : *oui*

Les vins de ces deux propriétés conduites par Marcel et Christian Quancard sont cousins sinon frères. Haut-Logat est plus concentré et son évolution est plus lente. Si l'on préfère consommer les vins « sur leur fruit », Tour-Saint-Joseph paraît s'imposer, si l'on dispose d'une belle cave, acquérir Haut-Logat.

COTATIONS COMMENTÉES

1978	8,5	Bouqueté, corpulent, bons tannins, gras équilibré ● A BOIRE
1979	7	Moins concentré que le précédent ● A BOIRE
1980	4	Vin léger ● A TERMINER
1981	6	Texture légère, manque de gras ● A BOIRE
1982	9	Moelleux et tendre ● A BOIRE
1983	10	Complet, ample, tannique ● 9 ANS
1984	5	Équilibré et sain avec un peu de chair tannique ● A BOIRE
1985	9	Un 1982 qui a du nerf : style 1983 ● 8 ANS
1986	9,5	Équilibré, rondeur souple ● 6-7 ANS
1987	5	Robe légère, élégant, superficiel ● 4 ANS

Âge idéal : 6-7 ans.
Château Tour-Saint-Joseph : 5 ans.

Plat idéal : Rôti de bœuf, Macédoine de légumes.

CHÂTEAU TOUR-SAINT-JOSEPH, Cissac-Médoc, AOC Haut-Médoc

Date de création du vignoble : XXᵉ siècle
Surface : 10 ha
Nombre de bouteilles : 70 000
Répartition du sol : 3 lots
Géologie : graves argilo-calcaires
Autre vin produit par le vignoble : aucun

Culture

Engrais : d'entretien
Encépagement : CS 75 % M 25 %
Age moyen : 35 ans
Porte-greffe : R 110, 3309
Densité de plantation : 7800 pieds/ha

Rendement à l'hectare : 54 hl
Traitement antibotrytis : parfois
Vendange : mécanique dès 1985

Vinification

Levurage : oui
Remontage : biquotidien
Type des cuves : inox — 150 hl
Température de fermentation : 30°
Mode de régulation : ruissellement
Temps de cuvaison : 12-15 jours
Vin de presse : première presse
Filtration avant élevage : sur Kieselguhr
Age des barriques : renouvellement par tiers annuel

Durée de l'élevage : 12-18 mois
Collage : blanc d'œuf en poudre
Filtration : à la mise
Mise en bouteilles au château : en totalité
Type de bouteille : lourde depuis 1984
Œnologue-conseil : laboratoire Gendrot

Commercialisation

Vente par souscription : oui
Vente et commande directe au château : oui
par la Société Les Fils de Marcel Quancard
13, rue Barlère 33440 Lagrave d'Ambarès
Contrat monopole : oui

Château LE MEYNIEU

1981

Château le Meynieu

CRU BOURGEOIS

HAUT-MÉDOC

APPELLATION HAUT-MÉDOC CONTROLEE

Jacques PEDRO Propriétaire à Vertheuil-Médoc (Gironde) France

MIS EN BOUTEILLE AU CHATEAU

12 % Vol   Produce of France   75cl

COTATIONS COMMENTÉES

Année	Note	Commentaire
1975	8,5	*Charnu et fermé* • A ESSAYER A 15 ANS
1976	5,5	*Souple, trop souple* • A TERMINER
1977	5,5	*Léger, sur le déclin* • A TERMINER
1978	8,5	*Mieux construit que le 1976, corsé, évolution lente* • 13 ANS
1979	8	*Un 1978 plus fluide, fruité, empyreumatique* • 10 ANS
1980	5	*Léger* • A BOIRE
1981	9	*Un 1978 plus riche et plus gras* • 12 ANS
1982	10	*Explosif, long, construit, tannique et souple* • 15 ANS OU PLUS
1983	9	*Un 1981 plus structuré* • 13 ANS
1984	5,5	*Un Cabernet fruité et léger* • 5 ANS
1985	9,5	*Bonne acidité, riche, puissant, séveux, vin de garde* • 15 ANS
1986	9,5	*Corsé, charnu, gras, tannins riches* • 14 ANS
1987	6	*Charme et souplesse* • 6 ANS

Château Lemeynieu, Château du Meynieux, Château Le Meynieu. Avec x, sans x, « le » ou « du », en un mot, en deux, depuis le début du XIXᵉ siècle, peut-être quelque peu antérieurement, cette propriété est connue pour sa production de vin.

Qui éleva au milieu du siècle passé la maison-château ? La famille Courréjolles ? A l'époque, elle y produisait plus de 50 000 bouteilles (ou leur équivalent). Puis la production diminua, comme dans la plupart des propriétés. Dans les années vingt, les Hue ne livrent plus que le quart de ce chiffre. En 1960, lorsque Jacques Pédro reprend Le Meynieu, il n'y trouve que 5 000 pieds de vignes. Il entreprend une restauration intégrale du vignoble, du chai, du château, etc. Dans la foulée, il achète cinq ans plus tard une deuxième propriété dans la commune voisine : Château Lavillotte (à Saint-Estèphe) qu'il reconstitue également. Aujourd'hui, Jacques Pédro, maire de la commune de Vertheuil, vend chaque année 50 000 bouteilles de Château Le Meynieu.

TERROIR ET VIGNES

Le vignoble est traversé par la route Vertheuil-Saint-Estèphe. Il s'incline très légèrement en direction de l'est. Un sol argilo-calcaire plus argileux que calcaire repose sur un socle calcaire compact. C'est pourquoi Jacques Pédro a choisi des porte-greffe résistant bien au calcaire, tel le 41B qu'on retrouve en Champagne.

VINIFICATION ET VIN

Macérations longues à très longues, remontages et fermentations chaudes, tout cela demeure dans la tradition. En revanche, il faut signaler l'absence de toute filtration et l'élevage long dans des barriques « d'un vin » souvent rachetées au Château Latour.

Le Château Le Meynieu est un vin sérieux, classique, un vin de connaisseur car il faut savoir l'attendre.

Age idéal : 10-12 ans.

Plat idéal : Filets mignons.

CHÂTEAU LE MEYNIEU, Vertheuil, AOC Haut-Médoc

Date de création du vignoble : *XIXᵉ siècle*
Surface : *15 ha*
Nombre de bouteilles : *45000*
Répartition du sol : *un seul tenant*
Géologie : *argilo-calcaire*
Autre vin produit par le vignoble : *aucun*

Culture

Engrais : *fumure organique*
Encépagement : *CS 70 % M 30 %*
Age moyen : *25 ans*
Porte-greffe : *5BB, SO4, 41B*

Densité de plantation : *6000 pieds/ha*
Rendement à l'hectare : *45 hl*
Traitement antibotrytis : *oui*
Vendange : *mécanique*

Vinification

Levurage : *naturel*
Remontage : *quotidien*
Type des cuves : *ciment*
Température de fermentation : *32°*
Mode de régulation : *pompe à chaleur*
Temps de cuvaison : *3-4 semaines*
Vin de presse : *première presse*
Filtration avant élevage : *non*

Age des barriques : *barriques d'un vin*
Durée de l'élevage : *18 mois*
Collage : *blanc d'œuf*
Filtration : *non*
Mise en bouteilles au château : *en totalité*
Type de bouteille : *standard, lourde*
Maître de chai : *Joseph Chollet*
Œnologue-conseil : *Bernard Couasnon*

Commercialisation

Vente par souscription : *oui 50 %*
Vente directe au château : *oui*
Commande directe au château : *oui*
Contrat monopole : *non*

Château PUY-CASTÉRA

CHÂTEAU
PUY CASTÉRA
1981
CRU BOURGEOIS
HAUT-MÉDOC
APPELLATION HAUT-MÉDOC CONTRÔLÉE

S.C.E. CHATEAU PUY-CASTÉRA CISSAC-33250
M.M. MARÈS PROPRIÉTAIRES

MIS EN BOUTEILLE AU CHATEAU
75d   PRODUIT DE FRANCE   12%vol

COTATIONS COMMENTÉES

1978	7	Presque complet mais manque d'extrait • A BOIRE
1979	8	Bonne réussite • A BOIRE
1980	5	Léger • A BOIRE
1981	9	Construit, belle extraction, complet, de garde • 10 ANS
1982	10	Grand vin généreux et ample, tannique et souple • 10 ANS
1983	7	Un petit 1981 • 6 ANS
1984	6	Léger, de Cabernet • A BOIRE
1985	9	Un fruité très mûr • 7 ANS
1986	9,5	Complet, structuré • 9 ANS
1987	6	Léger • 4 ANS

Age idéal : 7 ans.

Plat idéal : Rôti de biche.

En dépit du nom ancien de Puy-Castéra, vignoble et vin sortent à peine de l'œuf. Autrefois par Puy on entendait hauteur, quant à Castéra, chacun sait que ce mot demeure attaché au lieu où se tenait un camp militaire romain. Toponymiquement nous remontons les siècles, sinon les millénaires. Œnologiquement il serait prudent de ne pas dépasser quelques années. Avant 1973, les pâtures de Castéra ont été proposées pour une somme modique à Gérard Germain qui avait acquis le tout proche château du Breuil (voir p. 120). Il hésite car ce sont des terres gélives, il ne se presse pas. Aujourd'hui, il le regrette car Henri Marès en 1973 en prend possession moyennant une somme plus rondelette. Depuis ce temps, le paysage a changé. Au fil des ans, pacages et bois sont chassés par la vigne. Des cuves inox de 180 hectolitres sont mises en place dans un chai tout neuf. En 1978, cette toute jeune propriété est admise au sein des crus Bourgeois. Cette histoire exemplaire prouve que dans les années 70, avec de la chance et un esprit d'entreprise, on pouvait encore se tailler un petit royaume en plein cœur du Médoc, à deux kilomètres de Mouton et de Lafite. Il faut ajouter que le talentueux Bertrand de Rozières, créateur du Château Sestignan (voir p. 220), administre et supervise la vinification. Il est pour beaucoup dans ce succès.

TERROIR ET VIGNES

Le vignoble grimpe à l'assaut d'une butte qui culmine à 29 mètres d'altitude. Il subit donc toutes les expositions. Un sol argilo-calcaire ayant nécessité la pose de drains en plastique accueille plusieurs variétés de cépages dont presque deux tiers de Cabernet-Sauvignon pour un tiers de Merlot.

VINIFICATION ET VIN

Les remontages sont abondants, les fermentations conduites chaudement afin d'obtenir une extraction maximum (encore plus indispensable avec un vignoble jeune). Le vin est filtré sur terre avant un élevage assez court dans des barriques âgées de cinq ans.

Le vin cherche plus le fruité que l'ampleur. Ce n'est pas un vin d'hiver.

CHÂTEAU PUY-CASTÉRA, Cissac-Médoc, AOC Haut-Médoc

Date de création du vignoble : 1973
Surface : 25 ha
Nombre de bouteilles : 130 000
Répartition du sol : un seul tenant
Géologie : argilo-calcaire
Autre vin produit par le vignoble : Château Holden

Culture

Engrais : d'entretien
Encépagement : CS 60 % CF 8 % M 30 % Mc 2 %
Age moyen : 10 ans
Porte-greffe : 41B, 5BB, Riparia

Densité de plantation : 5500 pieds/ha
Rendement à l'hectare : 55 hl
Traitement antibotrytis : oui
Vendange : mécanique

Vinification

Levurage : pied de cuve
Remontage : 10 par cuve
Type des cuves : inox — 180 hl
Température de fermentation : 31°-32°
Mode de régulation : ruissellement
Temps de cuvaison : 2-3 semaines
Vin de presse : incorporé suivant le millésime
Filtration avant élevage : sur terre

Age des barriques : 5 ans
Durée de l'élevage : 12 mois
Collage : albumine d'œuf
Filtration : à la mise
Mise en bouteilles au château : en totalité
Type de bouteille : standard
Maître de chai : Michel Bonillo
Œnologue-conseil : Jacques Boissenot

Commercialisation

Vente par souscription : oui
Vente directe au château : oui
Commande directe au château : oui
Contrat monopole : non

Château REYSSON

Vertheuil : un village très ancien, une église romane que l'on visite et des bâtiments conventuels, les vestiges de l'abbaye. Il faut les longer puis prendre la première route à gauche, un peu avant la voie de chemin de fer. Sur la gauche encore un vignoble pentu, à mi-hauteur quelques bâtiments et un château : Reysson. Ce vaste ensemble date du siècle précédent, plus exactement, de la deuxième moitié du XIXᵉ siècle.

Les Clauzel qu'on retrouve en divers lieux du Médoc l'ont possédé. Dans l'entre-deux-guerres le vicomte de Lyrot y a vinifié d'importants volumes — plus de 250 000 flacons de Médoc — mais de plus a reconstitué une vaste parcelle de vignes blanches qui fournissent près de 100 000 bouteilles de vin d'inspiration sauternaise. Il serait d'ailleurs intéressant de savoir si les brumes du marais de Reysson peuvent faire naître la pourriture noble nécessaire à ce type de vin. Pendant la dernière guerre, le domaine, outre le Médoc, étiquetait toujours des flacons « grand vin blanc : la Motte Blanque de Reysson ».

La propriété, complètement dégradée, a été acquise en 1972 par la société Mestrezat, dominée par le groupe Paribas et connue pour son activité débordante et sa science des remises à flot. Depuis, comme il se doit, chais et cuviers ont été construits ou reconstruits et le vignoble reconstitué. Non moins de quatre machines à vendanger stationnent au Château Reysson.

En août 1988, la société japonaise Sanraku en a fait l'acquisition. C'est le 3ᵉ domaine médocain (Lagrange, Citran) à passer sous la coupe des sujets du Mikado.

TERROIR ET VIGNES

Ce vignoble spectaculaire s'étend sur un superbe plan incliné orienté au nord-est entre 25 et 8 mètres d'altitude. Le château occupe une position centrale (il figure sur les étiquettes et a d'ailleurs plus de charme que dans sa représentation). Des fossés assistent le drainage d'un sol argilo-calcaire complanté de bons porte-greffe, dont le 41 B bien adapté au sol et sous-sol calcaire. 70 % des vignes ont trente ans et plus, 30 % ont été plantées il y a six ans.

VINIFICATION ET VIN

La vinification suit des chemins classiques. La température élevée des fermentations contribue à de bonnes extractions. Le vin est filtré sur terre avant son élevage en barriques.

Château Reysson est un vin qui spécule plus sur une agréable rondeur fruitée que sur la subtilité savante des Haut-Médoc du littoral.

COTATIONS COMMENTÉES

Année	Note	Commentaire
1979	6	Léger fruité ● A BOIRE
1980	4	Léger, nerveux ● A BOIRE
1981	7	Dans l'esprit des 1979 ● A BOIRE
1982	10	Générosité et souplesse ● A BOIRE
1983	9	Un 1981 avec plus d'attaque ● 6 ANS
1984	5	Manque de gras, vin de Cabernet, évolue rapidement ● A BOIRE
1985	9	Rendement normal, très bon millésime, style 1983 ● 6 ANS
1986	9,5	Généreux et gras ● 8 ANS
1987	5,5	Léger ● 3-4 ANS

Age idéal : 6 ans.

Plat idéal : Lapin en gibelotte.

CHÂTEAU REYSSON, Vertheuil, AOC Haut-Médoc

Date de création du vignoble : XIXᵉ s.
Surface : 53 ha
Nombre de bouteilles : 250000
Répartition du sol : un seul tenant
Géologie : dépôts argilo-calcaires du quaternaire
Autre vin produit par le vignoble : aucun

Culture

Engrais : fumure organo-minérale, sulfate de potasse
Encépagement : CS 60 % M 40 %
Age moyen : 20 ans
Porte-greffe : Riparia Gloire, 3309, 41 B
Densité de plantation : 5000 et 6250 pieds/ha
Rendement à l'hectare : 48 hl
Traitement antibotrytis : non systématique
Vendange : mécanique

Vinification

Levurage : oui
Remontage : biquotidien
Type des cuves : acier émaillé
Température de fermentation : 30°-32°
Mode de régulation : ruissellement
Temps de cuvaison : 21 jours environ
Vin de presse : incorporé en totalité ou partie après 1 an de conservation

Filtration avant élevage : sur terre
Age des barriques : 1 à 5 ans
Durée de l'élevage : 18-21 mois env.
Collage : albumine d'œuf
Filtration : sur plaques à la mise
Mise en bouteilles au château : en totalité
Type de bouteille : standard
Maître de chai : M. Michel Fontagnères
Régisseur : Jean Bernard Coureau
Œnologue-conseil : M. Bernard Monteau

Commercialisation

Par la Société Mestrezat
17, cours de la Martinique
BP 33027 Bordeaux Cedex

Château TOUR-DU-MIRAIL

CHATEAU
TOUR du MIRAIL
1981

HAUT - MÉDOC
APPELLATION HAUT-MÉDOC CONTROLÉE 75cl e
H. VIALARD – PROPRIÉTAIRE A CISSAC-MÉDOC (GIRONDE)
PRODUCE OF FRANCE

Latour-Dumirail, la Tour-du-Mirail, puis à la demande du Château Latour, fort soucieux de sa « marque », Tour-du-Mirail, tels furent les noms de cette propriété dont la création n'est pourtant pas ancienne. Dans les premières années du siècle, Georges Boyé plante le vignoble et crée la marque, qui change de mains à deux reprises avant d'être acquise en 1969 par la famille Vialard, déjà propriétaire depuis plus d'un siècle de l'excellent Château Cissac.

Une partie du vignoble de Tour-du-Mirail est d'ailleurs contiguë à la vieille propriété familiale.

La vinification est assurée par Danielle Vialard, copropriétaire du domaine avec sa sœur Hélène.

TERROIR ET VIGNES

Les deux parcelles d'une surface totale de vingt hectares ne sont distantes que de 500 mètres. Le vignoble le plus vaste occupe un plan incliné au nord du bourg. Il s'abaisse en direction du sud. Un sol argilo-calcaire nécessitant drainage accueille les porte-greffe 420 A connus pour leur résistance à l'humidité. Le Cabernet-Sauvignon se taille la part du lion à l'image des grands crus de Pauillac. L'âge moyen du vignoble est supérieur à la moyenne.

VINIFICATION ET VIN

La vinification suit les principes appliqués à Château Cissac. Cela n'a rien d'étonnant puisque Danielle Vialard vinifie les deux châteaux. En revanche, les cuves de fermentation diffèrent, elles sont en acier revêtu à Tour-du-Mirail et le refroidissement est assuré par aspersion. Le vin généralement non filtré sur terre est élevé dans des barriques renouvelées par roulement sur trois ans.

Tour-du-Mirail est frère de Cissac, la vinification les rapproche, les terroirs les singularisent. A Château Cissac la finesse des graves, à Tour-du-Mirail la rondeur pleine de l'argilo-calcaire.

COTATIONS COMMENTÉES

1975	8	Ouvert, complet • A BOIRE
1976	5,5	Souple, apogée dépassée • A TERMINER
1977	4	Robe légère mais tient bien • A BOIRE
1978	9	Bien construit, évolution lente • A BOIRE
1979	7	Un 1978 moins concentré • A BOIRE
1980	4,5	Léger à évolution rapide • A TERMINER
1981	10	Vin complet • A COMMENCER
1982	9	Généreux, avec souplesse • A BOIRE
1983	9	1981 moins concentré • 7 ANS
1984	5	Vin de Cabernet léger • A BOIRE
1985	9	Belle matière première, vin de garde • 8 ANS
1986	9	De la couleur, de l'étoffe, un charme construit • 8 ANS
1987	6	Coloré, fruité, fin • 3-4 ANS

Age idéal : 6-7 ans.

Plat idéal : Fricandeau.

CHÂTEAU TOUR-DU-MIRAIL, Cissac-Médoc, AOC Haut-Médoc

Date de création du vignoble : XXᵉ siècle
Surface : 20 ha
Nombre de bouteilles : 22 000
Répartition du sol : 2 lots
Géologie : argilo-calcaire
Autre vin produit par le vignoble : aucun

Culture

Engrais : d'entretien
Encépagement : CS 75 % M 20 % PV 5 %
Age moyen : 30 ans
Porte-greffe : 420A

Densité de plantation : 7000 pieds/ha
Rendement à l'hectare : 50 hl
Traitement antibotrytis : parfois
Vendange : manuelle

Vinification

Levurage : naturel
Remontage : biquotidien
Type des cuves : acier revêtu
Température de fermentation : 28°-30°
Mode de régulation : ruissellement
Temps de cuvaison : 3 semaines
Vin de presse : première presse parfois
Filtration avant élevage : rarement

Age des barriques : renouvellement par tiers annuel
Durée de l'élevage : 18 mois
Collage : albumine d'œuf
Filtration : à la mise
Mise en bouteilles au château : en totalité
Type de bouteille : lourde
Maître de chai : Danielle Vialard
Œnologue-conseil : Danielle Vialard

Commercialisation

Vente par souscription : oui
Vente directe au château : oui
Commande directe au château : oui
Contrat monopole : non (sauf exportation)

Château VICTORIA

COTATIONS COMMENTÉES

1975	6	Millésime quelconque • A BOIRE
1976	6	A été gouleyant, sur son déclin • DEVRAIT ÊTRE BU
1977	4	Petite année, petit vin • DEVRAIT ÊTRE BU
1978	9	Fruité, équilibré • A BOIRE
1979	7	Gouleyant, évolue bien • A BOIRE
1980	5	Fruité dans sa légèreté • A BOIRE
1981	8	Bien construit, soutien tannique important sans agressivité • 8 ANS
1982	9	Rondeur imposante, tannins très mûrs • 7 ANS
1983	10	Charpenté, tannique à évolution lente • 10 ANS
1984	5	« Un 1984 » • A BOIRE
1985	9,5	De la robe, de la charpente et de la longueur • 8 ANS
1986	9	Proche du 1985 • 8 ANS
1987	5,5	Une légèreté de bon goût • 4 ANS

La légende veut que le Château ait changé son nom pour commémorer une visite de la reine Victoria. Mais elle ne s'est jamais rendue à Château Courtelin — c'est ainsi qu'il se nommait. Ce sont des Anglais en visite au château qui expliquèrent au propriétaire d'alors que, s'il étiquetait ses bouteilles Château Victoria, il les vendrait très facilement en Angleterre. Aussitôt proposé, aussitôt fait. En 1875, Courtelin devint Victoria. Il paraît que les Anglais n'achetèrent pas plus de Victoria que de Courtelin.

Dans l'entre-deux-guerres cette propriété appartenait à André Faugeras qui y vinifiait deux fois plus de vin que son voisin du Bourdieu (plus de 70 000 bouteilles).

Lorsque Ernest Barbe, déjà propriétaire du Château Le Bourdieu, se rendit acquéreur de cette propriété qui jouxtait la sienne, en 1963, il se lança dans une entreprise de restauration totale. Il bénéficia de l'expérience acquise depuis 1943 au Bourdieu et il commença un programme de replantation qui s'étendit sur neuf années. Malheureusement, cinq ans plus tard, en 1977, il disparaissait. Sa fille Monique Barbe lui a succédé. Elle conduit cette propriété comme elle conduit Château Le Bourdieu. Deux terres contiguës exploitées par la même équipe selon les mêmes méthodes.

TERROIR ET VIGNES

Le vignoble d'un seul tenant jouxte le plus petit lot du Bourdieu. Il longe, à l'altitude de 29 mètres, la route D 21 Vertheuil-Pauillac et s'abaisse de 8 mètres en direction du nord. Il s'étend sur un sous-sol pierreux recouvert d'argile mêlée de sable et de graves. Alors qu'Ernest Barbe n'a pu éviter le prolifique porte-greffe SO 4 au Bourdieu, Victoria, essentiellement complanté de 3309 et de 101-14, en a été épargné.

VINIFICATION ET VIN

Le moût fermente dans des cuves en ciment cubiques de 200 hectolitres. Après les soutirages d'usage, il est filtré sur terre au mois de janvier ou février suivant la vendange puis élevé en cuve presque exclusivement, les fins de lots passant en barriques.

Il est évidemment tentant de comparer Château Le Bourdieu et Château Victoria. Ils ont un indéniable air de famille. Même construction, même type d'arômes. Évolution parallèle des millésimes. Tout au plus ce que le Bourdieu gagne en finesse, Victoria le gagne en rusticité, toutes proportions gardées.

Age idéal : 10 ans.   *Plat idéal : Fraises au sucre.*

CHÂTEAU VICTORIA, Vertheuil, AOC Haut-Médoc

Date de création du vignoble : *1875*
Surface : *20 ha*
Nombre de bouteilles : *100 000*
Répartition du sol : *un lot*
Géologie : *argilo-sablo-graveleux*
Autre vin produit par le vignoble :
aucun

Culture

Engrais : *fumure organo-minérale*
Encépagement : *CS 50 % CF 20 % M 30 %*
Age moyen : *15-20 ans*
Porte-greffe : *101-14, 3309*
Densité de plantation :
8 300 et 5 000 pieds/ha

Rendement à l'hectare : *50 hl*
Traitement antibotrytis : *non*
Vendange : *mécanique depuis 1983*

Vinification

Levurage : *oui*
Remontage : *biquotidien*
Type des cuves : *ciment*
Température de fermentation : *28°-30°*
Mode de régulation : *serpentin-pompe à chaleur*
Temps de cuvaison : *: 3 semaines*
Vin de presse : *première presse*
Filtration avant élevage : *sur terre*

Age des barriques : *usagées*
Durée de l'élevage : *18-24 mois*
Collage : *albumine*
Filtration : *sur plaques*
Mise en bouteilles au château : *en totalité*
Type de bouteille : *standard*
Maître de chai : *Alain Sauvèdre*
Œnologue-conseil : *laboratoire de Coutras*

Commercialisation

Vente par souscription : *oui*
Vente directe au château : *oui*
Commande directe au château : *oui*
Contrat monopole : *non*

Commune de Saint-Seurin-de-Cadourne
AOC Haut-Médoc

La commune de Saint-Seurin-de-Cadourne jouxte elle de Saint-Estèphe. C'est la dernière riveraine de la Gironde à bénéficier de l'appellation Haut-Médoc.

La qualité du terroir et de son exposition aurait sans doute justifié la création d'une Appellation communale.

En 1855 aucun cru de cette commune ne fut classé car les vins se vendaient six fois moins cher que ceux de Saint-Estèphe — ce qui n'est plus vrai de nos jours!

Aujourd'hui, près de 500 hectares sont consacrés au vignoble qui occupe de fortes croupes. Ici encore, le meilleur sol regarde la Gironde. Il se compose de graves güntziennes semblables à celles que l'on trouve dans les fameuses communes plus au sud gratifiées d'Appellations d'Origine Contrôlées spécifiques. Ces graves sont assises sur le prolongement du socle calcaire de Saint-Estèphe. L'ouest de la commune est argileux sur un soubassement calcaire ou marno-calcaire.

23 châteaux et une cave coopérative produisent quelque 2 400 000 bouteilles annuellement.

Près de soixante kilomètres séparent Saint-Seurin-de-Cadourne de Bordeaux.

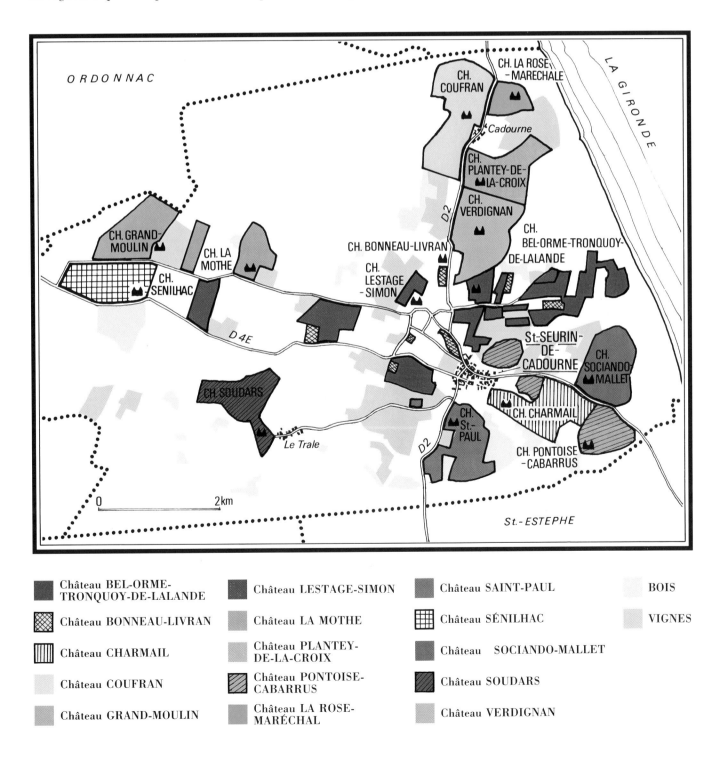

Château BEL-ORME-TRONQUOY-DE-LALANDE	Château LESTAGE-SIMON	Château SAINT-PAUL	BOIS
Château BONNEAU-LIVRAN	Château LA MOTHE	Château SÉNILHAC	VIGNES
Château CHARMAIL	Château PLANTEY-DE-LA-CROIX	Château SOCIANDO-MALLET	
Château COUFRAN	Château PONTOISE-CABARRUS	Château SOUDARS	
Château GRAND-MOULIN	Château LA ROSE-MARÉCHAL	Château VERDIGNAN	

Château BEL-ORME-TRONQUOY-DE-LALANDE

Bel-Orme, construit sur un plan de Victor Louis, n'est pas immense mais d'un grand équilibre, et recèle une copie de l'escalier conçu par Garnier pour l'Opéra de Paris !

Les Tronquoy-Lalande — ou de Lalande — ont passé la main aux frères Delors qui exploitèrent le vignoble jusqu'à 1936, année de la prise de possession par Paul Quié. Celui-ci ne s'arrêta pas en si bon chemin puisqu'il se porta ultérieurement acquéreur de deux crus Classés.

TERROIR ET VIGNES

Les parcelles se développent d'ouest en est à la hauteur de Saint-Seurin-de-Cadourne. Deux tiers du vignoble comprennent des graves sur 6 ou 7 mètres de profondeur, des graves dont les cailloux roulés ont 2 à 4 centimètres de diamètre. Le tiers restant sur la croupe dominant la Gironde est argilo-graveleux, d'une argile pauvre qui colle aux bottes. Dans l'ensemble, la totalité des parcelles s'inclinent en direction de l'est et du nord.

Le potentiel du sol est maintenu par l'apport quatre années consécutives d'engrais organiques (guano, humus) suivies d'une année d'apport minéral (potasse).

A noter l'âge respectable des ceps.

VINIFICATION ET VIN

Douze cuves de trois capacités différentes (100, 150, 200 hl) facilitent le travail. Chaque cuve est « remontée » en totalité au moins une fois par jour et si possible deux fois pour oxygéner les levures. Le chapeau est arrosé par un tourniquet. Dans un terroir favorisant les tannins, c'est le cas ici, les remontages contribuent à l'assouplissement des vins (les 1983, par exemple). La filtration sur terre par alluvionnage continu n'est appliquée qu'aux vins « sales », elle est légère avec un minimum de terre et n'a rien de systématique.

Château Bel-Orme-Tronquoy-de-Lalande se caractérise par une robe très foncée, des extractions importantes, une forte structure tannique qui lui assure un long et bénéfique vieillissement.

COTATIONS COMMENTÉES

1975	7,5	S'ouvre mais ne se livre pas • A BOIRE
1976	6	Vendangé avant la pluie, mûr, souple, évolué • A TERMINER
1977	4	Un vin maigre • DEVRAIT ÊTRE BU
1978	7	Du charme dans l'équilibre • A COMMENCER
1979	6	Un 1978 qui évolue vite • A COMMENCER
1980	4,5	Coloré, un petit équilibre • A BOIRE
1981	8	Typé et équilibré • A BOIRE
1982	10	Faiblement typé mais vin remarquable, gras et souple • A BOIRE
1983	9	Un 1981 plus complet, plus rond, plus tannique • 10 ANS
1984	5	Robe rubis, vin de CS-CF, manque le gras du M • A BOIRE
1985	9,5	Rendement presque normal ; certainement excellent ; un 1982 plus typé et plus aromatique • 10 ANS
1986	10	1985 souple et rond. Charnu, fruité, direct • 7-8 ANS
1987	5,5	Élimination de 900 hl sur 1300 ! • 4 ANS

Age idéal : 8 à 10 ans.   *Plat idéal : Tournedos.*

CHÂTEAU BEL-ORME-TRONQUOY-DE-LALANDE, Saint-Seurin-de-Cadourne, AOC Haut-Médoc

Date de création du vignoble : *XIXe siècle*
Surface : *26 ha*
Nombre de bouteilles : *100000*
Répartition du sol : *6 lots groupés*
Géologie : *graves*
Autre vin produit par le vignoble : *Clos-du-Cardinal*

Culture

Engrais : *organique*
Encépagement : *CS 60 % CF 20 % M 20 % + 1 parcelle de PV*
Age moyen : *35 ans*
Porte-greffe : *420A, SO4, 5BB, 135-17*

Densité de plantation : *10000 et 7000 pieds/ha*
Rendement à l'hectare : *40 hl*
Traitement antibotrytis : *oui*
Vendange : *mécanique dès 1986*

Vinification

Levurage : *très rare*
Remontage : *quotidien*
Type des cuves : *béton*
Température de fermentation : *30°*
Mode de régulation : *pompe à chaleur*
Temps de cuvaison : *10-20 jours*
Vin de presse : *première presse (2 % max.)*
Filtration avant élevage : *sur terre parfois*

Age des barriques : *5 à 8 ans d'âge*
Durée de l'élevage : *12 à 16 mois*
Collage : *blanc d'œuf lyophilisé*
Filtration : *à la mise*
Mise en bouteilles au château : *en totalité*
Type de bouteille : *lourde*
Maître de chai : *René Sou*
Œnologue-conseil : *Jacques Boissenot*

Commercialisation

Vente par souscription : *oui*
Vente directe au château : *oui*
Commande directe au château : *oui adressée 135, rue de Paris 94220 Charenton*
Contrat monopole : *oui pour les USA*

Château BONNEAU-LIVRAN

On ne compte pas moins de six « Bonneau » en Gironde. C'est pour cela que figure sur l'étiquette du Bonneau de Saint-Seurin-de-Cadourne le mot Livran qui le rattache à l'un des lieux-dits du vignoble. La famille Bonneau, très répandue dans la commune, donna son nom à cette petite propriété qui fut saisie à la Révolution et changea plusieurs fois de mains jusqu'à ce que, en 1901, Ferdinand Micalaudy, grand-père des propriétaires actuels, s'en porte acquéreur.

Chai et maison (plutôt que château) s'élèvent au cœur du bourg de Saint-Seurin-de-Cadourne. Ils sont aisément repérables car au centre de la cour trône un curieux pigeonnier coiffé d'une toiture asiatique dans le goût du début du siècle passé.

VIGNOBLE, VINIFICATION, VIN

La moitié du vignoble occupe des croupes. Deux hectares de graves apportent la finesse alors que argile et calcaire contribuent à la vigueur de ce vin issu de vignes diversement plantées : les vieilles vignes à 10 000 pieds/ha (1 m × 1 m), les replantations plus récentes, moins denses, à 115 cm × 115 cm. Elles ne sont pas désherbées chimiquement, mais labourées.

Le cuvier rassemble de vieilles cuves de bois datant du début du siècle et des cuves d'acier. En 1982 et 1983 les vins atteignirent naturellement 12°5, en 1985 une légère chaptalisation fut nécessaire pour les porter à 12°. Cette propriété est l'une des plus petites décrites dans ce livre. Les vins étiquetés Château Bonneau-Livran sont très colorés et bien construits. Ce sont des vins de garde.

COTATIONS COMMENTÉES

Année	Note	Commentaire
1975	8	Concentré, presque trop • A ATTEINT SON APOGÉE
1976	7,5	Souplesse, rondeur, fluidité • A BOIRE
1977	5	A souffert d'une pointe d'acidité • DEVRAIT ÊTRE BU
1978	9	Complet, excellent • LE COMMENCER, DURERA
1979	8	Facile, flatteur • A BOIRE
1980	5	Léger, fruité • A BOIRE
1981	7	Début ingrat, bonne évolution • A BOIRE
1982	9,5	Exhubérant, beaucoup de tout, sauf de typicité • LE GOÛTER, LE GARDER
1983	10	Un 1978 en plus souple, très typé Médoc • DÈS 7 ANS
1984	6	Plus ample que le 1980, manque de classe • A COMMENCER
1985	9,5	De garde avec du caractère • DÈS 14 ANS
1986	9,5	Un Médoc complet, de garde • 12 ANS
1987	6	Léger, fruité • 6-7 ANS

Age idéal : 10 ans. Plat idéal : Coq au vin.

CHÂTEAU BONNEAU-LIVRAN, Saint-Seurin-de-Cadourne, AOC Haut-Médoc

Date de création du vignoble : *fin XVIIIe*
Surface : *6,25 ha*
Nombre de bouteilles : *35 000*
Répartition du sol : *7 lots*
Géologie : *graves et argilo-calcaire*
Autre vin produit par le vignoble : *aucun*

Culture

Engrais : *minéral et organique*
Encépagement : *CS 50 % M 50 %*
Age moyen : *21 ans*
Porte-greffe : *Riparia, 41B, SO4*
Densité de plantation : *7500 pieds/ha*

Rendement à l'hectare : *55-60 hl*
Traitement antibotrytis : *non*
Vendange : *manuelle*

Vinification

Levurage : *pied de cuve*
Remontage : *quotidien*
Temps de cuvaison : *1 mois*
Type des cuves : *bois, acier — 100 hl*
Température de fermentation : *30°*
Degré alcoolique du vin : *12°-12°5*
Mode de régulation : *transfert dans les cuves acier*
Vin de presse : *première presse*

Age des barriques : *renouvellement par 1/4*
Durée de l'élevage : *18 mois*
Filtration : *aucune*
Collage : *blanc d'œuf*
Mise en bouteilles au château : *en totalité*
Type de bouteille : *standard*
Maître de chai : *M. et Mme Micalaudy-Millon*
Œnologue-conseil : *Couasnon*

Commercialisation

Vente par souscription : *oui*
Vente directe au château : *oui*
Commande directe au château : *oui*
Contrat monopole : *non*

COTATIONS COMMENTÉES

1982	10	Issu des vieilles vignes ; puissant et dense, très fermé • 8 ANS
1983	7	Agréable, fruité, aromatique, sans prétention • A BOIRE
1984	5	Peu de robe, très, très léger • A BOIRE
1985	7	Concentration moyenne, marqué par les Merlots abondants et dilués • A COMMENCER
1986	9	Construit et équilibré ; n'a ni la puissance ni l'ampleur du 1982 • 6 ANS
1987	5	Facile, fruité et léger • 2 ANS

Age idéal : dès 5 ans.

Plat idéal : Pigeon farci à la vigneronne.

Cette belle propriété d'un seul tenant a toujours compté parmi les plus importantes de la commune. Charmail porte le nom d'une importante famille de Saint-Seurin, propriétaire au XVIIe siècle du très proche château Verdus. En 1850, Adrien Louvet de Paty y vinifie l'équivalent de 120 000 bouteilles. Dans les années 1920 et 1930, le colonel Péragallo y produit quelque 85 000 flacons. Il est d'ailleurs curieux de noter que Charmail et Verdus ont souvent cheminé de concert, — aujourd'hui les héritiers Péragallo sont propriétaires de Verdus.

En 1980 et 1981, l'acquisition s'étant faite en deux fois, Roger Sèze prend possession de Charmail, sans pour autant abandonner sa propriété de Fronsac : Château Mayne-Vieil. Olivier Sèze, son fils, s'installe à Charmail pour surveiller d'importants travaux : la reconstruction du château du XIXe siècle qui a brûlé il y a quelques années et la création d'un chai destiné à se substituer aux anciens chais de Charmail situés de l'autre côté de Saint-Seurin-de-Cadourne.

TERROIR ET VIGNES

Le vignoble de Charmail occupe une excellente croupe. Il est limité à l'ouest par celui de Sociando-Mallet et de Pontoise-Cabarrus. Son altitude varie entre 19 et 2 mètres, cette forte déclinaison étant orientée en direction du sud. Le sol et le sous-sol de cette propriété ne présentent pas d'unité géologique.

Les graves argileuses s'étendent sur la moitié du domaine. L'autre moitié comprend des graves sableuses (pour les deux tiers) et des terres fortes, très argileuses dans les points bas. Le sous-sol d'alios a nécessité la pose de drains alors que le sous-sol calcaire recouvert d'une couche argileuse se draine naturellement. A noter la jeunesse du vignoble et la généreuse proportion de Merlot.

VINIFICATION ET VIN

Les remontages sont sérieux : deux heures par jour pour chaque cuve à l'aide d'une pompe à fort débit : 100 hl/heure. Les vins de presse enzymés sont incorporés en fonction de la spécificité du millésime.

La deuxième marque, Château Saint-Seurin, est réservée au vin des jeunes vignes assemblé à ceux non retenus pour le « grand vin ».

Château Charmail est sans doute le vin le plus souple de la commune. Il est fruité, gai, avenant et rond. La jeunesse du vignoble et l'abondance des Merlots ne sont pas étrangères à ce caractère. Il offre l'avantage de pouvoir être consommé assez rapidement.

CHÂTEAU CHARMAIL, Saint-Seurin-de-Cadourne, AOC Haut-Médoc

Date de création du vignoble : *inconnue*
Surface : *20 ha*
Nombre de bouteilles : *140000*
Répartition du sol : *un seul tenant*
Géologie : *4/5 graves argileuses 1/5 argilo-calcaire*
Autre vin produit par le vignoble : *Château Saint-Seurin*

Culture

Engrais : *minéraux, tous les 2 ans*
Encépagement : *CS 40 % CF 8 % M 50 % PV 2 %*
Age moyen : *14 ans*
Porte-greffe : *101-14, 3309, 420 A*

Densité de plantation : *de 6666 à 8333 pieds/ha*
Rendement à l'hectare : *45 hl*
Traitement antibotrytis : *oui*
Vendange : *mécanique 85 %, manuelle 15 %*

Vinification

Levurage : *oui*
Remontage : *2 heures par jour*
Type des cuves : *inox ou fer émaillé — 120 et 240 hl*
Température de fermentation : *inférieure à 32°*
Mode de régulation : *échangeur*
Temps de cuvaison : *3 semaines*

Vin de presse : *réincorporé – voir texte*
Filtration avant élevage : *sur terre*
Durée de l'élevage : *18 mois*
Collage : *albumine d'œuf*
Filtration : *à la mise*
Mise en bouteilles au château : *oui*
Type de bouteille : *standard*
Maître de chai : *Olivier Sèze*
Œnologue-conseil : *CEIŒ Pauillac*

Commercialisation

Vente par souscription : *non*
Vente directe au château : *oui*
Commande directe au château : *oui*
Contrat monopole : *non*

Château GRAND-MOULIN
et Château LA MOTHE

GRAND VIN DE BORDEAUX

CHATEAU
GRAND MOULIN
CRU BOURGEOIS

HAUT-MEDOC
APPELLATION HAUT-MÉDOC CONTRÔLÉE
1981
SOCIETE CIVILE CHATEAUX LA MOTHE ET GRAND MOULIN
PROPRIETAIRE A SAINT-SEURIN-DE-CADOURNE (GIRONDE) 75cl
PRODUIT DE FRANCE

MIS EN BOUTEILLES AU CHATEAU

C hâteau Grand-Moulin ne saurait revendiquer une longue histoire puisqu'il n'apparaît qu'en 1958. Le domaine naît de la volonté de Joseph Gonzalvez, rapatrié d'Algérie. Après son décès, Robert Gonzalvez fait office de maître de chai, de chef de culture et d'administrateur, de la même façon qu'il exerce ses talents à Château La Mothe, un domaine dont l'histoire est encore plus courte puisqu'il n'a été créé qu'en 1972. Grand-Moulin couvre 20 hectares d'un seul tenant ; La Mothe, 16 hectares en deux lots séparés de 250 mètres seulement.

Ces deux propriétés sont géologiquement semblables, toutes deux tributaires de « terres fortes », c'est-à-dire fortement argilo-calcaires, d'où le choix du porte-greffe 41 B en usage à Saint-Emilion et surtout en Champagne.

VIGNES, VINIFICATION ET VIN

Dans les vignobles récents on a tendance à écarter les règes et l'espace entre les ceps. A Grand-Moulin et à La Mothe, la densité à l'hectare est la plus faible possible autorisée par la réglementation : 5 000 pieds.

A dater de 1978, les engrais organiques ont remplacé les engrais chimiques. A noter une singularité très rare de ces deux vignobles : les vignes sont taillées en Guyot simple (un bras) et non en Guyot double.

Les vins sont élaborés dans des cuves de grand volume, ce qui est inaccoutumé. Fermentations alcooliques et malolactiques se succèdent « dans la foulée ». Les vins sont filtrés sur terre en fin d'année puis élevés 18 mois en cuve. Lorsque la trésorerie le permettra un élevage en barrique sera envisagé.

Château Grand-Moulin est diffusé en France par le Savour-Club, 65 % de la production étant exportés.

Château Grand-Moulin est étiqueté cru Bourgeois à partir du millésime 1978. Les millésimes antérieurs présentent moins d'intérêt.

Age idéal : 8-10 ans.

Plat idéal :
Civet de bœuf.

COTATIONS COMMENTÉES

Année	Note	Commentaire
1978	6	A été très fruité, se transforme, avenir ? • A BOIRE
1979	7	Tannique avec rondeur • A BOIRE
1980	5	Robe légère mais beaucoup de finesse • A BOIRE
1981	8,5	Fruité, concentré, tannins encore un peu agressifs • 12 ANS
1982	9	Généreux, riche, tannique, évolue vite • A BOIRE, A GARDER
1983	10	Un 1982 à l'acidité équilibrée, bonne garde • 10 ANS
1984	5,5	Vin de Cabernet, tannique • 5 ANS
1985	8,5	Beaux raisins, un fruité rond • 7 ANS
1986	9	Un 1985 plus tannique mais aussi plus complet • 8 ANS
1987	5,5	Vendangé en 21 jours, malgré cela dilution ; forte sélection ; coloré, fruité • 4 ANS

CHÂTEAU GRAND-MOULIN - CHÂTEAU LA MOTHE,
Saint-Seurin-de-Cadourne, AOC Haut-Médoc

Château Grand-Moulin
Date de création du vignoble : 1958
Surface : 20 ha
Nombre de bouteilles : 150000
Répartition du sol : un seul tenant
Géologie : argilo-calcaire
Autre vin produit par le vignoble : aucun

Château La Mothe
Date de création du vignoble : 1972
Surface : 16 ha
Répartition du sol : 2 lots
Géologie : argilo-calcaire
Autre vin produit par le vignoble : aucun

Culture
Engrais : apports organiques
Encépagement : CS 60 % CF 10 % M 30 %
Age moyen : Grand-Moulin 25 ans, La Mothe 15 ans
Porte-greffe : 41 B
Densité de plantation : 5000 pieds/ha
Rendement à l'hectare : 55 hl
Traitement antibotrytis : oui
Vendange : mécanique

Vinification
Levurage : première cuve
Remontage : biquotidien
Type des cuves : acier, inox — 328 l
Température de fermentation : 29°-30°
Mode de régulation : ruissellement

Temps de cuvaison : 2-3 semaines
Vin de presse : incorporé
Filtration avant élevage : sur Kieselguhr
Age des barriques : pas de barriques
Durée de l'élevage : 18 mois en cuves
Collage : blanc d'œuf séché
Filtration : à la mise
Mise en bouteilles au château : oui
Type de bouteille : standard
Maître de chai : Robert Gonzalvez
Œnologue-conseil : Jacques Boissenot

Commercialisation
Vente par souscription : oui (20 %)
Vente directe au château : oui
Commande directe au château : oui
Contrat monopole : non (sauf Dannemar)

Château COUFRAN
et Château LA ROSE-MARÉCHALE

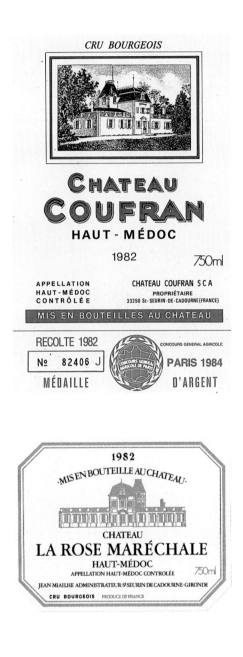

La famille de Verthamon fut l'une des plus considérable de la région. De Saint-Estèphe à Saint-Yzans la plupart des propriétés une fois ou l'autre lui appartinrent. Le domaine de Coufran fut de celles-ci jusqu'en 1869. Puis les Célérier la conduisirent un demi-siècle. En 1924, Louis Miailhe s'en rend acquéreur. Il ne reste que 10 hectares de vieilles vignes qu'il arrache. Il replante, restaure et invente un nouveau domaine et un nouveau vin. C'est lui qui confère à Château Coufran la personnalité qui lui est toujours reconnue et que son fils Jean prend soin de maintenir sans trop céder à la mode du Cabernet-Sauvignon, car en l'occurrence tout vient du cépage. Louis Miailhe préférait la rondeur, la souplesse et le gras du Merlot à la dureté, presque l'austérité du Cabernet-Sauvignon. Il suivit son goût et ne planta que du Merlot. D'où le surnom conféré à son vin : le Pomerol du Médoc.

TERROIR, VINIFICATION ET VIN

C'est en revenant de Saint-Yzans (ou de Loudenne) qu'on mesure le mieux la qualité du terroir de Coufran, imposante colline qui jaillit du chenal de la Maréchale. Quand on découvre cette croupe, on ne s'étonne pas d'apprendre que ces graves maigres atteignent plus de 10 mètres de profondeur ; la vinification de vieilles vignes aux rendements modérés est parfaitement adaptée à l'élaboration d'un vin très civilisé, gras, tout en courbe et en rondeur qu'on a baptisé lors de beaux millésimes : « Petit Petrus ». En 1927, Louis Miailhe a l'occasion d'acquérir de la famille Cornette le vignoble qui fait face à celui de Coufran, à l'est de la route Saint-Estèphe - Saint-Yzans proche de la Gironde.

Dans le passé ce vignoble était connu sous le nom de La Rose mais il y a trop de « La Rose » dans le Médoc (et ailleurs !) ainsi le mot « Maréchale » fut-il adjoint. Il culmine à 21 mètres et s'abaisse fortement jusqu'à 10 mètres à l'est, en direction de la Gironde. Dans sa partie haute, l'argilo-calcaire domine sur 5 hectares alors que plus bas les terres sablonneuses s'imposent. Le vin de La Rose-Maréchale est vinifié dans l'ancien cuvier de Coufran. Eric Miailhe applique les mêmes méthodes que celles en usage dans le nouveau cuvier de Coufran. Seules les cuves diffèrent, elles sont en ciment et la température est régulée grâce à l'emploi d'un serpentin. La qualité des divers millésimes du Château La Rose-Maréchale est relativement semblable à celle de Château Coufran.

CHÂTEAU COUFRAN, Saint-Seurin-de-Cadourne, AOC Haut-Médoc

Date de création du vignoble : *XVIIIe siècle*
Surface : *64 ha*
Nombre de bouteilles : *400000*
Répartition du sol : *un seul tenant*
Géologie : *graves maigres*
Autre vin produit par le vignoble : *aucun*

Culture

Engrais : *organique et chimique*
Encépagement : *CS 15 % M 85 %*
Age moyen : *35 ans*
Porte-greffe : *3309, 420A, 5BB, SO4 (peu)*

Densité de plantation : *8000 pieds/ha*
Rendement à l'hectare : *40-45 hl*
Traitement antibotrytis : *oui*
Vendange : *mécanique*

Vinification

Levurage : *oui, toujours*
Remontage : *tous les jours*
Type des cuves : *inox (depuis 1973)*
Température de fermentation : *26-31°*
Mode de régulation : *aspersion*
Temps de cuvaison : *15-22 jours*
Vin de presse : *50 à 100 %*
Filtration avant élevage : *sur terre*

Age des barriques : *renouvelées par quart*
Durée de l'élevage : *20-24 mois*
Filtration : *légère*
Collage : *poudre d'œuf*
Mise en bouteilles au château : *en totalité*
Type de bouteille : *lourde*
Maître de chai : *Eric Miaihle*
Œnologue-conseil : *Jacques Boissenot*

Commercialisation

Vente par souscription : *oui*
Vente directe au château : *oui*
Commande directe au château : *oui*
Contrat monopole : *oui pour l'étranger*

COTATIONS COMMENTÉES

1975	9?	*Grêlé à 90 %, extrême concentration, fermé* ● *15 ANS ?*
1976	7	*Généreux, coloré* ● *A BOIRE*
1977	5,5	*Une tenue surprenante due à une pointe d'acidité* ● *A BOIRE*
1978	7,5	*Moins réussi que le 1979* ● *A BOIRE*
1979	9,5	*Excellent, rond et gras* ● *10 ANS*

1980	6	*Fruité, léger* ● *A BOIRE*
1981	8	*Bon vin, typé Haut-Médoc* ● *9 ANS*
1982	10	*Extraordinaire, hors des normes, hors du type, robe parfaite, nez profond, très long* ● *10 ANS*
1983	8,5	*Très bon millésime, parfaitement typé Coufran* ● *7 ANS*

1984	6	*Les Merlots ont coulé (25 hl/ha)* ● *A BOIRE*
1985	8,5	*Coloré, riche, complet* ● *7 ANS*
1986	10	*Complet, riche* ● *8 ANS*
1987	7	*95 % Merlots, vendangés avant la pluie* ● *3-4 ANS*

Age idéal : 8-10 ans.

Plat idéal : Chaud-froid de volaille.

Château LESTAGE-SIMON

Il y a au moins quatre Lestage dont trois dans le Médoc. Ce lieu-dit était exploité sous ce nom il y a près d'un siècle et demi; depuis 1972, Charles Simon a regroupé, remembré, remis en ordre diverses parcelles pour constituer un vignoble de plus de 30 hectares divisé en 5 lots. Dans le même temps, cuvier et chai d'élevage étaient respectivement reconstruits et construits.

TERRES ET VIGNES

A l'est, les trois parcelles les plus proches de la Gironde sont constituées de bonnes graves alors que les deux parcelles de l'ouest, plus vastes, sont argilo-calcaires. Charles Simon n'utilise pas l'azote mais compense les exportations végétales par des engrais potassiques. Le tiers du vignoble a 40 ans, les deux-tiers restant atteignent de 8 à 15 ans. Une équipe de 35 Espagnols assure les vendanges.

VINIFICATION ET VIN

Vinification traditionnelle mais avec chauffage de la vendange. Le cuvier bien conçu comprend des cuves souterraines destinées aux écoulages. Le vin est filtré sur terre après le deuxième débourbage, au mois de janvier afin de ne pas fatiguer le vin. Depuis 1979, Charles Simon achète des barriques neuves. Depuis cette date, elles sont renouvelées par tiers annuellement. Le Château Lestage-Simon est un Haut-Médoc souple, de bonne garde mais que l'on peut boire relativement jeune. L'abondance des Merlots explique certains apparentements avec les vins de Pomerol.

COTATIONS COMMENTÉES

1975	8	Demeure un peu dur • A BOIRE
1976	5	Vin très souple, vignoble trop jeune • DEVRAIT ÊTRE BU
1977	4	Structures un peu faibles • DEVRAIT ÊTRE BU
1978	8	Une belle réussite, proche d'un Pomerol • A BOIRE
1979	8	1er élevage en bois neuf, tannique, encore fermé • A COMMENCER
1980	5	Léger, malgré cela tannique et épicé • A TERMINER
1981	7	Du type, de la finesse sur une charpente solide • A BOIRE
1982	10	Merlots extraordinaires et abondants, le grand vin • 10 ANS
1983	9	Équilibré, typé Médoc • 9 ANS
1984	6	Manque de gras, évolution étrangement rapide • A BOIRE
1985	9	Complet, de bonne garde • 9 ANS
1986	8,5	Son équilibre fait songer au 1978 • 7 ANS
1987	6	Tient du 1974 et du 1979 • 4 ANS

Age idéal : 5-8 ans.

Plat idéal : Gibier avec un 1978.

MISE EN BOUTEILLES AU CHATEAU

Château Lestage Simon

HAUT-MÉDOC

APPELLATION HAUT-MÉDOC CONTROLÉE

CRU BOURGEOIS 1981

ALC. 11,5% by vol.

PROPRIÉTAIRE A St-SEURIN DE CADOURNE
GIRONDE - FRANCE   75 cl

PRODUCE OF FRANCE

CETTE BOUTEILLE A OBTENU
LA MÉDAILLE D'OR
AU CONCOURS AGRICOLE DES VINS D'AQUITAINE

CHÂTEAU LESTAGE-SIMON, Saint-Seurin-de-Cadourne, AOC Haut-Médoc

Date de création du vignoble : *XIXe siècle*
Surface : *30 ha*
Nombre de bouteilles : *180 000*
Répartition du sol : *5 lots*
Géologie : *graves et argilo-calcaire*
Autre vin produit par le vignoble : *aucun*

Culture

Engrais : *d'entretien*
Encépagement : *CS 22 % CF 10 % M 68 %*
Age moyen : *20 ans*
Porte-greffe : *Riparia, 420 A, Fercal*

Densité de plantation : *7000 pieds/ha*
Rendement à l'hectare : *50 hl*
Traitement antibotrytis : *non*
Vendange : *manuelle*

Vinification

Levurage : *pied de cuve*
Remontage : *biquotidien*
Type des cuves : *acier*
Température de fermentation : *30°*
Mode de régulation : *ruissellement*
Temps de cuvaison : *3 semaines*
Vin de presse : *première presse*
Filtration avant élevage : *sur Kieselguhr*

Age des barriques : *renouvellement par tiers*
Durée de l'élevage : *12 mois*
Collage : *blanc d'œuf*
Filtration : *à la mise*
Mise en bouteilles au château : *en totalité*
Type de bouteille : *lourde*
Maître de chai : *Dominique Réaud*
Œnologue-conseil : *laboratoire Gendrot*

Commercialisation

Vente par souscription : *oui (30 %)*
Vente directe au château : *oui*
Commande directe au château : *oui*
Contrat monopole : *non (sauf exportation)*

Château PONTOISE-CABARRUS

Le domaine de Pontoise prit le nom de Pontoise-Cabarrus lorsque les Cabarrus — financiers dont l'un d'eux fut ministre des Finances de Napoléon en Espagne — en devinrent propriétaires. Le comte Jean-Valère Cabarrus fut le témoin de Bonaparte lors de son mariage avec Joséphine, mais le personnage le plus connu de la famille Cabarrus fut, sans conteste, sa fille, surnommée successivement la belle Thérésa, Notre-Dame de Thermidor, qui prit successivement le nom de ses quatre maris — dont Tallien — , les trompa tous et tout le temps avec la plupart des célébrités de l'époque. Elle meurt en 1835, son père lui survit et à la disparition de ce dernier la propriété change de mains. En 1859, les Bouillaud l'acquièrent. Elle produisait alors l'équivalent de 35 000 bouteilles annuelles. Un siècle plus tard, les descendants Bouillaud revendent Pontoise-Cabarrus (mais pas le « château ») à M. Téreygeol. Cinq hectares de vignes sur douze sont en production. Il s'emploie à agrandir le vignoble. Son fils François également. Aujourd'hui, la vigne s'étend sur 24 hectares de belles graves.

CULTURE, VINIFICATION, VIN

François Téreygeol enrichit le sol de son vignoble grâce à 10 hectares de marais tourbeux qu'il exploite. La vinification demeure classique. Lorsque la première presse est incorporée, elle l'est tout de suite. Cet assemblage dépend de la constitution du vin. Le 1985 ne comprend que le vin de goutte.

Sur l'étiquette figure le château, une maison bourgeoise — toujours propriété de Mme Bouillaud — et les chais contigus dans lesquels le vin est vinifié.

Le deuxième vin — Château-Plaisance — est identique au solide Pontoise-Cabarrus, bien typé de la commune de Saint-Seurin-de-Cadourne.

COTATIONS COMMENTÉES

Année	Note	Commentaire
1975	7,5	*Trouve-t-il son équilibre ?* • A COMMENCER
1976	7	*Rondeur et évolution, bonne bouteille* • A BOIRE
1977	4	*Léger* • A TERMINER
1978	7	*Bon équilibre* • A BOIRE
1979	7	*Proche du précédent, moins concentré ?* • A BOIRE
1980	4	*Léger* • A BOIRE
1981	7,5	*Vin de charme, toute la séduction du fruité* • A BOIRE
1982	9,5	*Rond, plein, complet mais très fermé* • 10-12 ANS
1983	8,5	*Dense au nez et en bouche* • 9 ANS
1984	5	*Robe agréable, groseille et vanille ; astringence légère, un peu court* • 5-6 ANS
1985	9	*Belle robe, équilibre parfait, tannins mûrs, finale longue* • 13 ANS
1986	10	*Richesse et complexité, finesse et longueur, tannins ronds* • 10 ANS ET PLUS
1987	5,5	*Fruité et charme* • 4-5 ANS

Age idéal : 10 ans.

Plat idéal : *Viande rouge, déglaçage au Pontoise-Cabarrus.*

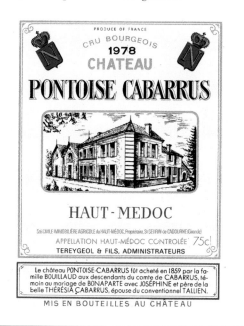

CHÂTEAU PONTOISE-CABARRUS, Saint-Seurin-de-Cadourne, AOC Haut-Médoc

Date de création du vignoble : *XVIIIᵉ-XIXᵉ siècle*
Surface : *24 ha*
Nombre de bouteilles : *200 000*
Répartition du sol : *3 lots*
Géologie : *graves*
Autre vin produit par le vignoble : *Château Plaisance*

Culture

Engrais : *organique*
Encépagement : *CS 60 % CF + PV 5 % M 35 %*
Age moyen : *12 ans*

Densité de plantation : *7000 pieds/ha*
Rendement à l'hectare : *60 hl*
Traitement antibotrytis : *non*
Vendange : *mécanique*

Vinification

Levurage : *non*
Remontage : *quotidien*
Type des cuves : *ciment, inox — 100, 240 hl*
Température de fermentation : *30°*
Mode de régulation : *pompe à chaleur*
Vin de presse : *incorporé selon le millésime*
Filtration avant élevage : *sur Kieselguhr*
Age des barriques : *renouvelées*

sur cinq ans
Durée de l'élevage : *6 mois + 1 an de cuve*
Collage : *blanc d'œuf desséché*
Filtration : *à la mise*
Mise en bouteilles au château : *en totalité*
Type de bouteille : *standard*
Maître de chai : *François Téreygeol*
Œnologue-conseil : *Jacques Boissenot*

Commercialisation

Vente par souscription : *oui*
Vente directe au château : *oui*
Commande directe au château : *oui*
Contrat monopole : *non*

Château SAINT-PAUL

S aint-Paul en tant que « marque » n'est pas ancien. En revanche, si l'on s'en réfère aux vignobles, leur implantation remonte à plusieurs siècles (XVIIe-XVIIIe siècle). En effet, les terres de Saint-Paul ont appartenu au Château Morin et au Château Le Boscq, tous deux bénéficiant de l'appellation Saint-Estèphe, tous deux sis dans le village de Saint-Corbian simplement séparé de Saint-Seurin-de-Cadourne par le chenal.

Ces vignes appartinrent à divers propriétaires, furent incorporées au Château Charmail, puis détachées et achetées à M. Laby en 1979 par la famille Boucher, Bernard Boucher gérant le domaine.

EXPLOITATION, VINIFICATION, VIN

Le vignoble borde la route qui lie Saint-Seurin à Saint-Corbian (Saint-Estèphe). Si l'on excepte une petite parcelle sise à 150 mètres à l'ouest, le vignoble est d'un seul tenant (quoique coupé par une petite route).

L'azote n'a pas droit de cité à Saint-Paul. Pour donner un peu plus de souplesse au vin, 2 hectares de Merlot ont été plantés récemment. Une filtration sur terre est imposée au vin avant son logement dans des barriques achetées à de grands crus. Une partie du vin est élevée en cuve (rotation).

Le Château Saint-Paul est un vin classique, concentré, dense, coloré, né de vignes au rendement modéré. C'est un vin de longue garde.

COTATIONS COMMENTÉES

1978	8	Maturité au nez ; en bouche l'attendre • 12 ANS
1979	8	Moins de nez et plus de corps que le 1978 • 11 ANS
1980	5	Léger • A BOIRE
1981	8	Excellent, qualité majeure : l'équilibre • 9 ANS
1982	9	Solide, charpenté, corpulent, récolte moyenne • 12-13 ANS
1983	7	Un petit 1981 • 8 ANS
1984	6	Un 1980 amélioré • A COMMENCER
1985	8,5	Coloré, aromatique, tient du 1981 et du 1983 • 9 ANS
1986	9	Complet avec tannins ronds • 8 ANS
1987	5	Léger-fruité • 4 ANS

Age idéal : 7-10 ans.

Plat idéal : Magret de canard avec un 1980.

CHÂTEAU SAINT-PAUL, Saint-Seurin-de-Cadourne, AOC Haut-Médoc

Date de création du vignoble : XXe siècle
Surface : 20 ha
Nombre de bouteilles : 120 000
Répartition du sol : pratiquement d'un seul tenant
Géologie : 80 % graves, 20 % argile
Autre vin produit par le vignoble : aucun

Culture

Engrais : organique
Encépagement : CS 60 % CF 5 % M 35 %
Age moyen : 22 ans
Porte-greffe : Riparia, etc.

Densité de plantation : 6 666 pieds/ha
Rendement à l'hectare : 45 hl
Traitement antibotrytis : non
Vendange : mécanique

Vinification

Levurage : les 2 premières cuves
Remontage : 2 fois par jour
Type des cuves : béton et inox — 170 hl
Température de fermentation : 28°-31°
Mode de régulation : aspersion et pompe à chaleur
Temps de cuvaison : 15-21 jours
Vin de presse : première presse
Filtration avant élevage : sur terre

Age des barriques : 3-4 ans
Durée de l'élevage : 18 mois
Collage : blanc d'œuf
Filtration : légère
Mise en bouteilles au château : en totalité
Type de bouteille : standard et gravée bordeaux
Maître de chai : Robert Boudaud
Œnologue-conseil : Couasnon

Commercialisation

Vente par souscription : oui
Vente directe au château : oui
Commande directe au château : oui
Contrat monopole : oui

Château SÉNILHAC

MIS EN BOUTEILLE AU CHATEAU
1985

Château Senilhac
CRU BOURGEOIS
HAUT-MÉDOC   750 ml
APPELLATION HAUT-MÉDOC CONTRÔLÉE
GRASSIN, PROPRIETAIRE SAINT-SEURIN-DE-CADOURNE , GIRONDE
PRODUCE OF FRANCE

COTATIONS COMMENTÉES

1975	8	S'est ouvert mais va durer • A BOIRE
1976	6	Sa souplesse le pousse sur le déclin • A TERMINER
1977	4,5	Évolution favorable dans le style du 1971 • A TERMINER
1978	7,5	Bien construit avec rondeur • A BOIRE
1979	8	Souple avec finesse • A BOIRE
1980	5	Léger, évolution rapide • A BOIRE
1981	6,5	Équilibré dans sa légèreté • A BOIRE
1982	10	Riche, généreux, ample • A BOIRE
1983	8	Très proche des 1979 • A BOIRE
1984	5	Millésime souvent critiqué qui évolue favorablement • A BOIRE
1985	10	Réussi, atteint le niveau des 1982 • 5 ANS
1986	8,5	Coloré, sérieux, des tannins, de l'avenir • 5 ANS
1987	5	Léger, aimable • 3 ANS

Age idéal : 5 ans.

Plat idéal : Timbale de saucisses.

L'existence au XVIIIe d'une importante propriété est attestée. Durant les trois quarts du XIXe siècle, plusieurs membres de la famille Coiffard conduisent avec brio le vignoble du Château Sénilhac. Vers 1850 la production égale celle du Château Verdignan (voir p. 144), puis dépasse le plus important producteur de la commune de Saint-Seurin-de-Cadourne. En 1876, Arnaud Lalande, magnat du négoce bordelais, prend possession de Sénilhac. Ultérieurement, la propriété demeure en indivision entre les Lalande et les Lawton, autres grands du négoce bordelais. Il est rare que l'indivision facilite la gestion d'un bien. Ce fut le cas à Sénilhac dont le vignoble s'étiola pour disparaître, à 2 ou 3 hectares près. En 1938, époque particulièrement maussade dans le Médoc, la famille Grassin se porte acquéreur de Sénilhac qui ne produit pratiquement plus de vin. Les raisins de Sénilhac prennent tristement le chemin de la coopérative. De nouvelles indivisions, de nouveaux partages se soldent en 1972 par la reprise par Michel Grassin de la propriété. Un cuvier est installé, le vignoble est replanté, Sénilhac a repris vie.

TERROIR ET VIGNES

Le vignoble de Sénilhac d'un seul tenant occupe un rectangle délimité par des routes, entre 19 et 12 mètres d'altitude, incliné à l'ouest. Des terres argilo-calcaires accueillent des porte-greffe de qualité complantés en rangs larges, d'où une faible densité de plantation. Le Cabernet-Sauvignon domine un encépagement classique et équilibré.

Ce vignoble de conception moderne est évidemment vendangé à la machine.

VINIFICATION ET VIN

Le cuvier de conception récente facilite la vinification. La préparation d'un pied de cuve accélère la fermentation des premières cuves. De nombreux remontages et une bonne température autorisent une sérieuse extraction.

Jean-Luc Grassin incorpore la première presse, mais veille à ce que le pressurage soit très léger.

Après filtration sur terre, le vin est élevé dans des barriques de deux vins. Il est remis en cuve pour le collage aux blancs d'œufs en poudre.

Les sélections ont conduit récemment à la création d'un deuxième vin étiqueté Peringa.

Château Sénilhac est un vin de bonne facture, moins tannique que certains vins de Saint-Seurin-de-Cadourne produits plus à l'est, mais d'un équilibre très recherché, fin, au fruité souple et civilisé. Il n'exige pas une très longue garde avant d'atteindre son apogée.

CHÂTEAU SÉNILHAC, Saint-Seurin-de-Cadourne, AOC Haut-Médoc

Date de création du vignoble : XVIIIe siècle
Surface : 16 ha
Nombre de bouteilles : 100000
Répartition du sol : un seul tenant
Géologie : argilo-calcaire
Autre vin produit par le vignoble : Château de Peringa

Culture

Engrais : organique
Encépagement : CS 48 % CF 15 % M 32 % PV 5 %
Age moyen : 20 ans

Porte-greffe : Riparia, 3309, 41 B
Densité de plantation : 5000 pieds/ha
Rendement à l'hectare : 45 hl
Traitement antibotrytis : oui
Vendange : mécanique

Vinification

Levurage : naturel
Remontage : biquotidien
Type des cuves : inox — 220 hl
Température de fermentation : 30°
Mode de régulation : ruissellement
Temps de cuvaison : 15-20 jours
Vin de presse : première presse

Filtration avant élevage : sur terre
Age des barriques : de 2 vins
Durée de l'élevage : 18 mois
Collage : blanc d'œuf en poudre
Filtration : sur plaques
Mise en bouteilles au château : oui
Type de bouteille : standard
Maître de chai : Jean-Luc Grassin
Œnologue-conseil : laboratoire Gendrot

Commercialisation

Vente par souscription : oui
Vente directe au château : oui
Commande directe au château : oui
Contrat monopole : non

Château SOCIANDO-MALLET

Château Sociando-Mallet

HAUT-MÉDOC

APPELLATION HAUT-MÉDOC CONTRÔLÉE

1982

JEAN GAUTREAU – PROPRIÉTAIRE A SI-SEURIN DE CADOURNE - 33250 PAUILLAC

MIS EN BOUTEILLE AU CHATEAU   75d

PRODUCE OF FRANCE

COTATIONS COMMENTÉES

1970	9	Concentré, tannique, sévère ● A COMMENCER
1975	8	Petite récolte, concentré, tannique, fermé ● 15 ANS
1976	9	Style Pauillac, empyreumatique ● A BOIRE
1977	4	Sa pointe d'acidité se fond ● A BOIRE
1978	8	Construit avec élégance ● A COMMENCER
1979	6,5	Bon nez, agressif en bouche ● 11 ANS
1980	5	Un Sociando facile et léger ● A BOIRE
1981	7	Souple, acidité basse, bon boisé ● 8 ANS
1982	10	Riche, ample, fondu, néanmoins fermé ● 12 ANS AU MOINS
1983	9,5	Coloré, fin, complexe et subtil ● 9-10 ANS
1984	6	Très supérieur au 84, réussi ● 7 ANS
1985	9	Beau vin complet, riche, plein, coloré, 60 % de barriques neuves ● 15 ANS
1986	10	Tient des 75, 83 et 85, 90 % de barriques neuves ● 20 ANS
1987	6,5	25 % de barriques neuves ● 8-10 ANS

Age idéal : 10 à 15 ans.

Plat idéal : Entrecôte de Sociando (très épaisse, sur sarments).

Un manuscrit daté du 17 mars 1633 évoque la propriété d'un nommé Sociando (d'origine basque, semble-t-il) à Saint-Seurin-de-Cadourne.

1793, arrestation sur ordre de la Convention à Sociando de l'avocat Guillaume Brochon, bien connu à son époque, ce qui laisse supposer que le domaine présentait quelque agrément.

1850, Mme Mallet s'en rend acquéreur et y adjoint son patronyme. Cinq propriétaires se succèdent. Les difficultés s'amoncellent et lorsque, en 1969, Jean Gautreau reprend le flambeau, tout est à reconstruire et le vignoble doit être replanté car il est réduit à 5 hectares.

Il y travaille d'arrache-pied et l'on peut résumer son action en trois temps : 1) les premiers millésimes, très peu de vin de vieilles vignes, 2) du vin et trop de jeunes vignes, 3) dès 1980, équilibre, vinification et élevage au point.

VINIFICATION ET VIN

Jean Gautreau est perfectionniste. Tous ses efforts tendent vers la qualité. Il exploite les processus classiques largement rodés dans les vignobles de grand prestige, tout en affirmant quelques principes qui lui sont propres. Il sait que l'âge du vignoble est un facteur déterminant. Il ne s'est résolu à arracher de très vieilles vignes préphylloxériques qu'en 1978, lorsqu'il ne recueillait plus que 10 hectolitres sur 2 hectares ! Il tient aux vendanges manuelles et ne chaptalise que modérément. 0,75° en 1981, pas du tout en 1982 et 1983, très peu (0,5°) en 1984. Il est totalement opposé à la filtration avant l'élevage, à peine consent-il au passage de son vin au travers de « grosses mailles » avant la mise en bouteilles.

Jean Gautreau sélectionne deux fois : d'une part en isolant le vin issu de vignes de moins de dix ans d'âge, d'autre part en éliminant toute cuve qui ne le satisfait pas pleinement (d'où la naissance du deuxième vin : Château Lartigue-de-Brochon).

Peu d'engrais, rendement limité, vieilles vignes, vinification traditionnelle soignée et élevage de haut luxe en bois neuf ou presque. Une recette qui explique le nombre croissant des inconditionnels du Sociando-Mallet.

CHÂTEAU SOCIANDO-MALLET, Saint-Seurin-de-Cadourne, AOC Haut-Médoc

Date de création du vignoble : XVIIᵉ-XVIIIᵉ siècle
Surface : 30 ha
Nombre de bouteilles : 150 000
Répartition du sol : un seul tenant
Géologie : graves sur calcaire
Autre vin produit par le vignoble : Château Lartigue-de-Brochon

Culture

Engrais : fumier
Encépagement : CS 60 % CF 10 % M 25 % PV 5 %
Age moyen : 20 ans
Porte-greffe : Riparia, SO 4, Téléki

Densité de plantation : 8 000 pieds/ha
Rendement à l'hectare : 50 hl
Traitement antibotrytis : oui
Vendange : manuelle

Vinification

Levurage : première cuve
Remontage : quotidien
Type des cuves : ciment, inox
Température de fermentation : 32°
Mode de régulation : générateur
Temps de cuvaison : 3 semaines
Vin de presse : rarement incorporé
Filtration avant élevage : non
Age des barriques : renouvellement par moitié

Durée de l'élevage : 12-14 mois
Collage : œuf
Filtration : très légère
Mise en bouteilles au château : en totalité
Type de bouteille : lourde
Maître de chai : Olivier Guérin
Chef de culture : Gérard Cler
Œnologue-conseil : Couasnon

Commercialisation

Vente par souscription : oui
Vente directe au château : oui
Commande directe au château : oui
Contrat monopole : non

Château SOUDARS

CHÂTEAU SOUDARS
CRU BOURGEOIS
HAUT-MÉDOC
1982
APPELLATION HAUT-MÉDOC CONTRÔLÉE
E.F. MIAILHE
Propriétaire à Saint-Seurin de Cadourne - Gironde
MIS EN BOUTEILLES AU CHÂTEAU
PRODUCE OF FRANCE 750ml
RÉCOLTE 1982
N° 38553 H
MEDAILLE
CONCOURS GENERAL AGRICOLE
PARIS 1984
D'OR

L a famille Miailhe est omniprésente de Bordeaux à Saint-Seurin-de-Cadourne. Dans le bourg de Cadourne, Jean Miailhe et son fils Éric règnent en maîtres. Coufran, Verdignan, La Rose-Maréchale, Plantey-de-la-Croix composaient déjà un riche palmarès, il a fallu qu'en 1973 ils inventent encore un nouveau cru : Château Soudars, Soudar étant le nom de deux parcelles appartenant à la propriété (d'où le « s » de Soudars).

C'est à la suite de remembrements qu'est né ce domaine d'un seul tenant d'une quinzaine d'hectares ; la création du vignoble proprement dit est un exploit herculéen si l'on songe que plus de 2 000 tonnes de pierres ont été éliminées.

TERROIR ET VIGNES

Dans cette partie ouest de la commune les graves sont absentes. L'argilo-calcaire pierreux accueille Cabernet-Sauvignon et Merlot dans des proportions relativement proches de celles retenues pour le Château Verdignan, quoique avec un peu plus de Merlot auquel ce type de sol convient bien.

Au sud et à l'ouest de Saint-Seurin-de-Cadourne, à une douzaine de mètres d'altitude, les vignes de Soudars complantent ce sol argilo-calcaire sur socle pierreux, si différent des autres vignobles exploités par Jean et Éric Miailhe plus habitués à la grave.

Les rangs larges de ce vignoble fatalement jeune sont traités selon la méthode de la non-culture. La majeure partie de la propriété est diversement orientée suivant de faibles pentes, sauf au sud où elle s'abaisse fortement en direction du chenal qui sépare Saint-Seurin de Saint-Estèphe (pente face au sud).

VINIFICATION ET VIN

Le vin est vinifié dans l'ancien cuvier de Coufran, mais rénové. Les cuves sont levurées. La fermentation malolactique est incitée par ensemencement. Il n'y a pas de deuxième marque, les vins non sélectionnés sont vendus au négoce en vrac.

Château Soudars, en dépit de la jeunesse de son vignoble, produit un vin coloré, même très coloré et présente une bonne rondeur en bouche. Ampleur et longueur seront augmentées en fonction du vieillissement du vignoble.

COTATIONS COMMENTÉES

1980	5	*Fruité, léger* ● A BOIRE
1981	7,5	*Concentration moyenne, bon et facile* ● A BOIRE
1982	10	*Robe très soutenue, riche et flatteur* ● 9 ANS
1983	10	*Un 1982 sage et équilibré* ● 10 ANS
1984	5	*1/2 récolte de Cabernet, fruité, élégant* ● 6 ANS
1985	8	*Rond, souple* ● 6 ANS
1986	9	*Coloré, corsé* ● 8 ANS
1987	5,5	*Souple, fruité* ● 2-3 ANS

Age idéal : 8 ans.

Plat idéal : Porc à l'ancienne.

CHÂTEAU SOUDARS, Saint-Seurin-de-Cadourne, AOC Haut-Médoc

Date de création du vignoble : *1973*
Surface : *15 ha*
Nombre de bouteilles : *120 000*
Répartition du sol : *un seul tenant*
Géologie : *argilo-calcaire*
Autre vin produit par le vignoble : *aucun*

Culture

Engrais : *organique et chimique*
Encépagement : *CS 55 % M 45 %*
Age moyen : *12 ans*
Porte-greffe : *5BB, 420A*
Densité de plantation : *5500 pieds/ha*

Rendement à l'hectare : *50 hl*
Traitement antibotrytis : *oui*
Vendange : *mécanique*

Vinification

Levurage : *oui*
Remontage : *tous les jours*
Type des cuves : *inox*
Température de fermentation : *26°-31°*
Mode de régulation : *ruissellement*
Temps de cuvaison : *15-22 jours*
Vin de presse : *50 à 100 %*
Filtration avant élevage : *sur terre*
Age des barriques : *renouvelées par quart*

Durée de l'élevage : *20-24 mois*
Collage : *blanc d'œuf en poudre*
Filtration : *à la mise*
Mise en bouteilles au château : *en totalité*
Type de bouteille : *lourde*
Maître de chai : *Éric Miaihle*
Œnologue-conseil : *Jacques Boissenot*

Commercialisation

Vente par souscription : *oui*
Vente directe au château : *oui*
Commande directe au château : *oui*
Contrat monopole : *oui pour l'étranger*

Château VERDIGNAN

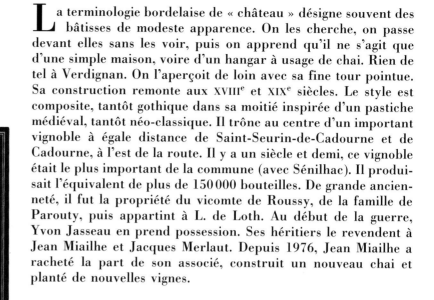

La terminologie bordelaise de « château » désigne souvent des bâtisses de modeste apparence. On les cherche, on passe devant elles sans les voir, puis on apprend qu'il ne s'agit que d'une simple maison, voire d'un hangar à usage de chai. Rien de tel à Verdignan. On l'aperçoit de loin avec sa fine tour pointue. Sa construction remonte aux XVIIIe et XIXe siècles. Le style est composite, tantôt gothique dans sa moitié inspirée d'un pastiche médiéval, tantôt néo-classique. Il trône au centre d'un important vignoble à égale distance de Saint-Seurin-de-Cadourne et de Cadourne, à l'est de la route. Il y a un siècle et demi, ce vignoble était le plus important de la commune (avec Sénilhac). Il produisait l'équivalent de plus de 150 000 bouteilles. De grande ancienneté, il fut la propriété du vicomte de Roussy, de la famille de Parouty, puis appartint à L. de Loth. Au début de la guerre, Yvon Jasseau en prend possession. Ses héritiers le revendent à Jean Miailhe et Jacques Merlaut. Depuis 1976, Jean Miailhe a racheté la part de son associé, construit un nouveau chai et planté de nouvelles vignes.

TERROIR, VINIFICATION ET VIN

Les vignes « regardent » la Gironde, elles poussent dans un sol de fines et moyennes graves mêlées d'argile ; Jean Miailhe n'a pas cherché à recréer un deuxième Coufran puisque les Cabernets sont bien représentés (55 %). En revanche, la vinification y est identique dans un cuvier semblable. Ainsi peut-on mesurer l'influence de l'encépagement sur le vin et du terroir qui, dans le cas présent, semble plus argileux.

Château Verdignan évolue un peu plus lentement que son frère Coufran, il lui faut environ deux années de plus pour que son élégance s'épanouisse.

Jean Miailhe exploite l'ancien cuvier de Verdignan pour vinifier Château Plantey-de-la-Croix. Ce nom est celui d'une parcelle du vignoble. Un vignoble annexé à celui de Verdignan dont il est contigu, par l'un des anciens propriétaires, M. Jasseau, avant la dernière guerre. Sis entre la route et la Gironde, il s'abaisse bien entendu dans sa direction (17-7 mètres). D'une superficie de 16 hectares, son très pauvre sol de graves argileuses produit peu de raisin à l'hectare.

Château Plantey-de-la-Croix est vinifié par Éric Miailhe selon les principes en application à Château Verdignan. (Se reporter à la fiche technique ci-dessous.)

Seuls diffèrent la nature des cuves et le mode de refroidissement : cuves ciment et serpentin.

L'évolution des millésimes de Château Plantey-de-la-Croix est semblable à celle de Château Verdignan.

CHÂTEAU VERDIGNAN, Saint-Seurin-de-Cadourne, AOC Haut-Médoc

Date de création du vignoble : *XVIIe siècle*
Surface : *50 ha*
Nombre de bouteilles : *300 000*
Répartition du sol : *un seul tenant*
Géologie : *argilo-graveleux*

Culture

Engrais : *organique et chimique*
Encépagement : *CS 55 % CF 5 % M 40 %*
Age moyen : *22 ans*
Porte-greffe : *5 BB, 420 A*
Densité de plantation : *8000 pieds/ha*
Rendement à l'hectare : *50 hl*

Traitement antibotrytis : *oui*
Vendange : *mécanique*

Vinification

Levurage : *oui, toujours*
Remontage : *tous les jours*
Type des cuves : *inox*
Température de fermentation : *26°-31°*
Mode de régulation : *aspersion*
Temps de cuvaison : *15-22 jours*
Vin de presse : *50 à 100 %*
Filtration avant élevage : *sur terre*
Age des barriques : *renouvellement par quart*

Durée de l'élevage : *20-24 mois*
Filtration : *légère*
Collage : *poudre d'œuf*
Mise en bouteilles au château : *en totalité*
Type de bouteille : *lourde*
Maître de chai : *Éric Miailhe*
Œnologue-conseil : *Jacques Boissenot*

Commercialisation

Vente par souscription : *oui*
Vente directe au château : *oui*
Commande directe au château : *oui*
Contrat monopole : *oui pour l'étranger*

et Château PLANTEY-DE-LA-CROIX

COTATIONS COMMENTÉES

1975	8	*Grêlé à 90 %, dur, encore fermé* ● *A COMMENCER*
1976	5	*Tuilé, évolué; trop de jeunes vignes (4 ans)* ● *DEVRAIT ÊTRE BU*
1977	4	*Vaut son millésime* ● *DEVRAIT ÊTRE BU*
1978	7	*Honnête 1978* ● *A BOIRE*
1979	7,5	*Légèrement supérieur au millésime précédent* ● *A BOIRE*

1980	6,5	*Réussi; médaille d'or à Paris* ● *A BOIRE*
1981	9	*Bel équilibre* ● *A BOIRE*
1982	8,5	*Va-t-il s'équilibrer?* ● *9 ANS*
1983	9	*Belle construction, de l'équilibre* ● *10 ANS*
1984	6,5	*Un bon 1984* ● *6 ANS*

1985	9	*Équilibré avec finesse* ● *8 ANS*
1986	9,5	*Concentré, évolution lente* ● *10 ANS*
1987	6,5	*Issu de fortes sélections* ● *4-5 ANS*

Age idéal : 10 ans.

Plat idéal : Gigot de mouton.

Commune d'Avensan
AOC Haut-Médoc

Une vaste commune mais qui comprend seulement 130 hectares de vignes. D'excellents terroirs de graves à l'est ont disparu, exploités en gravières. Graves sablo-argileuses au centre de la commune, proche de la route Castelnau-Margaux. Rien de bon pour la vigne au nord.

Bordeaux est à vingt-neuf kilomètres.

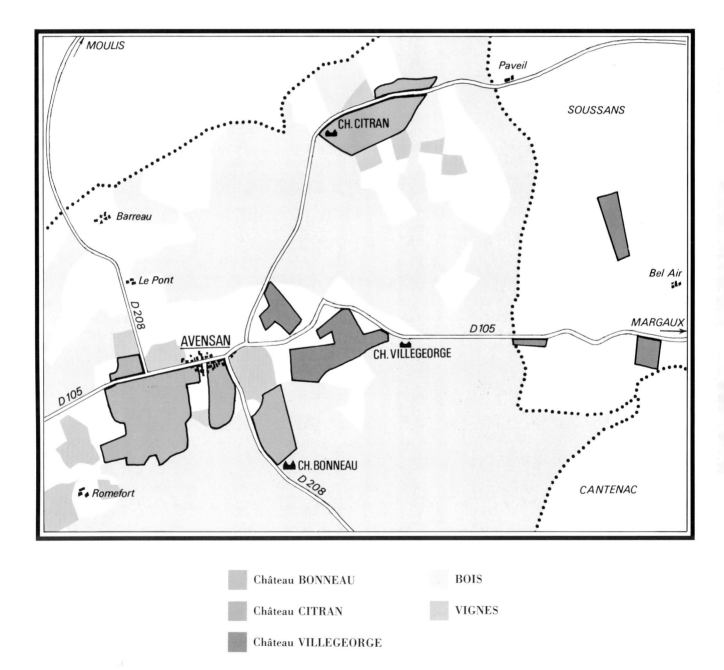

Château BONNEAU

Château CITRAN

Château VILLEGEORGE

BOIS

VIGNES

Château BONNEAU

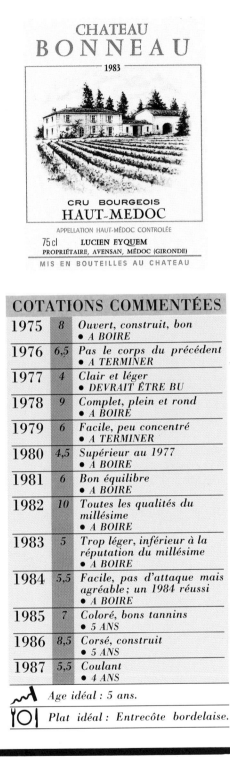

COTATIONS COMMENTÉES

Année	Note	Commentaire
1975	8	Ouvert, construit, bon • A BOIRE
1976	6,5	Pas le corps du précédent • A TERMINER
1977	4	Clair et léger • DEVRAIT ÊTRE BU
1978	9	Complet, plein et rond • A BOIRE
1979	6	Facile, peu concentré • A TERMINER
1980	4,5	Supérieur au 1977 • A BOIRE
1981	6	Bon équilibre • A BOIRE
1982	10	Toutes les qualités du millésime • A BOIRE
1983	5	Trop léger, inférieur à la réputation du millésime • A BOIRE
1984	5,5	Facile, pas d'attaque mais agréable; un 1984 réussi • A BOIRE
1985	7	Coloré, bons tannins • 5 ANS
1986	8,5	Corsé, construit • 5 ANS
1987	5,5	Coulant • 4 ANS

Age idéal : 5 ans.

Plat idéal : Entrecôte bordelaise.

On ne trouve pas trace du Château Bonneau au XIXᵉ siècle. La commune d'Avensan est avant tout boisée et le vignoble se développe essentiellement en bordure sud de la route de Castelnau-de-Médoc à Margaux. Vers 1850, Avensan livre près de 500 tonneaux de vin (l'équivalent de 600 000 bouteilles). Le vaste domaine de Citran (voir p. 148) assure à lui seul la moitié de la production. Si on ne trouve pas trace à cette époque de Château Bonneau, on ne saurait en déduire que les vignes n'avaient pas encore fait leur apparition. Elles devaient bien exister mais le vin ne portait pas le nom de son lieu de naissance. Dans le premier quart du XXᵉ siècle, Monsieur Lagueyte vinifiait quelque 12 000 bouteilles (ou leur équivalent) de Château Bonneau que l'on considérait déjà comme un cru Bourgeois. Jusqu'à sa mort en 1986, Lucien Eyquem, qui en était propriétaire, développa ce vignoble qui produisit jusqu'à 25 tonneaux (= 30 000 bouteilles) et procéda à la modernisation du chai.

En dépit de ces efforts, Château Bonneau demeure l'une des plus petites exploitations décrites dans cette Encyclopédie, d'une production d'autant plus restreinte qu'une partie du vin n'est pas mise en bouteilles à la propriété mais vendue en vrac.

TERROIR ET VIGNES

La partie importante du vignoble est située entre Avensan et Bonneau à l'altitude de 27-28 mètres. Il est pratiquement horizontal.

Le sol est tantôt argilo-calcaire, tantôt graveleux sur socle calcaire. Une partie de ce terrain est drainé artificiellement. Les vignes, plantées à 105 × 110 cm, excellente densité, atteignent un âge avancé. Leur renouvellement porte sur 4 000 à 5 000 pieds annuellement.

VINIFICATION ET VIN

10 à 12 remontages contribuent à une bonne extraction. Les températures sont maintenues à un niveau bas mais les cuvaisons sont très longues. La quantité de vin de presse ajoutée au vin de goutte est très faible. Le vin est élevé dans des barriques qui ont déjà connu trois campagnes. Il est collé directement en barrique aux blancs d'œufs frais, une technique en voie de disparition mais qui s'explique par la faible production de Château Bonneau (18 000 bouteilles). Château Bonneau, qui ne fait aucune réclame, est acheté et bu par une clientèle de fidèles. C'est un vin qui peut faire songer à un Moulis qui rechercherait plus la finesse et la souplesse qu'une imposante charpente.

On peut le consommer relativement rapidement.

CHÂTEAU BONNEAU, Avensan, AOC Haut-Médoc

Date de création du vignoble : début XXᵉ siècle
Surface : 6 ha
Nombre de bouteilles : 18 000
Répartition du sol : 2 lots
Géologie : argilo-calcaire et graves
Autre vin produit par le vignoble : aucun

Culture

Engrais : fumures organiques
Encépagement : CS 56 % M 40 % PV 4 %
Age moyen : 40 ans
Porte-greffe : 101-14
Densité de plantation : 9 000 pieds/ha

Rendement à l'hectare : 50 hl
Traitement antibotrytis : non
Vendange : manuelle

Vinification

Levurage : naturel
Remontage : biquotidien
Type des cuves : inox 150 hl
Température de fermentation : 24°-28°
Mode de régulation : ruissellement
Temps de cuvaison : 38-40 jours
Vin de presse : 3 %
Filtration avant élevage : non
Age des barriques : de 3 vins

Durée de l'élevage : 18 mois
Collage : blanc d'œuf frais
Filtration : non
Mise en bouteilles au château : pour moitié
Type de bouteille : standard
Maître de chai : les exploitants
Œnologue-conseil : laboratoire de Pauillac

Commercialisation

Vente par souscription : non
Vente directe au château : oui
Commande directe au château : oui
Contrat monopole : non

Château CITRAN

CHATEAU CITRAN
HAUT-MEDOC
APPELLATION HAUT-MEDOC CONTROLEE
CRU BOURGEOIS
SOCIETE CIVILE DE CHATEAU CITRAN
PROPRIETAIRE A AVENSAN 33480-FRANCE
MIS EN BOUTEILLES AU CHATEAU   75 cl

A en juger par la grandeur de leur fief, les Donissan étaient une importante maison, mais cette puissance se limitait à leurs terres, car elles ne commandaient aucun passage. Du XIIIe siècle à la Révolution française, les Donissan régnèrent sur Citran et ses 3 000 ha environ. Par la suite la fille du marquis de Donissan épousa son cousin de Lescure et, veuve, devint marquise de Larochejaquelin. Elle publia ses mémoires en 1815. Il faut les lire pour comprendre la vie qu'on menait à Citran.

En 1832, lorsque M. Clauzel, riche viticulteur, acquiert le domaine, mis en vente bien que la marquise eût un fils (qui sera sénateur, vingt ans plus tard), il n'y a que 40 ha de vignes « en très mauvais état » qui produisent 15 à 20 tonneaux (aujourd'hui la même surface donnerait 120 tonneaux). A la mort de l'acquéreur, trente-trois ans plus tard, le château actuel est bâti, le vignoble couvre 120 ha et produit 300 tonneaux.

Au moment de la Grande Guerre, ce chiffre fut presque multiplié par trois ! En 1945 ce fut au tour des Miailhe — également négociants en vin — de recommencer à zéro car il ne restait pas 5 000 pieds de vignes en production. Ainsi se confirme-t-il une fois de plus que toutes les trois générations environ, il faut tout reprendre, tout refaire, tout transformer.

Jean Cesselin et sa femme, née Miailhe, poursuivent la modernisation de l'exploitation. En 1987 un groupe japonais offre une somme très importante pour acquérir Citran. Les Cesselin se laissent séduire. De très importants travaux sont immédiatement engagés (nouveau cuvier, conquet, etc.).

TERROIR ET VIGNES
Deux vastes parcelles composent le vignoble. Celle proche du château (orientation nord, 17-10 mètres), argilo-calcaire sur plusieurs mètres de cailloux, se draine naturellement alors que l'autre, jouxtant Avensan, toute de graves sablonneuses, a nécessité l'enfouissement de drains (orientation nord-ouest, 33-22 mètres). En 1988 une nouvelle parcelle de 25 ha est préparée et plantée (elle ne figure pas sur la carte).

A noter, dans l'encépagement, la prépondérance du Merlot.

VINIFICATION ET VIN
La vinification a été réglée par le professeur Peynaud. Elle est bien conduite dans des installations modernes. Le vin est élevé dans un important chai de barriques usagées.

Dès le millésime 1986 des barriques neuves sont mises en service. Jean-Michel Fernandez, ex-régisseur de Château Beauséjour (Duffan-Lagarrosse/Saint-Émilion) est nommé directeur.

Château Citran, naît d'un terroir type Moulis et d'un terroir type Margaux. Très normalement le côté Moulis, un Moulis souple et arrondi, domine la finesse d'inspiration margalaise.

⌁ Age idéal : 8-10 ans.   ⵯ Plat idéal : Entrecôte aux cèpes.

COTATIONS COMMENTÉES

Année	Note	Commentaire
1970	9	Commence à s'ouvrir • 1 BOIRE
1971	7,5	Corsé, excellent depuis 1982 • A BOIRE
1975	9	Plein et concentré • A COMMENCER
1976	6	Évolué, agréable, bouqueté • A TERMINER
1977	4	Vin léger • A TERMINER
1978	7	Complet, équilibré • A BOIRE
1979	8	Tannique, corsé • 11 ANS
1980	4,5	Léger (robe, corps, bouquet) • A TERMINER
1981	8	Corps, bouquet, tannins • A BOIRE
1982	10	Réussi, fruité, gras, souple • 8 ANS
1983	8,5	Un 1981 plus dur et plus tannique • 9 ANS
1984	5	1980 en mieux • A BOIRE
1985	7	Raisins sains mais production abondante • 6 ANS
1986	8,5	Tannins puissants, début des barriques neuves • 10 ANS
1987	6	Sélections parcellaires, élevage soigné • 4 ANS

CHÂTEAU CITRAN, Avensan, Castelnau-de-Médoc, AOC Haut-Médoc

Date de création du vignoble : 1820
Surface : 85 ha
Nombre de bouteilles : 450 000
Répartition du sol : 2 lots (voir texte)
Géologie : graves, argilo-calcaire
Autre vin produit par le vignoble : Château Villeranque

Culture
Engrais : chimiques
Encépagement : CS 40 % M 60 %
Age moyen : 20 ans
Porte-greffe : divers
Densité de plantation : 6 666 pieds/ha

Rendement à l'hectare : 50 hl
Traitement antibotrytis : oui
Vendange : mécanique

Vinification
Levurage : non
Remontage : quotidien
Type des cuves : inox
Température de fermentation : 30°
Mode de régulation : ruissellement
Temps de cuvaison : 3 semaines
Vin de presse : incorporé
Filtration avant élevage : sur terre
Age des barriques : 3 à 10 ans (voir texte)

Durée de l'élevage : 18 mois
Collage : gélatine d'œuf
Filtration : plaque cellulose
Mise en bouteilles au château : oui
Type de bouteille : traditionnelle
Directeur, responsable de la culture et de la vinification : Jean-Michel Fernandez
Maître de chai : Jean-Marc Pons
Œnologue-conseil : Professeur Peynaud

Commercialisation
Vente par souscription : oui
Vente directe au château : oui
Commande directe au château : oui
Contrat monopole : non

Château DE VILLEGEORGE

COTATIONS COMMENTÉES

1974	4	Robe claire, vin nerveux et tendre ; un 1974 supérieur • A BOIRE
1975	8,5	Long et complet, astringence encore sensible • 13 ANS
1976	6	Robe marquée, souple et homogène, complexité moyenne • A BOIRE
1977	4	Robe moyenne, empyreumatique, bouche dense courte • A BOIRE
1978	7	Équilibre simple, long • A BOIRE
1979	8	Nez boisé et précis, bouche fruitée, pleine, équilibré • A BOIRE
1980	4	Robe légère ; fruité et court • A BOIRE
1981	9	Sévère, bonne concentration • 10 ANS
1982	9,5	A viré, est devenu sévère ; rond et homogène • 10 ANS
1983	10	Boisé, fruité, profond ; une finesse harmonieuse • 10 ANS
1984	5	Typé CS, boisé-fruité • 6 ANS
1985	9	Bon équilibre, fruité-rond • 10 ANS
1986	9,5	Charnu, raisins très mûrs, année riche • 10-12 ANS
1987	6	Dans l'esprit des 1973 mais petite production (sélection) • 4 ANS

Ville-George ou Villegeorge est un vignoble ancien dont le nom, dans le passé, a varié au gré des propriétaires.

Peu après 1850, le nom de Villegeorge apparaît. En 1868, la famille Tayan produit quelque 25 000 bouteilles. Vers 1880, Marcelin Clauzel s'en porte acquéreur. La famille Clauzel avait acheté l'important domaine de Citran en 1832. Lors de sa division, Marcelin Clauzel obtient un sixième de la propriété. Il tranforme Villegeorge, double sa production tout en améliorant la qualité qui rejoint le cours des 5e et 4e Crus classés. Dès lors, il est d'usage d'inclure Villegeorge dans la catégorie des crus Bourgeois Supérieurs.

Au début du siècle, Mme Marcelin Clauzel conduit la propriété et en 1926 Louis Clauzel a la satisfaction de voir son vin classé « grand cru exceptionnel ».

Après la guerre, son propriétaire, M. Pécresse, vinifie (jusqu'en 1970) Villegeorge à Moulis, au cuvier du Château Duplessis qui est vaste.

Dès 1973, Lucien Lurton ajoute le vignoble de Villegeorge à sa collection de crus Classés, sans se porter acquéreur du château lui-même. Fidèle à sa méthode, il refond le vignoble et restaure cuvier et chai.

TERROIR ET VIGNES

Le vignoble principal est presque horizontal à l'altitude de 22-24 mètres. La deuxième parcelle est orientée au nord-ouest (16 mètres). Les autres parcelles dans la commune de Soussans sont horizontales, à 15 et 16 mètres d'altitude. Les deux plus importantes sont proches du plateau de Fougasse, de Bel-Air-Marquis-d'Aligre, un terrain très propice à la vigne de qualité mais très sensible aux gelées.

Les sols graveleux du Günz et du Mindel sont profonds, peu argileux et accueillent des porte-greffe de qualité, peu productifs, plantés en densité moyenne. L'encépagement mérite une mention particulière car il privilégie fortement le Merlot.

VINIFICATION ET VIN

Vinification classique : remontages fréquents, températures contrôlées, cuvaison respectable (pas très longue à Villegeorge), élevage en barriques renouvelées.

Château de Villegeorge est un vin sinueux, aux volumes sphériques policés et pleins. Le Merlot n'est pas toujours aussi « facile » qu'on le croit, en témoigne le solide 1982, robuste pour un millésime qui ne brille pas par ce caractère affirmé.

Age idéal : 10 ans.   Plat idéal : Côte de veau bordelaise.

CHÂTEAU DE VILLEGEORGE, Avensan, AOC Haut-Médoc

Date de création du vignoble : XVIIIe siècle
Surface : 11 ha
Nombre de bouteilles : 30 000
Répartition du sol : 5 lots
Géologie : graves
Autre vin produit par le vignoble : aucun

Culture

Engrais : CS 30 % CF 10 % M 60 %
Age moyen : 20-25 ans
Porte-greffe : Riparia, 101-14
Densité de plantation : 6666 pieds/ha
Rendement à l'hectare : 35 hl

Traitement antibotrytis : non
Vendange : mécanique et manuelle

Vinification

Levurage : naturel
Remontage : biquotidien
Type de cuves : inox – 220 hl
Température de fermentation : 28°-30°
Mode de régulation : ruissellement
Temps de cuvaison : 15-17 jours
Vin de presse : 5 à 7 %
Filtration avant élevage : légère sur terre
Age des barriques : renouvellement par quart

Durée de l'élevage : 18 mois
Collage : poudre d'albumine d'œuf
Filtration : à la mise
Mise en bouteilles au château : en totalité
Type de bouteille : lourde
Maître de chai : Philippe Peschka
Œnologue-conseil : MM. Peynaud et Boissenot

Commercialisation

Vente par souscription : oui
Vente directe au château : oui
Commande directe au château : oui
Contrat monopole : non

Commune de Saint-Laurent-et-Benon
AOC Haut-Médoc

Seul le front ouest de cette très vaste commune jouxte les grands terroirs viticoles, celui de Saint-Julien en particulier. D'ailleurs une douzaine d'hectares ont droit à l'appellation Saint-Julien ; Saint-Laurent-et-Benon peut se flatter d'accueillir deux crus Classés étiquetés Haut-Médoc : La Tour-Carnet et Camensac.

400 hectares de vignes donnent naissance à une douzaine de vins différents. Quelques vignerons sont adhérents de la Société Coopérative de Saint-Sauveur.

Le plateau est et nord-est comprend des graves souvent maigres, peu profondes au nord-est. Le marais de Beychevelle et son prolongement coupe la commune. A signaler au sud-est la belle croupe de Caronne. Toute la partie ouest est sablonneuse, seule la forêt s'y complaît.

Quarante-trois kilomètres séparent Saint-Laurent-et-Benon de Bordeaux.

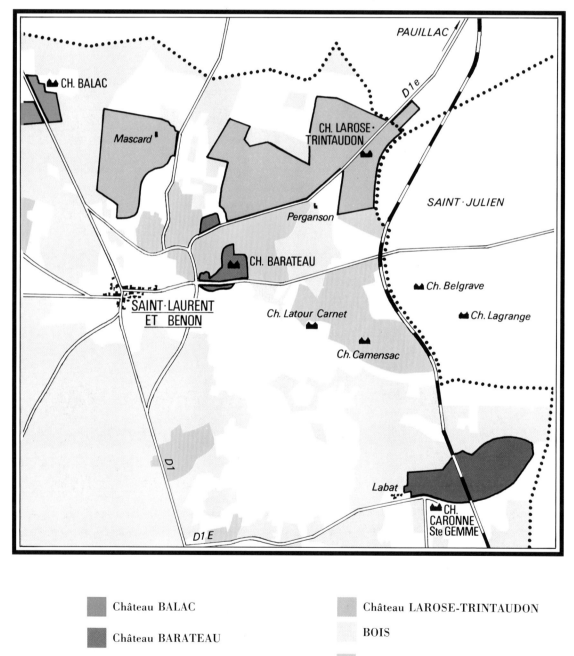

Château BALAC

Château BARATEAU

Château CARONNE- SAINTE-GEMME

Château LAROSE-TRINTAUDON

BOIS

VIGNES

Château BALAC

Ce nom, qui jusqu'à la fin du siècle passé s'écrivait avec deux « L », est celui d'une très ancienne et très importante propriété seigneuriale.

Au XVIIe siècle, Bal(l)ac a pour propriétaires successifs de grands commis de l'État. Puis le baron du Breuil (voir le château de ce nom) le possède et le revend à un Suédois fortuné : M. de Luetkens qui eut la bonne idée de demander en 1770 au grand architecte Victor Louis d'élever le château-chartreuse que l'on peut admirer en se rendant sur place à quelques minutes de Saint-Laurent et qui figure sur les étiquettes du vin de Balac.

Au XIXe siècle, la propriété passe aux Grimailly, puis à Lucien Lescoutra. Son fils, chanoine, délaisse ces 250 hectares — dont seule une faible part est en vigne. En 1965, Joseph Touchais, viticulteur dans la vallée de la Loire et conseiller général, rachète Château Balac, ou ce qu'il en reste car la vigne a disparu et les bâtiments sont peu ou prou ruinés. Cinq hectares sont plantés en 1966, six en 1974, trois en 1979-1984. Dans le même temps, chai et château — habité par les Touchais — sont remis en état.

TERROIR ET VIGNES

La route Bordeaux-Lesparre traverse le vignoble de Balac au sud du château. Il occupe une croupe de faible amplitude de graves plutôt fines. Des graves sablonneuses et des graves argileuses complètent cet ensemble complanté comme en Anjou à 180 × 80 cm, donc à 6 500 pieds/hectare. A noter la forte progression de Cabernet franc. Est-ce une réminiscence de la vallée de la Loire ?

VINIFICATION ET VIN

La vinification ne présente pas de caractère particulier, si ce n'est l'absence de filtration. Les vins de Château Balac sont vendus pour moitié à la clientèle particulière française, pour moitié à l'exportation (Belgique, Angleterre, Allemagne, etc.).

Ils recherchent plus la finesse et l'élégance que la puissance et l'ampleur.

COTATIONS COMMENTÉES

Année	Note	Commentaire
1973	6	Peu tannique, vin léger • A TERMINER
1974	6,5	Tannins assagis • A TERMINER
1975	9,5	S'entrouvre à peine • 14 ANS
1976	7	Agréable, tannins doux • A BOIRE
1977	6,5	Mieux que sa réputation, le fruité du Cabernet franc • A BOIRE
1978	7,5	Médaille d'Or ; bel équilibre • A BOIRE
1979	8	Complet, sans doute supérieur au précédent • 14 ANS
1980	5,5	Léger, fruité, peu tannique • A BOIRE
1981	8,5	Un 1979 aux tannins plus ronds • 11 ANS
1982	9,5	Généreux, souple, rond • A BOIRE, A GARDER
1983	9	Un 1982 aux tannins agressifs • 7 ANS
1984	6,5	Dans l'esprit d'un petit 1979 • A BOIRE
1985	10	Maturité parfaite, rendement limité par le gel de janvier • 10-15 ANS
1986	9,5	Proche du précédent • 10-15 ANS
1987	6,5	Arômes de fruits mûrs, belle robe • 6 ANS

Age idéal : 7-8 ans.

Plat idéal :
Civet de lièvre
avec un 1971.

CHÂTEAU BALAC, Saint-Laurent-de-Médoc, AOC Haut-Médoc

Date de création du vignoble : XVIIe siècle
Surface : 14 ha
Nombre de bouteilles : 80 000
Répartition du sol : un seul tenant
Géologie : graves sablonneuses
Autre vin produit par le vignoble : Château Colombier

Culture

Engrais : très peu
Encépagement : CS 1/3 CF 1/3 M 1/3
Age moyen : 15 ans
Porte-greffe : 101-14, 5BB
Densité de plantation : 6 500 pieds/ha

Rendement à l'hectare : 50-60 hl
Traitement antibotrytis : non
Vendange : manuelle

Vinification

Levurage : première cuve
Remontage : quotidien
Type des cuves : ciment
Température de fermentation : 28°-32°
Mode de régulation : pompe à chaleur
Temps de cuvaison : 2-3 semaines
Vin de presse : première presse
Filtration avant élevage : non
Age des barriques : varié

Durée de l'élevage : 17 mois
Filtration : non
Collage : albumine
Mise en bouteilles au château : en totalité
Type de bouteille : standard
Maître de chai : Luc Touchais
Œnologue-conseil : laboratoire de Pauillac

Commercialisation

Vente par souscription : non
Vente directe au château : oui
Commande directe au château : oui
Contrat monopole : oui pour la Hollande

Château BARATEAU

C e nom est-il celui du chanoine qui a posé la première pierre du château ? Il eut quatre propriétaires. Dans l'entre-deux guerres les Tandonnet y vinifiaient l'équivalent de 60 000 bouteilles. Il fut acheté en 1952 par des Français d'Algérie qui s'y installèrent en 1961.

La propriété nécessitait une remise en état et le vignoble a été replanté. Pierre Pla raconte avec ressentiment que, se conformant aux doctes conseils prodigués par les « spécialistes », il a largement sollicité le porte-greffe SO 4 qu'ils déconseillent aujourd'hui. Hélas, le choix d'un porte-greffe engage le vigneron pour une trentaine d'années...

Aujourd'hui, aidé de son fils, Pierre Pla produit près de 50 000 bouteilles annuellement.

Le 22 juin 1987, Pierre Pla vend sa propriété au groupe Maisons Familiales SA tout en conservant la responsabilité de la vinification et de la gestion de Château Barateau.

TERROIR ET VIGNES

Le château, une maison bourgeoise fin XIXᵉ siècle, s'élève au cœur du vignoble principal. Celui-ci s'abaisse régulièrement en direction du sud de 25 à 12 mètres d'altitude. La deuxième parcelle, plus petite, suit sensiblement la même orientation.

Le vignoble, dont la densité est moyenne, complante un sol argilo-calcaire trisannuellemnt renforcé d'engrais chimiques et organiques.

L'encépagement respecte une proportion classique dans la région : Merlot 40 %, Cabernets 60 %.

VINIFICATION ET VIN

La vinification suit un chemin traditionnel. Remontages fréquents, température de fermentation respectable et cuvaisons de bonne durée. La chaptalisation est faible, parfois nulle (1982), le but n'étant pas de produire des vins lourds et massifs (11,5). Les deux premières presses (légères) sont incorporées. La totalité du vin est logé en barriques : des barriques restaurées complétées d'environ 5 % de barriques neuves.

Château Barateau tend vers la finesse et la légèreté, son amabilité et sa vinification autorisent une consommation assez rapide.

COTATIONS COMMENTÉES

1967	8	Excellent ● A BOIRE
1970	7,5	Encore un peu dur ● A COMMENCER
1975	8	Complet, bonne évolution ● A BOIRE
1976	6,5	Souple et flatteur ● A TERMINER
1977	3	Petite année ● A TERMINER
1978	8,5	Tient du 1970 et du 1975 ● 9 ANS
1979	6	Souple, peu concentré ● A BOIRE
1980	4	Léger ● A BOIRE
1981	5,5	Un 1980 réussi, plus charnu ● A BOIRE
1982	9	De l'étoffe, de la ressource ● 7 ANS
1983	10	Un 1982, la finesse et la typicité en plus ● 9 ANS
1984	4,5	Vin de Cabernet ● A BOIRE
1985	8,5	Sain, mais un peu dur ● 7 ANS
1986	9	Un 1985 plus tannique, construit pour durer ● 8-10 ANS
1987	4,5	Ressemble au 1980 ● 3 ANS

Age idéal : 7 ans.

Plat idéal : Escalopes de veau panées.

CHÂTEAU BARATEAU, Saint-Laurent-de-Médoc, AOC Haut-Médoc

Date de création du vignoble : XIXᵉ siècle
Surface : 11 ha
Nombre de bouteilles : 45 000
Répartition du sol : 2 lots
Géologie : argilo-calcaire
Autre vin produit par le vignoble : aucun

Culture

Engrais : potasse, copeaux, etc.
Encépagement : CS 50 % CF 10 % M 40 %
Age moyen : 15 ans
Porte-greffe : SO4
Densité de plantation : 6 500 pieds/ha

Rendement à l'hectare : 50 hl
Traitement antibotrytis : oui
Vendange : manuelle

Vinification

Levurage : parfois
Remontage : biquotidien
Type des cuves : ciment − 100 hl
Température de fermentation : 30°
Mode de régulation : serpentin
Temps de cuvaison : 3 semaines
Vin de presse : première et deuxième presse
Filtration avant élevage : non
Age des barriques : renouvellement

par 10 % annuels
Durée de l'élevage : 18 mois
Collage : blanc d'œuf
Filtration : à la mise
Mise en bouteilles au château : en totalité
Type de bouteille : standard
Maître de chai : Pierre Pla
Œnologue-conseil : Jacques Boissenot

Commercialisation

Vente par souscription : oui
Vente directe au château : oui
Commande directe au château : oui
Contrat monopole : non

Château CARONNE-SAINTE-GEMME

Q
uelle est cette Bienheureuse et d'où vient *Caronne*? Le Château a pris le nom de ce lieu-dit, un peu à l'écart. Quant à Sainte-Gemme, les toponymistes affirment qu'il s'agit d'une évolution de Saint-Jaime, allusion à Saint-Jacques, au pélerinage de Saint-Jacques-de-Compostelle dont un cheminement passait par l'actuel Saint-Laurent comme l'atteste une chapelle templière. Quoi qu'il en soit la paroisse de Saint-Jaime du XVIIe siècle devenue Sainte-Gemme a disparu pendant le Ier Empire : Cussac et Saint-Laurent se la partagent. Depuis très longtemps, on fait du vin à Sainte-Gemme : l'équivalent de 180 000 bouteilles au début du XIXe siècle sous la conduite de la famille Phélan bien connue dans le Médoc. Caronne passe par les Cayx, les Ferchaud. Au décès de Mme Ferchaud en 1880, le Crédit Foncier administre vingt années durant une interminable succession. Caronne-Sainte-Gemme fut vendu au tribunal de Lesparre en 1900, les frères Borie s'en portèrent acquéreur. En 1932, le grand-père du propriétaire actuel prend seul le contrôle du domaine qui s'augmentera par le rachat en 1967 du vignoble contigu, Château Labat.

TERROIR ET VIGNES

Le vignoble de Caronne-Sainte-Gemme occupe le sommet d'une croupe culminant à 16 mètres et qui s'abaisse à 8 mètres en direction du sud et à 4 mètres côté nord.

Un sol de graves profondes (un ou deux mètres) et de graves sablonneuses sur argile fait parfois songer à la proche commune de Saint-Julien. Le drainage est nécessaire chaque fois qu'apparaissent des mouillères. Le fumier venait d'un important troupeau malheureusement décimé par la brucellose. Le vignoble appelle deux remarques : sa belle densité digne des grands crus et la prédominance du Merlot, tout à la fois très rare dans le Haut-Médoc et signe d'une conception de la vocation bien tracée du Château Caronne-Sainte-Gemme.

VINIFICATION ET VIN

Caronne-Sainte-Gemme est vinifié selon des principes classiques. A signaler simplement le traitement des vins de presse. La première presse est incorporée dans le vin de l'année, la seconde presse refermente l'année suivante. Elevage et collage en barriques.

Château Caronne-Sainte-Gemme vinifié avec sagesse est un vin sage. Il parcourt une voie radicalement différente de celle tracée par les Premiers Crus. Il ne demande pas dix années d'évolution mais souhaite séduire par un nez fruité discrètement boisé, ne pas effaroucher par une attaque violente et s'épanouir dans la rondeur et la souplesse.

COTATIONS COMMENTÉES

1975	9	Ouvert et complet • A BOIRE
1976	6	Vendangé le 12 septembre, souple sans concentration • A TERMINER RAPIDEMENT
1977	5	Une nervosité particulière • A BOIRE
1978	8	Equilibré, fut lent à s'ouvrir • A BOIRE
1979	7	Un ton en dessous du précédent • A BOIRE
1980	6	Robe réussie • A BOIRE
1981	9	Construit et plein, une touche de sévérité • A COMMENCER
1982	10	Complet et plantureux • A BOIRE
1983	8,5	Un 1981 aimable et rond • A BOIRE
1984	6	Tient du 1979 et du 1980, aimable sans rondeur • A BOIRE
1985	9	Équilibré, harmonieux, joli vin, ample et souple • 4 ANS
1986	9	De l'ampleur dans la souplesse grâce aux tannins très mûrs • 4 ANS
1987	6	Matiné du 1969, 1980 et 1984 • 3 ANS

Age idéal : 4 ans.

Plat idéal : Civet de lièvre avec un 1975.

CHÂTEAU CARONNE-SAINTE-GEMME, Saint-Laurent-de-Médoc, AOC Haut-Médoc

Date de création du vignoble : *fin XVIIIe-début XIXe siècle*
Surface : *42 ha*
Nombre de bouteilles : *250-300 000*
Répartition du sol : *un seul tenant*
Géologie : *graves*
Autre vin produit par le vignoble : *Château Labat*

Culture

Engrais : *fumier*
Encépagement : *M 65 % CS 30 % PV, CF 5 %*
Age moyen : *30 ans*
Porte-greffe : *3309, 420 A et 101-14*
Densité de plantation : *10 000 pieds/ha*
Rendement à l'hectare : *en moyenne*

le rendement de base
Traitement antibotrytis : *non*
Vendange : *manuelle*

Vinification

Levurage : *selon les années*
Remontage : *quotidien*
Type des cuves : *inox et ciment — 215 hl*
Température de fermentation : *25°-28°*
Mode de régulation : *pompe à chaleur*
Temps de cuvaison : *15-20 jours*
Vin de presse : *première presse*
Filtration avant élevage : *sur terre*
Age des barriques : *remplacées pour un cinquième annuellement*
Durée de l'élevage : *15 mois*

Filtration : *sur plaques à la mise*
Collage : *aux œufs*
Mise en bouteilles au château : *en totalité*
Type de bouteille : *lourde*
Chef de culture : *Robert Dalbies*
Œnologue-conseil : *Bernard Couasnon*

Commercialisation

Vente par souscription : *oui (commandes importantes)*
Vente directe au château : *non*
Commande directe au château : *oui.*
  Correspondance à adresser à :
  Jean Nony-Borie
  73, quai des Chartons 33300 Bordeaux
Contrat monopole : *non (sauf Danemark)*

Château LAROSE-TRINTAUDON

L arose-Trintaudon dans lequel se fondent La Rose-Mascard et Larose-Peyramon (et Larose-Sieujean) est le domaine de l'exploit, celui des frères Forner qui l'achètent en 1966, — alors que tout est détruit, qu'il n'y a plus un pied de vigne — et qui en moins de vingt ans replantent, reconstruisent et restaurent pour en faire le plus vaste cru du Médoc : 172 hectares, 1 250 000 ceps, 30 kilomètres de drains et fossés, 6 700 mètres carrés de bâtiments d'exploitation neufs !

Ce fut aussi le domaine de l'absurde quand le Russe Tchernoff, qui avait épousé Mlle Morgan, de la banque Morgan, a arraché toutes les vignes pour faire de l'élevage bovin sur une terre qui refuse l'herbage. Adieu étables modèles ornées de mosaïques, adieu l'alimentation automatique du bétail (en 1925 !), adieu cuves en acier inoxydable destinées au lait, adieu surtout aux huit millions de francs investis dans une folie qui a fait perdre la raison à son auteur...

Pourtant, jusqu'à l'arrivée de Tchernoff, Larose-Trintaudon avait connu un destin plutôt enviable et venait d'être classé cru Bourgeois Supérieur. Puis le duc de l'Infantado et de Francavilla, général de l'Armée espagnole et Grand d'Espagne, l'achète au moment de la guerre civile pour n'y mettre jamais les pieds.

En 1986 une société d'assurance prend le contrôle du plus vaste vignoble du Médoc. Elysée Forner en demeure le directeur.

TERROIR ET VIGNES

Les graves sont très profondes, en témoigne une proche carrière. Une telle surface ne saurait être homogène, il arrive que le socle d'alios sur lequel elles reposent affleure. Dans ce cas, il est défoncé par concassage et drainé.

L'encépagement et ses proportions ont été choisis par le professeur Peynaud et les clones ont été fournis par le service technique de la Chambre d'Agriculture de Bordeaux qui s'est intéressée à cette entreprise gigantesque.

VINIFICATION ET VIN

Les cuves de fermentation atteignent des volumes impressionnants : 300 à 500 hectolitres. Elysée Forner contredit ceux qui prétendent que la capacité de la cuve idéale se situe aux environs de 120-150 hectolitres. Le chapeau est arrosé par un système de tourniquet durant les remontages biquotidiens. L'âge des vignes aidant, à partir du millésime 1978, les vins de Larose-Trintaudon exploitent pleinement les potentialités du terroir. Ce sont des vins nets, précis, plus fermes que ronds, bien typés Haut-Médoc.

COTATIONS COMMENTÉES

Année	Note	Commentaire
1975	6,5	Il s'est ouvert • A BOIRE
1976	5,5	Rondeur et souplesse • A BOIRE
1977	4	Maigre • A BOIRE
1978	7	Finesse et épanouissement • A BOIRE
1979	6	Un 1976 réussi ; rondeur, moelleux • A BOIRE
1980	4,5	Un 1977 amélioré • A BOIRE
1981	8	Un 1978 plus ample • A BOIRE
1982	9	Généreux, gras, moelleux • A BOIRE
1983	10	Classique et parfait • 8 ANS
1984	5	De la robe (en dépit du millésime), encore dur • A BOIRE
1985	9	Excellente matière première ; construit, rond • 5 ANS
1986	9	45 % de barriques neuves ; charpenté, tannique • 10 ANS
1987	5,5	Un 1981 léger • 4 ANS

Age idéal : 5 ans.

Plat idéal : Entrecôtes marchand-de-vin.

CHÂTEAU LAROSE-TRINTAUDON, Saint-Laurent-du-Médoc, AOC Haut-Médoc

Date de création du vignoble : XVIIᵉ-XVIIIᵉ siècle
Surface : 172 ha
Nombre de bouteilles : 1 million
Répartition du sol : 2 lots
Géologie : graves
Autre vin produit par le vignoble : Château Larose-Perganson, Château Larose-Mascard, Château Larose-Sieujean

Culture

Engrais : d'entretien
Encépagement : CS 60 % CF 20 % M 20 %
Age moyen : 14 ans

Porte-greffe : 420 A, SO 4, 3309
Densité de plantation : 7 000 pieds/ha
Rendement à l'hectare : 35 à 70 hl
Traitement antibotrytis : oui
Vendange : mécanique

Vinification

Levurage : non
Remontage : biquotidien
Type des cuves : inox et béton
Température de fermentation : 30°
Mode de régulation : aspersion et serpentin
Temps de cuvaison : 15-21 jours
Vin de presse : 5 à 100 %
Filtration avant élevage : Kieselguhr

Age des barriques : renouvellement sur 5 années
Durée de l'élevage : 15-18 mois
Collage : poudre de blanc d'œufs
Filtration : plaques n° 10
Mise en bouteilles au château : en totalité
Type de bouteilles : lourde
Maître de chai : Manuel Braz
Œnologue-conseil : Pr Emile Peynaud

Commercialisation

Vente par souscription : oui
Vente directe au château : oui
Commande directe au château : oui
Contrat monopole : non

Commune de Cussac-Fort-Médoc
AOC Haut-Médoc

A l'ouest, des terres alluvionnaires trop fertiles pour la vigne. A l'est de la route Margaux-Pauillac, des vignobles de faible altitude (8 mètres environ), la nappe phréatique n'est pas loin. Des graves dont l'épaisseur croît à l'ouest (20-22 mètres) sur socle argileux puis d'alios et de graves. Surface totale du vignoble : 250 hectares.

A noter au nord de la commune une dépression (6 mètres) suivie de la belle dorsale Sainte-Gemme-Lachesnaye-Lanessan qui culmine à 17 mètres pour retomber à 3 mètres, niveau du marais de Beychevelle. Bel exemple des fameuses croupes médocaines.

Bordeaux-Cussac : trente-trois kilomètres.

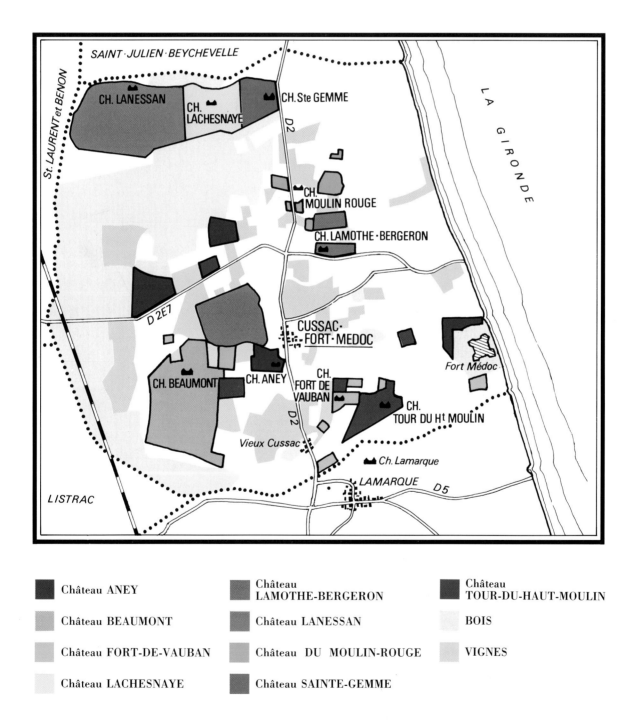

■ Château ANEY	■ Château LAMOTHE-BERGERON	■ Château TOUR-DU-HAUT-MOULIN
■ Château BEAUMONT	■ Château LANESSAN	▨ BOIS
■ Château FORT-DE-VAUBAN	■ Château DU MOULIN-ROUGE	▨ VIGNES
▨ Château LACHESNAYE	■ Château SAINTE-GEMME	

Château ANEY

En 1880, les Renouil font construire le « château », c'est-à-dire la solide maison bourgeoise dont la représentation très exacte figure sur l'étiquette des flacons du Château Aney, Aney rappelant le patronyme du vigneron fondateur apparenté par alliance aux Renouil. Cette famille exploita, à vrai dire de moins en moins puis plus du tout, un vignoble peau de chagrin. En 1972 la propriété change de mains et remonte la pente. Elle retrouve à peu près sa surface d'antan et les rénovations des locaux et installations de vinification sont menées à bien.

TERROIR ET VIGNES

Les parcelles s'étendent à droite et à gauche de la route Bordeaux-Pauillac. Un lot important de sept hectares « regarde » la Gironde au nord du célèbre Fort-de-Vauban. Il va sans dire que ce plateau côtier n'est que très modérément incliné en direction de la Gironde. Les trois autres parcelles sont sensiblement équidistantes du Château Beaumont, pratiquement horizontales sauf celle proche du village de Cussac qui, elle aussi, « regarde » la Gironde. Le sol comprend une forte épaisseur (1 à 4 mètres) de graves presque fines mêlées de sable, lesquelles reposent sur un socle argileux. Ces terres dont les optimistes prétendent qu'elles ressemblent à celles de Saint-Julien ne nécessitent pas la pose de drains.

Tous les deux ans des engrais organo-chimiques compensent les exportations végétales, le vignoble est conduit en non-culture. A noter la belle densité de plantation.

VINIFICATION ET VIN

Rien à signaler à propos de la vinification. Les cuvaisons sont longues. En général la totalité du vin de presse rejoint le vin de goutte, encore que l'influence du millésime soit déterminante. En 1984 par exemple aucun vin de presse ne fut incorporé. L'élevage s'étend sur deux années en barriques usagées.

Château Aney joue sa partie de cru Bourgeois dans une région qui ne pousse ni à la puissance ni à l'étoffe mais tend vers la finesse.

COTATIONS COMMENTÉES

1975	?	Attendre encore ; est-ce bien raisonnable ?
1976	7	Ignore les défauts habituels du millésime • A BOIRE
1977	3	Millésime triste • DEVRAIT ÊTRE BU
1978	8	Une bonne construction équilibrée • A BOIRE
1979	6	Il est fruité, il est facile ; manque d'extraits • A TERMINER
1980	4	Gouleyant • A TERMINER
1981	6	Proche du 79, mêmes défauts ; manque de concentration • A BOIRE
1982	9	Généreux et riche comme partout • A BOIRE, A ENCAVER
1983	10	Beau vin complet, du type • 7 ANS
1984	4	Belle robe pour le millésime • A COMMENCER
1985	9,5	Complet à évolution lente • 9 ANS
1986	10	Passage en fûts neufs. Charpenté — de garde • 9 ANS
1987	5	Floral, aimable, léger • 4 ANS

Age idéal : 6-7 ans.

Plat idéal : Queue de bœuf paysanne aux châtaignes.

CHÂTEAU ANEY, Cussac-Fort-Médoc, AOC Haut-Médoc

Date de création du vignoble : XIXᵉ s.
Surface : 22 ha
Nombre de bouteilles : 80 000
Répartition du sol : 4 lots
Géologie : graveleux-siliceux
Autre vin produit par le vignoble : aucun

Culture

Engrais : organo-chimique
Encépagement : CS 50 % CF 15 % M 30 % PV-Mc 5 %
Age moyen : 15 ans
Porte-greffe : Riparia, 101-14, SO 4

Densité de plantation : 8 000 pieds/ha
Rendement à l'hectare : 50 hl
Traitement antibotrytis : oui
Vendange : mécanique dès 1982

Vinification

Levurage : rarement
Remontage : biquotidien
Type des cuves : inox, ciment — 180 hl
Température de fermentation : 28-30°
Mode de régulation : serpentin
Temps de cuvaison : 1 mois
Vin de presse : 0 à 100 %
Filtration avant élevage : non

Age des barriques : 10 ans et neufs
Durée de l'élevage : 2 ans
Collage : blanc d'œuf frais, sang de bœuf
Filtration : à la mise
Mise en bouteilles au château : en totalité
Type de bouteille : standard
Maître de chai : Jean Raimond
Œnologue-conseil : Pierre Bariteau

Commercialisation

Vente par souscription : oui
Vente directe au château : oui
Commande directe au château : oui
Contrat monopole : non

156

Château BEAUMONT

COTATIONS COMMENTÉES

Année	Note	Commentaire
1975	9	*Est maintenant ouvert ; très bon vin* • A BOIRE
1976	6	*Souplesse généreuse et molle* • DEVRAIT ÊTRE BU
1977	4	*Petite année* • DEVRAIT ÊTRE BU
1978	7	*Bon équilibre, évolue rapidement* • A BOIRE
1979	6	*Belle robe, manque un peu de concentration* • A BOIRE
1980	5	*Robe légère, le vin aussi* • A TERMINER RAPIDEMENT
1981	8	*Équilibre acide-alcool, épicé-fruité* • A BOIRE
1982	8,5	*Fort d'épaules, gras et long, commence à s'ouvrir* • A BOIRE DOUCEMENT
1983	9	*Vin très fin et complet* • 6 ANS
1984	6	*Robe légère, souplesse, concentration faible* • A BOIRE
1985	10	*La robe, le gras, la longueur du 82 et la finesse du 83* • 8 ANS
1986	10	*Rond, plein, charnu, de longue garde* • 10-12 ANS
1987	6	*Goût de Merlot, fruité, jolie robe* • 5 ANS

Age idéal : 6-7 ans.

Plat idéal : *Civet de marcassin avec un 1981.*

E n 1854, un nommé Bonnin (ou Bonin) fait élever un château de rêve : trois corps de bâtiments en U, quatre tourelles d'angle octogonales et capuchonnées, balustres à la base des grands toits animés de fenêtres mansardées aux encadrements sculptés, péristyle central, façade rythmée de niches accueillant des sculptures, etc. Ce Bonnin, plombier de son état, a gagné une fortune à Paris. Son activité viticole connait sans doute la prospérité car en 1850, il produit l'équivalent de 150 000 bouteilles à Beaumont et 50 000 flacons à Raux dans la même commune. Bonnin a épousé une jeune Parisienne qui s'ennuie dans le château de son mari : Bonnin vend et s'en retourne à la Capitale. Différents propriétaires se succèdent. Après la guerre un Vénézuélien, M. de Bolivar, l'achète et laisse à sa jeune femme la remise en état du vignoble qui avait alors atteint son point le plus bas : 10 ha.

En 1979, lorsqu'elle cède Beaumont à Bernard Soulas, un dynamique céréalier, le vignoble s'étend sur 39 hectares. Le nouvel acquéreur entreprend des travaux considérables dans le château, le cuvier, le chai et entend porter le vignoble à 100 voire 120 hectares ! En 1986, les Compagnies d'assurance GMF et MAÏF se rendent acquéreurs du domaine. Philippe Dhalluin est nommé directeur.

TERROIR ET VIGNES

Le sol se compose de graves fines sablonneuses (0,2 à 2 mm 78 %, sable fin 8 %, très fin 4 %, limon 5 %, argile 5 %). Pratiquement partout un drainage naturel « essuie » un sol replanté à un rythme rapide (31 ha en 1980) dont les règes sont distantes de 1,5 m.

VINIFICATION ET VIN

Le chapeau est arrosé par un tourniquet, deux remontages sont aérés, trois ne le sont pas. A Château Beaumont on croit aux cuves de grand volume (350 hl). Le décuvage est assisté depuis 1985, la deuxième moitié de la cuve est filtrée sur terre. Le vin est remis en cuves pour collage après son élevage remarquablement soigné. Château Beaumont est du petit groupe des meilleurs Haut-Médoc. A noter ses arômes de fruits rouges, son caractère épicé cannelle et poivre vert, souligné d'une touche de réglisse.

CHÂTEAU BEAUMONT, Cussac-Fort-Médoc, 33460 Margaux, AOC Haut-Médoc

Date de création du vignoble : *XIXᵉ siècle*
Surface : *87,5 ha*
Répartition du sol : *un seul tenant*
Géologie : *sablo-graveleux*
Autre vin produit par le vignoble : *Château Moulin-d'Arvigny*

Culture

Engrais : *organique et fumier*
Encépagement : *CS 56 %   CF 7 %   M 36 %   PV 1 %*
Age moyen : *15 ans*
Porte-greffe : *Riparia, 101-14, 420 A et SO 4*
Densité de plantation : *6 600 pieds/ha*

Rendement à l'hectare : *45 hl*
Traitement antibotrytis : *4 traitements raisonnés*
Vendange : *mécanique*

Vinification

Levurage : *oui*
Remontage : *5 par cuve*
Type de cuves : *inox*
Température de fermentation : *28°*
Mode de régulation : *ruissellement*
Temps de cuvaison : *15 à 20 jours*
Vin de presse : *la première presse*
Filtration avant élevage : *sur terre*
Age des barriques : *renouvellement par tiers*

Durée de l'élevage : *18 mois dont 12 en barriques*
Collage : *blanc d'œuf*
Filtration : *sur plaques avant mise*
Mise en bouteilles au château : *en totalité*
Type de bouteille : *lourde*
Maître de chai : *M. Philippe Dhalluin*
Directeur : *M. Paradivin*
Œnologue-conseil : *M. Boissenot*

Commercialisation

Vente par souscription : *oui*
Vente directe au château : *possible*
Commande directe au château : *possible*
Contrat monopole : *non*

Château FORT-DE-VAUBAN

Les Noleau sont viticulteurs de père en fils depuis plusieurs générations. Il y a quelques années, on pouvait lire sur l'étiquette de Château Fort-de-Vauban « la plus vieille vigne de France ». Il s'agissait d'un plantier de Malbec franc de pied (non greffé), qui avait résisté au phylloxéra. Sans doute datait-il de 1845-1847. Cette parcelle porte le nom de Monteil-du-Moulina, marque qui précéda celle de Fort-de-Vauban jusqu'à 1955.

André Noleau travaillait cette vigne avec un cheval entravé qui avait remplacé le bœuf. Entravé pour aller lentement, pour être précis. En 1973, le tracteur enjambeur se substitue à la traction animale. Les vignes plus que centenaires sont fragiles, les souches creuses cassent comme du verre et sont arrachées. C'est évidemment dommage mais il reste à André Noleau un vignoble dont l'âge moyen est très élevé, gage de qualité.

Deux étiquettes peuvent orner les bouteilles : soit l'entrée du Fort-de-Vauban, une marque déposée le 1er juin 1955 alors que Philippe de Rothschild projetait d'acheter et de déplacer cette construction très classique, aujourd'hui classée Monument Historique, soit le dessin du buste de Vauban tel qu'il est visible à côté de l'église de Bazoche.

TERROIR ET VIGNES

Les parcelles, sauf une, sont situées au nord-est de Vieux-Cussac sur des graves d'un mètre de profondeur horizontales ou très peu inclinées vers l'est en direction de la Gironde (8-6 m).

Drainage naturel. Les fossés recueillent l'eau de ruissellement, de même que dans les deux hectares d'argile jaune sur socle de graves. Les vieilles vignes sont plantées à un mètre sur un mètre ainsi que cela se faisait autrefois. Cette bonne habitude n'a pas été suivie pour les vignes plus jeunes (6 600 pieds/ha).

VINIFICATION ET VIN

La vinification est tout à la fois artisanale et soignée. Il est arrivé que les fermentations atteignent — sans s'arrêter pour autant — des températures record : 35-38° ! Le vin est élevé très longuement (trois ans) en cuves de bois et ciment (sauf le 1962 qui fit de la barrique). Les bouteilles étiquetées « Château Monteil-du-Moulina » contiennent les vins non retenus pour honorer la marque principale. Château Fort-de-Vauban est un vin coloré, au léger parfum de boisé, dense, qui trouve son harmonie dans une rondeur bon enfant.

COTATIONS COMMENTÉES

Année	Note	Commentaire
1970	9	Plein, bonne évolution • A BOIRE
1975	8	Il s'ouvre • A BOIRE
1976	7	Pas de pluie, fruité • A TERMINER
1977	4	Vin de Cabernet • A TERMINER
1978	8,5	Équilibré, complet, gras • A COMMENCER
1979	7,5	1978 moins concentré • A BOIRE
1980	5	Vin léger de Cabernet • A BOIRE
1981	8,5	Nez parfumé, boisé, dense • A BOIRE
1982	10	Très construit et charpenté • 10 ANS
1983	9	Un 1982 plus souple • A BOIRE
1984	5,5	Couleur faible, peu gras • A BOIRE
1985	9	12,2 naturel, gras, Merlots dominants • 7 ANS
1986	9	Vaut 1985 • 7 ANS
1987	5,5	Avantagé par les vendanges manuelles tardives, coloré par le P-V • 4 ANS

Age idéal : 8 ans.

Plat idéal : Porc braisé aux marrons.

CHÂTEAU FORT-DE-VAUBAN, Cussac-Fort-Médoc, AOC Haut-Médoc

Date de création du vignoble : XXe siècle
Surface : 7 ha
Nombre de bouteilles : 30 000
Répartition du sol : 7 lots
Géologie : terre argilo-graveleuse
Autre vin produit par le vignoble : Château Monteil-du-Moulina

Culture

Engrais : potasse, chaux
Encépagement : CS 30 % PV 10 % M 60 %
Age moyen : 45 ans
Porte-greffe : 420 A, Téléki 5BB, Riparia, 44-53

Densité de plantation : 10 000, 6 600 pieds/ha
Rendement à l'hectare : 40-50 hl
Traitement antibotrytis : non
Vendange : manuelle

Vinification

Levurage : naturel
Remontage : quotidien
Type des cuves : ciment revêtu et bois — 130 hl
Température de fermentation : 30° et plus
Mode de régulation : transfert, canne chauffante
Temps de cuvaison : 1 mois

Vin de presse : première presse
Filtration avant élevage : non
Durée de l'élevage : 3 ans de cuve
Collage : gélatine
Filtration : à la mise
Mise en bouteilles au château : en totalité
Type de bouteille : standard (1973 lourde)
Maître de chai : André Noleau et Jean Noleau
Œnologue-conseil : Bernard Couasnon

Commercialisation

Vente par souscription : non
Vente directe au château : oui
Commande directe au château : oui
Contrat monopole : non

Château LACHESNAYE

CHATEAU LACHESNAYE
1983

HAUT-MÉDOC
APPELLATION HAUT-MÉDOC CONTRÔLÉE

MIS EN BOUTEILLE AU CHATEAU

CRU BOURGEOIS

G.F.A. DES DOMAINES BOUTEILLER
PROPRIÉTAIRE À CUSSAC-FORT-MÉDOC (33)

PRODUCE OF FRANCE 750ml

COTATIONS COMMENTÉES

1975	9	S'est ouvert, vin complet ● A BOIRE
1976	–	Sur le déclin ● DEVRAIT ÊTRE BU
1977	4	Léger et nerveux ● A BOIRE
1978	7	Bon équilibre tannin, acidité, alcool ● A BOIRE
1979	7	Très proche du précédent ● A BOIRE
1980	5	Robe légère, vin léger ● A BOIRE
1981	8	Très classique ● A BOIRE
1982	10	De la rondeur, de l'ampleur ● A BOIRE
1983	8	Semblable à 1981 ● A BOIRE
1984	5	Vin de jeunes Cabernets ● 5 ANS
1985	10	Puissant, complexe, concentré, touches épicées, rappel 1971 ● 5 ANS
1986	9	Rondeur, équilibre, joli boisé, de garde, dans l'esprit du 1970 ● 8 ANS
1987	5	Modérément tannique ● 3 ANS

Age idéal : 4 ans.

Plat idéal : Faisan forestière.

Lachesnaye appartenait évidemment à un Lachesnaye qui lui a légué son nom. Avant la Révolution, la famille de Caupène en hérite. Au XIXᵉ siècle les Phélan l'exploitent. En mars 1880 les héritiers Guestier, de Gaby et Phélan vendent à leur cousin Exshaw Lachesnaye pour près de 600 000 francs. Deux mois plus tard l'architecte Garros pose les premières pierres du château. Le 25 avril 1927, le Vénézuélien Gomez reprend Lachesnaye qui sera revendu dans les années 1961 et 1962 à Jean Bouteiller, déjà propriétaire du domaine contigu : Lanessan.

Au travers de ces nombreux propriétaires, l'exploitation vinicole du domaine fut très fluctuante.

Abraham Lawton, dans ses fameux carnets, cote les vins de Lachesnaye à un niveau très élevé, près de 500 livres tournois, c'est-à-dire plus que de nombreux crus qui seront classés en 1855, tels que Beaucaillou-Ducru, Beychevelle, Lynch-Bages, Branaire-Ducru, Pontet-Canet, Langoa, Lafon-Rochet...

Les renseignements d'Abraham Lawton sont fiables puisqu'ils sont établis sur une longue période : 1741-1774. Néanmoins Lachesnaye ne sera pas classé en 1855 bien que les Phélan y produisent beaucoup de vin (150 tonneaux en 1850, l'équivalent de 180 000 bouteilles) : prix et qualité ont chuté. Au début du règne de Frédéric Exshaw qualité et cours remontent puisque le vin de Lachesnaye se vend à nouveau plus cher que celui de Beychevelle et de Pontet-Canet. Le vignoble survit mal au phylloxéra et Frédéric Exshaw s'intéresse trop à l'élevage des chevaux de course pour choyer son vin.

Lorsque M. Gomez reprend Lachesnaye-Sainte-Gemme qu'il rebaptise Lachesnaye tout court, la production est tombée à 15 000 bouteilles environ ! Elle remonte mais le gel de 1956 aura raison du vignoble que Jean Bouteiller doit replanter.

Depuis 1969, elle progresse régulièrement.

TERROIR ET VIGNES

Le vignoble prolonge celui de Lanessan à l'est. Il s'abaisse comme lui au nord et au sud (7-3 m) ainsi que très légèrement d'ouest en est (18-15 m). Le sol de graves garonnaises, grosses à moyennes, semblables à celles de Beychevelle et Branaire (proches voisins) repose sur un socle de calcaire de Saint-Estèphe. Cette particularité se retrouve à Lafite et à Mouton. Des règes de 150 cm accueillent Cabernet et Merlot en proportion égale.

VINIFICATION ET VIN

La vinification est semblable à celle de Lanessan (voir p. 161). L'élevage un peu plus bref que pour ce dernier vin, se fait dans des barriques provenant de Pichon-Baron ou Palmer.

Lachesnaye appartient à la catégorie des Médoc dont l'amabilité s'affirme assez rapidement. Sa souplesse ronde et fruitée y contribue.

CHÂTEAU LACHESNAYE, Cussac-Fort-Médoc, AOC Haut-Médoc

Date de création du vignoble : *XVIIᵉ siècle*
Surface : *15 ha*
Nombre de bouteilles : *80 000*
Répartition du sol : *un seul tenant*
Géologie : *graves*
Autre vin par le vignoble : *aucun*

Culture

Engrais : *amendements organiques*
Encépagement : *CS 50 % M 50 %*
Age moyen : *15 ans*
Porte-greffe : *Riparia, 101-14*
Densité de plantation : *6666 pieds/ha*

Rendement à l'hectare : *45 hl*
Traitement antibotrytis : *non*
Vendange : *mécanique*

Vinification

Levurage : *naturel*
Remontage : *biquotidien*
Type des cuves : *ciment époxy*
Température de fermentation : *32°*
Mode de régulation : *serpentin*
Temps de cuvaison : *3-4 semaines*
Vin de presse : *première presse*
Filtration avant élevage : *non*
Age des barriques : *5 ans*

Durée de l'élevage : *18 mois*
Collage : *blanc d'œuf lyophilisé*
Filtration : *à la mise*
Mise en bouteilles au château : *en totalité*
Type de bouteille : *lourde*
Maître de chai : *Hubert Bouteiller*
Œnologue-conseil : *laboratoire de Pauillac*

Commercialisation

Vente par souscription : *oui*
Vente directe au château : *oui*
Commande directe au château : *oui*
Contrat monopole : *oui – Sté-Alexis Lichine*

Château LAMOTHE-BERGERON

Lamothe-Bergeron ou Lamothe-de-Bergeron, l'un ou l'autre se dit. Avant 1850 on disait Bergeron tout court. Cet homme produisait l'équivalent de 150 000 bouteilles !

Le château n'a été élevé que quelques années plus tard. Au lieu-dit Lamothe sans doute, encore qu'il faille être bien averti pour y découvrir une motte, c'est-à-dire une hauteur. Le bâtiment lui-même, assez orné et tarabiscoté dans le goût Napoléon III, témoigne d'un certain art de vivre et mérite le détour.

Depuis quelques lustres, le domaine appartient à une société chapeautée par le groupe négociants-propriétaires Mestrezat, dont on connaît le dynamisme ; c'est dire que vignobles et chai ont été rénovés, restaurés, replantés, agrandis, etc. Le château lui-même, endommagé il y a quelques années par un incendie, a eu droit à un « lifting » intégral.

TERROIR ET VIGNES

La plus grande parcelle, proche du vignoble du Château Beaumont, à l'ouest de Cussac-Fort-Médoc, est pratiquement horizontale à l'altitude de 21 mètres. Elle s'abaisse à proximité du village. Les deux autres encadrant le Château Lamothe-Bergeron s'inclinent légèrement à l'est entre 10 et 5 mètres. Toutes ces parcelles sont graveleuses et sablo-graveleuses. L'âge du vignoble s'établit ainsi : 25 ans 10 %, 10 ans 70 %, 4 ans 20 %.

VINIFICATION ET VIN

La vinification menée dans un cuvier moderne ne présente pas de caractère particulier. Depuis quelques années l'élevage du vin s'est perfectionné afin de rendre au Château Lamothe-Bergeron la place qu'il occupait autrefois, à la hauteur des deux ou trois meilleurs vins de la commune. Il est rond et fruité avec délicatesse. Des sélections l'améliorent encore, c'est pour cela qu'un deuxième vin a été créé. Il porte le nom de Château Romefort (ce cru existait autrefois), il en est produit environ 60 000 bouteilles annuelles.

COTATIONS COMMENTÉES

1979	7	Vignoble restauré en 1973 ; excellent début, fruité • A BOIRE
1980	5	Les Cabernets manquent de maturité, pluies, léger • A TERMINER
1981	8	Complet et réussi • A BOIRE
1982	10	Grand vin gras et souple, peu typé Médoc • A BOIRE
1983	9	Dans l'esprit des 1981 • A COMMENCER
1984	6	Vendange de Cabernets très sains ; manque de gras mais bon • A BOIRE
1985	9	Dans l'esprit des 83-81 • 5 ANS
1986	9,5	Fait songer au 1982 • 10 ANS
1987	6	Fin et léger • 4 ANS

Age idéal : 6-7 ans.

Plat idéal : Noix de veau.

CHÂTEAU LAMOTHE-BERGERON, Cussac, AOC Haut-Médoc

Date de création du vignoble : *XIXe siècle et 1974*
Surface : *54 ha*
Nombre de bouteilles : *300 000*
Répartition du sol : *2 lots*
Géologie : *graves garonnaises*
Autre vin produit par le vignoble : *Château Romefort*

Culture

Engrais : *organo-minéral, sulfate de potasse, fumier tous les 4/5 ans*
Encépagement : *CS 66 % CF 4 % M 30 %*
Age moyen : *12 ans*
Porte-greffe : *101-4, 3309, SO4*

Densité de plantation : *6666 pieds/ha*
Rendement à l'hectare : *55 hl*
Traitement antibotrytis : *non systématique*
Vendange : *mécanique*

Vinification

Levurage : *oui*
Remontage : *biquotidien*
Type des cuves : *inox*
Température de fermentation : *30° – 32°*
Mode de régulation : *ruissellement*
Vin de presse : *incorporé en totalité ou partie après 1 an de conservation*

Filtration avant élevage : *sur terre*
Age des barriques : *2, 3 et 4 ans*
Durée de l'élevage : *18 mois env.*
Collage : *albumine d'œuf*
Filtration : *sur plaques à la mise*
Mise en bouteilles au château : *en totalité*
Type de bouteille : *standard*
Maître de chai : *M. Obissier*
Œnologue-conseil : *M. Bernard Monteau*

Commercialisation

Par la société Mestrezat :
17, cours de la Martinique
BP 90 33027 Bordeaux Cedex

Château LANESSAN

L a veuve d'Henry de Lanessan vendit sa terre le 15 janvier 1310 à un nommé Blaignan. De femme en femme, elle ne quitte plus cette famille jusqu'au 17 mai 1793 quand Jean Delbos, négociant et armateur, s'en porte acquéreur. André Delbos laissa une trace ineffaçable en faisant élever par Abel Duphot l'important château de style écossais-batave aux spectaculaires cheminées, construire des écuries aux mangeoires de marbre et en roulant dans des voitures hippomobiles que l'on peut admirer aujourd'hui dans un musée du Cheval ouvert au public. En 1907 Mlle Delbos épouse Étienne Bouteiller. De nos jours, c'est Hubert Bouteiller qui conduit le domaine et supervise la vinification.

On raconte que Lanessan ne fut pas classé en 1855 parce que Louis Delbos, négociant vendant lui-même son vin, n'envoya pas d'échantillon à la Chambre de Commerce de Bordeaux. Cette explication n'est pas satisfaisante car les échantillons étaient destinés au concours organisé pour l'exposition de 1855 à Paris et non à l'établissement du classement dressé par le syndicat des courtiers. Mais Jullien dans sa Topographie de tous les vignobles connus publiée en 1832 lui attribue la deuxième Classe, ce qui correspond au rang de 4e Cru classé.

TERROIR ET VIGNES

Le vignoble occupe une croupe imposante dont le sommet atteint 18 mètres et qui s'abaisse au nord, à l'ouest et à l'est à 7,5 et 3 mètres. Le sol de grosses graves günziennes profondes rappelle, toutes proportions gardées, celui de Latour. Il est complanté d'une très forte proportion de Cabernet-Sauvignon à raison d'1 pied au m², la meilleure densité possible.

VINIFICATION ET VIN

Tout est mis en œuvre pour obtenir de bonnes extractions : deux fois par jour les deux tiers de la cuve sont remontés, on pratique le pigeage du chapeau, la température des fermentations est élevée et les cuvaisons prolongées. Le vin de Lanessan, habillé de rubis vermillonné, aux arômes fruités de framboise alliés à une touche florale soulignée d'un boisé discret, présente en bouche une construction masculine élégante.

COTATIONS COMMENTÉES

1975	?	Toujours fermé • 15 ANS (?)
1976	6	S'ouvre, raisins surmûris, tabac, épices ; bon, peu typé Médoc • A BOIRE
1977	4	Bonne couleur pour le millésime • A COMMENCER
1978	7,5	Équilibré, gras, classique, calme • A BOIRE
1979	9	Un 1978 avec plus d'attaque, plus de tenue, plus d'acidité • A BOIRE
1980	5	Jolie robe, un bon 1980 • A BOIRE
1981	7	Très classique, bonnes sélections • A BOIRE
1982	8	Acidité basse, gras et rond, pas typé Médoc • A BOIRE
1983	10	Tannique, corpulent, bonne attaque • 8 ANS
1984	6	Cabernets mûrs ; tannique, dur • 8 ANS
1985	10	Tannique, notes grillées • 13 ANS
1986	10	Fruits rouges, violette, charpenté, puissant • 15-18 ANS
1987	6,5	Un 1967 réservé • 5 ANS

Age idéal : 8 ans.

Plat idéal : Râble de lièvre rôti.

CHÂTEAU LANESSAN, Cussac-Fort-Médoc, AOC Haut-Médoc

Date de création du vignoble : *XIIe-XVe ?*
Surface : *40 ha*
Nombre de bouteilles : *200 000*
Répartition du sol : *un seul tenant*
Géologie : *graves*
Autre vin produit par le vignoble : *Domaine de Sainte-Gemme*

Culture

Engrais : *amendements organiques*
Encépagement : *CS 75 % CF, PV 5 % M 20 %*
Age moyen : *20 ans*
Porte-greffe : *101-14, 420 A, SO 4, R 99, 3309...*

Densité de plantation : *10 000 pieds/ha*
Rendement à l'hectare : *35 hl*
Traitement antibotrytis : *non*
Vendange : *mécanique*

Vinification

Levurage : *naturel*
Remontage : *biquotidien*
Type des cuves : *ciment époxy – 200 hl*
Température de fermentation : *32°*
Mode de régulation : *serpentin*
Temps de cuvaison : *3-4 semaines*
Vin de presse : *première presse*
Filtration avant élevage : *non*

Age des barriques : *4-6 ans*
Durée de l'élevage : *2 ans*
Collage : *blanc d'œuf lyophilisé*
Filtration : *à la mise*
Mise en bouteilles au château : *en totalité*
Type de bouteille : *lourde*
Maître de chai : *Hubert Bouteiller*
Œnologue-conseil : *laboratoire de Pauillac*

Commercialisation

Vente par souscription : *oui*
Vente directe au château : *oui*
Commande directe au château : *oui*
Contrat monopole : *non (sauf exportation)*

Château DU MOULIN-ROUGE

GRAND VIN DE BORDEAUX

CHÂTEAU
DU
MOULIN ROUGE

HAUT-MÉDOC
APPELLATION HAUT-MÉDOC CONTRÔLÉE

CRU BOURGEOIS
1983
VEYRIES-PELON
PROPRIÉTAIRES-RÉCOLTANTS A CUSSAC-FORT-MEDOC (GIRONDE)

PRODUCE OF FRANCE   75 cl

MIS EN BOUTEILLES AU CHATEAU

Aujourd'hui le moulin a perdu ses ailes. Il ne reste qu'une tour. Sur le linteau de la porte, une date : 1739. Pourquoi rouge ? Parce que les pierres, sans doute quelque peu ferrugineuses, offrent des reflets rouges.

Aussi loin que l'on remonte dans les archives (1749) on retrouve la famille des propriétaires actuels du « Moulin-Rouge ». Ils sont toujours vignerons. Côté femmes ce sont les Martin et les Delhomme qui possèdent une vigne « à l'ombre du moulin » précisent les actes notariés.

En 1850, des Martin récoltent à Gachin, à Gaston et les Delhomme, à Costes, à Coudot, à Paylande, des lieux-dits de la commune de Cussac.

Aujourd'hui l'essentiel du vignoble s'étend au nord de Gaston. En vingt ans il a passé de 4 à 15 hectares.

Trois générations sont associées à la bonne marche de Château du Moulin-Rouge, les hommes à la vigne et au cuvier, les femmes au bureau pour les questions commerciales.

TERROIR ET VIGNES

Les parcelles sont disséminées à gauche et à droite de la route Margaux-Pauillac.

Celles à l'est s'abaissent légèrement en direction de la Gironde, celles contiguës à la route s'inclinent en direction du nord. Fossés et drains contribuent au drainage. Côté ouest, une épaisseur de 80 centimètres de gravilles et de cailloux repose sur l'argile alors que près de la route le même sol en couche plus mince (60 cemtimètres) s'appuie sur un sous-sol d'alios.

Dans des règes de 100×130 cemtimètres le Cabernet-Sauvignon domine quelque peu le Merlot. Le rendement de 63 hl/ha est appréciable.

VINIFICATION ET VIN

Guy Pelon décuve lorsque la fermentation est terminée. Il tient à une acidité volatile très basse (0,10). Il n'incorpore pas le vin de presse qui est vendu en vin de consommation courante, hors Appellation. Le vin est filtré sur terre au mois de janvier après avoir terminé sa fermentation malolactique, puis commence son élevage en cuve et en barrique.

Château du Moulin-Rouge ne gagne rien au chambrage excessif. C'est un vin qui exploite davantage son potentiel de finesse même au détriment de son ampleur.

Age idéal : 5-10 ans.   *Plat idéal : Salmis.*

COTATIONS COMMENTÉES

1975	9	*A son apogée depuis 1984 ; très bon, complet* • *A BOIRE*
1976	5,5	*Souple et fruité* • *A BOIRE*
1977	4	*Vin léger de Cabernet* • *A TERMINER*
1978	6	*Pourrait être plus riche et plus concentré* • *A BOIRE*
1979	7	*Charpenté, fruité, nerveux ; typé Médoc* • *A BOIRE*
1980	4,5	*Cabernet léger* • *A BOIRE*
1981	7	*Vaut le 1979* • *A BOIRE*
1982	8	*Souple, rond, fruité* • *A BOIRE*
1983	10	*Un 1979 plus tannique, charpenté* • *7 ANS*
1984	5	*Robe légère* • *A BOIRE*
1985	9	*Tient du 1982 et du 1983 ; longue garde* • *12 ANS*
1986	9	*Un 1985 qui évolue rapidement ?* • *11 ANS*
1987	5,5	*Forte sélection, léger quand même* • *7 ANS*

CHÂTEAU DU MOULIN-ROUGE, Cussac-Fort-Médoc, AOC Haut-Médoc

Date de création du vignoble : *XVIIe et XXe siècle*
Surface : *15 ha*
Nombre de bouteilles : *100 000*
Répartition du sol : *6 lots*
Géologie : *graville sur argile*
Autre vin produit par le vignoble : *aucun*

Culture

Engrais : *d'entretien*
Encépagement : *CS 50 % CF 5 % M 40 % Mc, PV 5 %*
Age moyen : *25 ans*
Porte-greffe : *Riparia, 101-14*

Densité de plantation : *6600 pieds/ha*
Rendement à l'hectare : *63 hl*
Traitement antibotrytis : *non*
Vendange : *manuelle*

Vinification

Levurage : *première cuve*
Remontage : *quotidien*
Type des cuves : *ciment, acier émaillé — 150 hl*
Température de fermentation : *30°*
Mode de régulation : *serpentin*
Temps de cuvaison : *voir texte*
Vin de presse : *non incorporé :*
Filtration avant élevage : *sur terre*

Age des barriques : *renouvellement par cinquième*
Durée de l'élevage : *3 mois + 18 mois*
Collage : *blanc d'œuf séché*
Filtration : *à la mise*
Mise en bouteilles au château : *en totalité*
Type de bouteille : *lourde*
Maître de chai : *Gilles Ribéro*
Œnologue-conseil : *Duval Arnould*

Commercialisation

Vente par souscription : *non*
Vente directe au château : *oui*
Commande directe au château : *oui*
Contrat monopole : *non*

Château DE SAINTE-GEMME

CHATEAU

de Sainte-Gemme

1983

HAUT-MÉDOC

CRU BOURGEOIS

APPELLATION HAUT-MÉDOC CONTROLÉE

GFA des Domaines BOUTEILLER
Château LANESSAN
CUSSAC-FORT-MÉDOC 33460

Produce of France   **750 ml**

Le vignoble appartient à la famille Bouteiller qui est aussi propriétaire des Châteaux Lanessan, Lachesnaye et Pichon Longueville Baron.

COTATIONS COMMENTÉES

1981	8	*Une charpente fine, un bon équilibre nerveux* ● A BOIRE
1982	10	*Une rondeur joyeuse* ● A BOIRE
1983	8	*Proche du 1981* ● A BOIRE
1984	6	*Le fruité des jeunes Cabernets* ● A BOIRE
1985	9	*Puissant, complexe* ● 5 ANS
1986	10	*Cassis, framboise; tannins riches* ● 8 ANS
1987	6	*Robe rubis, délicat, tannins suffisants pour vieillir* ● 3 ANS

Age idéal : 3-4 ans.

Plat idéal : Poulet de grain.

Ce Château, pour une fois, ne porte pas le nom d'un de ses propriétaires mais celui de la commune, une commune qui n'existe plus depuis la Révolution française puisqu'elle a été divisée et rattachée à celle de Cussac, devenue depuis Cussac-Fort-Médoc, et à celle de Saint-Laurent-et-Benon.

Étrange histoire que celle de cette « marque » qui a longtemps survécu « par château interposé », en s'associant à celui de Lachesnaye lorsque celui-ci était étiqueté Lachesnaye-Sainte-Gemme. L'inverse s'est également produit au XIX⁰ siècle du temps de la famille Phélan : Lachesnaye était vendu sous le nom de Sainte-Gemme... Cette discontinuité, ces alternances et ces disparitions paraissent peu compatibles avec l'établissement d'une réputation et l'affirmation de la spécificité d'un vin.

De partage en partage, il a fallu attendre le remembrement cadastral de la commune de Cussac-Fort-Médoc, achevé en 1965, pour que Sainte-Gemme retrouve son unité. Dès 1962 Jean Bouteiller s'en est porté acquéreur, en même temps que de Lachesnaye.

Un simple coup d'œil sur les plans des vignobles montre que Sainte-Gemme et Lachesnaye vont de pair et que Lanessan complète cet ensemble qui occupe la totalité d'une croupe modèle.

TERROIR ET VIGNES

De la départementale D 2 Margaux-Pauillac, on voit très bien à l'ouest l'émergence de la très belle croupe de Lanessan-Lachesnaye-Sainte-Gemme. De 5 mètres, elle s'élève à 15 mètres, point haut du vignoble qui s'abaisse au nord, au sud et à l'est en direction de la Gironde. Ces trois pentes facilitent le drainage de ce vignoble limité à 5 hectares mais dont la surface totale pourrait se développer jusqu'à 25 hectares. Les graves garonnaises du Günz sur socle argileux/argilo-calcaire sont complantées de Merlot et de Cabernet-Sauvignon à parts égales d'une densité à l'hectare moyenne et d'une grande jeunesse (fatalement!). A noter la bonne qualité des porte-greffe.

VINIFICATION ET VIN

La vinification est celle de Lanessan qui est celle de Lachesnaye. C'est Hubert Bouteiller qui la conduit, comme il conduit celle des deux vignobles cités ci-dessus.

Château de Sainte-Gemme est un vin rouge souple et fruité. La jeunesse du vignoble doit inciter à le boire « sur son fruit », c'est-à-dire dans ses premières années, ce qui donne à l'amateur la possibilité de faire vieillir d'autres flacons.

CHÂTEAU DE SAINTE-GEMME, Cussac-Fort-Médoc, AOC Haut-Médoc

Date de création du vignoble : *XIX⁰ siècle et 1965*
Surface : *5 ha*
Nombre de bouteilles : *20 000*
Répartition du sol : *un seul tenant*
Géologie : *graves*
Autre vin produit par le vignoble : *aucun*

Culture

Engrais : *amendements organiques*
Encépagement : *CS 50 % M 50 %*
Age moyen : *8 ans*
Porte-greffe : *Riparia, 101-14*

Densité de plantation : *6666 pieds/ha*
Rendement à l'hectare : *45 hl*
Traitement antibotrytis : *non*
Vendange : *mécanique*

Vinification

Levurage : *naturel*
Remontage : *biquotidien*
Type des cuves : *ciment époxy*
Température de fermentation : *32⁰*
Mode de régulation : *serpentin*
Temps de cuvaison : *3-4 semaines*
Vin de presse : *première presse*
Filtration avant élevage : *non*

Age des barriques : *5 ans*
Durée de l'élevage : *18 mois*
Collage : *blanc d'œuf lyophilisé*
Filtration : *à la mise*
Mise en bouteilles au château : *en totalité*
Type de bouteille : *standard*
Maître de chai : *Hubert Bouteiller*
Œnologue-conseil : *laboratoire de Pauillac*

Commercialisation

Vente par souscription : *oui*
Vente directe au château : *oui*
Commande directe au château : *oui*
Contrat monopole : *non (sauf exportation)*

Château TOUR-DU-HAUT-MOULIN

COTATIONS COMMENTÉES

Année	Note	Commentaire
1975	9	Il s'ouvre; complet, structuré • A BOIRE
1976	8	Vendangé très tôt (porte-greffe précoces), proche du 1975 • A BOIRE
1977	4	Cabernet austère • A BOIRE
1978	8	Complet et équilibré • A BOIRE
1979	7	Très proche du 1978 • A BOIRE
1980	5	Léger, un 1977 amélioré • A BOIRE
1981	8	« Un bouton de rose qui s'ouvre en 1988 » • A BOIRE
1982	9	« Charmante fille à la jupe fendue », gras • A BOIRE
1983	10	Un 1982 plus ferme, plus riche, plus fin • 10 ANS
1984	6	Léger, un 1980 amélioré, • 5 ANS
1985	9,5	Fruité, gras, tannins souples et abondants • 9 ANS
1986	9,5	Médaille d'or à Mâcon; égal (ou supérieur?) au 1985 • 9 ANS
1987	6	50 % de la récolte avant la pluie; étonnamment tannique • 5 ANS

Dans l'entre-deux-guerres, il s'appelait Château du Haut-Moulin. Les Cazaux-Poitou y vinifiaient l'équivalent de 25 000 bouteilles.

Laurent Poitou succède à son père, comme celui-ci succéda à son propre père. Ainsi quatre générations constituèrent-elles un vignoble et une marque. Néanmoins c'est à Laurent Poitou que la marque doit son plus grand renom et que le vignoble atteint sa véritable expansion. On peut déguster et acheter le Château Tour-du-Haut-Moulin au domicile de Laurent Poitou au cœur de Cussac. Les chais, assez importants, s'élèvent à Lauga distant d'un kilomètre. Les locaux sont isothermes, la batterie de cuves en ciment est impressionnante, autant que le vaste chai à barriques. Des murs de bouteilles rangées à l'ancienne et non pas en palette comme partout, témoignent d'un état d'esprit traditionnel et perfectionniste.

TERROIR ET VIGNES

Le vignoble est disséminé à gauche et à droite de la route Margaux-Pauillac. La parcelle la plus vaste est contiguë au cuvier. Elle paraît horizontale bien qu'elle s'incline de deux mètres en direction de la Gironde. Les graves en sont profondes et les fossés — une part du génie du Médoc — recueillent les eaux de ruissellement.

Un troupeau de moutons appartenant à la propriété assure une partie des fumures.

Les variétés habituelles sont plantées en règes serrées (1 m × 1 m) sur un seul porte-greffe, le 44-53.

VINIFICATION ET VIN

La vinification suit un chemin sans doute unique dans tout le Médoc : les raisins de toutes les variétés sont rassemblés dans les cuves de vinification. Laurent Poitou dit que son porte-greffe unique et précoce permet aux différents types de raisins de mûrir presque simultanément.

Les cuves s'entraînent l'une l'autre puisque du moût bouillonnant prélevé dans une cuve en activité accélère les nouvelles fermentations.

Les remontages biquotidiens sont longs, deux heures pour chaque cuve, et la température de la fermentation alcoolique élevée : 34°. L'élevage est particulièrement soigné.

Rien d'étonnant que Château Tour-du-Haut-Moulin soit régulièrement distingué lors des dégustations organisées par la presse spécialisée. C'est un vin gras au fruité rond, légèrement boisé, riche et de bonne longueur.

Age idéal : 8-12 ans.   Plat idéal : Poularde demi-deuil.

CHÂTEAU TOUR-DU-HAUT-MOULIN, Cussac-Fort-Médoc, AOC Haut-Médoc

Date de création du vignoble : XXᵉ siècle
Surface : 34 ha
Nombre de bouteilles : 230 000
Répartition du sol : 5 lots
Géologie : graves
Autre vin produit par le vignoble : aucun

Culture

Engrais : fumier et minéral
Encépagement : CS 50 % M 45 % PV 5 %
Age moyen : 25 ans
Porte-greffe : 44-53
Densité de plantation : 10 000 pieds/ha

Rendement à l'hectare : 45-50 hl
Traitement antibotrytis : oui
Vendange : mécanique

Vinification

Levurage : non
Remontage : biquotidien
Type des cuves : ciment — 150 hl
Température de fermentation : 34°
Mode de régulation : refroidisseur électronique
Temps de cuvaison : 3-4 semaines
Vin de presse : incorporé
Filtration avant élevage : sur terre

Age des barriques : neuves et « d'un vin », renouvelées par quart
Durée de l'élevage : 18 mois
Collage : blanc d'œuf en poudre
Filtration : à la mise
Mise en bouteilles au château : en totalité
Type de bouteille : standard
Maître de chai : Laurent Poitou
Œnologue-conseil : Bernard Couasnon

Commercialisation

Vente par souscription : non
Vente directe au château : oui
Commande directe au château : oui
Contrat monopole : non

Commune de Saint-Germain-d'Esteuil
AOC Médoc

A l'est, une plaine basse assez fertile, à l'ouest un plateau élevé et sableux, à 25 mètres d'altitude. Entre les deux une pente bien exposée à l'est-sud-est, de terres argilo-calcaires sur socle calcaire, complantée de plus de 300 hectares de vignes. Saint-Germain-d'Esteuil est situé à 61 kilomètres de Bordeaux.

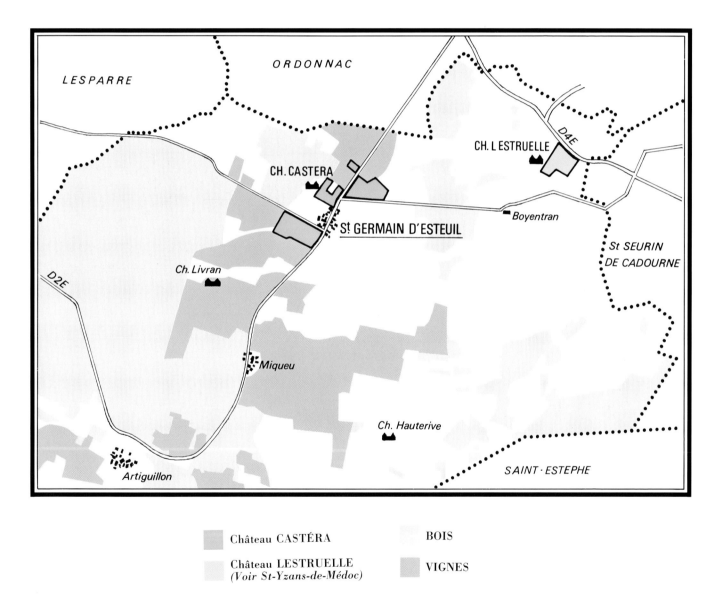

▓ Château CASTÉRA	░ BOIS
░ Château LESTRUELLE *(Voir St-Yzans-de-Médoc)*	▓ VIGNES

Château CASTÉRA

CRU BOURGEOIS

Château Castéra

MÉDOC

APPELLATION MEDOC CONTRÔLÉE

1980

750ml *St. A. Lichine & Cie.*

PROPRIÉTAIRE A St-GERMAIN D'ESTEUIL (GIRONDE)

Mis en bouteille au Château.

PRODUCE OF FRANCE

La gloire de Castéra ne devait rien à la vigne mais tout à l'art militaire. De la forteresse de Castéra, il ne reste qu'une grosse tour carrée du XIVe siècle épaulée de contreforts. Disparus les échauguettes, barbacanes et donjon. Relevé partiellement au XVIIe siècle, Castéra à cette époque comportait encore douves, enceintes et pont-levis. De nos jours tout cela n'est plus et a été remplacé par une grande maison dans le goût du XVIIe-XVIIIe siècle agrémenté d'un soupçon de néo-gothique.

Quelques propriétaires de Castéra furent célèbres : la famille d'Arsac le conserva du XIIIe au XVIe siècle. Jaquette d'Arsac l'apporta en dot à la famille Montaigne lorsqu'elle épousa Thomas, frère de Michel, conseiller au Parlement de Bordeaux et auteur des fameux Essais. Par la suite Castéra connaît divers propriétaires : 1573 La Boétie, 1638 Rochemont, 1639 Jean de Saint-Martin, 1663 Joly suivi de Aydie.

A partir du 1er février 1698 Castéra retrouve la stabilité, Jean de Constant s'en porte acquéreur. Sa femme, Marie-Anne de Verthamon d'Ambloy, appartient à la puissante famille de Verthamon, propriétaire de milliers d'hectares dans le Médoc. En 1850, la production monte à près de 100 000 bouteilles de Château Castéra. Après trois siècles de stabilité, les propriétaires se succèdent encore. En 1922, les Degonde y vinifient 180 000 bouteilles de vin rouge et autant de vin blanc.

En 1973, la société Alexis Lichine reprend Castéra, modernise la propriété, en particulier le cuvier et le cède fin 1986 au groupe allemand Dengros, tout en se réservant le monopole de la distribution du vin Château Castéra. Un vaste programme d'investissements a été lancé.

TERROIR ET VIGNES

Le vignoble, bien groupé autour du château, s'incline en direction du sud et de l'est (24-9 mètres). Les terres argilo-calcaires drainées reposent sur un socle de calcaire fissuré. Elles sont peu enrichies car elles sont complantées du dynamique porte-greffe SO 4. Le vignoble est conduit en non-culture (désherbage chimique) et les vendanges mécanisées.

VINIFICATION ET VIN

Elle est traditionnelle et ne présente aucune particularité. L'élevage se fait dans des barriques originaires du Château Lascombes qui appartenait à la même société. Il est bref. Château Castéra appartient à la catégorie des Médoc qui cherchent l'amabilité, le charme et l'élégance. On peut donc le consommer rapidement, de préférence avec des mets fins et légers.

Age idéal : 5 ans. Plat idéal : Jarret de veau braisé à la casserole.

COTATIONS COMMENTÉES

1975	8	Complet et ouvert • A BOIRE
1976	6	Bien, sans la souplesse excessive du millésime • A BOIRE
1977		2 500 caisses • A BOIRE
1978	8	Complet, équilibré • A BOIRE
1979	7	Belle robe, pas dilué • A BOIRE
1980	4	Une belle robe • A BOIRE
1981	10	Très réussi, charme, légèreté, souplesse, élégance • A BOIRE
1982	8	Généreux et plein, rondeur et souplesse • A COMMENCER
1983	9	1982 avec plus d'attaque • A BOIRE
1984	5	Vin de Cabernet, sans la dureté du cépage • A BOIRE
1985	9	Le plus corsé de la décennie • 8 ANS
1986	9	Plein, équilibre, évolution lente • 12 ANS
1987	5	Sélections sévères, fruité aimable • 4 ANS

CHÂTEAU CASTÉRA, Saint-Germain-d'Esteuil, AOC Médoc

Date de création du vignoble : *XVIe s. ?*
Surface : *42 ha*
Nombre de bouteilles : *200 000*
Répartition du sol :
  pratiquement un seul tenant
Géologie : *argilo-calcaire*
Autre vin produit par le vignoble :
aucun

Culture

Engrais : *organique et chimique*
Encépagement : *CS 45 % CF 10 % M 45 %*
Age moyen : *18-20 ans*
Porte-greffe : *SO 4*
Densité de plantation :
8 000 et 5 500 pieds/ha
Rendement à l'hectare : *40-45 hl*
Traitement antibotrytis : *non*
Vendange : *mécanique*

Vinification

Levurage : *première cuve*
Remontage : *biquotidien*
Type des cuves : *inox — 140 hl*
Température de fermentation : *27°-28°*
Mode de régulation : *ruissellement*
Temps de cuvaison : *15-25 jours*
Vin de presse : *première presse*
Filtration avant élevage : *non*
Age des barriques : *2-3 ans*

Durée de l'élevage : *3-6 mois (+ cuve)*
Collage : *blanc d'œuf liophylisé*
Filtration : *à la mise*
Mise en bouteilles au château : *en totalité*
Type de bouteille : *standard*
Maître de chai : *Philippe Grynfeltt*
Œnologue-conseil : *René Vannetel*

Commercialisation

Vente par souscription : *oui (35 %)*
Vente directe au château : *non*
Commande directe au château : *oui*
Contrat monopole : *oui*
  Société Alexis Lichine
  109, rue Achard, 33300 Bordeaux

Commune de Saint-Yzans-de-Médoc
AOC Médoc

Sur un sol généralement plat à basse altitude, à l'exception de la croupe de Loudenne et de quelques pentes proches du bourg. 250 à 300 hectares argilo-calcaires sur socle calcaire sont complantés de vignes.

Cette commune est située à quelque soixante-dix kilomètres au nord de Bordeaux.

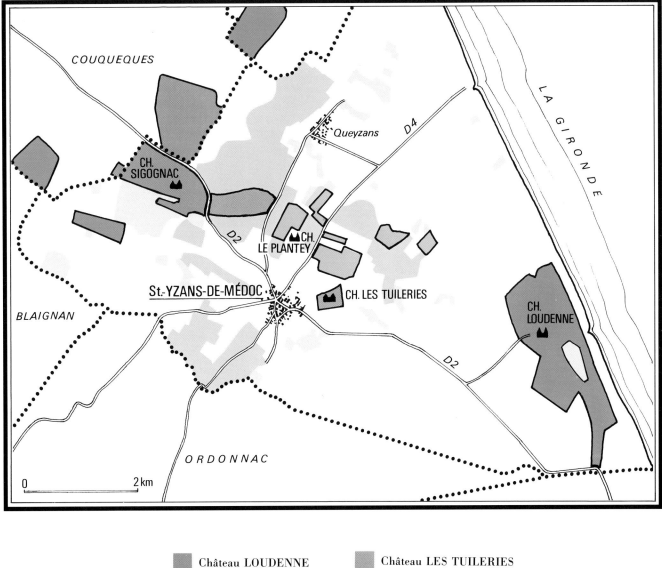

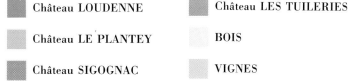

▪ Château LOUDENNE	▪ Château LES TUILERIES
▪ Château LE PLANTEY	▪ BOIS
▪ Château SIGOGNAC	▪ VIGNES

Château LOUDENNE

CHÂTEAU
Loudenne
MÉDOC
APPELLATION MÉDOC CONTROLÉE
1983
WyAGilbey Ltd
PROPRIÉTAIRES A ST YZANS DE MÉDOC GIRONDE
MIS EN BOUTEILLES AU CHATEAU
750ml℮   PRODUCE OF FRANCE

CHÂTEAU
Loudenne
BORDEAUX
APPELLATION BORDEAUX SEC CONTROLEE
1985
WyAGilbey Ltd
PROPRIÉTAIRES A ST YZANS DE MÉDOC GIRONDE
MIS EN BOUTEILLES AU CHATEAU
750ml℮   PRODUCE OF FRANCE

Château Loudenne demeure un cas particulier dans le Médoc. Cas particulier parce qu'il occupe à lui tout seul l'intégralité d'une croupe proche de la Gironde, une croupe isolée du reste des vignobles car elle émerge de terrains plats de très basse altitude (deux mètres), d'anciens marais transformés en pâturages. Cas particulier parce qu'il a suivi depuis plus d'un siècle un destin très britannique, puisque cette enclave anglaise est reliée directement à la Perfide Albion par un port privé et même un petit chemin de fer (Décauville à voie étroite) qui reliait le débarcadère aux chais et au château. Ainsi un citoyen britannique pouvait-il se rendre de Londres à Loudenne sans passer par la France si l'on peut dire. Dans le passé, Château Loudenne appartenait aux Verthamon, très ancienne famille qui posséda d'innombrables propriétés au nord du Médoc.

Vers 1850, Château Loudenne produit beaucoup de vin, presque autant que Château Sigognac, l'autre grand vignoble de la commune. Vinifier quelque 180 000 bouteilles (ou l'équivalent) hisse Loudenne au niveau des grands producteurs. Angélique, Joséphine, Marie, Eudoxie de Verthamon, vicomtesse douairière de Marcellus, met en vente sa propriété de Loudenne. En avril 1875, Walter et Alfred Gilbey, négociants londoniens se portent acquéreurs du château — une sorte de chartreuse du XVIIIe siècle — et des 200 hectares de terre attenants dont une trentaine plantés de vignes. La production approche les 250 000 bouteilles, cela les intéresse, mais la situation de la propriété, riveraine de la Gironde, les détermine, car ils veulent créer un vaste chai de stockage, un petit port relié au chai par voie ferrée, et exploiter la Gironde pour acheminer les vins, aussi bien pour leurs achats que pour leurs exportations. Ayant versé 28 000 livres sterling à la vicomtesse de Marcellus, ils réalisent l'année suivante leur projet et investissent quelque 72 000 livres. Sur cette lancée, ils multiplient par trois la surface consacrée à la vigne. Vers 1880, le phylloxéra ronge ces nouveaux plantiers. Les traitements au sulfure de carbone et la replantation de vignes greffées assurent la continuité de la production. Les frères Gilbey sont modernes et efficaces. Ce sont eux les premiers qui remplacent les bœufs par des chevaux, dès 1880.

A la fin des années vingt, la production est énorme, de l'ordre de 500 000 bouteilles. Loudenne poursuit son rôle de novateur avec l'introduction de la culture mécanisée par tracteur dès 1930, l'installation de cuves vitrifiées dès 1934 (mais Henri Woltner à la Mission-Haut-Brion exploitait depuis 1926 des cuves en acier émaillé !), et par l'adoption des machines à vendanger. Dans le domaine de la vinification, Château Loudenne préserve sa singularité ainsi qu'il apparaît ci-dessous.

Sur d'autres plans « l'insularité anglo-saxonne » de Loudenne présente des avantages, ainsi le respect des archives : rien de ce qui s'est passé à Loudenne depuis 1875 ne peut échapper à l'historien. On peut dresser la liste des visiteurs de marque depuis un siècle, savoir ce qu'ils ont bu ou mangé, connaître la production au litre près, les techniques culturales ou de vinification, etc. Il y a mieux, dans la bibliothèque du château : le

CHÂTEAU LOUDENNE, Saint-Yzans-de-Médoc, AOC Médoc

Date de création du vignoble :
   XVIIIe siècle
Surface : *41 ha +13 ha (vignes blanches)*
Nombre de bouteilles : *200000*
Répartition du sol : *4 lots*
Géologie : *graves*
Autre vin produit par le vignoble :
   Château Loudenne blanc, AOC Bordeaux

Culture

Engrais : *fumier organique*
Encépagement : *CS 48 % CF 8 %*
   M 41 % PV, Mc 3 %
Age moyen : *20 ans*
Porte-greffe : *Riparia, SO 4, 101-14, 4453*
Densité de plantation : *5000 pieds/ha*

Rendement à l'hectare : *38 hl*
Traitement antibotrytis : *oui*
Vendange : *mécanique et manuelle*

Vinification

Levurage : *oui*
Remontage : *biquotidien*
Type des cuves : *acier, inox,*

journal des frères Gilbey qui reflète les hésitations des futurs acquéreurs de la propriété, leurs projets, leur réussite... Ces archives ont permis à Nicholas Faith de publier un livre entier consacré à Loudenne sous le titre *Victorian Vineyard*.

TERROIR ET VIGNES

Le cœur de la propriété s'identifie à la croupe de Loudenne qui culmine à 16 mètres. Le vignoble qui descend de tous les côtés connaît toutes les orientations. Trois parcelles de vignes rouges complètent le lot principal, l'une horizontale à l'altitude de 7 mètres proche de Sigognac, à l'ouest de la commune de Saint-Yzans-de-Médoc, une autre, très proche mais sur la commune de Couquèques, pratiquement horizontale entre 8 et 9 mètres d'altitude, la dernière au nord de la commune de Saint-Christoly-Médoc, inclinée en direction du nord-est de 7 à 2 mètres (voir carte p. 201). La butte de Loudenne fait suite aux buttes de Saint-Seurin-de-Cadourne dont elle est séparée par le chenal de la Maréchale et une petite plaine. Elle est née du mariage des cailloux du Massif-Central et de ceux des Pyrénées. La pente assure le drainage de cette faible couche de graves assise sur un socle argilo-calcaire. Les vignes blanches s'étendent au nord en direction de Saint-Seurin-de-Cadourne sur une terre plate à deux mètres d'altitude améliorée par un système de drains et de fossés. L'encépagement (rouge) privilégie le Cabernet dans une proportion de 3/5 contre 2/5 de Merlot.

VINIFICATION ET VIN

Les rendements ne sont pas très élevés pour un vignoble d'âge moyen (ils oscillent entre 36 et 40 hectolitres/hectare dans les dix dernières années). La vinification classique dans son principe (remontage, durée et température des cuvaisons, etc.) se distingue néanmoins des pratiques habituelles médocaines : la première presse est ajoutée immédiatement au vin de goutte, quant aux assemblages, ils ne sont réalisés qu'au bout de 18 mois, peu avant la mise en bouteilles. Chaque cépage et chaque plantier est élevé isolément. C'est au moment des assemblages que la deuxième, voire la troisième presse est incorporée. Cette méthode, pour Jean-Louis Camp, œnologue, qui a passé dix ans en Bourgogne avant de conduire les vinifications de Loudenne, permet de mieux juger des qualités et défauts des divers terroirs et des diverses variétés et clones. Cette méthode permet également des sélections très sûres appliquées à des vins qui ne sont plus des nouveau-nés. Château Loudenne est un vin de bon ton, il est sociable, de bon ton. Il n'élève pas la voix et demeure sur son quant-à-soi. En dépit de cette égalité d'humeur, il n'échappe pas à l'influence — mesurée — du millésime.

CHÂTEAU LOUDENNE BLANC

C'est plus qu'une fantaisie : environ 100 000 bouteilles (40 % Sémillon, 60 % Sauvignon, 60 hl/ha). Vinification moderne à basse température de raisins non foulés constamment sous azote pour éviter toute oxydation. Le vin n'a droit, bien entendu, qu'à l'appellation Bordeaux.

COTATIONS COMMENTÉES

Année	Note	Commentaire
1975	10	*Robe à peine marquée, nez de fruits secs vanillés. Complet, concentré, long ; grande bouteille* ● A BOIRE
1976	7	*Robe pourpre reflets or, nez discret, bon équilibre amertume-astringence, rond mais peu de suite* ● A TERMINER
1977	—	*Robe marquée et claire, nez de bois sec, structuré sans chair, court* ● DEVRAIT ÊTRE BU
1978	8,5	*Nez boisé, balsamique, petits fruits, sous-bois, bon équilibre* ● A BOIRE
1979	7	*Robe soutenue, nez classique, souple et aimable* ● A BOIRE
1980	5	*Robe moyenne, nez boisé-fumé, bouche monocorde* ● A BOIRE
1981	8,5	*Belle robe, nez typé Loudenne, bouche précise, nette, équilibré avec de l'attaque* ● A BOIRE
1982	9	*Robe très foncée, nez boisé balsamique, bouche ample, violente, longue, demi-fine* ● 8 ANS
1983	8	*Robe foncée, nez cachou-réglisse ; bon équilibre, serré, encore fermé* ● 7 ANS
1984	6	*Robe un peu claire, mais intense pour le millésime, un bon 1984* ● A BOIRE
1985	9	*Attaque ronde, généreux,* ● 6 ANS
1986	9	*Plein, typé, à évolution lente style 1978* ● 8 ANS
1987	5,5	*Léger-fruité* ● 3 ANS

Age idéal : 5 ans.

Plat idéal : Beefsteak and Kidney-pie.

ciment époxy — 150, 250 hl
Température de fermentation : *28°-30°*
Mode de régulation : *serpentin*
Temps de cuvaison : *21 jours*
Vin de presse : *voir texte*
Filtration avant élevage : *sur Kieselguhr*
Age des barriques : *renouvelées par quart annuel*

Durée de l'élevage : *18-25 mois*
Collage : *à l'albumine*
Filtration : *sur plaques stériles*
Mise en bouteilles au château : *en totalité*
Type de bouteille : *spéciales depuis 1983 (aux armes des Gilbey)*
Maître de chai : *Jean-Louis Camp*
Œnologue-conseil : *Jean-Louis Camp*

Commercialisation

Vente par souscription : *non*
Vente directe au château : *oui*
Commande directe au château : *oui*
Contrat momonopole : *oui, distribué par Gilbey de Loudenne SA*

Château LESTRUELLE,
Château LE PLANTEY

Le château Lestruelle est situé dans le petit bourg de Plantignan à la limite est de la commune d'Ordonnac et Potensac. A l'issue de la première guerre, il appartient à Jean Marcoulet, sa production dépasse l'équivalent de 35 000 bouteilles. En 1943, Jean Ladra reprend ce vignoble qui lui vient de sa famille maternelle. De quatre ou cinq hectares, il l'agrandit jusqu'à seize en 1970 tout en se livrant à l'élevage et à la production laitière. En 1972, il en cède la moitié à son fils Jean-Claude. Jusqu'en 1979 le vin est vinifié en coopérative. Une GFA est constituée pour rassembler les deux moitiés de la propriété, cuvier et chai sont édifiés afin de se lancer dans la création d'une marque, et même de deux car une deuxième étiquette désignant le même vin est lancée : Château Le Plantey.

TERROIR ET VIGNES

Les plantiers sont disséminés. Un premier groupe voisine Plantignan dans les communes d'Ordonnac, Potensac et Saint-Germain-d'Esteuil. Les autres parcelles s'étendent au nord-est de Saint-Yzans-de-Médoc dans la commune du même nom (voir cartes pp. 165, 167, 173). Les sols sont argilo-calcaires, plus ou moins sabonneux et sablo-graveleux. L'encépagement est classique mais la taille ne l'est pas, c'est la Guyot simple. Les rangs sont éloignés (5 000 pieds/ hectare) afin de laisser passage aux tracteurs agricoles, mais les ceps sont rapprochés (0,90 mètres). La taille à un seul bras s'imposait (on gagne du temps aussi...) : 30 000 boutons/ha.

VINIFICATION ET VIN

La vinification est sérieusement conduite dans des cuves en acier revêtu dont la température est contrôlée par ruissellement et électrovannes. L'élevage comprend des barriques neuves et d'autres achetées à Fieuzal ou à Château Margaux, etc. Le vin passe six mois dans le bois et douze mois en cuves. Château Lestruelle et Le Plantey ne recherchent pas l'excès de tannins, leur forme d'équilibre autorise une consommation assez rapide.

Age idéal : 5-6 ans.

Plat idéal : Rouelle de veau.

COTATIONS COMMENTÉES

1980	4	Léger, presque fragile • A BOIRE SANS DÉLAI
1981	8	Agréable aujourd'hui, ne pas trop attendre • A BOIRE
1982	10	Style 1982 • A BOIRE
1983	9	Tient du 1981 et du 1982 fruité avec rondeur • A BOIRE
1984	5	Un 1980 plus coloré et plus long • A BOIRE
1985	9,5	Merlots superbes, rendement limité; beau vin • 12 ANS
1986	10	Un 1985 totalement réussi • 10 ANS
1987	5	Un vin léger et gouleyant • 3 ANS

CHÂTEAU LESTRUELLE, CHÂTEAU LE PLANTEY,
Saint-Yzans-de-Médoc, AOC Médoc

Date de création du vignoble : *XXᵉ siècle*

Surface : *25 ha (21 en production)*

Nombre de bouteilles : *160000*

Répartition du sol : *4 lots*

Géologie : *argilo-calcaire*

Autre vin produit par le vignoble : *aucun*

Culture

Engrais : *organo-chimique*

Encépagement : *CS 60 % CF 10 % M 30 %*

Age moyen : *20 ans*

Porte-greffe : *420 A, 161-49, Riparia*

Densité de plantation : *5000 pieds/ha*

Rendement à l'hectare : *55 hl*

Traitement antibotrytis : *dès 1985*

Vendange : *mécanique*

Vinification

Levurage : *première cuve*

Remontage : *90 minutes par jour*

Type des cuves : *acier revêtu — 160 hl*

Température de fermentation : *32º*

Mode de régulation : *ruissellement, électro-vanne*

Temps de cuvaison : *2-3 semaines*

Vin de presse : *enzymé, incorporé l'année suivante*

Filtration avant élevage : *sur terre*

Age des barriques : *renouvellement par cinquième*

Durée de l'élevage : *barriques 6 mois, cuves 12 mois*

Collage : *poudre d'œufs*

Filtration : *sur plaques*

Mise en bouteilles au château : *en totalité*

Type de bouteille : *standard*

Maître de chai : *Jean-Claude Ladra*

Œnologue-conseil : *laboratoire Gendrot*

Commercialisation

Vente par souscription : *non*

Vente directe au château : *oui*

Commande directe au château : *oui*

Contrat monopole : *non oui pour Château Le Plantey*

Château SIGOGNAC

Le domaine est ancien et la découverte de thermes confirme d'abord qu'une maison romaine s'élevait en ces lieux où Ausone aurait séjourné. Au XVIᵉ siècle l'existence de la maison noble de *Segouniac* appartenant au comte de Lesparre est attestée par divers documents d'archives.

Sous l'impulsion de Martin Subercaseaux, devenu propriétaire en 1828, *Cigognac* produit deux fois plus de vin que Loudenne. Dans les années vingt, la production de Sigognac a baissé de moitié alors que celle de Loudenne a été multipliée par quatre. Sarrazin reprend le vignoble en 1950 qui subit les gelées de 1956 et doit arracher d'innombrables ceps.

En 1964, Paul Grasset acquiert Sigognac dont le vignoble ne couvrait pas plus de quatre hectares. Il restaure la propriété, replante. Sa femme poursuit l'œuvre engagée en doublant l'étendue du vignoble.

TERROIR ET VIGNES

La route de Saint-Yzans-de-Médoc à Couquèques traverse le vignoble de Sigognac et permet d'apprécier le dénivelé de six mètres qui sépare le ruisseau aboutissant à Castillon du point haut de la propriété.

Le sol argilo-calcaire est amendé tous les trois ans d'engrais chimiques en alternance avec des engrais organiques. Lors de la reconstitution du vignoble un porte-greffe avait les faveurs des « spécialistes » le SO 4.

Colette Bonny-Grasset le déplore comme tous les propriétaires qui ont le sens de la qualité. En dépit du dynamique SO 4 et de l'âge moyen de la vigne, le rendement à l'hectare demeure raisonnable : 38 hectolitres, issus d'un vignoble planté en rangs larges, il est vrai : 5 500 pieds/hectare.

VINIFICATION ET VIN

La vinification ne présente pas de caractère particulier si ce n'est le volume assez important de certaines cuves : 155, 260 ou 300 hectolitres. Le vin est élevé en foudres de 120 hectolitres. Pour Colette Bonny-Grasset, l'apport de trop de tannin par un élevage en barrique nuirait à l'équilibre d'un vin qui se flatte d'être léger et peu tannique. « Un vin féminin, dit-elle, qui se boit jeune mais qui sait vieillir. »

COTATIONS COMMENTÉES

1975	6	« Une fausse grande année » ● A BOIRE
1976	6	Souple ● A BOIRE
1977	4	Une vinification réussie ● A BOIRE
1978	7	Souple dans son équilibre ● A BOIRE
1979	8	Un 1978 de plus longue garde ● A BOIRE
1980	4	Léger, pour début de repas ● A BOIRE
1981	9	Fin, corsé, de longue garde ● A BOIRE
1982	10	Grand vin élégant ● A BOIRE
1983	9	Dans l'esprit du 1981, corpulent, bonne extraction ● A BOIRE
1984	5	Équilibré, petite récolte (coulure) ● A BOIRE
1985	9	Coloré, équilibré, récolte limitée par les gelées ● 5 ANS
1986	10	Tannique, élégant, généreux, vin réussi ● 6 ANS
1987	5	Coulure (rendement faible), pluie ; léger, léger... ● 3 ANS

Age idéal : 4-5 ans.

Plat idéal : Poulet gascon.

CHÂTEAU SIGOGNAC, Saint-Yzans-de-Médoc, AOC Médoc

Date de création du vignoble : *XVIIᵉ siècle*
Surface : *45 ha*
Nombre de bouteilles : *250 000*
Répartition du sol : *un seul tenant*
Géologie : *argilo-calcaire*
Autre vin produit par le vignoble :
Château La Croix-du-Chevalier
Château d'Yzans

Culture

Engrais : *organique*
Encépagement : *CS 33 % CF 33 % M 34 %*
Age moyen : *21 ans*
Porte-greffe : *SO 4*

Densité de plantation : *5500 pieds/ha*
Rendement à l'hectare : *38 hl*
Traitement antibotrytis : *non*
Vendange : *mécanique*

Vinification

Levurage : *première cuve*
Remontage : *quotidien + biquotidien*
Type des cuves : *ciment, inox — 155 à 300 hl*
Température de fermentation : *30°-32°*
Mode de régulation : *pompe à chaleur*
Temps de cuvaison : *3-4 semaines*
Vin de presse : *non incorporé*
Filtration avant élevage : *non*

Age des barriques : *cuves bois — voir texte*
Durée de l'élevage : *18 à 24 mois*
Collage : *blanc d'œuf*
Filtration : *à la mise*
Mise en bouteilles au château : *en totalité*
Type de bouteille : *lourde*
Maître de chai : *Colette Bonny-Grasset*
Œnologue-conseil : *Jacques Boissenot*

Commercialisation

Vente par souscription : *oui (peu)*
Vente directe au château : *oui*
Commande directe au château : *oui*
Contrat monopole : *non, sauf exportation*

Château LES TUILERIES

Dans la deuxième moitié du XIXe siècle, les aïeux de Gilbert Dartiguenave, propriétaire du Château Les Tuileries, ont commencé à planter de la vigne. Ils étaient tonneliers et de ce fait connaissaient l'art du vin. Petit à petit le domaine s'étoffe et de cru Artisan devient cru Bourgeois. Ce nouvel état est reconnu en 1986 par le Syndicat des Crus Bourgeois. Il faut préciser qu'au cours des années, le vignoble a été agrandi et que des locaux de vinification ont été bâtis. A la suite des gelées catastrophiques de 1956, le vignoble a été replanté.

TERROIR ET VIGNES

Les deux lots principaux sont situés d'une part à l'est du village de Saint-Yzans-de-Médoc, d'autre part au nord du même village, dans le prolongement du vignoble de Sigognac. Le premier s'abaisse très légèrement en direction du sud, entre 8 et 5 mètres d'altitude alors que le second occupe une croupe qui culmine à 10 mètres pour s'abaisser au sud et à l'est de 5 mètres environ.

Ce sol argilo-calcaire sur socle pierreux est complanté en rangs larges de porte-greffe de qualité, le Riparia Gloire et d'autres plus adaptés au calcaire. Des SO 4 qui ne satisfont pleinement personne complètent la liste.

La proportion de Cabernet et Cabernet franc tend à augmenter.

Le traitement antibotrytis n'est pas systématiquement appliqué et ne dépasse jamais le chiffre de deux traitements annuels.

VINIFICATION ET VIN

Gilbert Dartiguenave prépare un pied de cuve pour amorcer les premières fermentations. Des remontages assurent une bonne extraction favorisée par des températures de fermentations élevées, de 30 à 32 degrés. Au cas où celles-ci s'élèvent trop, le vin est transféré dans une cuve vide.

Le vin de presse se bonifie un an puis est incorporé en fonction de la constitution du millésime. Ce stock tampon constitue une « banque de presse ».

L'élevage mérite une mention particulière car le propriétaire s'est offert en 1985 un important lot de barriques neuves. Le vin y séjourne sept mois. L'élevage total dure dix-huit mois, dont onze en cuves (rotation).

La moitié de la récolte est mise en bouteilles au château, le solde est vendu en vrac au négoce.

Château Les Tuileries brille par une souplesse de bon aloi. L'équilibre est réussi et le boisé des deux derniers millésimes ajoute une touche de complexité à ce vin très fruité dans sa jeunesse.

COTATIONS COMMENTÉES

1975	8	Ouvert, complet • A BOIRE
1976	7	De la souplesse. Médaille de bronze • A BOIRE
1977	4	Faible • DEVRAIT ÊTRE BU
1978	9	Bien construit, harmonieux • A BOIRE
1979	6	Peu concentré, gouleyant • A TERMINER
1980		Pas de mise en bouteilles
1981	6	Facile, dans le style du 1979 • A BOIRE
1982	9,5	Ample, gras, rond. Médaille d'or • A BOIRE
1983	8	Fin et typé. Médaille d'argent • A BOIRE
1984	5	Léger, moyen • A BOIRE
1985	10	Un 1982, boisé avec de la classe • 4-5 ANS
1986	9,5	Tient du 1982 et 1985 • 5 ANS
1987	5,5	Léger et facile • 2-3 ANS

Age idéal : 4 ans.

Plat idéal : Garenne en cocotte.

CHÂTEAU LES TUILERIES, Saint-Yzans-de-Médoc, AOC Médoc

Date de création du vignoble : 1878
Surface : 15 ha
Nombre de bouteilles : 60000
Répartition du sol : 4 lots
Géologie : argilo-calcaire
Autre vin produit par le vignoble : aucun

Culture

Engrais : 10.20.30.
Encépagement : CS 1/3 M 2/3
Age moyen : 30 ans
Porte-greffe : 101-14, Riparia, 3309, SO 4, 420 A
Densité de plantation : 5000 pieds/ha

Rendement à l'hectare : 55 hl
Traitement antibotrytis : parfois
Vendange : mécanique

Vinification

Levurage : pied de cuve
Remontage : biquotidien
Type des cuves : ciment — 100 hl
Température de fermentation : 30°
Mode de régulation : transfert
Temps de cuvaison : 30 jours
Vin de presse : incorporé l'année suivante
Filtration avant élevage : sur terre
Age des barriques : neuves (voir texte)

Durée de l'élevage : 7 mois et 11 mois de cuve
Collage : albumine d'œuf
Filtration : sur plaques à la mise
Mise en bouteilles au château : oui (voir texte)
Type de bouteille : standard
Maître de chai : G. Dartiguenave
Œnologue-conseil : laboratoire Pauillac

Commercialisation

Vente par souscription : non
Vente directe au château : oui
Commande directe au château : oui
Contrat monopole : non

Communes de Blaignan, Civrac sud-est, Ordonnac, Prignac est
AOC Médoc

BLAIGNAN A 65 kilomètres de Bordeaux, cette commune comprend près de 250 hectares de vignes particulièrement denses sur les pentes élevées du sud (33, 26 mètres).

Dans la plaine (nord-ouest), terres céréalières ; au sud et à l'ouest des terres argilo-calcaires mêlées de graves sur socle calcaire.

CIVRAC sud-est Des vignes sur des terres horizontales, ou presque, de graves sablonneuses sur socle calcaire (100 hectares au total).

La distance Bordeaux-Civrac est de 72 km.

ORDONNAC Une dorsale de forte altitude (33 mètres), axée est-ouest, donne asile à la majeure partie de 175 hectares de vignes complantées sur des graves à soubassement calcaire.

La distance Bordeaux-Ordonnac est de 63 kilomètres.

PRIGNAC est Sur une pente orientée au nord, les vignobles complantent des terres argilo-calcaires sur socle calcaire (environ 100 hectares au total).

La distance Bordeaux-Prignac est de 71 km.

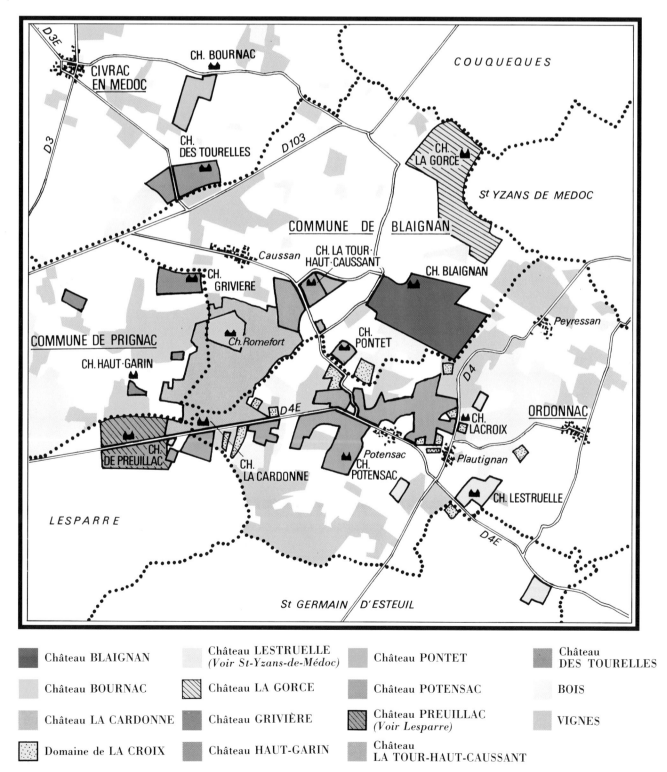

Château BLAIGNAN	Château LESTRUELLE (Voir St-Yzans-de-Médoc)	Château PONTET	Château DES TOURELLES
Château BOURNAC	Château LA GORCE	Château POTENSAC	BOIS
Château LA CARDONNE	Château GRIVIÈRE	Château PREUILLAC (Voir Lesparre)	VIGNES
Domaine de LA CROIX	Château HAUT-GARIN	Château LA TOUR-HAUT-CAUSSANT	

Château BLAIGNAN

MIS EN BOUTEILLE AU CHATEAU

CHATEAU BLAIGNAN
MEDOC
APPELLATION MÉDOC CONTROLÉE
1982   CRU BOURGEOIS   75cl

S.C.C.T. PROPRIÉTAIRE A BLAIGNAN (GIRONDE) FRANCE
PRODUIT DE FRANCE   Jean-Pierre A. de La Bassetière à Actin   PRODUCT OF FRANCE

RÉCOLTE   CONCOURS GÉNÉRAL AGRICOLE
1982   PARIS 1984
MÉDAILLE D'OR

COTATIONS COMMENTÉES

1979	5,5	Vin léger de vignes jeunes • A BOIRE
1980	5	Vin de Cabernet, nerveux, court • A BOIRE
1981	8	Bonne réussite, complet • A BOIRE
1982	9	Souple, gras, chaud • A BOIRE
1983	7	Style 1981 en plus léger • A BOIRE
1984	6	Sain, fruité, ampleur limitée • A BOIRE
1985	10	Parfait, équilibré, complet • 4 ANS
1986	9	Fait songer au 1982 • 7-8 ANS
1987	6	Fruité, léger • 3 ANS

Age idéal : 4 ans.

Plat idéal : Bœuf mode.

Le blé constituait la principale ressource de la commune de Blaignan. Ce qui ne veut pas dire qu'on n'y faisait pas de vin. Le vignoble de La Cardonne, appartenant aujourd'hui au groupe Rothschild (l'ex-banque), a près de deux siècles d'existence. Il a toujours été le plus vaste de la commune. Depuis le rachat dans les années 70 du Château Taffard de Blaignan par une société parrainée par Mestrezat, une importante maison de négoce bordelaise, il existe dans la commune un deuxième producteur important. Dans l'entre-deux-guerres, alors que le Crédit Foncier administrait La Cardonne et se contentait de produire trente tonneaux (35 000 bouteilles), MM. Laporte et Souriaux au Château Taffard-de-Blaignan vinifiaient 80 tonneaux (95 000 bouteilles)! Il est vrai que depuis cette époque La Cardonne a absorbé Château Romefort (50 tonneaux), tandis que Château Taffard-de-Blaignan, aujourd'hui Château Blaignan, a bénéficié des actions de soutien de la SAFER en faveur du remembrement. Il a été possible dans ces conditions de rassembler 135 hectares d'un seul tenant. En 1972, Mestrezat prend possession de cet ensemble et procède jusqu'en 1975 à la plantation des deux tiers du vignoble actuel. Une deuxième tranche de plantation porte en 1981 la surface encépagée à 66 hectares.

TERROIR ET VIGNES

La commune de Blaignan est diversement vallonnée. Le Château de Blaignan couronne une butte de 26 mètres et son vignoble descend tout autour de lui. Néanmoins, la majeure partie des vignes bénéficie de la belle orientation sud-sud-est (26 m-9 m). Un sol argilo-calcaire complanté de bons porte-greffe alignés en rangs larges porte la densité de plantation au minimum réglementaire (ce qui est courant au nord). Les vignes sont jeunes puisqu'elles ont été plantées en 1972-1975 et 1981.

VINIFICATION ET VIN

Le volume des cuves d'acier inoxydable est important. Le vin est filtré sur terre puis est élevé dans des cuves inox d'un volume plus considérable encore. Une médaille de bronze et une médaille d'or ont couronné les millésimes 1981 et 1982 (Concours Général Agricole de Paris). Ces distinctions montrent que Château Blaignan a su exprimer son terroir avec souplesse et rondeur.

CHÂTEAU BLAIGNAN, Blaignan, AOC Médoc (S.C. Château Taffard)

Date de création du vignoble : XIXᵉ-1972/1974
Surface : 66 ha
Nombre de bouteilles : 300 000-400 000
Répartition du sol : un seul tenant
Géologie : argilo-calcaire
Autre vin produit par le vignoble : Château Prieuré-Blaignan

Culture

Engrais : organo-minéral, sulfate de potasse
Encépagement : CS 65 % M 35 %
Age moyen : 8 ans
Porte-greffe : 161-49, 41 B, 3309
Densité de plantation : 5 000 pieds/ha

Rendement à l'hectare : 60 hl
Traitement antibotrytis : non systématique
Vendange : mécanique

Vinification

Levurage : oui
Remontage : biquotidien
Type des cuves : inox — 300 hl
Température de fermentation : 30°-32°
Mode de régulation : ruissellement
Temps de cuvaison : 21 jours environ
Vin de presse : incorporé en totalité ou partie après 1 an de conservation

Filtration avant élevage : sur terre
Age des barriques : en cuve inox — 500 hl
Durée de l'élevage : 12 à 18 mois
Collage : albumine d'œuf
Filtration : sur plaques à la mise
Mise en bouteilles au château : en totalité
Type de bouteille : standard
Maître de chai : Michel Fontagnères
Régisseur : Jean-Bernard Coureau
Œnologue-conseil : Bernard Monteau

Commercialisation

Par la Société Mestrezat,
17, Cours de la Martinique
BP 90 33027 Bordeaux Cedex

Château BOURNAC

1981
CHATEAU
BOURNAC
MÉDOC
APPELLATION MÉDOC CONTROLÉE
CRU BOURGEOIS
P. SECRET - PROPRIÉTAIRE A CIVRAC MÉDOC 75 cl
MIS EN BOUTEILLES AU CHATEAU

Pierre Secret cultivait les céréales dans l'Oise. Dans l'obligation de changer de lieu, il achète en 1969 quatre-vingts hectares dans le Médoc et tout naturellement se remet aux céréales. Le Médoc a une autre vocation, est-ce la pression du milieu, est-ce un problème de rentabilité ? Dès 1975, Pierre Secret se reconvertit à la viticulture. Les services viticoles lui accordent des droits de plantation exceptionnels.

Dans le même temps, les services de l'INAO déterminent les variétés de cépages les mieux adaptées au type de vin possible et, espère-t-on, aux exigences du marché. Tout est à créer : le vignoble, le cuvier, le chai à barriques, la commercialisation.

TERROIR ET VIGNES

Le sol est argilo-calcaire. Une très faible épaisseur de terre arable recouvre un socle caillouteux calcaire. Un engrais à base de sulfate de potasse compense les exportations végétales. Comme dans la plupart des vignobles nouvellement créés, la densité de plantation est faible. On peut déplorer cette habitude que l'on explique aisément par des problèmes de coût de plantation et d'exploitation. La jeunesse des vignes (7,5 ha ont 10 ans, le reste 3 ans) impose un bon rendement à l'hectare. Les porte-greffe sont choisis pour leur résistance au calcaire (sauf le Riparia).

VINIFICATION ET VIN

Un cuvier très moderne et très fonctionnel facilite le travail. La méthode suivie ne présente pas de particularités par rapport aux canons d'aujourd'hui : d'intenses remontages, une température élevée et des cuvaisons longues extraient le maximum. Cela est d'autant plus indispensable que les vignes sont jeunes ; les barriques dans lesquelles le vin séjourne quelques mois par rotation sont de haute provenance : Château Latour.

Château Bournac est un vin (actuellement) léger mais agréablement fruité. Il présente l'avantage de ne pas exiger un long vieillissement.

De récentes dégustations comparatives ont prouvé la qualité du terroir de Ch. Bournac.

COTATIONS COMMENTÉES

Année	Note	Commentaire
1978		5000 bouteilles ! jeunes vignes
1979	8	Fruité, médaille d'argent au concours agricole • A BOIRE
1980		Pas de mise en bouteilles
1981	10	Construit, bonne extraction, dense • A COMMENCER
1982	9	Tannique et rond • A COMMENCER
1983	5	Un peu dilué • A BOIRE
1984	6	Cabernet léger • A BOIRE
1985	9,5	Coloré, tannique, supérieur au 1982 • 10 ANS
1986	9,5	Style 1985. Dès le millésime 86 les vins passent en barriques • 9 ANS
1987	5,5	Vin de Cabernet, esprit 1984 • 2-3 ANS

Age idéal : 6 ans.

Plat idéal : Rôti de dindonneau.

CHÂTEAU BOURNAC, Civrac-Médoc, AOC Médoc

Date de création du vignoble : *1975*
Surface : *11,35 ha*
Nombre de bouteilles : *35000*
Répartition du sol : *un seul tenant*
Géologie : *argilo-calcaire*
Autre vin produit par le vignoble : *aucun*

Culture
Engrais : *sulfate de potasse*
Encépagement : *CS 66 % M 34 %*
Age moyen : *7 ans*
Porte-greffe : *SO 4, 5 BB, 41 B, Riparia*
Densité de plantation : *5050 pieds/ha*

Rendement à l'hectare : *60 hl*
Traitement antibotrytis : *oui*
Vendange : *mécanique*

Vinification
Levurage : *première cuve*
Remontage : *biquotidien*
Type des cuves : *inox — 165 hl*
Température de fermentation : *30°-32°*
Mode de régulation : *ruissellement*
Temps de cuvaison : *1 mois*
Vin de presse : *incorporé*
Filtration avant élevage : *sur terre*

Age des barriques : *barriques d'un vin*
Durée de l'élevage : *quelques mois*
Collage : *blanc d'œuf séché*
Filtration : *à la mise*
Mise en bouteilles au château : *oui*
Type de bouteille : *standard*
Maître de chai : *Pierre Secret*
Œnologue-conseil : *laboratoire de Pauillac*

Commercialisation
Vente par souscription : *oui*
Vente directe au château : *oui*
Commande directe au château : *oui*
Contrat monopole : *non*

Château LA CARDONNE

MIS EN BOUTEILLE AU CHATEAU

CHATEAU LA CARDONNE
DOMAINES BARONS DE ROTHSCHILD
1983
MÉDOC
APPELLATION MÉDOC CONTRÔLÉE
CRU GRAND BOURGEOIS
PRODUCE OF FRANCE
75cl
S.G.D.B.R. ET CIE, PROPRIÉTAIRE A BLAIGNAN (GIRONDE)

COTATIONS COMMENTÉES

1975	9	Grand vin qui aurait supporté l'élevage en barriques • A BOIRE
1976		Sur le déclin • DEVRAIT ÊTRE BU
1977	4	Se sont améliorés; toujours bons en magnums • A BOIRE
1978	7	Bon vin équilibré • A BOIRE
1979	7	Très proche du précédent • A BOIRE
1980	5	Un 1977 amélioré • A BOIRE
1981	8	Construit, bon équilibre fruit-tannin • A BOIRE
1982	10	Grand vin généreux et ample • A COMMENCER
1983	8	Le frère du 1981 • A COMMENCER
1984	6	Vin de Cabernet, dur • A COMMENCER
1985	9	Beau vin qui eût supporté l'élevage dans le bois • 5-6 ANS
1986	9	Complet • 4 ANS
1987	5	Léger, gouleyant • 2-3 ANS

Dans la première moitié du siècle passé, Château La Cardonne appartenait aux Fabre de Rieunègre, propriétaires à Blaignan, à Gaillan, à Lesparre... Dans tous ces domaines, ils produisaient du vin rouge mais nulle part autant qu'au Château La Cardonne (l'équivalent de 180 000 bouteilles).

Après divers épisodes, le Crédit Foncier de France en devient propriétaire. Dans l'entre-deux-guerres sa production est réduite des trois quarts. En 1973, le Groupe Rothschild (l'ex-banque du même nom) en prend le contrôle et entreprend, comme toujours lorsqu'une propriété change de main, une vaste replantation, la réfection, la reconstruction et la construction de bâtiments d'exploitation.

En 1975, le même groupe a la chance de pouvoir acquérir un vignoble contigu, celui de Château Romefort, un cru ancien de bonne réputation qui a appartenu un siècle durant à la famille Guillory. Plus récemment (1986) La Cardonne absorbe un autre voisin : Château Grivière décrit p. 179.

TERROIR ET VIGNES

Le vignoble de La Cardonne s'étend sur un vaste rectangle incliné vers le nord qui culmine à 33 mètres et s'abaisse jusqu'à 12 mètres. Quelques terrains ont nécessité la pose de drains. Une épaisseur de graves fines de 60 centimètres repose sur un socle calcaire. Ce socle explique le choix de porte-greffe que l'on retrouve à Saint-Émilion et en Champagne.

L'encépagement appelle quelques commentaires. Le Merlot se taille la part du lion et contribue à la création d'un vin totalement différent de ceux produits par le même groupe dans la commune de Pauillac très marquée par le Cabernet.

VINIFICATION ET VIN

De bons remontages, des cuvaisons suffisantes, la filtration sur terre avant l'élevage en cuves paraissent correspondre à l'élaboration d'un vin dont le style et les limites ont été précisément tracées par leurs producteurs ; le choix de l'encépagement va dans le même sens, la prépondérance du Merlot apportant rondeur, fruité et souplesse, toutes qualités immédiates préférées à celles qui naîtraient de la lente maturation affinant le Cabernet-Sauvignon.

Age idéal : 4-5 ans.   *Plat idéal : Mixed-grill.*

CHÂTEAU LA CARDONNE, Blaignan, AOC Médoc

Date de création du vignoble : XVIIIᵉ siècle
Surface : 96,40 ha dont 77 ha plantés + 19 ha (Ch. Grinière)
Nombre de bouteilles : 500 000
Répartition du sol : argilo-calcaire graveleux
Géologie : un seul tenant
Autre vin produit par le vignoble : aucun

Culture

Engrais : fumure entretien
Encépagement : M 58 %   CS 35 %   CF 7 %
Age moyen : 18 ans
Porte-greffe : 3309, 101-14, SO4, 5 BB, 41 B
Densité de plantation : 47 ha à 7700 pieds et 30 ha à 5500 pieds/ha

Rendement à l'hectare : 67 hl
Traitement antibotrytis : non
Vendange : mécanique et manuelle

Vinification

Levurage : aucun
Remontage : 6 remontages en cours de vinification
Temps de cuvaison : 15 jours
Type des cuves : cuves métalliques
Température de fermentation : 28°-30°
Mode de régulation : par ruissellement et réfrigération tubulaire
Vin de presse : incorporé partiellement
Filtration : sur terre en vin primeur et sur plaque à la mise
Age des barriques : élevage en cuves

Durée de l'élevage : 18 mois
Collage : poudre d'œufs
Mise en bouteilles au château : en totalité
Type de bouteille : standard
Maître de chai : Philippe Achener
Régisseur : Jean Birot
Œnologue-conseil : laboratoire du Centre d'étude et d'information œnologique de Coutras

Commercialisation

Vente par souscription : non
Vente directe au château : non
Commande directe au château : non, s'adresser SA La Cardonne, 17, Av. Matignon, Paris 75008
Contrat monopole : non

Domaine de LA CROIX

Un vignoble qui n'a pas d'histoire puisqu'il n'a jamais changé de main, en dehors des héritages et des mutations familiales depuis 1870, date de sa création.

Il s'est étoffé, d'où son morcellement considérable, au cours d'un siècle d'efforts continus. Aujourd'hui la « société de fait Francisco père et fils » dispose de 20 hectares et d'un cuvier moderne et produit quelque 120 000 bouteilles (en moyenne) annuellement.

TERROIR ET VIGNES

La presque totalité des parcelles est située dans la commune d'Ordonnac. Seule une petite parcelle dépend de celle de Saint-Germain d'Esteuil mais est contiguë à la commune d'Ordonnac, de même que la parcelle — plus importante — qui dépend de la commune de Blaignan. Cet ensemble de 15 lots disséminés sur 3,5 km connaît de nombreuses orientations et comprend plusieurs types de sols, tantôt graveleux tantôt argilo-calcaires. Les altitudes, elles aussi, sont très variables, de 12 à 33 mètres.

Des porte-greffe de qualité, bien adaptés aux divers sols portent un encépagement classique privilégiant légèrement le Cabernet-Sauvignon. La densité de plantation est respectable pour la région.

Deux traitements antibotrytis sont appliqués : à la véraison* et trois semaines avant la récolte.

VINIFICATION ET VIN

Les deux premières cuves sont levurées afin d'ensemencer le chai. Les extractions sont renforcées par des remontages biquotidiens tant que la fermentation alcoolique se poursuit. La température du moût est contrôlée par ruissellement d'eau sur les cuves d'acier inoxydable.

Les Francisco sont opposés aux filtrations, aussi ne filtrent-ils pas sur terre avant élevage et, ce qui est beaucoup plus rare, ils ne filtrent pas avant la mise en bouteilles.

Les vins du Domaine de La Croix bien colorés, discrètement boisés, proposent une forme d'équilibre naturelle due à la diversité des sols et des cépages. Ils tendent plus vers un fruité traité en souplesse que vers l'austérité des structures.

* Phase de la végétation de la vigne caractérisée par le changement de couleur du grain de raisin.

COTATIONS COMMENTÉES

Année	Note	Commentaire
1975	9	S'est ouvert, bien construit • A BOIRE
1976	7	Généreux avec souplesse • A BOIRE
1977	4	Petit millésime, petite récolte, petit vin • A TERMINER
1978	8	Dans l'esprit du 1975, bonne évolution • A BOIRE
1979	8	Un 1978 à évolution lente ; vin de garde • A COMMENCER
1980	5,5	Léger et souple • A TERMINER
1981	7	Un petit 1978 • A BOIRE
1982	9	Plein, rond, ample • 8 ANS
1983	6	Facile et gouleyant • 6 ANS
1984	5	Léger et faible • A BOIRE
1985	10	Tannins fins, fruités, plein, ample et bon • 8-10 ANS
1986	8	Construit, tannique, bon équilibre • 7-8 ANS
1987	5,5	Très fruité, jolie fin de bouche • 4 ANS

Age idéal : 8 ans.   Plat idéal : Poulet rôti.

DOMAINE DE LA CROIX, « Plantignan » Ordonnac, Lesparre-Médoc, AOC Médoc

Date de création du vignoble : *vignoble familial de 1870*
Surface : *20 ha*
Nombre de bouteilles : *120 000*
Répartition du sol : *plusieurs lots*
Géologie : *croupes quaternaires composées de graves, argilo-calcaire*
Autre vin produit par le vignoble : *AOC Médoc uniquement*

Culture

Engrais : *fumier de bovins et fumure organo-chimique*
Encépagement : *CS 50 %   CF 5 % M 40 %   PV 5 %*
Age moyen : *25 ans*

Porte-greffe : *420 A, Riparia, 101-14, 41 B*
Densité de plantation : *6900 pieds/ha*
Rendement à l'hectare : *40 à 50 hl*
Traitement antibotrytis : *oui (voir texte)*
Vendange : *manuelle*

Vinification

Levurage : *les 2 premières cuves*
Remontage : *2 fois par jour pendant la fermentation alcoolique*
Type des cuves : *bois, ciment, inox*
Température de fermentation : *entre 25°-30°*
Mode de régulation : *refroidissement par eau*
Temps de cuvaison : *3 semaines à 1 mois*

Vin de presse : *1er vin incorporé au grand vin, le reste incorporé au 2e vin*
Filtration avant élevage : *pas de filtration*
Age des barriques : *entre 5 et 10 ans*
Durée de l'élevage : *18 mois*
Collage : *blancs d'œufs frais*
Filtration : *pas de filtration*
Mise en bouteilles au château : *oui*
Type de bouteille : *standard*
Maître de chai : *M. Francisco*
Œnologue-conseil : *M. Couasnon*

Commercialisation

Vente par souscription : *oui*
Vente directe au château : *oui*
Commande directe au château : *oui*
Contrat monopole : *non*

Château LA GORCE

COTATIONS COMMENTÉES

Année	Note	Commentaire
1982	10	*La robe s'irise. Gras, sapide, empyreumatique, long* • A BOIRE
1983	7	*Moins coloré que le 1982 ; joli fruité du Merlot* • A BOIRE
1984	5	*Belle robe pour un 1984 ; fruité, gouleyant avec nerfs* • A BOIRE
1985	8	*Bonne attaque, fruité nerveux, équilibre* • 10 ANS
1986	9	*Coloré, charpenté, tannique (indice 52) et rondeur. 50 % de la récolte en barriques* • 8 ANS
1987	5,5	*Charpente légère au service du fruité : 100 % en barriques* • 3-4 ANS

Age idéal : 6 ans.

Plat idéal : Gougère.

Tout porte à croire que la propriété a été créée dans les premières années du XIXe siècle. Le château, élevé en 1821, est un bâtiment très agréable du genre chartreuse bordelaise surmontée d'un petit clocheton central. On accède à ce rez-de-chaussée surélevé par un double escalier. Deux ailes en retour à usage de chai et d'habitation donnent à la cour un caractère d'intimité. Au milieu du XIXe siècle, Mme Gorce produit avec aisance environ 60 000 bouteilles (ou leur équivalent). Le phylloxéra, dans les années 1870, sonne le glas de la facilité. Après divers changements de mains, B. Guédon, dans l'entre-deux-guerres, vinifie encore 25 000 bouteilles de Château Gorce, classé cru Bourgeois en 1932. En 1951, une famille italienne, les De Lucas, acquiert Gorce. Le vignoble gèle en 1956, la propriété est abandonnée. Le règlement de la succession ne durera pas moins de dix ans. En 1980, la famille Fabre, après des décennies africaines se porte acquéreur de la propriété. S'ouvre une longue période de replantation, de restauration, pour ne pas dire de reconstruction, du cuvier et du château.

TERROIR ET VIGNES

Le vignoble, d'un seul tenant, paraît horizontal. En fait, il s'abaisse très peu à l'est (10-6 mètres d'altitude) et moins encore en direction du sud (8-6 mètres). Ce sol argilo-calcaire sur 2 mètres de marne (sur socle de cailloux), drainé artificiellement en certains lieux, est complanté en rangs larges de porte-greffe spécialement résistant au calcaire : le 41 B (Saint-Émilion, Champagne) et le très moderne Fercal. Cabernet et Merlot figurent dans la proportion classique (environ 2/3-1/3). Il est prévu d'augmenter la surface du vignoble d'un hectare par an, jusqu'à 40 hectares.

VINIFICATION ET VIN

Les deux tiers de chaque cuve sont remontés une fois par jour. Le vin de presse, enzymé, affiné, est stocké en « banque de presse ». Son incorporation est décidée lors des dégustations d'assemblage. Il était presque superflu dans les vins de 1985 et 1986. L'élevage se fait par rotation cuve-barrique. Le vin demeure six mois dans le bois.

La seconde marque, Château de Massaguel est rarement employée. Le vin est identique à celui embouteillé sous l'étiquette principale.

La totalité du vin est commercialisée directement par le château.

Château La Gorce est coloré, tannique, charpenté et gras. Un résultat qui étonne lorsqu'on songe à l'extrême jeunesse du vignoble. Une production dont l'évolution semble prometteuse.

CHÂTEAU LA GORCE, Blaignan, AOC Médoc

Date de création du vignoble : *XIXe siècle*
Surface : *23 ha*
Nombre de bouteilles : *150 000*
Répartition du sol : *un seul tenant*
Géologie : *argilo-calcaire*
Autre vin produit par le vignoble :
Château de Massaguel

Culture

Engrais : *fumier, marc de raisins*
Encépagement : *CS 65 % CF 5 % M 30 %*
Age moyen : *8 ans*
Porte-greffe : *41 B, Fercal*
Densité de plantation : *5500 pieds/ha*

Rendement à l'hectare : *55 hl*
Traitement antibotrytis : *généralement*
Vendange : *mécanique*

Vinification

Levurage : *naturel*
Remontage : *6*
Type des cuves : *inox − 250 hl*
Température de fermentation : *28°*
Mode de régulation : *ruissellement*
Temps de cuvaison : *3 semaines*
Vin de presse : *incorporé selon le millésime (voir texte)*
Filtration avant élevage : *sur terre*
Age des barriques : *3 ans*

Durée de l'élevage : *6 mois*
Collage : *blanc d'œuf en poudre*
Filtration : *légère à la mise*
Mise en bouteilles au château : *oui*
Type de bouteille : *50 % standard, 50 % lourde*
Maître de chai : *Henri Fabre*
Œnologue-conseil : *Jacques Boissenot*

Commercialisation

Vente par souscription : *oui*
Vente directe au château : *oui*
Commande directe au château : *oui*
Contrat monopole : *non*

Château GRIVIÈRE

CHATEAU
Grivière
CRU BOURGEOIS
MÉDOC
APPELLATION MEDOC CONTROLEE
1983
François de Rozières   75cl
PROPRIETAIRE A LA RIVIÈRE, BLAIGNAN-MEDOC FRANCE

MIS EN BOUTEILLE AU CHATEAU

COTATIONS COMMENTÉES

1975		*Vignes de 2 ans*
1976		*Vignes de 3 ans*
1977	4	*Jeunes vignes ; médiocre* • *DEVRAIT ÊTRE BU*
1978	9	*Première médaille d'or ; charme, fruité (groseille) arômes tertiaires* • *A BOIRE*
1979	8	*Plus puissant mais moins fin que le précédent* • *A BOIRE*
1980		*Pas de mise en bouteilles*
1981	8	*Tannique, très belle robe, évolution lente* • *10-12 ANS*
1982	9,5	*Très équilibré, rondeur, puissance et tannins lisses* • *8-10 ANS*
1983	6,5	*Léger comme sa couleur, évolution rapide ; fruité* • *6 ANS*
1984	6	*95 % CS ; demi-récolte ; puissant, de garde malgré la réputation du millésime* • *7-8 ANS*
1985	8	*Tient du 1982 et du 1981* • *8 ANS*
1986	10	*Tannique et équilibre, évolution lente* • *10 ANS AU MOINS*

La Rivière, nom du lieudit le plus proche, a été rebaptisée Château Grivière par François de Rozières qui en prit possession en 1973. Il existait déjà dix *Rivière* en Gironde. La contraction de « Graves » et « Rivière » permettait d'éviter les confusions. Dans l'entre-deux-guerres, Rivière appartient à E. Régère, puis aux Faure. Le gel de 1956 détruit le vignoble, Mlle Faure qui le gouverne ne replante pas et laisse bâtiments et installations à l'abandon. C'est alors que François de Rozières intervient. Après étude du sol, 11 hectares sont plantés en 1974. Dès 1980, des médailles couronnent le millésime 1978. En 1981, Grivière obtient le statut de cru Bourgeois. Dans le même temps et jusqu'à nos jours, le vignoble s'accroît, cuvier et chais sortent de terre. Se résout également, progressivement, le délicat problème de l'équilibre financier. En 1986 François de Rozières signe un dernier millésime et vend Château Grivière à son puissant voisin le Château La Cardonne.

TERROIR ET VIGNES

Le vignoble rectangulaire est très légèrement incliné en direction du nord. Seules quelques pièces proches du château ont dû être drainées. Elles étaient argilo-calcaires sur socle caillouteux. Plus haut, des fouilles ont découvert un calcaire blanc de type champenois. A plusieurs mètres de profondeur l'argile réapparaît. Le vignoble est planté en rangs larges (2 mètres) ; 90 centimètres séparent les ceps.

Sur la machine à vendanger deux personnes trient le raisin. Conquet, vis, érafloir-fouloir ont été supprimés. Beaucoup de grains entiers parviennent à la cuve de fermentation.

Des essais comparatifs auxquels participait le professeur Peynaud entre les vendanges manuelles et mécaniques, avec ou sans érafloir-fouloir, n'ont pas permis de déceler de différences significatives entre ces divers procédés. François de Rozières, très attentif à l'état sanitaire de la vigne, est l'inventeur du « traitement par en dessous », procédé couronné au concours de Montpellier.

VINIFICATION ET VIN

La vinification suit les méthodes en usage actuellement. L'élevage qui dure dix-huit mois se fait en cuves neutres. François de Rozières n'est pas l'ennemi de la barrique à laquelle il trouve toutes les qualités sauf une : son prix élevé et la répercussion de ce prix sur le coût du vin.

Une partie du vin est vendu en vrac au négoce.

Château Grivière se caractérise par un fruité fin et affirmé (fruits rouges sombres et groseilles), soutenu par une structure tannique lisse sans astringence.

Age idéal : 5-10 ans.   *Plat idéal : Viande rouge en sauce.*

CHÂTEAU GRIVIÈRE, La Rivière, Blaignan, AOC Médoc

Date de création du vignoble : *XXᵉ siècle et 1974*
Surface : *19 ha*
Nombre de bouteilles : *120 000*
Répartition du sol : *un seul tenant*
Géologie : *argilo-calcaire et graves*
Autre vin produit par le vignoble : *aucun*

Culture

Encépagement : *CS 60 % CF 7 % M 33 %*
Age moyen : *13 ans*
Densité de plantation : *5 500 pieds/ha*

Rendement à l'hectare : *55 hl*
Traitement antibotrytis : *oui*
Vendange : *mécanique depuis 1978*

Vinification

Remontage : *biquotidien*
Type des cuves : *inox*
Température de fermentation : *30°*
Mode de régulation : *ruissellement*
Temps de cuvaison : *18-25 jours*
Vin de presse : *première presse*
Élevage : *en cuves*
Durée de l'élevage : *18 mois*

Collage : *albumine*
Filtration : *à la mise*
Mise en bouteilles au château : *en partie (voir texte)*
Type de bouteille : *standard*
Maître de chai : *François de Rozières*
Œnologue-conseil : *Jacques Boissenot*

Commercialisation

Vente par souscription : *oui*
Vente directe au château : *oui*
Commande directe au château : *oui*
Contrat monopole : *non*

Château HAUT-GARIN

Cinq générations ont constitué petit à petit ce petit domaine tout en se livrant à d'autres activités professionnelles. Le grand-père du propriétaire actuel, par exemple, était forgeron. Les trois parcelles qui le composent dépendent toutes trois de la commune de Prignac-en-Médoc.

TERROIR ET VIGNES

Le bourg de Prignac est situé à l'extrême sud de la commune. Deux parcelles de Haut-Garin sont à l'opposé, entre le hameau de Lafon et le grand vignoble des Rothschild La Cardonne, la troisième occupe une position centrale. Elles sont toutes légèrement inclinées en direction du nord. La terre argilo-calcaire sur socle pierreux calcaire « s'essuie » naturellement sauf en un point qui a nécessité la pose d'un drain.

Le Cabernet-Sauvignon domine largement un encépagement d'âge respectable. Engrais et fumures d'entretien compensent les exportations végétales.

VINIFICATION ET VIN

La vinification est élaborée selon la tradition, sans excessif appareillage que la dimension de l'exploitation ne justifierait pas. Le refroidissement se fait par remontage ou transfert dans une cuve vide. Le vin de presse, après d'abondants soutirages est incorporé. L'élevage dure un an dans des barriques d'âges divers, de deux à dix ans.

Le vin de Château Haut-Garin vinifié sans luxe mais avec soin est représentatif des Médoc qu'il faut savoir attendre quelques années. Le Cabernet-Sauvignon lui assure une finesse agréable et une bonne longévité.

COTATIONS COMMENTÉES

1975	9	Complet, s'est ouvert à sa dixième année • A BOIRE
1976		Sa souplesse l'a fait évoluer très (trop) vite • DEVRAIT ÊTRE BU
1977	5	Conforme au millésime, pointe d'acidité • A TERMINER
1978	8	Équilibré, bon millésime • A BOIRE
1979	6	Très souple, agréable mais manque de concentration • A TERMINER SANS DÉLAI
1980	5	Léger, vendanges tardives, nerveux et fruité • A BOIRE
1981	8	Vin de garde, fort en extraits • A BOIRE
1982	10	Riche et généreux • A COMMENCER
1983	6	Vin léger, amoindri par de gros orages • A COMMENCER
1984	6,5	Dur et ferme, 100 % Cabernet • 6 ANS
1985	9,5	Beau vin, complet et équilibré • 8 ANS
1986	8,5	Un 1985 plus souple, plus léger (récolte abondante) • 6 ANS
1987	5	Pluie, pourriture. Fortes sélections (3 vins différents) • 3 ANS

Age idéal : Dès la 6ᵉ année.

Plat idéal : Fromage.

CHÂTEAU HAUT-GARIN, Prignac-en-Médoc, AOC Médoc

Date de création du vignoble : *XXᵉ siècle*
Surface : *7 ha*
Nombre de bouteilles : *15 000*
Répartition du sol : *3 lots*
Géologie : *argilo-calcaire*
Autre vin produit par le vignoble : *aucun*

Culture

Engrais : *fumures d'entretien*
Encépagement : *CS 70 %   CF 5 %   M 25 %   PV 5 %*
Age moyen : *25-30 ans*
Porte-greffe : *420 A, 41 B, Riparia*
Densité de plantation : *6500*

Rendement à l'hectare : *45 hl*
Traitement antibotrytris : *non*
Vendange : *manuelle*

Vinification

Levurage : *non*
Remontage : *quotidien*
Type des cuves : *ciment revêtu — 40 à 150 hl*
Température de fermentation : *30°*
Mode de régulation : *transfert*
Temps de cuvaison : *3 semaines*
Vin de presse : *incorporé*
Filtration avant élevage : *non*
Age des barriques : *2 à 10 ans*

Durée de l'élevage : *12 mois*
Collage : *albumine ou blanc d'œuf*
Filtration : *sur plaques*
Mise en bouteilles au château : *en partie (30 %)*
Type de bouteille : *standard*
Maître de chai : *Georges et Gilles Hué*
Œnologue-conseil : *laboratoire de Pauillac*

Commercialisation

Vente par souscription : *non*
Vente directe au château : *oui*
Commande directe au château : *oui*
Contrat monopole : *non*

Château PONTET

On trouve trace dans les années vingt du Château Pontet-Caussan. Il appartenait alors à E. Régère et produisait une vingtaine de tonneaux, soit l'équivalent de près de 25 000 bouteilles. Depuis qu'Émile Courrian a repris la propriété, les choses ont changé. Parce que son goût personnel le poussait vers les vins fruités, il décide de privilégier le Merlot. Cela tombe bien car les terres de Pontet plus argilo-calcaires que graveleuses conviennent très bien à ce cépage alors que le Cabernet n'est jamais meilleur que dans les sols de graves.

Émile Courrian produit un vin selon son goût et suivant son caractère. Il a trouvé un juste compromis entre l'investissement, le travail et le résultat recherché. Ainsi s'expliquent le style de vinification et le mode de commercialisation de son vin.

En 1986-1987 une société s'est portée acquéreur de Château Pontet : Christian Quancard en est le gérant.

TERROIR ET VIGNES

Le vignoble est réparti en quatre lots. La parcelle la plus au nord — 1 hectare et demi — proche de Potensac, est graveleuse. Des graves lourdes et profondes parmi les meilleures de la commune de Potensac. Les trois autres vignobles s'étendent sur des marnes blanches sur assise calcaire et sont très légèrement inclinés en direction du nord-est. Ces trois parcelles, de même que le chai, dépendent de la commune de Blaignan. L'encépagement privilégie donc le Merlot comme il est dit plus haut. La densité de plantation est faible, elle atteint le minimum légal. Les porte-greffe appartiennent tous à la même famille, connue pour sa résistance au calcaire actif.

VINIFICATION ET VIN

La fermentation alcoolique est rondement menée en trois jours. Le vin est filtré sur terre avant son élevage en deux cuves de bois neuf de 150 hectolitres. La durée totale de l'élevage (par rotation) s'étend sur 15-18 mois.

Le Château Pontet peut être bu dès sa cinquième année. Les meilleurs millésimes se bonifient dans les cinq années suivantes. C'est un vin souple, fruité, d'acidité basse. Il privilégie la rondeur plutôt que la charpente.

COTATIONS COMMENTÉES

Année	Note	Commentaire
1975	9	*Encore fermé* • 12-14 ANS
1976	6	*Apogée atteinte, facile et agréable* • A TERMINER
1977	4	*Léger* • A TERMINER
1978	7	*Bien construit, sans grandes ambitions, rond* • A BOIRE
1979	8	*Un 1978 plus riche et plus tannique* • A BOIRE
1980	4	*Vin léger* • A TERMINER
1981	6	*Coulant, peu concentré, évolution rapide* • A TERMINER
1982	10	*Fruité, rond, plein, équilibré* • A BOIRE, A GARDER
1983	6	*Manque un peu d'extrait, type gouleyant* • A BOIRE
1984	5	*Vin de Cabernet, structuré* • A BOIRE
1985	9	*Style 1982, vin de garde* • 8 ANS
1986	7	*Pourrait être plus concentré* • 5 ANS
1987	4,5	*Vin facile* • 3 ANS

Age idéal : 9-10 ans. *Plat idéal : Entrecôte aux cèpes.*

CHÂTEAU PONTET, Blaignan, AOC Médoc
(jusqu'au millésime 1986)

Date de création du vignoble : *XXᵉ siècle*
Surface : *11 ha*
Répartition du sol : *4 lots*
Géologie : *argilo-calcaire et graves*
Autre vin produit par le vignoble : *aucun*

Culture

Engrais : *chimique*
Encépagement : *CS 45 % M 55 %*
Age moyen : *20 ans*
Porte-greffe : *SO4, 5 BB, 420 A*
Densité de plantation : *5000 pieds/ha*
Rendement à l'hectare : *60 hl*

Traitement antibotrytis : *non*
Vendange : *mécanique depuis 1985*

Vinification

Levurage : *oui*
Remontage : *biquotidien*
Type des cuves : *acier revêtu et inox — 140 hl*
Température de fermentation : *30°-31°*
Mode de régulation : *ruissellement*
Temps de cuvaison : *voir texte*
Vin de presse : *incorporé*
Filtration avant élevage : *sur terre*
Age des barriques : *cuves de bois neuves — 150 hl*
Durée de l'élevage : *15-18 mois*
Collage : *gélatine*

Filtration : *à la mise*
Mise en bouteilles au château : *oui, par l'acheteur*
Type de bouteille : *standard*
Maître de chai : *Émile Courrian*
Œnologue-conseil : *laboratoire de Pauillac*

Commercialisation

Vente par souscription : *non*
Vente directe au château : *éventuelle*
Commande directe au château : *éventuelle*
Contrat monopole : *pratiquement tout est vendu par Bordeaux-Tradition, rue Édouard-Faure, 33083 Bordeaux Nord*

Châteaux POTENSAC, LASSALLE, GALLAIS-BELLEVUE, GOUDY-LA-CARDONNE

Michel Delon, qui préside aux destinées de Château Léoville-Las Cases, conduit Potensac, Lassalle, Gallais-Bellevue, Goudy-La-Cardonne, quatre propriétés situées dans la commune de Potensac (encore que Goudy-La-Cardonne déborde sur celle de Lesparre), toutes quatre riveraines de la route départementale 4E Saint-Seurin-de-Cadourne — Lesparre.

De ces quatre propriétés, Potensac est la plus ancienne et la plus importante. On en trouve trace dès la fin du XVIIIe siècle alors que le vignoble de Gallais-Bellevue apparaît dans le courant du XIXe siècle, suivi de près par celui de Lassalle et enfin par Goudy-la-Cardonne.

Potensac appartint aux Liquard et entra matrimonialement dans le patrimoine des Delon. Paul Delon reprit dans les années trente Gallais qui avait appartenu à Fernand Lepré avant de passer à la Compagnie algérienne. Il acquit Lassalle ensuite et pour finir Goudy-la-Cardonne. Une lente ruée vers l'ouest! Au moment de la reprise de ces propriétés les bâtiments de Gallais-Bellevue étaient en très mauvais état, Lassalle devait être replanté, quant aux raisins récoltés à Goudy-la-Cardonne, ils prenaient le chemin d'une coopérative de vinification.

Michel Delon a créé la réputation de Potensac. Fort de la gloire acquise à Léoville-Las Cases, il a hissé Potensac à un niveau tel que le vin a gagné sa propre audience. Ceux qui se rendent sur place ne manqueront pas d'être étonné par le chai à bouteilles de Potensac. Il est très frais sans être souterrain. Il trône en plein village, c'est l'ancienne église, désaffectée et en quelque sorte sauvée par cette nouvelle affectation.

Les autres Châteaux, on pourrait dire les autres marques, suivent dans la foulée, chacun ayant sa spécialité. Gallais-Bellevue est le plus proche de Potensac. Lassalle, quant à lui, accueille les jeunes vignes.

Très peu de bouteilles portent l'étiquette Goudy-La-Cardonne qui est celle d'un deuxième vin.

Ces propriétés n'ont rien de fictif, chacune possède son cuvier, même si les choses décisives se passent à Potensac.

TERROIR ET VIGNOBLE

Ces terroirs offrent une grande sécurité car ils ne gèlent jamais.

CHÂTEAUX POTENSAC, LASSALLE, GALLAIS-BELLEVUE, GOUDY-LA-CARDONNE

POTENSAC
Date de création du vignoble :
 XVIIIe siècle
Surface : *40 ha*
Nombre de bouteilles : *250 000*
Répartition du sol : *un seul tenant*
Géologie : *argilo-graveleux*
Autre vin produit par le vignoble :
 aucun

LASSALLE
Date de création du vignoble :
 XIXe siècle

Surface : *7 ha*
Nombre de bouteilles : *25-30 000*
Répartition du sol : *un seul tenant*
Géologie : *argilo-graveleux*
Autre vin produit par le vignoble :
 aucun

GALLAIS-BELLEVUE
Date de création du vignoble :
 XIXe siècle
Surface : *3 ha*
Nombre de bouteilles : *10-15 000*
Répartition du sol : *un seul tenant*

Géologie : *argilo-graveleux*
Autre vin produit par le vignoble :
 aucun

GOUDY-LA-CARDONNE
Date de création du vignoble :
 1900 environ
Surface : *3 ha*
Nombre de bouteilles : *très peu*
Répartition du sol : *un seul tenant*
Géologie : *argilo-graveleux*
Autre vin produit par le vignoble :
 aucun

Dans l'ensemble, tous sont argilo-graveleux. Ce caractère général est tempéré par la proportion variable de graves ou de sable.

La proportion de graves est forte dans les meilleures parcelles, c'est-à-dire Potensac et Gallais-Bellevue alors que les sols argilo-sableux s'imposent à l'ouest, à Lassalle et Goudy.

Le vignoble de Potensac culmine à 33 mètres et s'abaisse en direction de l'est et du sud. La route (en allant vers l'ouest) suit une crête : les autres parcelles jouxtent la route au sud et s'abaissent très légèrement.

Le sol est enrichi par du fumier de bovins. Des actions ponctuelles compensent les carences, en particulier par adjonction de chaux magnésienne pour lutter contre la chlorose.

Le Cabernet est privilégié, surtout dans le vin de Potensac (en fait 65 %) alors que dans le Lassalle la proportion tombe à 45 %.

Michel Delon se félicite de l'absence du porte-greffe SO 4. A noter la forte densité de plantation — 100 × 130, soit 8 000 pieds/ha —, rare dans cette région et les vendanges toujours (et encore) manuelles.

VINIFICATION ET VIN

Le traitement antibotrytis impose le levurage. Dans les petits millésimes, les cuvaisons sont allongées de quelques jours pour renforcer les extractions alors que dans les grandes années on évite l'extraction des tannins excédentaires qui sont souvent imparfaits. La vinification suit une méthode parfaitement traditionnelle. Les vins sont collés vers Noël, après un an d'élevage, aux blancs d'œufs frais puis légèrement filtrés à la mise.

Château Potensac (et Gallais-Bellevue) est un vin fortement bouqueté, d'une bonne attaque, à évolution rapide et qui demeure plusieurs années à son apogée (bon millésime).

Ceux étiquetés Lassalle sont très fruités, plus fluides et plus gouleyants, d'un corps plus frêle et doivent être bus plus vite.

COTATIONS COMMENTÉES

Année	Note	Commentaire
1966	9,5	Complet, équilibré, bonne attaque, tannins évolués • A BOIRE
1970	9	Concentré, souplesse et puissance • A BOIRE
1971	6	Fin et facile • A TERMINER
1973	–	Fluide, sur le déclin • DEVRAIT ÊTRE BU
1974	4	A bien évolué, millésime léger • A TERMINER
1975	8,5	Séveux et corsé • A BOIRE
1976	6	De la souplesse et du fruit • A BOIRE
1977	4,5	Léger, pointe d'acidité • A BOIRE
1978	9	Charpenté et plein • A BOIRE
1979	7,5	Un petit 1978, plus fluide, plus facile • A BOIRE
1980	5	Léger • A BOIRE
1981	8,5	Dans l'esprit du 1978 • A BOIRE
1982	10	Rond, gras, ample comme... un 1982 • A BOIRE
1983	8	Bien construit sans la concentration du 1978 • A BOIRE
1984	5,5	Léger, fruité • A BOIRE
1985	9	Un 1982 moins concentré • VERS 8 ANS
1986	8	Bien construit • VERS 4 ANS
1987	6	Aimable • 2-3 ANS

Age idéal : 2 à 4 ans.

Plat idéal : Côte de veau bordelaise.

Ordonnac-Potensac, AOC Médoc

Culture

Engrais : *fumier*
Encépagement : *CS 60 %   CF 15 %   M 25 %*
Age moyen : *25-30 ans*
Porte-greffe : *Riparia, 101-14*
Densité de plantation : *8 000 pieds/ha*
Rendement à l'hectare : *55-60 hl*
Traitement antibotrytis : *oui*
Vendange : *manuelle*

Vinification

Levurage : *oui*
Remontage : *quotidien*
Type des cuves : *ciment, acier, inox*
Température de fermentation : *28°*
Mode de régulation : *serpentin, ruissellement*
Temps de cuvaison : *15 jours*
Vin de presse : *première presse*
Filtration avant élevage : *les presses sur terre*
Age des barriques : *renouvellement annuel : 15-20 %*

Durée de l'élevage : *20 mois*
Collage : *blanc d'œuf*
Filtration : *à la mise*
Mise en bouteilles au château : *en totalité*
Type de bouteille : *lourde*
Maître de chai : *Pierre Rolland*
Œnologue-conseil : *Émile Peynaud*

Commercialisation

Vente par souscription : *non*
Vente directe au château : *occasionnelle*
Commande directe au château : *occasionnelle*
Contrat monopole : *non*

Château TOUR-HAUT-CAUSSAN

A vec maestria, Philippe Courrian conduit ce domaine entré en 1877 dans sa famille. Il est de ceux pour qui l'œnologie doit combiner innovation et respect de la tradition. Avec prudence, il essaie longuement avant d'adopter.

TERROIR ET VIGNES

Trois lots composent le vignoble de Tour-Haut-Caussan. Le premier, qui jouit d'une belle exposition, est couronné par la tour d'un moulin : restauré, il s'élève de nouveau, spectaculaire.

A ce sol calcaire succède en face, de l'autre côté de la route, le deuxième lot, presque plat, silico-argilo-calcaire de moindre intérêt.

Le troisième lot, sur la commune de Potensac s'étend sur d'excellentes graves rouges (ferrugineuses) mêlées à l'argile.

Le Cabernet-Sauvignon largement dominant pousse dans les graves et le Merlot comme il se doit se retrouve dans les sols calcaires qu'il préfère.

Un timide essai de machine à vendanger en 1985 n'a pas convaincu Philippe Courrian. Certes, la machine vendangeait mais, elle ramassait aussi beaucoup de poussière. Donc la cueillette demeure manuelle.

Le système de sélection à la vendange est particulier. Une cuve « en marche » est spécialement affectée aux raisins qui ne donnent pas toute satisfaction. Lorsqu'une benne imparfaite se présente, son contenu y est déversé.

VINIFICATION ET VIN

Philippe Courrian module la température des fermentations en fonction du millésime et du cépage, mais dans tous les cas il la veut élevée.

Généralement la moitié du vin de presse est incorporé au grand vin, ce qui représente environ 8 à 10 % de l'ensemble. Philippe Courrian est opposé aux filtrations : « Pourquoi filtrer, mon vin ne contient rien de mauvais », dit-il. En revanche, il accorde toute son attention à l'élevage en barriques et au collage soigné aux blancs d'œufs frais. Tour-Haut-Caussan répond à ce que l'on attend de lui. Fin, complexe, de bonne garde, c'est un vin qui a de la conversation.

Château La Tour Haut-Caussan

APPELLATION MÉDOC CONTROLÉE
CRU BOURGEOIS

Produce of France — 1983 — Bordeaux 75 cl

PHILIPPE COURRIAN
VITICULTEUR A BLAIGNAN-MÉDOC · GIRONDE

MIS EN BOUTEILLE AU CHATEAU

COTATIONS COMMENTÉES

1970	7	Bien mais s'est usé un peu vite • A BOIRE SANS DÉLAI
1975	9	Complet, à attendre encore un peu • 13-14 ANS
1976	7,5	Vin complet, en pleine forme ; il a manqué de barriques neuves • A BOIRE
1977	4	Un profil de vin • DEVRAIT ÊTRE BU
1978	6	Aurait pu être mieux, banal • A TERMINER
1979	8	Riche et typé • A COMMENCER
1980	5	Cuir à grain fin, léger, pointe d'acidité • A BOIRE
1981	9	Balsamique au nez et en bouche ; concentré, grain fin • A GOÛTER
1982	10	Rond, complet, généreux • ON PEUT LE BOIRE
1983	7	Un 1981 dilué ; astringence • 6 ANS
1984	5,5	Vin de Cabernet, manque de gras • A BOIRE
1985	9,5	Très coloré, complet, longue garde • 12 ANS
1986	8,5	Équilibré, évolution lente • 15 ANS
1987	5,5	Vin de Cabernet • 4-5 ANS

Age idéal : 10 ans.

Plat idéal : Rognons aux chanterelles.

CHÂTEAU TOUR-HAUT-CAUSSAN, Blaignan, AOC Médoc

Date de création du vignoble : 1877
Surface : 17 ha
Nombre de bouteilles : 70 000
Répartition du sol : 3 lots
Géologie : graves, argile, calcaire, silice
Autre vin produit par le vignoble : La Landotte

Culture

Engrais : fumier, compost, potasse
Encépagement : CS 60 % M 40 %
Age moyen : 26 ans
Porte-greffe : 41 B, 161-49, 420 B, 101-14
Densité de plantation : 6 600

Rendement à l'hectare : 60 hl
Traitement antibotrytis : oui, parfois
Vendange : manuelle

Vinification

Levurage : oui
Remontage : biquotidien
Type des cuves : ciment revêtu – 100-150 hl
Température de fermentation : 30°-35°
Mode de régulation : serpentin
Temps de cuvaison : 21 à 25 jours
Vin de presse : 8 à 10 %
Filtration avant élevage : non

Age des barriques : renouvellement par cinquième
Durée de l'élevage : 18-24 mois
Collage : blancs d'œufs frais
Filtration : non
Mise en bouteilles au château : en totalité
Type de bouteille : lourde
Maître de chai : Philippe Courrian

Commercialisation

Vente par souscription : oui
Vente directe au château : oui
Commande directe au château : oui
Contrat monopole : non

Château DES TOURELLES

L'histoire du Château des Tourelles se réduit à un seul nom : Fernand Miquau. Il a créé la marque, le cru, le « château », si l'on baptise ainsi sa maison dont la rigoureuse symétrie n'est pas dépourvue de style.

Tout a commencé en 1960. Avec 0,35 hectare de vignes ! Coup par coup, d'achat en échange ce tiers d'hectare est devenu peu à peu une propriété de 25 hectares... d'un seul tenant !

Comme toujours dans ce genre d'aventure, Fernand Miquau a commencé par vendre son vin en vrac, au négoce. Puis à dater de 1973, il se lance dans la mise en bouteilles. Par petite quantité car il lui faut créer sa « marque ». Aujourd'hui encore il ne vend que 50 000 bouteilles, le solde alimentant le négoce.

TERROIR ET VIGNES

Le vignoble du Château des Tourelles est situé entre Caussan et Civrac. A gauche et à droite de la route qui relie ces deux bourgs, il longe la limite communale Blaignan-Civrac, côté Civrac. Il est presque plat. A y regarder de très près, il s'incline légèrement en direction de nord-est. Ce sol argilo-calcaire n'est pas drainé, les fossés recueillent les eaux de ruissellement ; Fernand Miquau se contente de remplacer les matières exportées par l'apport de scories potassiques et d'engrais organo-minéral.

L'encépagement composé pour moitié de Cabernet-Sauvignon (greffé sur 420 A) pour moitié de Merlot (greffé sur SO 4) correspond à la proportion établie dans plusieurs domaines de la région.

VINIFICATION ET VIN

La vinification ne présente pas de caractère particulier, compte tenu de la création récente de la marque et des impératifs économiques. Les cuves de ciment d'une capacité de 40 à 260 hectolitres accueillent les moûts qui seront refroidis, si nécessaire, par un serpentin rafraîchi par l'eau d'un puits.

L'élevage se fait en cuves de bois neuves de 50 hectolitres. Le Château des Tourelles a l'avenir devant lui. Il est souple, on peut le boire assez rapidement, son fruité est finement boisé.

COTATIONS COMMENTÉES

1975	8	Commence à s'ouvrir • A BOIRE
1976	7	Souple, à son apogée • A BOIRE
1977		Pas de mise en bouteilles
1978	6	Bonne évolution • A BOIRE
1979	5	Léger et souple • A BOIRE
1980	4	Léger • A BOIRE
1981	8	Corpulent mais vieillissement rapide • A BOIRE
1982	10	Rondeur, tannins et souplesse • 10 ANS
1983	6	Dans l'esprit des 1981 en plus léger • A BOIRE
1984	5	Cabernet léger • A BOIRE
1985	9	Dans l'esprit du 1982 • 8 ANS
1986	7,5	Rondeur souple • 6 ANS
1987	5,5	Léger • 3 ANS

Age idéal : 7 ans. Plat idéal : Poulet de grain.

CHÂTEAU DES TOURELLES, Blaignan, AOC Médoc

Date de création du vignoble : *1960*
Surface : *25 ha*
Nombre de bouteilles : *50 000*
Répartition du sol : *un seul tenant*
Géologie : *argilo-calcaire*
Autre vin produit par le vignoble : *aucun*

Culture

Engrais : *minéral*
Encépagement : *CS 50 % M 50 %*
Age moyen : *20-25 ans*
Porte-greffe : *SO 4, 420 A, 161-49*
Densité de plantation : *7600 et 5000 pieds/ha*

Rendement à l'hectare : *60 hl*
Traitement antibotrytis : *non*
Vendange : *mécanique*

Vinification

Levurage : *première cuve*
Remontage : *quotidien*
Type des cuves : *ciment – 40-260 hl*
Température de fermentation : *28°-30°*
Mode de régulation : *serpentin*
Temps de cuvaison : *15 jours*
Vin de presse : *incorporé*
Filtration avant élevage : *non*

Durée de l'élevage : *en cuves 10 mois*
Collage : *en janvier*
Filtration : *à la mise*
Mise en bouteilles au château : *en partie*
Type de bouteille : *standard*
Maître de chai : *Fernand Miquau*
Œnologue-conseil : *Jacques Boissenot*

Commercialisation

Vente par souscription : *non*
Vente directe au château : *oui*
Commande directe au château : *oui*
Contrat monopole : *non*

Communes de Bédagan et Civrac nord
AOC Médoc

BÉDAGAN Vaste commune à 75 kilomètres de Bordeaux, investie de près de 600 hectares de vignes. Les huit kilomètres sur lesquels ils s'étendent ne sauraient être homogènes.

Terres alluvionnaires riches aux extrémités est et ouest, émergences graveleuses aux alentours de By, Courbian, Laujac (en dépit d'une faible altitude), sol argilo-calcaire sur socle calcaire vers le bourg, de plus en plus mêlé de graves sableuses et graves fines en direction de By.

Les deux « sommets » de la commune se situent au sud de Bourg (14 m) et à La Tour-de-By.

CIVRAC nord Émergences de graves argilo-calcaires sur socle calcaire diversement orientées se dégageant de terres alluvionnaires ; Civrac est à deux kilomètres au sud de Bégadan.

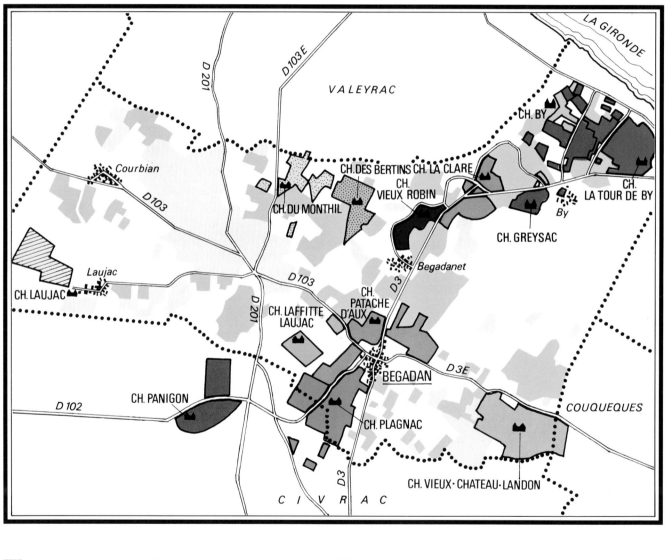

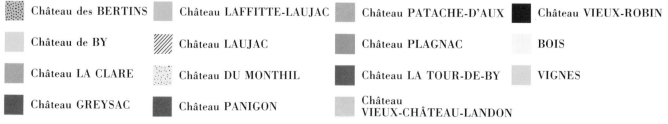

Château des BERTINS	Château LAFFITTE-LAUJAC	Château PATACHE-D'AUX	Château VIEUX-ROBIN
Château de BY	Château LAUJAC	Château PLAGNAC	BOIS
Château LA CLARE	Château DU MONTHIL	Château LA TOUR-DE-BY	VIGNES
Château GREYSAC	Château PANIGON	Château VIEUX-CHÂTEAU-LANDON	

Château DES BERTINS

Le château des Bertins a été construit en 1850. C'est une belle et importante maison bourgeoise qui figure sur l'étiquette du vin qui porte son nom. En général, les dessinateurs, probablement à la demande des propriétaires, agrandissent et embellissent les constructions qu'ils représentent. Dans le cas des Bertins, il n'en est rien, peut-être est-ce même l'inverse.

Le château qui porte le nom d'un lieudit a appartenu aux Chapuis dans l'entre-deux-guerres. Le baron François de Gunzburg l'a acheté à des propriétaires hollandais en 1973 dans le même temps qu'il se portait acquéreur du Château Greysac (voir p.190).

Les méthodes appliquées à Greysac par ce dynamique homme d'affaires reconverti à la viticulture l'ont été simultanément aux Bertins, avec le même succès.

TERROIR ET VIGNES

Au centre du vignoble, le château occupe le point culminant d'une très modeste croupe qui s'élève de sept mètres en partant du nord — 6 m étant le point le plus bas —, et qui s'abaisse en direction du sud de quelque six mètres.

Des terres presque riches pour le vignoble sont plus argilo-calcaires et plus sablonneuses que graveleuses.

Les vignes plantées à 150×100 et même 200×100 se partagent à parts égales les Merlot et Cabernet-Sauvignon. La conduite du vignoble est semblable à celle choisie pour Greysac. Les vendanges se font également à la machine.

VINIFICATION ET VIN

La vinification est classique et contribue à la création d'un vin souple, habillé d'une robe agréablement colorée au fruité rond qui paraît en surface dans les millésimes peu favorisés par les conditions météorologiques.

COTATIONS COMMENTÉES

1979	7	Robe foncée, corsé, obstiné • A BOIRE
1980	4	Léger • A BOIRE
1981	8	Fruité, séducteur • A COMMENCER
1982	9	Comme tous les 1982, acidité basse • A BOIRE
1983	8	Tannins enrobés, bonne évolution • A BOIRE
1984	5	Léger en couleur, fruité en bouche sans grand prolongement • A BOIRE
1985	8,5	Beau potentiel, fleur, mentholé, équilibre • 10 ANS
1986	10	Complexe, structuré, fumé, tannins fondus • 10-12 ANS
1987	5,5	Léger et frais • 4 ANS

Age idéal : 6-7 ans.

Plat idéal : Rognons de veau grillés.

CHÂTEAU DES BERTINS, Bégadan, AOC Médoc

Date de création du vignoble : XIXᵉ siècle
Surface : 30 ha
Nombre de bouteilles : 250 000
Répartition du sol : 1 seul tenant
Géologie : argilo-calcaire
Autre vin produit par le vignoble : aucun

Culture

Engrais : fumures organiques et minérales
Encépagement et % : CS 50 % M 50 %
Age moyen : 25 ans
Porte-greffe : SO 4, 101-14

Densité de plantation : 5 500 pieds/ha
Rendement à l'hectare : 60 hl
Traitement antibotrytis : oui
Vendange : mécanique

Vinification

Levurage : oui
Remontage : quotidien
Type des cuves : inox
Température de fermentation : 28-30°
Mode de régulation : ruissellement
Temps de cuvaison : 18 jours
Vin de presse : première presse
Filtration avant élevage : non

Age des barriques : 2 à 8 ans
Durée de l'élevage : 18 mois
Collage : poudre d'albumine
Filtration : sur plaques à la mise
Mise en bouteilles au château : en totalité
Type de bouteille : standard
Maître de chai : Jean-Philippe Coudoin
Œnologue-conseil : Jacques Boissenot

Commercialisation

Vente par souscription : oui
Vente directe au château : oui
Commande directe au château : oui
Contrat monopole : oui

Château DE BY

Château de By

MÉDOC
APPELLATION MÉDOC CONTROLÉE
1981

J.C. BAUDON, PROPRIÉTAIRE A BY BÉGADAN-MÉDOC 33340 (GIRONDE)
Mis en Bouteilles au Château
imprimerie uberti-jourdan   PRODUCE OF FRANCE   75cl

COTATIONS COMMENTÉES

Année	Note	Commentaire
1975	7	*Complet mais fermé* • 15 ANS
1976	8	*Vin étoffé, aucunement fatigué* • A BOIRE
1977	4,5	*Plus coloré que ne le dit la réputation du millésime* • A BOIRE
1978	7	*Vin généreux qui a évolué rapidement* • A BOIRE
1979	8	*Tannique, n'évolue pas ; robe de 3 ans d'âge, nez fruité-fumé, réglisse en bouche* • 10 ANS
1980	5	*Coloré pour le millésime* • A BOIRE
1981	8	*Construit, commence sa vie* • A COMMENCER
1982	9	*Généreux, beaucoup de fruit, velouté, riche* • A BOIRE PENDANT 10-17 ANS
1983	7,5	*Les arômes ne s'expriment toujours pas*
1984	5,5	*Vin dur de Cabernet* • 8 ANS
1985	9	*Un 1982 avec plus de finesse* • 9 ANS
1986	9,5	*Proche du précédent avec plus de générosité* • 10 ANS
1987	5,5	*Pluies et sélections. Évolution rapide* • 4 ANS

Le château de By est facile à trouver au centre du bourg de By. Non qu'il soit imposant, non même qu'il existe mais parce que l'on peut lire en grandes capitales au-dessus de l'entrée d'un chai « Château de By ».

L'histoire de ce cru est courte. Il est acquis, pour mieux dire créé en 1910 par M. Mondon. Le domaine se compose de dix hectares de vignes, d'une maison et de bâtiments d'exploitation. En 1935, Château de By est scindé en deux moitiés qui seront réunies par Jean-Claude Baudon, petit-fils du créateur de la marque. Le Château de By demeure une exploitation familiale.

TERROIR ET VIGNES

Le vignoble du Château de By se déploie au nord du chai, au nord du bourg proche de la Gironde. Quelques parcelles contiguës (ou presque) de graves moyennes de 3 ou 4 mètres de profondeur ne nécessitent pas de drainage.

Fumier et apport organique compensent les exportations végétales. L'encépagement mérite une mention spéciale, il se compose de 40 % de Merlot — une proportion courante — mais de 30 % de Cabernet-Sauvignon — il y en a souvent davantage —, 10 % de Cabernet franc — pourcentage commun — et 20 % de Petit Verdot, ce qui est unique. Jean-Claude Baudon s'en explique : « C'est pour avoir un type de vin à moi. »

Le Petit Verdot, cépage tardif, mûrit difficilement, aussi est-il planté sur des graves minces et sèches, et greffé sur Riparia, un porte-greffe qui permet de gagner quatre ou cinq jours sur le 420 A et le SO 4.

Jean-Claude Baudon évite le traitement antibotrytis « qui agit sur les ferments ». Une opinion non dépourvue de fondement.

VINIFICATION ET VIN

L'élaboration du Château de By se conforme aux canons actuels. Il faut noter les points suivants : l'ensemencement de la première cuve par la préparation préalable d'un pied de cuve (utilisation des ferments locaux), la possibilité de refroidir ou réchauffer les cuves de fermentation par de l'eau froide ou chaude. Ce vin passe l'hiver en cuve puis est élevé une vingtaine de mois en barriques et en foudres par rotation.

Château de By est un vin « personnalisé » pour user du jargon contemporain. Il est très fin au nez, fruité-fumé. En bouche ses tannins fondus lui assurent une complexité sous-tendue de saveurs de réglisse. C'est un vin de garde.

Age idéal : 8-10 ans.   *Plat idéal : Pintade aux marrons.*

CHÂTEAU DE BY, Bégadan, AOC Médoc

Date de création du vignoble : *1910*
Surface : *10 ha*
Nombre de bouteilles : *55000*
Répartition du sol : *plusieurs lots groupés*
Géologie : *graves*
Autre vin produit par le vignoble : *aucun*

Culture

Engrais : *fumier de ferme*
Encépagement : *CS 30 %   CF 10 %   M 40 %   PV 20 %*
Age moyen : *25 ans*
Porte-greffe : *420 A, SO 4*

Densité de plantation : *7500 pieds/ha*
Rendement à l'hectare : *45 à 50 hl*
Traitement antibotrytis : *non*
Vendange : *mécanique depuis 1984*

Vinification

Levurage : *pied de cuve*
Remontage : *quotidien*
Type des cuves : *acier émaillé – 120 hl*
Température de fermentation : *28-30°*
Mode de régulation : *froid et chaleur*
Temps de cuvaison : *24 jours*
Vin de presse : *incorporé selon le millésime*
Filtration avant élevage : *non*

Age des barriques : *renouvelées sur 10 ans*
Durée de l'élevage : *20 à 22 mois*
Collage : *albumine*
Filtration : *sur plaques à la mise*
Mise en bouteilles au château : *en totalité*
Type de bouteille : *standard*
Maître de chai : *Jean-Claude Baudon*
Œnologue-conseil : *laboratoire de Pauillac*

Commercialisation

Vente par souscription : *oui*
Vente directe au château : *oui*
Commande directe au château : *oui*
Contrat monopole : *non*

Château LA CLARE

1979

Château La Clare

CRU BOURGEOIS

MÉDOC

APPELLATION MÉDOC CONTROLÉE

Paul de Rozières

PROPRIÉTAIRE A BÉGADAN (GIRONDE) FRANCE 75d

MISE EN BOUTEILLES AU CHÂTEAU

COTATIONS COMMENTÉES

1973	6	Bonnes extractions ; bon en magnum ; en bouteille ? • A TERMINER
1974	5,5	L'un des meilleurs 1974. Le style d'un Pauillac • A BOIRE
1975	8	S'ouvrira-t-il ? • 15 ANS ?
1976	7	Bien ; a atteint son apogée • A BOIRE
1977	4	Toujours un caractère herbacé • A BOIRE
1978	9	Typé, tannins puissants • A COMMENCER
1979	8,5	Construit, puissant, concentré, empyreumatique • 10 ANS
1980	4,5	Léger et frais • A BOIRE
1981	8,5	Style 1979 • 10 ANS
1982	9,5	Complet, rond, ample • 12 ANS
1983	7	Ne vaut ni 1981 ni 1979 ; n'a pas leur concentration • 6-7 ANS
1984	5	Vin de Cabernet, manque de puissance • A BOIRE
1985	8,5	Attaque franche et vive • 7 ANS
1986	10	Le plus complet et réussi depuis 1970 • 10 ANS ET PLUS
1987	6	Suivra-t-il l'étonnant chemin des 1974 La Clare ? • 3 ANS ?

Consulter la fameuse carte de Belleyme (XVIIIᵉ siècle) est riche d'enseignement. On peut constater qu'à Bégadan la vigne avait déjà droit de cité. Le domaine du Château La Clare a été créé par M. Fontaneau. Dans l'entre-deux-guerres Gaston Fatin le possède, puis la famille Poulverel. En 1952, il appartient à M. Bergey. Dix-sept ans après, Paul de Rozières, de retour de Tunisie, s'y installe. Sous son impulsion le vignoble est agrandi, un nouveau cuvier est bâti, etc.

Avec l'aide de la SAFER, plus de 150 parcelles sont regroupées afin de porter le vignoble à 20 hectares. Depuis 1932, le Château La Clare a reçu le statut de cru Bourgeois.

TERROIR ET VIGNES

Le vignoble de La Clare suit une crête bordée de deux vallons : le palus de Coudissas au nord-ouest et le palus de By au sud-est. Le sommet culmine à 9 mètres alors que le fond des vallées ne dépasse pas 2 ou 3 mètres. Les pentes recouvertes de vignes sont diversement orientées. Les sols eux aussi sont diversifiés. Pour un tiers composés de graves fines, pour un tiers de sable graveleux proche du château, pour un tiers argilo-calcaire sur roches fissurées au bas des pentes.

Le Cabernet-Sauvignon est largement majoritaire. Les ceps sont de tous âges puisque certains datent d'avant-guerre alors que des plantations régulières ont complété le vignoble jusqu'à 1980. Ce dernier est conduit selon la méthode de la « non-culture » (sauf jeunes vignes) depuis 1975. Neuf ans plus tard, la machine à vendanger a fait son apparition, les vieux plantiers demeurant l'apanage de la récolte manuelle.

VINIFICATION ET VIN

La vinification passe par les chemins habituels d'aujourd'hui. Les remontages sont prolongés et le chapeau est arrosé par un système adéquat.

Les vins de presse, parfois épurés par une filtration sur terre, sont incorporés. Un décalage d'une année n'est pas impensable.

Jusqu'au millésime 1984 inclusivement, Château La Clare est élevé en foudres de 200 hectolitres.

Les millésimes postérieurs sont logés de 6 à 12 mois dans des barriques « d'un vin » achetées à Pauillac.

Château La Clare est un vin fortement construit aux tannins bien mûrs et dont le fruité est teinté d'arômes empyreumatiques.

Age idéal : 9-10 ans. Plat idéal : Lapin de garenne.

CHÂTEAU LA CLARE, Bégadan, AOC Médoc

Date de création du vignoble : *XXᵉ siècle*
Surface : *20 ha*
Nombre de bouteilles : *120 000*
Répartition du sol : *2 lots*
Géologie : *graves, argilo-calcaire, graves sablonneuses*
Autre vin produit par le vignoble : *« Laveline », « Le Gentilhomme »*

Culture

Engrais : *d'entretien*
Encépagement : *CS 57 % CF 7 % M 36 %*
Age moyen : *22-25 ans*

Porte-greffe : *Riparia, 5 BB, 101-14*
Densité de plantation : *6666 pieds/ha*
Rendement à l'hectare : *55 hl*
Traitement antibotrytis : *oui*
Vendange : *mécanique et manuelle*

Vinification

Levurage : *première cuve*
Remontage : *quotidien*
Type des cuves : *ciment, inox — 150/200 hl*
Température de fermentation : *28-32°*
Mode de régulation : *serpentin — ruissellement*
Temps de cuvaison : *3-4 semaines*
Vin de presse : *15 %*

Filtration avant élevage : *non*
Age des barriques : *3 ans — voir texte*
Durée de l'élevage : *6-12 mois*
Collage : *gélatine n° 1*
Filtration : *sur plaques à la mise*
Mise en bouteilles au château : *en totalité*
Type de bouteille : *standard et lourde*
Maître de chai : *Paul de Rozières*
Œnologue -conseil : *Jacques Boissenot*

Commercialisation

Vente par souscription : *oui*
Vente directe au château : *oui*
Commande directe au château : *oui*
Contrat monopole : *non*

Le château d'une robuste élégance est sympathique. Il s'élève au cœur du village de By et commande un vignoble disséminé à l'ouest et au nord. A deux minutes du château, un chai moderne a été bâti dans les années 70.

Greysac, après avoir appartenu au comte Guy de Bois-Rouvray et à l'industriel Georges Hereil, a été acquis en 1973 par le baron François de Gunzburg. Ce dernier, aujourd'hui décédé, connaissait bien les problèmes du vin puisqu'il dirigea la firme Barton et Guestier de nombreuses années.

Par acquisition et replantation, le vignoble de Greysac s'agrandit. Dans le même temps François de Gunzburg acquiert un deuxième château non loin du premier en direction de l'ouest, Les Bertins (voir p. 187) et la société Codem, propriétaire nominale des deux châteaux précités, en achète fin 1985 un troisième, toujours plus à l'ouest mais jouxtant le précédent : Le Monthil.

TERROIR ET VIGNES

De même que son voisin La Clare, le vignoble de Greysac connaît une double exposition, au nord et au sud. La pièce dominant le palus de By s'abaisse nettement vers le nord alors que toutes les autres parcelles sont horizontales ou très peu inclinées sud-sud-ouest.

Une couche argilo-graveleuse de faible épaisseur (30 cm) recouvre un socle sablonneux. L'argile apparaît dans les plantiers du sud.

Cette terre pauvre reçoit un peu d'azote, de potasse, d'acide phosphorique et accueille les ceps plantés à 130 × 100 cm. Le Merlot est le cépage majoritaire.

VINIFICATION ET VIN

Jean-Philippe Coudoin ensemence les cuves avec des levures lyophilisées. Les remontages quotidiens permettent d'arroser le chapeau avec les trois quarts du vin de la cuve. Quatre mois après les écoulages un premier assemblage est réalisé. Un an après, l'assemblage définitif est constitué.

L'élevage est assez curieux puisqu'il est réalisé en barriques et en cuves de bois neuves de 100 hectolitres du plus bel effet dans le chai d'élevage.

Château Greysac correspond bien à la conception de ses inventeurs. Il tend vers la souplesse, son élevage lui assure un boisé discret, parfumé. L'influence du terroir de Greysac pourrait se définir par une touche empyreumatique, genre tabac sur fond terreux. C'est un vin de charme et néanmoins de garde.

Âge idéal : 8 ans. **Plat idéal :** *Polpettone (ou poupetons).*

COTATIONS COMMENTÉES

1971	–	*Très joli vin, apogée dépassée ; sèche-t-il ?* • DEVRAIT ÊTRE BU
1975	8,5	*Complet, charpenté* • A COMMENCER
1976	6,5	*Souple, chaud, évolué* • A BOIRE
1977	–	*Robe claire, fruité* • DEVRAIT ÊTRE BU
1978	7	*Un équilibre étoffé* • A BOIRE
1979	8	*Fin, lisse, café grillé, avec vigueur* • A BOIRE
1980	5	*Robe bien teintée, léger, réussi pour le millésime* • A BOIRE
1981	8,5	*Beaucoup d'extraits ; complet, harmonieux* • 8 ANS
1982	9,5	*Plein, rond, souple* • A BOIRE, A GARDER
1983	7	*Esprit 1981, moins concentré, plus souple* • 6 ANS
1984	6	*75 % CS, 25 % M = légère astringence* • 5 ANS
1985	9	*Plus d'attaque que le 1982 ; élégant* • 8 ANS
1986	10	*Boisé, complexe, ample* • 10-12 ANS
1987	6	*Fruité équilibré* • 5 ANS

CHÂTEAU GREYSAC, Bégadan, AOC Médoc

Date de création du vignoble : *XIXᵉ s.*
Surface : *30 ha*
Nombre de bouteilles : *250 000*
Répartition du sol : *plusieurs lots*
Géologie : *sablo-graveleux*
Autre vin produit par le vignoble : *non*

Culture

Engrais : *fumures organiques et minérales*
Encépagement : *CS 50 % CF 10 % M 35 % PV 5 %*
Age moyen : *25 ans*
Porte-greffe : *SO 4, 101-14*
Densité de plantation : *7500 pieds/ha*

Rendement à l'hectare : *60 hl*
Traitement antibotrytis : *oui*
Vendange : *mécanique*

Vinification

Levurage : *oui*
Remontage : *quotidien*
Type des cuves : *inox — 200 hl*
Température de fermentation : *28-30°*
Mode de régulation : *ruissellement*
Temps de cuvaison : *18 jours*
Vin de presse : *première presse*
Filtration avant élevage : *non*
Age des barriques : *2 à 8 ans — voir texte*

Durée de l'élevage : *18 mois*
Collage : *poudre d'albumine*
Filtration : *sur plaques à la mise*
Mise en bouteilles au château : *en totalité*
Type de bouteille : *standard*
Maître de chai : *Jean-Philippe Coudouin*
Œnologue-conseil : *Jacques Boissenot*

Commercialisation

Vente par souscription : *oui*
Vente directe au château : *oui*
Commande directe au château : *oui*
Contrat monopole : *oui*
(grande distribution et exportation)

Château LAFFITTE-LAUJAC

COTATIONS COMMENTÉES

Année	Note	Commentaire
1975	9	*Ouvert* • A BOIRE
1976	–	*Souple, souple; décline* • DEVRAIT ÊTRE BU
1977	4	*Bien pour le millésime* • DEVRAIT ÊTRE BU
1978	8	*Construit et fin* • A BOIRE
1979	7,5	*Bon, peu concentré* • A BOIRE
1980	4	*Gentil, léger* • A BOIRE
1981	9	*Belle bouteille, relativement concentré malgré l'abondance* • A BOIRE
1982	10	*Parfait* • A BOIRE
1983	7	*Généreux et facile* • A BOIRE
1984	5	*Faible production, évolue* • A BOIRE
1985	9,5	*Beau millésime, équilibré, complet* • 7 ANS
1986	9,5	*Beaucoup de Merlots, donnent de la souplesse* • 5 ANS
1987	5,5	*Un 1984 avec du Merlot* • 3 ANS

Laffitte-Laujac n'est pas la deuxième marque de Laujac. Depuis plus d'un siècle les mentions Laujac, Laffitte-Laujac et La Tour-Cordouan sont gravées dans les chais élevés en 1875.

Dès cette époque (et avant) ces trois vins possèdent leur type : à Laujac une finesse ferme, à Laffitte-Laujac un vin qui spécule davantage sur le fruité et la rondeur que sur la finesse, à La Tour-Cordouan un type de vin qui n'est plus élaboré, issu des vignobles en terres d'alluvion : du vin de palus.

A Laujac, le vignoble de graves proche du château ; à Laffitte-Laujac le vignoble argilo-calcaire de Bégadan ; à La Tour-Cordouan le deuxième vin de Laujac puisque le vignoble de palus n'existe plus. Ces trois vins sont vinifiés dans un vaste chai sis en face du château Laujac. Ce chai a été élevé en 1875 à l'inspiration de Théophile Skawinski, le Peynaud de l'époque. Bien mieux conservé que les deux autres constructions élevées à l'identique à Giscours et à Pontet-Canet, il témoigne des pratiques œnologiques de ce temps et mériterait d'être classé monument historique. Ce chai extraordinaire est parfaitement bien conçu. Les grandes cuves de bois sont emplies par le haut. Sur une voie ferrée desservie par une vaste plaque tournante centrale, un wagonnet transfère la vendange montée par une grue jusque dans les cuves. Le moteur monocylindre à soupape flottante de la grue-portique est toujours fixé à son mur, comme il y a un siècle. Tout Jules Verne dans un chai.

TERROIR ET VIGNES

Les deux parcelles de Laffitte-Laujac sont situées à l'ouest de Bégadan, sur une terre argilo-calcaire très calcaire sur socle calcaire à astéries. Le drainage est assuré par de très faibles pentes assistées de fossés. Le porte-greffe 41 B est bien adapté à un tel terrain et le cépage Merlot s'y plaît. En général les vendanges ont dix jours de retard sur celles de Pauillac.

VINIFICATION ET VIN

La vinification est classique. Le serpentin est refroidi par l'eau d'un puits (14°). Les remontages — avec aération — sont nombreux en début de fermentation, alors qu'en fin de fermentation l'appoint d'un chauffage améliore les extractions. L'élevage se fait par rotation, trois quarts en cuve, un quart en barriques d'un vin.

Le vin de Laffitte-Laujac est rond et charnu. Son fruité moelleux efface un peu la finesse du vin.

Age idéal : 4-8 ans.   Plat idéal : Bœuf mode.

CHÂTEAU LAFFITTE-LAUJAC, Bégadan, AOC Médoc

Date de création du vignoble : *XIXᵉ siècle*
Surface : *12 ha*
Nombre de bouteilles : *50 à 60000*
Répartition du sol : *2 lots*
Géologie : *argilo-calcaire*
Autre vin produit par le vignoble : *aucun*

Culture

Encépagement : *CS 60 % M 40 %*
Age moyen : *10 ans*
Porte-greffe : *41 B, 420 A*
Densité de plantation : *6666 pieds/ha*

Rendement à l'hectare : *55-60 hl*
Traitement antibotrytis : *limité*
Vendange : *mécanique*

Vinification

Levurage : *première cuve*
Remontage : *biquotidien*
Type des cuves : *acier revêtu, inox — 150-200 hl*
Température de fermentation : *32°*
Mode de régulation : *ruissellement et serpentin*
Temps de cuvaison : *15-25 jours*
Vin de presse : *première presse*
Filtration avant élevage : *sur terre*

Age des barriques : *3 ans*
Durée de l'élevage : *2-3 mois*
Collage : *albumine séchée*
Filtration : *à la mise*
Mise en bouteilles au château : *en totalité*
Type de bouteille : *standard*
Maître de chai : *M. Riondato*
Œnologue-conseil : *laboratoire de Pauillac*

Commercialisation

Vente par souscription : *oui*
Vente directe au château : *possible*
Commande directe au château : *oui*
Contrat monopole : *oui pour certains pays*

Château LAUJAC

CRU BOURGEOIS

Château Laujac

MÉDOC
APPELLATION MÉDOC CONTROLEE

1982

SOCIÉTÉ CIVILE CHÂTEAU LAUJAC
PROPRIÉTAIRE A BÉGADAN.GIRONDE

MIS EN BOUTEILLES AU CHÂTEAU

PRODUCE OF FRANCE *Bernard Cruse* 75 cl
ADMINISTRATEUR

COTATIONS COMMENTÉES

1970	9	Puissant, à son apogée • A BOIRE
1975	8	Il s'ouvre enfin • A BOIRE
1976	6	Un vin de charme • A TERMINER
1977	3	La dureté des petits millésimes • A TERMINER
1978	8	Corsé, type CS, manque de rondeur • A BOIRE DOUCEMENT
1979	7	Opposé au 1978, très Merlot, facile, genre Saint-Émilion • A BOIRE
1980	4	Meilleur qu'on le dit • A BOIRE
1981	8	Marqué par le CS; forte production mais attendre • 9 ANS
1982	10	Exemplaire • A BOIRE PENDANT 15 ANS
1983	6	Grosse production de Merlots; léger et facile • A BOIRE
1984	5	A été fermé et dur (C), évolue mystérieusement vite. • A BOIRE
1985	9	Merlots extraordinaires, Cabernets bons; attendre • 8 ANS
1986	9	Beaucoup de M. Un 1985 à évolution plus rapide • 6 ANS
1987	5	2/3 de la récolte hors pluie; belle robe, fruité • 3 ANS

Très ancien domaine dont les propriétaires semblent voués au négoce du vin.

Au temps de Louis XIV, la famille d'Aujeard possédait les terres de Laujac. De l'état de négociants, grâce aux faveurs de Colbert, ils parvinrent à la noblesse de robe. Ils conservèrent Laujac et ce n'est qu'à l'aube du XIXᵉ siècle que M. de Villeminot l'acquit et fit élever le château qui orne les étiquettes. Ce bâtiment, quoique assez grand, ne représente qu'une partie du château initialement projeté mais montre assez les substantiels bénéfices qu'offrait la vente de fournitures à l'armée napoléonienne. M. de Villeminot en tirait ses revenus. Un peu plus tard, en 1824, il céda sa propriété aux Cabarrus, négociants et armateurs dont la branche cousine possédait Lagrange à Saint-Julien et Pontoise à Saint-Seurin-de-Cadourne. Les Cabarrus conservèrent Laujac jusqu'en 1852, date à laquelle il fut acquis par le fondateur d'une importante maison de négoce : Herman Cruse. Cette première acquisition viticole sera suivie de plusieurs autres.

Les Cabarrus faisaient beaucoup de vin à Laujac, l'équivalent de 300 000 bouteilles. Le vignoble se gonflera jusqu'à 140 hectares et l'on vinifiera dans le cuvier de Laujac jusqu'à 1 200 000 flacons annuels (ou leur équivalent).

Laujac est toujours exploité par les Cruse. On y fait moins de vin mais on pratique toujours l'élevage dans cette belle propriété de 300 hectares.

TERROIR ET VIGNES

A l'ouest du château, sur une croupe dominant marais et palus, autrefois investis par la mer, les règes tous les 1,50 m rythment le paysage.

Des graves fines à moyennes d'une profondeur de 8 à 10 mètres ne dépassent les palus environnants que de 2 ou 3 mètres. L'exploitation fermière fournit le fumier de vache nécessaire tous les trois ou quatre ans, fumure complétée par un peu d'engrais potassique (rien d'autre, pas d'azote).

VINIFICATION ET VIN

La vinification est décrite dans les lignes consacrées à Laffite-Laujac (p. 191). Château Laujac donne l'image de ce que doit être un cru Bourgeois, modéré dans ses ambitions mais sûr de lui. On a souvent comparé son style à celui des vins de Pauillac (Julien 1816).

Age idéal : 5-10 ans. Plat idéal : Rôti de bœuf.

CHÂTEAU LAUJAC, Bégadan, AOC Médoc

Date de création du vignoble : XVIIIᵉ siècle
Surface : 25 ha
Nombre de bouteilles : 150 000
Répartition du sol : un seul tenant
Géologie : graves
Autre vin produit par le vignoble : La Tour-Cordouan

Culture

Engrais : fumier
Encépagement : CS 60 % CF 10 % M 25 % PV 5 %
Age moyen : 15 ans
Porte-greffe : Riparia, 41 B, 420 A

Densité de plantation : 6 666 pieds/ha
Rendement à l'hectare : 55-60 hl
Traitement antibotrytis : limité
Vendange : mécanique depuis 1985

Vinification

Levurage : première cuve
Remontage : biquotidien
Type des cuves : inox, acier revêtu — 150/200 hl
Température de fermentation : 32°
Mode de régulation : ruissellement et serpentin
Temps de cuvaison : 18-25 jours
Vin de presse : première presse

Filtration avant élevage : sur terre
Age des barriques : 3 ans
Durée de l'élevage : 2-3 mois
Collage : albumine séchée
Filtration : à la mise
Mise en bouteilles au château : en totalité
Type de bouteille : standard
Maître de chai : M. Riondato
Œnologue-conseil : laboratoire de Pauillac

Commercialisation

Vente par souscription : oui
Vente directe au château : possible
Commande directe au château : oui
Contrat monopole : oui pour certains pays

Château DU MONTHIL

CRU BOURGEOIS

APPELLATION MÉDOC CONTROLÉE

MEDOC
1982

Mr & Mme Jean GABAS
PROPRIÉTAIRES À BÉGADAN (GIRONDE)
FRANCE   75 cl
MISE EN BOUTEILLES AU CHATEAU

Le château, une belle maison bâtie en 1895, est entouré de son vignoble. Monthil viendrait de *monticulus*, monticule. Un monticule très modeste car le vignoble est presque plat. Au début du siècle le vin de cette propriété arbore l'étiquette : Cru Monthil. Il appartient aux Bourgoin. Dans le courant de 1985, M. et Mme Jean Gabas, ses propriétaires, décident de le céder à la société Codem, son plus proche voisin à l'est.

TERROIR ET VIGNES

Le vignoble de forme irrégulière occupe un plateau dont l'altitude varie de 12 à 9 mètres, très légèrement incliné en direction du nord. La terre de graves argilo-calcaires est complantée de Merlot et d'une majorité de Cabernet-Sauvignon. Les ceps s'échelonnent tous les mètres dans des règes distantes de 1,3 mètre.

VINIFICATION ET VIN

Les jeunes vignes et les cuves non sélectionnées donnent naissance au vin étiqueté La Croix-de-Monthil. Château Greysac, Château des Bertins et Château du Monthil sont désormais vinifiés par Jean-Philippe Coudoin. Il est donc intéressant de comparer les trois vins (certains millésimes non disponibles manquent).

COMMENTAIRES COMPARÉS

	GREYSAC	LES BERTINS	DU MONTHIL
1979	De la finesse, lisse, empyreumatique.	Robe soutenue, vin monolitique, et pourtant fondu.	Robe parfaite, boisé, bouche ample ; plus rond mais moins fin que Greysac.
1980	Robe étonnante pour le millésime. Nez fruité-« terreux » ; gouleyant.		
1981	Robe superbe. Tabac, terre, finesse et gaîté ; charme discrètement boisé	Robe soutenue, très fruité, facile (trop ?), fait la roue.	Robe très belle, de la mâche, des structures réglisse cachou.
1982	Distingué et plein, tannins très mûrs, presque doux.	Bien construit, très style 82 tout en rondeur et en souplesse	Très coloré, de la mâche avec rondeur, vanillé ; la tranquillité d'un sénateur.
1983	Robe foncée, nez parfumé « terreux », tannins fins, du charme.	Robe presque aussi foncée que Greysac, l'amertume des tannins se fond bien ; semble se faire assez vite.	Robe intense ; floral avec une pointe de bergamote, de la mâche, traces d'astringence ; rustique et snob ; attendre un peu.
1984	La robe est belle ; nez boisé parfumé, légère astringence.	Robe un peu claire, du fruit ; longueur ? ?	Léger et court
1985	Robe foncée, toujours le nez boisé-parfumé ; plus d'attaque que le 82.	Équilibré, dans le style 1979.	Robe sombre, nez épicé, bouche tannique et ferme. De très longue garde.
1986	Dans l'esprit de 1961	Les tannins fondus rappellent 1982.	Robe soutenue, nez fruité minéral, bouche ample et généreuse. Longue garde.
1987	Vin de charme.	Fruité-léger.	Robe rubis, nez fruité, bouche légère.

CHÂTEAU DU MONTHIL, Bégadan, AOC Médoc

Date de création du vignoble : *XIXe siècle*
Surface : *20 ha*
Nombre de bouteilles : *150 000*
Répartition du sol : *2 lots groupés*
Géologie : *graves sablonneuses, argile*
Autre vin produit par le vignoble : *La Croix-de-Monthil*

Culture

Engrais : *fumures organiques et minérales*
Encépagement : *CS 60 % M 40 %*
Age moyen : *25 ans*
Porte-greffe : *SO 4, 101-14*

Densité de plantation : *7500 pieds/ha*
Rendement à l'hectare : *60 hl*
Traitement antibotrytis : *oui*
Vendange : *mécanique*

Vinification

Levurage : *oui*
Remontage : *quotidien*
Type des cuves : *inox*
Température de fermentation : *28-30º*
Mode de régulation : *ruissellement*
Temps de cuvaison : *18 jours*
Vin de presse : *première presse*
Filtration avant élevage : *non*

Age des barriques : *2 à 8 ans*
Durée de l'élevage : *18 mois*
Collage : *poudre d'albumine*
Filtration : *sur plaques à la mise*
Mise en bouteilles au château : *en totalité*
Type de bouteille : *standard*
Maître de chai : *Jean-Philippe Coudoin*
Œnologue-conseil : *Jacques Boissenot*

Commercialisation

Vente par souscription : *oui*
Vente directe au château : *oui*
Commande directe au château : *oui*
Contrat monopole : *oui*

Château PANIGON

GRAND VIN DE BORDEAUX

Cru Bourgeois

Château Panigon

MÉDOC

APPELLATION MEDOC CONTROLEE

750 ml   1981

G. LAMOLIERE, PROPRIETAIRE A CIVRAC MEDOC - GIRONDE

MISE EN BOUTEILLES AU CHATEAU

Lorsqu'on quitte Lesparre par la route qui conduit à Saint-Vivien, on traverse au-delà de l'hippodrome une dépression dite Marais de Lesparre, grasse et humide, impropre à la culture de la vigne, qui s'étend jusqu'à la prochaine croupe qui est occupée par le Château Carcanieux (voir ce nom page 210). Au nord, c'est-à-dire en suivant la route de Saint-Vivien sur la première émergence, la vigne réapparaît : c'est le Château Panigon, une propriété ancienne dont la création est sans doute antérieure à la Révolution française. Au milieu du siècle passé, elle appartenait à M. Fraichina et produisait l'équivalent de 60 000 bouteilles. Plus tard les Bouthillier multiplièrent par deux le volume vinifié — y compris du vin blanc ainsi que le voulait la mode des années vingt. Une mode que l'on cultive toujours à Panigon qui continue à produire 3 000 ou 4 000 bouteilles de vin blanc, bon an mal an...

Gérard Lamolière conduit les 65 hectares de son domaine en se livrant à l'élevage de bovins et à la culture de son vignoble. Mais, cas tout à fait particulier, Gérard Lamolière a délégué son activité de vinificateur au laboratoire de Pauillac qui décide de l'élaboration du vin. La commercialisation elle aussi suit un chemin original. Les acheteurs font faire eux-mêmes leur mise en bouteilles sur place dans les flacons de leur choix (standard, lourde) ; la petite part que se réserve Gérard Lamolière est mise en bouteilles standard et vendue par ses soins.

Dans le courant de 1986, Château Panigon a été repris par un Champenois qui dirigea Besserat de Bellefon et de Venoge : Paul Bergeot.

TERROIR ET VIGNES

Le vignoble d'un seul tenant s'étend sur de modestes vallonnements diversement orientés. Les graves sablonneuses plus argileuses que calcaires sur socle calcaire pierreux sont drainées naturellement par les légères pentes et les fossés. Ce sol accueille l'excellent porte-greffe Riparia (et quelques autres). Cabernet et Merlot plantés à 1 × 1,20 m se retrouvent en égale proportion.

VINIFICATION ET VIN

Le laboratoire de Pauillac décide de la vinification. L'élevage en barriques est éphémère, le vin étant stocké en cuves de bois ou en acier inoxydable.

Château Panigon se veut souple et rapidement consommable. Il est certain que le nouveau propriétaire, Paul Bergeot, va appliquer, dans cette propriété dont le vignoble peut s'accroître, de nouvelles méthodes.

Age idéal : dès la 3e année.   Plat idéal : Magret de canard.

COTATIONS COMMENTÉES

1975	9,5	*Se refuse à vieillir, fruité* • *A BOIRE*
1976	6	*Souplesse et facilité* • *A TERMINER*
1977	4	*Millésime faible* • *A TERMINER*
1978	8	*Très équilibré* • *A BOIRE*
1979	6	*Vin facile, production abondante* • *A BOIRE RAPIDEMENT*
1980	5	*Souple et léger* • *A BOIRE*
1981	8	*Construit* • *A COMMENCER*
1982	10	*Rondeur et générosité* • *A COMMENCER*
1983	6	*Un 1981 léger* • *A BOIRE*
1984	5	*Souple, style 1980* • *A BOIRE*
1985	8,5	*Corsé, de qualité* • *4-5 ANS*
1986	9	*Marqué par le bois. Un 1985 coloré et long* • *6 ANS*
1987	5,5	*Nouvelle benne montante, nouveau fouloir, léger* • *3 ANS*

CHÂTEAU PANIGON, Civrac-en-Médoc, AOC Médoc   *(avant sa reprise par Paul Berget)*

Date de création du vignoble : *XVIIIe siècle (?)*
Surface : *28 ha*
Nombre de bouteilles : *voir texte*
Répartition du sol : *1 seul tenant*
Géologie : *graves, argilo-calcaire*
Autre vin produit par le vignoble : *Château La Grave, Hautes Gravilles*

Culture

Engrais : *de la ferme*
Encépagement : *CS 40 %   CF 10 %   M 50 %*
Age moyen : *25 ans*
Porte-greffe : *SO 4, 44-53*
Densité de plantation : *6600 pieds/ha*

Rendement à l'hectare : *45 hl*
Traitement antibotrytis : *oui*
Vendange : *mécanique depuis 1985*

Vinification

Levurage : *oui*
Remontage : *quotidien*
Type des cuves : *ciment, acier — 250-350 hl*
Température de fermentation : *30-32°*
Mode de régulation : *serpentin*
Temps de cuvaison : *15-21 jours*
Vin de presse : *selon les millésimes*
Filtration avant élevage : *voir texte*
Age des barriques : *voir texte*

Durée de l'élevage : *voir texte*
Collage : *voir texte*
Filtrage : *voir texte*
Mise en bouteilles au château : *oui par les acheteurs*
Type de bouteilles : *standard en général*
Maître de chai : *laboratoire de Pauillac*
Œnologue-conseil : *laboratoire de Pauillac*

Commercialisation

Vente par souscription : *non*
Vente directe au château : *oui*
Commande directe au château : *oui*
Contrat monopole : *non*

Château PATACHE-D'AUX

Château
Patache d'Aux

CRU BOURGEOIS

MÉDOC

APPELLATION MÉDOC CONTROLÉE

MIS EN BOUTEILLE AU CHATEAU

75 cl

Société Civile Château Patache d'Aux
Bégadan (Gironde)
PRODUCE OF FRANCE

Sur l'étiquette, la patache tirée par trois chevaux rappelle que ce lieu, propriété de la famille d'Aux, apparentée aux comtes d'Armagnac et à Clément V, fut un relais de poste. La vigne y est d'implantation ancienne. Au tournant du siècle, le « Cru Patache-d'Aux » apparaît. La famille Numa Delon y vinifie beaucoup de vin, ainsi que dans d'autres propriétés de la commune.

En 1964, Claude Lapalu prend possession de Patache-d'Aux. Pour lui, ce n'est qu'un premier pas. Très rapidement, d'autres domaines relativement proches vont le tenter (La Tour-de-By, puis Le Bosq).

TERROIR ET VIGNES

Le vignoble enserre le bourg de Bégadan à l'ouest et au sud. Plat ou très peu incliné vers le sud, lorsque la pente ne suffit pas, des drains ont été posés. La terre argilo-calcaire repose sur un sous-sol caillouteux de 30 à 50 centimètres s'appuyant lui-même sur une couche de terre calcaire très épaisse. Le porte-greffe Riparia convient bien au Cabernet-Sauvignon en terre non calcaire, le 420 A au Merlot. A noter l'apparition du très moderne Fercal, champion du calcaire (avec le 41 B). L'approvisionnement en fumier est assuré par les éleveurs situés au-delà de Valeyrac. Les traitements sont appliqués avec mesure selon les indications fournies par l'INRA.

VINIFICATION ET VIN

Dans ce vignoble bien conduit, on tient fortement compte des variables annuelles. Le millésime 1982, par exemple, n'exigeait pas d'abondants remontages. En 1977, les presses n'étaient qu'herbacées, alors qu'en 1983 et 1985, elles furent d'excellente qualité.

L'élevage fait appel aux cuves et aux barriques neuves ou « d'un vin » achetées à un cru Classé et sont éliminées après trois à cinq ans. Le vin séjourne dix-huit mois dans les premières et trois mois dans les secondes.

Le vin de Patache-d'Aux atteint parfaitement le but qu'il se propose : l'ambition mesurée d'un cru Bourgeois, la netteté, la franchise souple permettant une consommation agréable dans des délais relativement rapides.

Age idéal : 6-8 ans.

Plat idéal :
Gigot en braillouse.

COTATIONS COMMENTÉES

Année	Note	Commentaire
1975	9	*Il s'ouvre, enfin!* • A BOIRE
1976	6	*Agréable mais peu de matière* • A TERMINER
1977	4	*Goûts herbacés, a manqué de soleil* • DEVRAIT ÊTRE BU
1978	8	*Complet, évolue bien* • A BOIRE SANS ATTENDRE
1979	7	*Évolue rapidement* • A BOIRE SANS ATTENDRE
1980	4,5	*Vin léger à évolution rapide* • A BOIRE SANS ATTENDRE
1981	5	*Une pointe d'acidité, tannins pas assez mûrs* • A BOIRE
1982	9,5	*Excellent, tannins archimûrs; peu de typicité* • ATTENDRE UN PEU
1983	10	*Raisins très mûrs; gras, rond, charnu, équilibré, acidité basse* • A BOIRE
1984	5	*Pas très tannique, évolue rapidement; été froid, bel automne* • A BOIRE
1985	9	*Bon, évolue plus rapidement que le 1982* • 8 ANS
1986	9,5	*Complet, à évolution lente* • 12 ANS
1987	5	*Léger-fruité* • 4 ANS

CHÂTEAU PATACHE-D'AUX, Bégadan, AOC Médoc

Date de création du vignoble : *XVIIIe siècle*
Surface : *38 ha*
Nombre de bouteilles : *250 000*
Répartition du sol : *pratiquement un seul tenant*
Géologie : *argilo-calcaire*
Autre vin produit par le vignoble : *aucun*

Culture

Engrais : *fumier, potasse, acide phosphorique*
Encépagement : *CS 70 % CF 10 % M 20 %*
Age moyen : *25 ans*
Porte-greffe : *420 A, Riparia, 161-49,*
41 B, Fercal
Densité de plantation : *8000 pieds/ha*
Rendement à l'hectare : *50 hl*
Traitement antibotrytis : *oui*
Vendange : *mécanique et manuelle*

Vinification

Levurage : *première cuve*
Remontage : *4-5 par cuve*
Type des cuves : *bois – ciment émaillé, inox – 200 hl*
Température de fermentation : *28-30°*
Mode de régulation : *serpentin*
Temps de cuvaison : *3-4 semaines*
Vin de presse : *tout ou partie*

Filtration avant élevage : *oui*
Age des barriques : *0 à 5 ans*
Durée de l'élevage : *rotation – voir texte*
Collage : *gélatine, poudre de blanc d'œuf*
Filtration : *à la mise*
Mise en bouteilles au château : *en totalité*
Type de bouteille : *standard et lourde*
Maître de chai : *Jean-Jacques Alvarez*
Œnologue-conseil : *Jacques Boissenot*

Commercialisation

Vente par souscription : *oui*
Vente directe au château : *oui*
Commande directe au château : *oui*
Contrat monopole : *non*

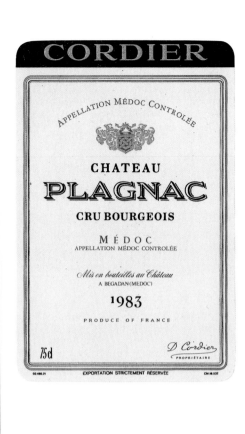

Désormais, la commune de Bégadan retrouve sa vocation viti-vinicole. Les ceps avaient déjà pris pied dans ces terres de fines graves sablonneuses argilo-calcaires il y a de nombreux siècles. Au rythme alterné des crises et des périodes fastes, la vigne a crû ou décru, parfois même disparu sauf dans quelques grands châteaux.

Château Plagnac voit le jour à la Belle Époque. Dans les années vingt, F. Meynieu y produit l'équivalent de 40 000 bouteilles et même un peu plus. La propriété s'endort quelque peu, jusqu'à ce que la Société des Domaines Cordier, en 1972, la réveille. Dès ce moment, le vignoble est en grande partie replanté, un cuvier inox voit le jour et petit à petit les conditions de renaissance d'un vin de cru sont réalisées.

TERROIR ET VIGNES

Le vignoble s'étend au-delà des dernières maisons du village de Bégadan, au sud-sud-ouest de celui-ci. Il jouxte Patache-d'Aux, s'abaisse fortement en direction du nord (20-11 mètres) mais est pratiquement horizontal à proximité de Patache et de Bégadan.

Un sol argilo-calcaire sablonneux sur socle caillouteux calcaire accueille des porte-greffe bien adaptés à un sous-sol que l'on trouve à Saint-Émilion (et en Champagne). La densité de plantation atteint le minimum réglementaire et le rendement à l'hectare loin d'être négligeable est d'autant plus élevé que le vignoble est jeune.

VINIFICATION ET VIN

Château Plagnac est vinifié selon les habitudes modernes : cuvaison respectable, température élevée pour extraire le maximum, extraction d'autant plus indispensable que la vigne sort du berceau. L'élevage est adapté au statut et au type de ce vin : un an et un peu plus dans le bois de foudres de 60 hectolitres.

Château Plagnac est un Médoc de caractère léger et facile. Un vin bien fait qui ne saurait être confondu avec les grands Haut-Médoc et autres Saint-Julien du même producteur.

COTATIONS COMMENTÉES

1983	7	La rondeur du Merlot, concentration moyenne ● A BOIRE
1984	5	Léger, marqué par le Cabernet ● A BOIRE
1985	9	Rondeur et générosité ● 6 ANS
1986	10	Concentré, tannique, riche ● 6 ANS
1987	5,5	Équilibré de charme ● 3 ANS

Âge idéal : 4-5 ans.

Plat idéal : Quasi de veau au lait.

CHÂTEAU PLAGNAC, Bégadan, AOC Médoc

Date de création du vignoble : début du siècle
Surface : 27 ha
Nombre de bouteilles : 190 000
Répartition du sol : un lot
Géologie : argilo-calcaire-sablonneux

Culture

Engrais : marc de raisin, fumier de ferme, engrais minéraux
Encépagement : CS 70 % M 30 %
Age moyen : 15 ans
Porte-greffe : 41 B, Fercal — SO 4 — 420 A
Densité de plantation : 5000 pieds/ha
Rendement à l'hectare : 55 hl en moyenne sur 10 ans

Traitement antibotrytis : oui
Vendange : manuelle

Vinification

Levurage : naturel
Remontage : fréquents et adaptés aux caractères du millésime
Type des cuves : acier inoxydable — 220 hl
Température de fermentation : 30° environ
Mode de régulation : ruissellement
Temps de cuvaison : 18 à 20 jours
Vin de presse : 8 à 10 % incorporé suivant les millésimes
Filtration avant élevage : sur terre
Age des barriques : élevage en foudre — 60 hl

Durée de l'élevage : 12 à 16 mois
Collage : blanc d'œuf lyophilisé
Filtration : à la mise
Mise en bouteilles au château : oui
Type de bouteille : jusqu'à 1979 : spéciale Cordier — depuis 1979 : bordelaise
Maître de chai : Jean Simon
Régisseur : Jean Simon
Œnologue-conseil : Georges Pauli

Commercialisation

Vente par souscription : oui
Vente directe au château : non
Commande directe au château : oui
Contrat monopole : oui (Ets Cordier, 7-13 Quai de Paludate, 33800 Bordeaux)

VIEUX-CHÂTEAU-LANDON

1980
Vieux Château Landon
CRU BOURGEOIS

MÉDOC
APPELLATION MÉDOC CONTROLÉE
Ph. Gillet
PROPRIÉTAIRE A BÉGADAN (GIRONDE)
MIS EN BOUTEILLES AU CHATEAU
SÉLECTION
Les Meilleurs Cépages 75 cl
PRODUCE OF FRANCE

COTATIONS COMMENTÉES

1970	10	Grand vin plein d'arômes, à son apogée • A BOIRE
1975	9	La robe n'évolue pas; il s'entrouvre, à surveiller • A COMMENCER
1976	7,5	Corpulence et puissance • A BOIRE
1977	4	Léger, souple • A TERMINER
1978	8	Corsé, équilibré; s'ouvre • A COMMENCER
1979	7	Souple, facile • A BOIRE
1980	5	Bonne tenue, ouvert • A BOIRE
1981	10	Concentré, puissant, corsé, distingué; de longue garde (+ que le 1982 ?) • 10 ANS
1982	9	Richesse, rondeur, charme; puissant mais féminin (cuvée spéciale) • A BOIRE, A GARDER
1983	7	Dans l'esprit des 1979 • A BOIRE
1984	6	Vin de Cabernet, rigide • 8 ANS
1985	9	Style 1982 (cuvée spéciale, voir texte) • 10 ANS
1986	8,5	Vin de charme, flatteur et complet • 8 ANS
1987	5,5	Ni gras, ni corsé • 3-4 ANS

Du côté de Bégadan, et même vers Lesparre, des pancartes donnent la direction de Vieux-Château-Landon.

On l'appelait Cru du Vieux-Château-Landon ainsi que Château Landon. Le château a existé mais fut détruit vers la Révolution. Aujourd'hui tout est neuf, tout est fonctionnel. Le chai à barriques par exemple n'a rien à envier à ceux des crus Classés. Très long, de bonne largeur, le couloir central sépare trois rangs de barriques à gauche, trois rangs de barriques à droite. Une dizaine de niches abritent des statues dionysiaques. Une salle de réception et de dégustation affirme les ambitions de ce cru créé au XIXe siècle dont il faut saluer l'impeccable gestion et la prospérité.

TERROIR ET VIGNES

L'exploitation bénéficie d'une position centrale et culminante, au sommet d'une croupe modeste dont le dénivelé ne dépasse pas quatre mètres! 50 centimètres de terre argilo-calcaire recouvrent un socle de pierres filtrantes n'ayant pas nécessité la pose de drains. On notera la généreuse proportion de Cabernet-Sauvignon et la belle densité de plantation.

VINIFICATION ET VIN

Les cuves sont volumineuses — 250/300 hectolitres. Ce volume est intéressant dans la mesure où deux écoles se développent en ce qui concerne la capacité idéale. Pour les uns, les plus nombreux, elle se situe entre 100-150 hectolitres, pour les autres, le meilleur vin provient de grosses cuves. La seule convergence concerne le rapport hauteur-largeur qui doit tendre à « un » (hauteur = largeur). Les cuvaisons sont réellement longues et il arrive que le vin de presse soit affiné une année et incorporé dans le millésime suivant.

Le vin n'est pas filtré mais collé au blanc d'œuf frais. Les grands millésimes donnent lieu à la création d'un Vieux-Château-Landon haut de gamme, dit *cuvée exceptionnelle* qui correspond à un vin de très vieilles vignes (50 ans) à petit rendement — 25 hl/ha — vinifié à part et élevé en barriques neuves. Vieux-Château-Landon est un vin qui recherche plus la distinction que la corpulence. Il est doté d'un bon équilibre et d'un grain fin.

Age idéal : 7-10 ans.

Plat idéal : Gigot de chevreuil avec un 1966 ou 1970

VIEUX-CHÂTEAU-LANDON, Bégadan, AOC Médoc

Date de création du vignoble : *XIXe siècle*
Surface : *30 ha*
Nombre de bouteilles : *200 000*
Répartition du sol : *un seul tenant*
Géologie : *argilo-calcaire*
Autre vin produit par le vignoble : *Château-Landon, Château Bernèdes*

Culture

Engrais : *d'entretien*
Encépagement : *CS 70 % Mc 5 % M 25 %*
Age moyen : *22 ans*
Porte-greffe : *420 A, Riparia, 101-14*

Densité de plantation : *7500 pieds/ha*
Rendement à l'hectare : *50-55 hl*
Traitement antibotrytis : *1 ou 2*
Vendange : *mécanique depuis 1984*

Vinification

Levurage : *naturel*
Remontage : *quotidien*
Type des cuves : *inox — 250-300 hl*
Température de fermentation : *30°*
Mode de régulation : *ruissellement, remontages*
Temps de cuvaison : *un mois*
Vin de presse : *2 presses incorporées généralement*

Filtration avant élevage : *non*
Age des barriques : *renouvelées par tiers*
Durée de l'élevage : *18 mois*
Collage : *blanc d'œuf frais*
Filtration : *non*
Mise en bouteilles au château : *oui*
Type de bouteille : *standard pour l'instant*
Maître de chai : *Claude Ballanger*
Œnologue-conseil : *laboratoire de Pauillac*

Commercialisation

Vente par souscription : *oui*
Vente directe au château : *oui*
Commande directe au château : *oui*
Contrat monopole : *non*

Château LA TOUR-DE-BY

COTATIONS COMMENTÉES

1966	–	66 tonneaux, premier vin vinifié par Marc Pagès ; 100 % Merlot, robe brunie dans la masse, curieux, une pointe d'acidité ; se dépouille • DEVRAIT ÊTRE BU
1970	9	220 tonneaux, vinification chaude, belle extraction, robe soutenue ; nez empyreumatique (café), vigoureux complet • A BOIRE
1971	8	Très belle robe, nez fruité, bouche fruitée, fruits rouges, fraise, framboise, groseille • A BOIRE
1973	7	Robe brunie dans la masse, vin élégant incroyablement réussi qui demeure excellent • A BOIRE
1974	–	Bruni dans la masse, les structures demeurent, il n'y a pas de fruit • DEVRAIT ÊTRE BU
1975	8,5	Robe impeccable très jeune d'aspect ; le nez commence à s'ouvrir. Construit, charpenté, encore de l'astringence • A COMMENCER
1976	–	Robe vieillissante, fruité. Un vieux-beau flatteur sur le déclin ; commence à sécher • DEVRAIT ÊTRE BU

La conquête du Médoc par la vigne s'est faite petit à petit à partir de Bordeaux, de proche en proche. Sauf en certains points privilégiés qui furent investis très tôt par les pampres. Ce fut le cas des graves de By. Dans les dernières années du XVIᵉ siècle, Pierre Tizon est propriétaire du domaine de La Roque-de-By. Cette famille le conserva jusqu'en 1725. Le comte Louis de Gramont lui succéda et éleva en 1730 le château de La Roque-de-By. Au milieu du XIXᵉ siècle, M. de Lignac y vinifie l'équivalent de 110 000 bouteilles.

En 1876, M. Rubichon fait bâtir un château moderne, demande qu'on sculpte sa tête dans la façade et rebaptise sa propriété La Tour-de-By. Cette tour, à l'aspect si caractéristique, existe depuis 1825. Il s'agit d'un phare car la Gironde n'est pas loin. Pour le construire, la tour d'un ancien moulin a été exploitée. En 1910 Julien Damoy, bien connu dans le monde de l'alimentation, se porte acquéreur de la propriété, n'y plante que du Merlot, à l'exclusion de tout autre cépage, car son goût l'y pousse. Sa production s'élève à près de 150 000 bouteilles sans compter les 30 000 bouteilles de vin blanc étiquetées Cru des Tourterelles, sans doute pour concurrencer le Merle Blanc vinifié par le Château Clarke.

Julien Damoy vieillissant dote son château d'un ascenseur et s'éteint dans sa propriété en 1943. Ses héritiers vendent le domaine à M. Kaskoref qui le revend en 1965 à MM. Cailloux, Lapalu et Pagès, Marc Pagès dirigeant l'exploitation. Les chais de La Tour-de-By méritent une attention particulière. Ils sont partiellement enterrés, ce qui est rare, et abritent de vastes cuves de bois qui restent en usage quoique complétées par des cuves inox.

Le chai d'élevage, lui aussi, est important. Pas moins de 1 300 barriques sur quatre rangs superposés montent jusqu'au plafond.

TERROIR ET VIGNES

Le vignoble est très vaste. Il se compose de deux parcelles, l'une à l'ouest, contiguë au château sur une croupe dont le sommet est marqué par le fameux moulin transformé en phare, le tout situé à l'extrême nord-est de la commune de Bégadan, alors que le deuxième lot de 29 hectares relève de la commune de Saint-Christoly.

La base du phare de By est située à plus de 15 mètres d'altitude. La vigne l'environne selon plusieurs orientations, mais plus particulièrement vers le nord-ouest jusqu'à une dizaine de mètres plus bas.

La deuxième parcelle, sur Saint-Christoly, s'éloigne davantage de la Gironde et s'abaisse de 15 mètres à 7 mètres en direction du sud, donc à l'opposé de la Gironde.

Dans l'ensemble ces 69 hectares sont graveleux et siliceux sur socle d'alios. Les terres sont amendées tous les cinq ans par du fumier de ferme que l'on se procure facilement puisque les zones d'élevage sont proches. Chaque année, en fonction des besoins des parcelles, potasse, acide phosphorique et un peu

CHÂTEAU LA TOUR-DE-BY, Bégadan, AOC Médoc

Date de création du vignoble : 1730
Surface : 69 ha
Nombre de bouteilles : 350 000
Répartition du sol : 2 lots principaux
Géologie : graves siliceuses
Autre vin produit par le vignoble : Château Moulin-de-la-Roque et Château La-Roque-de-By

Culture

Engrais : voir texte
Encépagement : CS 70 % CF 4 % M 26 %
Age moyen : 30 ans
Porte-greffe : Riparia, 101-14, SO 4, 3309
Densité de plantation : 7000 pieds/ha
Rendement à l'hectare : 35-55 hl

Traitement antibotrytis : oui
Vendange : mécanique

Vinification

Levurage : oui
Remontage : quotidien
Type des cuves : bois, inox 250 hl

d'azote compensent les exportations végétales. L'époque du Merlot, cher à Julien Damoy, est révolue. Désormais le Cabernet-Sauvignon est largement dominant, ce qui n'est pas étonnant puisque Émile Peynaud a présidé aux replantations.

A noter l'âge élevé du vignoble, rare dans cette région de reconstitution

VINIFICATION ET VIN

Le professeur Peynaud a également inspiré la vinification. Cuvaisons longues, températures de fermentation élevées, régulées par des serpentins refroidis par l'eau d'un puits. Durant quatre ou cinq jours le quart ou la moitié de la cuve est remontée en une dizaine de minutes.

L'élevage se fait en barriques après filtration sur kieselguhr. La futaille est renouvelée par sixième annuellement, certaines barriques sont neuves, les plus anciennes atteignent l'âge de six ans.

Une sélection d'une extrême sévérité dans quelques grands millésimes, 1982, 1985 ; un élevage particulièrement soigné produit une vingtaine de barriques de vin exceptionnel, une cuvée spéciale, véritable démonstration de la potentialité du terroir.

Le deuxième vin du Château de La Tour-de-By est étiqueté Moulin-de-la-Roque. Autrefois, ce vin était identique au grand vin, aujourd'hui, il est le produit de sélections en cuve. Un dixième de la production est ainsi vendu environ 10 % moins cher que le vin principal.

L'autre étiquette, La Roque-de-By, concerne une exclusivité portant sur 30 000 flacons qui prennent presque tous le chemin des États-Unis. Château La Tour-de-By habillé en rubis foncé, même dans les millésimes difficiles (1984 par exemple), au nez souvent empyreumatique offre une bouche construite. Cette charpente ne nuit pas à une consommation relativement rapide.

COTATIONS COMMENTÉES

Année	Note	Commentaire
1977	–	*Robe très légère, oxydé et vieux; fini depuis longtemps* • *DEVRAIT ÊTRE BU*
1978	6	*Robe un peu claire, arômes de café, vin léger* • *A BOIRE*
1979	8	*Très belle robe, nez grillé-brûlé, bouche bien construite, astringence sensible* • *A BOIRE*
1980	4	*Couleur un peu faible, fin mais court en bouche (35 hl/ha), très peu de Merlot, maturité modérée* • *A BOIRE*
1981	8,5	*Couleur moyenne, nez de Cabernet, boisé* • *A BOIRE*
1982	9	*Robe soutenue, nez empyreumatique, construit et astringent* • *A COMMENCER*
1982	9,5	*Sélection en cuve (5000-6000 bouteilles), vin de goutte, élevé 18 mois dans barriques d'un vin. Superbe 1982 habillé d'une robe parfaite, charpenté, gras, dense, fin, complet; équilibré et long* • *A GARDER*
1983	7	*Jolie robe, net, précis, presque facile, se boit tout seul* • *A COMMENCER*
1984	5	*95 % Cabernet, robe réussie pour le millésime, léger, boisé, finesse nerveuse* • *A BOIRE*
1985	9,5	*12,6°, indice de Follain 45; charnu, gras, plein de promesse* • *A BOIRE DÈS 6 ANS D'AGE*
1986	10	*Un 1982 aussi ample et plus fin* • *DE 6 ANS A 15 ANS*
1987	6	*Fruité sans concentration* • *DÈS 3 ANS*

Age idéal : 5 ans.

Plat idéal : Poularde demi-deuil.

Température de fermentation : *28 à 30°*
Mode de régulation : *serpentin, ruissellement*
Temps de cuvaison : *20 à 35 jours*
Vin de presse : *incorporé*
Filtration avant élevage : *sur Kieselguhr*
Age des barriques : *4 ans*

Durée de l'élevage : *18 mois*
Collage : *blanc d'œuf*
Filtration : *à la mise*
Mise en bouteilles au château : *en totalité*
Type de bouteille : *standard*
Maître de chai : *Raymond Ziga*
Œnologue-conseil : *Jacques Boissenot*

Commercialisation

Vente par souscription : *oui*
Vente directe au château : *oui*
Commande directe au château : *oui*
Contrat monopole : *non*
(sauf exportation et VRP)

Château VIEUX-ROBIN

Dès 1840, les Fontaneau et à la suite d'un mariage les Dufau conduisent depuis sa naissance cette propriété qui jusqu'à la fin de la guerre s'appelait plus modestement Aux Anguileys ou Domaine des Anguileys.

Pour satisfaire le négoce, le domaine a pris le nom d'une de ses parcelles en devenant Château.

Le vignoble a pris de plein fouet le gel de 1956, tout ou presque a dû être replanté. Des bâtiments de bonnes dimensions et bien conçus permettent une excellente vinification. Le vaste chai à barriques témoigne du soin apporté à l'élevage.

TERROIR ET VIGNES

Le vignoble d'un seul tenant longe partiellement à l'ouest la route de Bégadan à By. Son autre versant est limité sur toute sa longueur par la route de Beganet à Condissas. Il est pratiquement horizontal à la faible altitude de quatre ou cinq mètres.

Son sol argilo-calcaire ne nécessite pas de drainage, ados et fossés évacuant les eaux de ruissellement. Les fumures organiques sont destinées à maintenir le potentiel nutritif du sol. Le traitement antibotrytis n'est que partiellement appliqué. Depuis 1983 une machine à vendanger, propriété du Château Vieux-Robin et réglée en fonction du vignoble, donne toute satisfaction. Le Cabernet domine largement le Merlot, la densité de plantation dépasse fort heureusement le minimum imposé.

VINIFICATION ET VIN

La vinification ne présente aucune particularité, elle est classique du premier au dernier instant.

Le vin est filtré sur terre avant un élevage d'une durée moyenne dans des barriques de plusieurs vins. Les sélections conduisent à l'élaboration d'un deuxième vin étiqueté Domaine des Anguileys.

Le Château Vieux-Robin est habillé d'une robe soutenue au fruité fin, légèrement boisé. En bouche des tannins lisses contribuent à une bonne finale.

COTATIONS COMMENTÉES

Année	Note	Commentaire
1970	9	*A atteint enfin son apogée* • A BOIRE
1975	9,5	*Grand vin; robe superbe, arômes de fruits rouges* • A BOIRE DEPUIS PEU
1976	8	*Sans mollesse. A mis 10 ans pour atteindre son apogée* • A BOIRE
1977	4	*Petit millésime, petit vin* • DEVRAIT ÊTRE BU
1978	7	*Bon équilibre* • A BOIRE
1979	8,5	*Un 1978 très tannique, fruité finement boisé* • A BOIRE
1980	4,5	*Léger* • A BOIRE
1981	8	*Un peu dur; évolution lente* • 8 ANS
1982	10	*Puissance, rondeur, bon dès le premier jour* • A BOIRE ET A ENCAVER
1983	9	*Un 1981 qui aurait rondeur et moelleux* • 6 ANS
1984	5	*Léger sans dureté, en dépit des Cabernets* • A BOIRE
1985	9	*Coloré et fruité, plus Merlot que Cabernet* • 4 ANS
1986	9,5	*Plus Cabernet que Merlot. Charpenté et charnu* • 6 ANS
1987	5,5	*Raisins mûrs + vendanges pluvieuses = Sélection de la vendange + sélection en cuves* • 3 ANS

Age idéal : 6 ans.

Plat idéal : *Entrecôte marchand de vin.*

CHÂTEAU VIEUX-ROBIN, Bégadan, AOC Médoc

Date de création du vignoble : *XIXe siècle*
Surface : *15 ha*
Nombre de bouteilles : *80 000*
Répartition du sol : *1 seul tenant*
Géologie : *argilo-calcaire*
Autre vin produit par le vignoble : *Domaine des Anguileys*

Culture

Engrais : *fumures organiques*
Encépagement : *CS 66 % M 34 %*
Age moyen : *20 ans*
Porte-greffe : *101-14*

Densité de plantation : *7500 pieds/ha*
Rendement à l'hectare : *55 hl*
Traitement antibotrytis : *oui*
Vendange : *mécanique depuis 1983*

Vinification

Levurage : *pied de cuve*
Remontage : *biquotidien*
Type des cuves : *ciment — 100 hl*
Température de fermentation : *30°*
Mode de régulation : *pompe à chaleur*
Temps de cuvaison : *21 jours*
Vin de presse : *première presse*
Filtration avant élevage : *sur terre*

Age des barriques : *2 à 10 ans*
Durée de l'élevage : *12 mois*
Collage : *albumine*
Filtration : *à la mise*
Mise en bouteilles au château : *en totalité*
Type de bouteille : *standard*
Maître de chai : *François Dufau*
Œnologue-conseil : *laboratoire de Pauillac*

Commercialisation

Vente par souscription : *oui*
Vente directe au château : *oui*
Commande directe au château : *oui*
Contrat monopole : *non*

Communes de Couquèques et de Saint-Christoly
AOC Médoc

COUQUÈQUES Commune de faible altitude en pente douce diversement orientée, le point haut (11 mètres) étant situé à l'est du bourg. Une centaine d'hectares de vignes ont investi des terres sablo-argilo-calcaires sur socle calcaire.

Saint-Christoly n'est distant que de deux kilomètres (sud-est) alors qu'il faut parcourir près de 70 kilomètres pour se rendre à Bordeaux.

SAINT-CHRISTOLY-MÉDOC Commune de faible altitude à ses extrémités ouest et est. Dorsale atteignant 16 mètres, parallèle à la Gironde. Dans l'ensemble les 260 hectares de vignes ont tendance à « regarder » la Gironde. Sols très divers: sable, graves, argile sur un sous-sol argileux au nord-nord-est, graveleux au centre et calcaire au sud-sud-ouest.

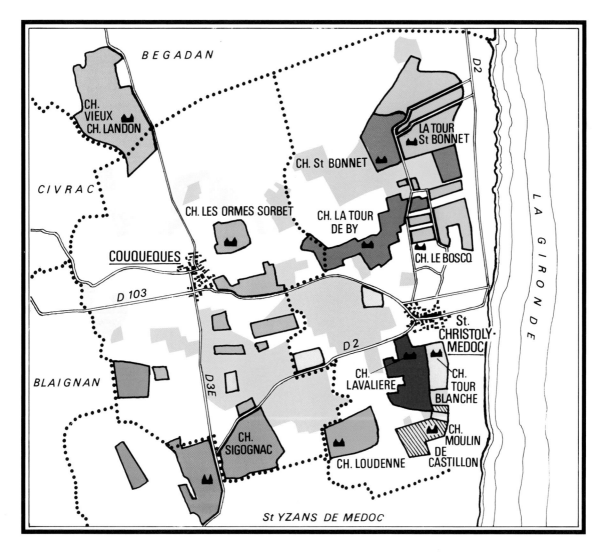

Château LE BOSCQ

Le château proprement dit date de la fin du XIXe siècle de même que le cru portant son nom. Aujourd'hui inutile de s'y rendre, il ne s'y passe rien car le vin est vinifié au Château Patache-d'Aux à Bégadan. Une fois de plus cette propriété, comme beaucoup d'autres, a connu une lente décrépitude. Celle-ci était totale lorsque Claude Lapalu le reprend dans les années 70 : le dernier propriétaire avait arraché toutes les vignes !

Pourtant en 1930, F. Gabilleau y vinifiait l'équivalent de 60 000 bouteilles d'un vin apprécié. En témoigne son incorporation dans la catégorie des crus Bourgeois en 1932. Cela ne suffit pas à sauver le Château du Boscq qui disparaît à la suite des méventes et des crises qui ont secoué le Bordelais.

Deux kilomètres séparent Château Le Boscq de la Tour-de-By où réside Claude Lapalu ; Patache-d'Aux, son lieu de travail, n'est qu'à quatre kilomètres du Boscq. Il n'en fallait pas plus pour le décider à replanter 21 hectares et vinifier la bonne centaine de tonneaux de ce jeune vignoble.

TERROIR ET VIGNES

Les croupes de cette région sont toutes de même nature géologique : accumulation de graves garonnaises sur plusieurs mètres de hauteur parfois 10 ou 15 mètres. A priori, ce type de sol connaît un bon drainage naturel. Les parcelles du Château Le Boscq prolongent celles de Saint-Bonnet. Elles « regardent » la Gironde de très près à quelques centaines de mètres et s'abaissent très légèrement dans sa direction de 2,5 mètres pour atteindre au point bas 5 mètres d'altitude. Des porte-greffe vigoureux luttent contre la pauvreté du sol.

Fidèle à ses habitudes, Claude Lapalu a privilégié le Cabernet-Sauvignon.

VINIFICATION ET VIN

Le vin est vinifié à Patache-d'Aux dans le même matériel et selon les mêmes principes que celui qui porte ce nom. Seul l'élevage diffère, Le Boscq ne quitte pas la cuve. Château Le Boscq est vendu uniquement au négoce mais est toujours disponible sur place au chai de Patache-d'Aux.

Le faible âge du vignoble prive le vin du Boscq des fortes constructions, des tannins abondants, de l'étoffe et de la puissance, tous caractères qui ont cédé la place à la finesse et au fruité. On peut, on doit le boire assez jeune.

COTATIONS COMMENTÉES

Année	Note	Commentaire
1981	5	*Fruité, gouleyant, nerveux* • A BOIRE
1982	8	*Presque généreux, belle robe* • A BOIRE
1983	6	*Bonne construction* • A BOIRE
1984	5	*Léger, primesautier* • A COMMENCER
1985	7	*Evolution prometteuse* • 8 ANS
1986	9	*Vin complet à évolution lente* • 10 ANS
1987	5	*Très léger* • 4 ANS

Age idéal : 4-6 ans.

Plat idéal : Poulet à la broche.

CHÂTEAU LE BOSCQ, Saint-Christoly-Médoc, AOC Médoc

Date de création du vignoble : *XIXe s.*
Surface : *21 ha*
Nombre de bouteilles : *130 000*
Répartition du sol : *4 lots groupés*
Géologie : *graves garonnaises*
Autre vin produit par le vignoble : *aucun*

Culture

Engrais : *organiques et chimiques*
Encépagement : *CS 70 % CF 10 % M 20 %*
Age moyen : *10 ans*
Porte-greffe : *101-14, SO4, R 110*
Densité de plantation : *5 500 pieds/ha*

Rendement à l'hectare : *50-60 hl*
Traitement antibotrytis : *oui*
Vendange : *mécanique*

Vinification

Levurage : *première cuve*
Remontage : *4-5 par cuve*
Type des cuves : *bois, ciment émaillé, inox*
Température de fermentation : *28°-30°*
Mode de régulation : *serpentin*
Temps de cuvaison : *3-4 semaines*
Vin de presse : *incorporé en fonction du millésime*
Filtration avant élevage : *sur terre*
Age des barriques : *élevage en cuve*

Durée de l'élevage : *20 mois*
Collage : *gélatine, poudre de blanc d'œuf*
Filtration : *sur plaques à la mise*
Mise en bouteilles au château : *en totalité*
Type de bouteille : *standard et lourde*
Maître de chai : *Jean-Jacques Alvarez*
Œnologue-conseil : *Jacques Boissenot*

Commercialisation

Vente par souscription : *non*
Vente directe au château : *oui*
S'adresser à : *Château Patache-d'Aux (Bégadan)*
Commande directe au Château : *oui*
S'adresser à : *Château Patache-d'Aux (Bégadan)*
Contrat monopole : *non*

Château MOULIN-DE-CASTILLON

COTATIONS COMMENTÉES

Année	Note	Commentaire
1970	9	*Actuellement, l'un des deux meilleurs millésimes* • A BOIRE
1971	7	*Actuellement, l'un des deux meilleurs millésimes* • A BOIRE
1972	4	*Est en bouteille à cause de la crise des années 73-75* • A TERMINER
1973	6	*Agréable, équilibré* • A BOIRE
1975	10	*Très bon, évolution lente, rond et plein, on peut l'attendre encore un peu* • 15 ANS
1976	8	*Comme 1975* • 12-13 ANS
1979	7	*Jolie robe, bien construit pour l'année* • 10 ANS
1981	7,5	*Dans l'esprit du 1979* • 8-10 ANS
1982	8	*Puissante rondeur généreuse* • 10 ANS
1983	6	*Gras, aromatique; petit 81* • A COMMENCER
1984	5	*Proche du précédent* • 5-6 ANS
1985	10	*Vin complet à évolution lente, style 1975* • 10 ANS
1986	9,5	*Proche du précédent* • 8 ANS
1987	5	*Léger* • 4 ANS

Il existe également dans cette même région un château-fort ruiné — il n'en reste presque rien — appelé château de Castillon ou fort de Castillon. Le Moulin de Castillon, lui, est situé à moins d'un kilomètre à l'ouest des ruines de Castillon. Il faut d'ailleurs remarquer que ce vignoble s'appelait autrefois Cru des Deux Moulins. L'étiquette s'est transformée en Château des Deux-Moulins, marque toujours en usage, puis en Château Moulin-de-Castillon. Cette propriété a toujours appartenu à la famille Moriau. Cultivée de père en fils, elle appartient aujourd'hui à Pierre Moriau qui a racheté et rassemblé des parts appartenant à des parents et héritiers.

TERROIR ET VIGNES

Une petite parcelle « regarde la Gironde » vers l'est, entre 13 et 10 mètres d'altitude, alors que la parcelle principale s'abaisse en direction du sud, orientation très rare dans la commune, de 16 à 10 mètres d'altitude.

Ces terres de graves argileuses sont drainées naturellement par leur pente.

A signaler la remarquable densité de plantation (1 mètre × 1 mètre) des Riparia et des SO 4, porte-greffe de Merlot et de Cabernet-Sauvigon d'un âge respectable, gage de qualité (30 ans).

Pierre Moriau n'ajoute que peu d'engrais à ses terres, juste ce qu'il faut pour compenser l'exportation végétale.

VINIFICATION ET VIN

Autrefois le vin était cuvé un mois. Pierre Moriau a réduit ce temps à trois semaines, la température des fermentations est maintenue autour de 30°. En cas de dépassement, le vin est transféré dans une cuve vide. La plus grande partie du vin est élevée en cuves, soutirées tous les trois mois. Pierre Moriau produit deux vins identiques, à quelques détails près.

Château Deux-Moulins est commercialisé par la maison de Luze. Le vin est filtré sur terre, élevé 18 mois et mis en bouteilles à la propriété.

Château Moulin-de-Castillon n'est pas filtré sur terre avant élevage, fait un peu de barrique et est commercialisé par son propriétaire. Les millésimes qui ne lui donnent pas toute satisfaction ne sont pas mis en bouteilles.

Château Moulin-de-Castillon a la robe soutenue, offre une bonne concentration. C'est un vin plein, d'une agréable structure tannique.

Age idéal : 10 ans.

Plat idéal : Filets de mouton en chevreuil.

CHÂTEAU MOULIN-DE-CASTILLON, Saint-Christoly-Médoc, AOC Médoc

Date de création du vignoble : *XXᵉ siècle*
Surface : *13 ha*
Nombre de bouteilles : *95 000*
Répartition du sol : *2 lots principaux*
Géologie : *graves argileuses*
Autre vin produit par le vignoble : *Château des Deux-Moulins*

Culture

Engrais : *organique*
Encépagement : *CS 50 % M 50 %*
Age moyen : *30 ans*
Porte-greffe : *Riparia, SO 4*
Densité de plantation : *10 000 pieds/ha*

Rendement à l'hectare : *40 hl*
Traitement antibotrytis : *oui*
Vendange : *mécanique depuis 1985*

Vinification

Levurage : *naturel*
Remontage : *quotidien*
Type des cuves : *ciment, acier — 100 hl*
Température de fermentation : *30°*
Mode de régulation : *transfert*
Temps de cuvaison : *3 semaines*
Vin de presse : *10 %*
Filtration avant élevage : *sur terre (parfois)*
Age des barriques : *voir texte*

Durée de l'élevage : *18 mois*
Collage : *albumine*
Filtration : *à la mise*
Mise en bouteilles au château : *en partie*
Type de bouteille : *standard*
Maître de chai : *Pierre Moriau*
Œnologue-conseil : *B. Couasnon Laboratoire de Pauillac*

Commercialisation

Vente par souscription : *non*
Vente directe au château : *oui*
Commande directe au château : *oui*
Contrat monopole : *non*

Château LES ORMES-SORBET

Château
Les Ormes Sorbet
CRU BOURGEOIS
MÉDOC
1982
APPELLATION MÉDOC CONTROLÉE
J. BOIVERT, PROPRIÉTAIRE A COUQUÈQUES, GIRONDE FRANCE 750 ml
MIS EN BOUTEILLE AU CHATEAU

COTATIONS COMMENTÉES

1975	8	Médoc à l'ancienne ; cuvaisons (trop) longues ; indice de Follain : 59 • A COMMENCER
1976	5,5	Fausse maturité • A TERMINER
1977	–	Il est maigre, il sèche • DEVRAIT ETRE BU
1978	9,5	Bien typé Médoc, très bel équilibre, vin complet • A BOIRE
1979	6	Il fait la roue, souple et fruité • A BOIRE
1980	4	Robe légère, un peu végétal • A BOIRE
1981	7	Bon Médoc classique ; a été un peu dur • 8 ANS
1982	10	Très bon vin mais pas typé • A BOIRE ET A GARDER
1983	8	Un 1981 riche et long • 8 ANS
1984	5	Dans l'esprit du 1980 • A BOIRE
1985	9	Équilibré et concentré ; boisé et fruits rouges • 10 ANS
1986	10	Gras, profond, cassis, rond, charme, tannins fins • 10 ANS
1987	5	Nez floral, bouche légère • 4-5 ANS

Age idéal : 7-10 ans.

Plat idéal : Lamproie à la bordelaise.

Le propriétaire, Jean Boivert, est d'une famille fidèle à la commune de Couquèques depuis 1730. Il succède à sept générations de viticulteurs et son tempérament perfectionniste le pousse à s'intéresser au développement de la science œnologique.

Les vingt hectares des Ormes-Sorbet rassemblent des parcelles ayant constitué le domaine de Couquèques, apanage de Louis de Genouillac au XVIe siècle et, à partir de 1852, le vignoble de M. de Sorbet.

Depuis 1970, Jean Boivert a repris le domaine familial et légèrement augmenté la proportion de Cabernet-Sauvignon.

TERROIR ET VIGNES

Les terres argilo-calcaires prennent assise sur un sous-sol calcaire non actif d'origine marine. On trouve fréquemment des oursins fossiles entre les règes. C'est à ces échinodermes que la commune doit son nom.

Si l'on ne tient pas compte des 27 ares de Cabernet franc et des 30 ares de Petit Verdot (qui mûrissent pleinement quatre ou cinq fois en vingt ans ! dit Jean Boivert), l'encépagement se répartit entre Cabernet-Sauvignon et Merlot dans la proportion de deux tiers/un tiers. L'espacement des ceps est de 100 × 120 centimètres. A signaler l'heureuse absence du porte-greffe SO 4 auquel on a fort judicieusement préféré le 161/49 bien adapté au type de calcaire des Ormes-Sorbet.

Jean Boivert n'est pas très porté sur le traitement antibotrytis qui, pour lui, retarde le mûrissement de huit jours et ralentit la fermentation malolactique. Il l'a néanmoins exécuté en 1985, année où il était totalement inutile !

VINIFICATION ET VIN

La vinification est soignée : température élevée et cuvaisons longues extraient toute la couleur que le sous-sol calcaire ne donne que parcimonieusement. Le chêne des barriques d'élevage est particulièrement choisi (et coûteux) puisqu'il provient de la forêt du Tronçais. Les Ormes-Sorbet 1947 et 1961 sont aujourd'hui largement épanouis, riches en arômes tertiaires. Cela démontre la longévité d'un vin de classe bien typé Médoc.

CHÂTEAU LES ORMES-SORBET, Couquèques, AOC Médoc

Date de création du vignoble : XIXe-XXe siècle
Surface : 20 ha
Nombre de bouteilles : 150 000
Répartition du sol : 7 lots
Géologie : argilo-calcaire
Autre vin produit par le vignoble : Château de Couques

Culture

Engrais : organique
Encépagement : CS 65 % CF traces M 35 % PV traces
Age moyen : 27 ans
Porte-greffe : 161-49

Densité de plantation : 8 000 pieds/ha
Rendement à l'hectare : 50 hl
Traitement antibotrytis : rarement
Vendange : mécanique et manuelle

Vinification

Levurage : non
Remontage : quotidien
Type des cuves : acier — 135 hl
Température de fermentation : 32°-33°
Mode de régulation : pompe à chaleur
Temps de cuvaison : 3 semaines
Vin de presse : première presse
Filtration avant élevage : non

Age des barriques : renouvellement par tiers annuellement
Durée de l'élevage : 18 mois
Collage : blanc d'œuf frais
Filtration : à la mise
Mise en bouteilles au château : en totalité
Type de bouteille : lourde
Maître de chai : Jean Boivert
Œnologue-conseil : laboratoire Gendrot

Commercialisation

Vente par souscription : oui
Vente directe au château : oui
Commande directe au château : oui
Contrat monopole : non

Château SAINT-BONNET

Dans les années vingt, le Cru Saint-Bonnet sous la houlette de M. Jaudel produisait l'équivalent de 100 000 bouteilles. A cette époque le mot « Château » ne semble pas avoir été indispensable pour pouvoir bien vendre du vin.

Tout porte à croire que cette propriété fut détachée, sans doute à la suite de problèmes successoraux, de Tour-Saint-Bonnet. En effet, ces deux propriétés sont non seulement contiguës mais se partagent étroitement les bâtiments qui en forment le cœur. Les chais du Château Saint-Bonnet sont situés dans le bourg de Saint-Christoly.

TERROIR ET VIGNES

Le plus grand lot, au nord du Château Tour-Saint-Bonnet, s'abaisse en direction du petit chenal de By, c'est-à-dire vers le sud-ouest alors que la deuxième parcelle, proche de la Gironde, s'incline tout naturellement, quoique fort peu, en sa direction. Le sol de graves argileuses couvre un socle argileux, par endroits pierreux. Pentes et fossés ont rendu la pose de drains superflue. Cabernet et Merlot, en parts égales sont greffés sur le trop vigoureux SO 4. Fumier et engrais chimiques se succèdent par rotation.

VINIFICATION ET VIN

Château Saint-Bonnet est vinifié dans un cuvier traditionnel un peu vieillot si on le compare aux installations récemment créées ou restaurées ; on y trouve néanmoins tout ce qu'il faut pour élaborer un vin de qualité, du refroidisseur à la pompe pour les remontages.

Les cuvaisons sont quelque peu abrégées mais leur température permet une bonne extraction. L'élevage fait alterner cuves et barriques par rotation dans la proportion de deux tiers/un tiers.

Il en résulte un vin dont le fruité n'exclut pas la longue garde lorsque le millésime le permet.

COTATIONS COMMENTÉES

Année	Note	Commentaire
1970	9	S'est enfin ouvert • A BOIRE
1975	8 ?	Demeure fermé • ?
1976	7	Bon millésime vendangé avant les grosses pluies • A BOIRE
1977	4	Petit, pointe d'acidité • A BOIRE
1978	7	Construit, de bonne garde • A BOIRE
1979	8	Un 1978 avec plus de rondeur ; longue garde • A BOIRE
1980	5	Un 1977 supérieur • A BOIRE
1981	8,5	Bien construit, complet, millésime de garde • A BOIRE
1982	9	Chaleureux ; durera-t-il longtemps ? • A BOIRE
1983	8,5	Identique au 1981, millésime de garde • 8 ANS
1984	6	Un peu dur, évolution rapide mais devrait durer • 5 ANS
1985	10	Vin complet, le meilleur (pour l'instant !) de la décennie • 8 ANS
1986	9	Un 1985 souple ; néanmoins, corps et charpente • 7 ANS
1987	5	Presque tout vendangé avant les pluies, couleur et vin léger (en cave) • 4 ANS

Age idéal : 8 ans.

Plat idéal : Bœuf en marinade.

GRAND VIN
1982
CHÂTEAU
SAINT BONNET
MÉDOC
APPELLATION MÉDOC CONTROLÉE
MICHEL SOLIVÈRES
PROPRIÉTAIRE
A ST-CHRISTOLY-DE-MÉDOC - GIRONDE
MIS EN BOUTEILLE AU CHATEAU 75 cl
CRU BOURGEOIS
PRODUIT DE FRANCE

CHÂTEAU SAINT-BONNET, Saint-Christoly-Médoc, AOC Médoc

Date de création du vignoble : XXᵉ siècle
Surface : 45 ha
Nombre de bouteilles : 250 000
Répartition du sol : 2 lots
Géologie : graves argileuses
Autre vin produit par le vignoble : aucun

Culture

Engrais : fumier et engrais
Encépagement : CS 50 % M 50 %
Age moyen : 20 ans
Porte-greffe : SO4

Densité de plantation : 6 000 pieds/ha
Rendement à l'hectare : 60 hl
Traitement antibotrytis : non
Vendange : mécanique

Vinification

Levurage : première cuve
Remontage : quotidien
Type des cuves : ciment – 200 hl
Température de fermentation : 32°
Mode de régulation : serpentin
Temps de cuvaison : 8-15 jours
Vin de presse : première presse
Filtration avant élevage : non

Age des barriques : renouvellement annuel par sixième
Durée de l'élevage : voir texte
Collage : blanc d'œuf desséché
Filtration : à la mise
Mise en bouteilles au château : en totalité
Type de bouteille : standard
Maître de chai : M. Solivères
Œnologue-conseil : Jacques Boissenot

Commercialisation

Vente par souscription : oui
Vente directe au château : oui
Commande directe au château : oui
Contrat monopole : non (sauf U.S.A.)

Château LA TOUR-BLANCHE

Château La Tour-Blanche est une marque déposée en 1921. Il semble qu'il y ait eu un château et une tour blanche dont il ne reste nulle trace. Comme d'habitude Château Latour, l'illustrissime 1er Cru de Pauillac, souhaiterait que disparaisse l'article « la ». Un notaire, maître Merlot en fut propriétaire. De 1968 à 1980, l'importante maison Barton et Guestier la posséda jusqu'à ce que Dominique Hessel déjà propriétaire du Château Moulin-à-Vent (Moulis, p. 78) s'en rende acquéreur.

TERROIR ET VIGNES

La majeure partie du vignoble se développe entre la Gironde et Château La Valière qu'il jouxte sur toute sa longueur. Il s'abaisse très doucement entre 13 et 11 mètres dans la direction de la Gironde. Le deuxième lot sensiblement horizontal borde la route Saint-Christoly-Couquèques à l'altitude de 8 mètres.

Le sol de graves garonnaises profondes et de sables grossiers naturellement drainés est complanté en larges règes tous les 180 centimètres d'où une densité de plantation minimale. Le rendement à l'hectare demeure raisonnable. Dans un tel vignoble la machine à vendanger évolue sans difficulté.

VINIFICATION ET VIN

La première cuve est levurée par sécurité. Ces moûts sont généralement riches en sucre. En 1982, belle année il est vrai, 12° 9 furent atteints.

Le vin de presse est incorporé mais il s'agit de presse légère. Le vin n'est pas filtré sur terre avant ses 18 mois de séjour en cuve.

Château La Tour-Blanche ne cherche ni la forte structure tannique ni la sévérité. Ce vin souple tient sa finesse d'un terroir pauvre et son fruité à l'abondance du Merlot présent sur le terrain mais plus encore en cuve.

COTATIONS COMMENTÉES

1980	4	Léger à évolution rapide ● A BOIRE DE SUITE
1981	8	Charpenté, encore fermé ● A COMMENCER
1982	10	Riche, concentré, fruité, tannins archimûrs ● A BOIRE
1983	8	Dans le style de 1981 ● 7 ANS
1984	5	Un 1980 plus fruité, plus parfumé ● A BOIRE
1985	9	Un 1982 plus fin et très souple ● 6 ANS
1986	9	Concentré avec souplesse et élégance ● 8 ANS
1987	5	Fruité, construction de charme ● 4 ANS

Age idéal : 5-6 ans.

Plat idéal : Côtelettes Pojarsky.

CHÂTEAU LA TOUR-BLANCHE, Saint-Christoly-Médoc, AOC Médoc

Date de création du vignoble : XXe siècle
Surface : 27 ha
Nombre de bouteilles : 150 000
Répartition du sol : 5 lots
Géologie : graves, sables grossiers
Autre vin produit par le vignoble : aucun

Culture

Engrais : minéraux riches en potasse
Encépagement : CS 50 % M 50 %
Age moyen : 20 ans
Porte-greffe : divers
Densité de plantation : 5 500 pieds/ha

Rendement à l'hectare : 40-45 hl
Traitement antibotrytis : non
Vendange : mécanique

Vinification

Levurage : première cuve
Remontage : quotidien
Type des cuves : acier revêtu — 80 et 200 hl
Température de fermentation : 25°-30°
Mode de régulation : ruissellement
Temps de cuvaison : 15-20 jours
Vin de presse : incorporé
Filtration avant élevage : non
Durée de l'élevage : 18 mois en cuve

Collage : blanc d'œuf séché
Filtration : à la mise
Mise en bouteilles au château : en totalité
Type de bouteille : standard
Maître de chai : Dominique Hessel
Œnologue-conseil : Dominique Hessel et laboratoire de Pauillac

Commercialisation

Vente par souscription : non
Vente directe au château : possible
Commande directe au château : possible
Contrat monopole : non

Château TOUR-SAINT-BONNET

Cette tour existe, elle figure sur l'étiquette tout comme celle qui orne l'illustre 1er Cru de Pauillac. L'analogie s'arrête là et aucune confusion n'est possible, typographie et graphisme d'ensemble étant fort différents. Au XIXe siècle, M. Caranave produisait l'équivalent de 120 000 bouteilles. Par la suite Amédée Lebœuf exploitait le domaine qui fut acquis en 1903 par André Lafon. Ce dernier agrandit la propriété dans les années vingt lorsqu'il acheta à M. Boivert le vignoble contigu appelé La Fuie-Saint-Bonnet. Ses descendants exploitent le vignoble d'un seul tenant ainsi constitué.

TERROIR ET VIGNES

Le vignoble de Tour-Saint-Bonnet occupe l'ouest de la croupe de Saint-Christoly, laquelle n'est séparée de celle de By que par le chenal et le palus du même nom. Les orientations sont diverses. Il s'abaisse à l'ouest et au nord ; graves et argile accueillent le porte-greffe SO4 dont la mode (illégitime) est révolue.

A noter la bonne densité de plantation et le refus d'user des désherbants.

VINIFICATION ET VIN

La vinification traditionnelle est réalisée dans un cuvier d'un certain âge. Achats de matériel et investissements sont en cours.

Le vin n'est pas élevé en barriques mais en cuves de bois de 50 et 80 hectolitres.

Le vin de Tour-Saint-Bonnet offre bien les caractères de son encépagement et de son élaboration : fruité du Merlot, structures du Cabernet, peu ou pas d'apports de tannins issus du bois, faible évolution due à l'élevage en grand volume.

COTATIONS COMMENTÉES

Année	Note	Commentaire
1970	9	Complet et ouvert • A BOIRE
1975	9	Complet et ouvert • A BOIRE
1976	6,5	Souple • A TERMINER
1977	4	Conforme à la réputation du millésime • DEVRAIT ETRE BU
1978	8	Bel équilibre • A BOIRE
1979	7	Un 1978, la concentration en moins • A BOIRE
1980	5	Léger comme il se doit • A BOIRE
1981	7	Intermédiaire entre 1983 et 1980 • A BOIRE
1982	10	La perfection, tout le potentiel du vignoble • 15 ANS
1983	8,5	Très bon, un petit 1982 • 10 ANS
1984	6	Fruité, léger ; belle robe • 6 ANS
1985	9	Robe superbe, bel équilibre • 10 ANS
1986	9,5	Un 1985 plus tannique ; évolution lente • 10 ANS
1987	5	Un 1984 avec plus de Merlot • 4 ANS

Age idéal : 10 ans.

Plat idéal : Civet de lièvre.

1978
CHATEAU
LA TOUR St BONNET
CRU BOURGEOIS MÉDOC

TRADE   MARK
PRODUCE   OF FRANCE

MÉDOC
APPELLATION MÉDOC CONTROLÉE
MERLET-LAFON
75 cl   VITICULTEURS A SAINT-CHRISTOLY-DE-MEDOC (GIRONDE)

MIS EN BOUTEILLES AU CHATEAU

CHÂTEAU TOUR-SAINT-BONNET, Saint-Christoly-Médoc, AOC Médoc

Date de création du vignoble : *XIXe siècle*
Surface : *40 ha*
Nombre de bouteilles : *200 000*
Répartition du sol : *un seul tenant*
Géologie : *graves et argile*
Autre vin produit par le vignoble : *aucun*

Culture

Engrais : *fumier*
Encépagement : *CS 45 %   Mc 5 %   M 45 %   PV 5 %*
Age moyen : *25 ans*
Porte-greffe : *SO4*

Densité de plantation : *7 000 pieds/ha*
Rendement à l'hectare : *40-50 hl*
Vendange : *mécanique*

Vinification

Levurage : *non*
Remontage : *quotidien*
Type des cuves : *ciment, acier, bois*
Température de fermentation : *30°*
Mode de régulation : *transfert*
Temps de cuvaison : *18 jours*
Vin de presse : *première presse*
Filtration avant élevage : *non*
Age des barriques : *cuves, voir texte*

Durée de l'élevage : *18 mois*
Collage : *albumine*
Filtration : *à la mise*
Mise en bouteilles au château : *en totalité*
Type de bouteille : *standard*
Maître de chai : *Pierre Lafon et Jacques Merlot*
Œnologue-conseil : *Jacques Boissenot*

Commercialisation

Vente par souscription : *non*
Vente directe au château : *oui*
Commande directe au château : *oui*
Contrat monopole : *non*

Château LA VALIÈRE

Age idéal : Dès la deuxième année.

Plat idéal : Daube de bœuf
à la ficelle.

En tant que marque, Château La Valière date des années 1970. Il y eut bien autrefois un « Cru La Vallière » avec deux « l » mais le véritable ancêtre du Château La Valière fut le Château des Châlets qui produisait de 40 à 100 tonneaux sous la conduite de D. Coularis dans l'entre-deux guerres.

A l'instigation des Pagès et Lapalu (Châteaux Tour-de-By, Patache d'Aux), Christian Cailloux s'implante dans le Médoc. Il commence par deux hectares, puis à l'aide de la SAFER reconstitue un domaine viticole d'un seul tenant de 15 hectares, qu'il souhaite porter à 19.

Si cette reconstitution est récente, l'implantation de la vigne sur la croupe de l'actuel Château La Valière est très ancienne puisqu'elle figure déjà sur la carte de Belleyme.

TERROIR ET VIGNES

Le vignoble de La Valière « regarde » le fleuve tout proche, du haut de ses quinze mètres d'altitude.

Le sol de graves moyennes mêlées de sable repose sur un socle d'alios. Il est suffisamment perméable pour se drainer naturellement.

Azote, potasse, acide phosphorique compensent les exportations végétales. Le porte-greffe SO 4 a été réservé au Cabernet-Sauvignon alors que le 420 A supporte le Merlot. Les traitements, y compris le traitement antibotrytis, sont appliqués avec parcimonie suivant les avertissements des spécialistes, tant par économie que pour ne pas contribuer aux phénomènes d'accoutumance. Deux jours et demi suffisent pour vendanger grâce à la machine partagée avec La Tour-de-By et Patache-d'Aux.

VINIFICATION ET VIN

Le tiers ou la moitié de chaque cuve est remonté chaque jour. Le chapeau est arrosé par un tourniquet. En début de fermentation la température limitée à 28°-29° est portée progressivement à 31° (sans remontage). Ainsi cherche-t-on arômes, couleur et fermentation malolactique aisée. L'incorporation du vin de presse est fortement modulée selon le millésime (0 % en 82 par exemple).

Un vin, étiquette blanche et large reproduisant le château, est élevé en cuve pour le négoce, le second, étiquette haute, séjourne six à huit mois en barriques (renouvellement en cinq années prévu). Actuellement la production est divisée en deux parts égales. Celle élaborée pour le négoce tend à diminuer.

Christian Cailloux n'aime pas les vins réservés, renfermés, lents à s'offrir. Il leur préfère des vins aimables dont les structures ne dominent pas le fruité.

CHÂTEAU LA VALIÈRE, Saint-Christoly-Médoc, Médoc

Date de création du vignoble : XXᵉ siècle
Surface : 15 ha
Nombre de bouteilles : 100 000
Répartition du sol : un seul tenant
Géologie : graves sablonneuses
Autre vin produit par le vignoble :
   aucun

Culture

Encépagement : CS 75 %   M 25 %
   PV traces
Age moyen : 12-13 ans
Porte-greffe : SO 4, 420 A
Densité de plantation : 5 500 pieds/ha

Traitement antibotrytis : oui
Rendement à l'hectare : 50 hl
Vendange : mécanique

Vinification

Levurage : première cuve
Remontage : quotidien
Type des cuves : acier émaillé – 240 hl
Température de fermentation : 31°
Mode de régulation : ruissellement
Temps de cuvaison : 20 jours
Vin de presse : première presse (voir texte)
Filtration avant élevage : oui
Age des barriques : de neuves à 6 ans

Durée de l'élevage : 6-8 mois
Collage : albumine
Filtration : à la mise
Mise en bouteilles au château : en totalité
Type de bouteille : standard
Maître de chai : Christian Cailloux
Œnologue-conseil : Jacques Boissenot

Commercialisation

Vente par souscription : non
Vente directe au château : oui
Commande directe au château : oui
Contrat monopole : non

Communes de Lesparre, Prignac sud et Queyrac AOC Médoc

LESPARRE Sol sablo-graveleux à l'ouest de Lesparre en direction de Saint-Christoly et Potensac. Au sud, terres alluvionnaires riches, au nord terres fortes et sable. 240 hectares de vignobles de plateau à l'altitude de 12 mètres.

Bordeaux est distant de 63 kilomètres.

PRIGNAC Petit plateau sablo-graveleux sur calcaire à 20 mètres d'altitude.

QUEYRAC Commune sise à 75 kilomètres de Bordeaux dont les parties sud et ouest sont trop riches pour la vigne. Seul le plateau sablo-graveleux présente de l'intérêt.

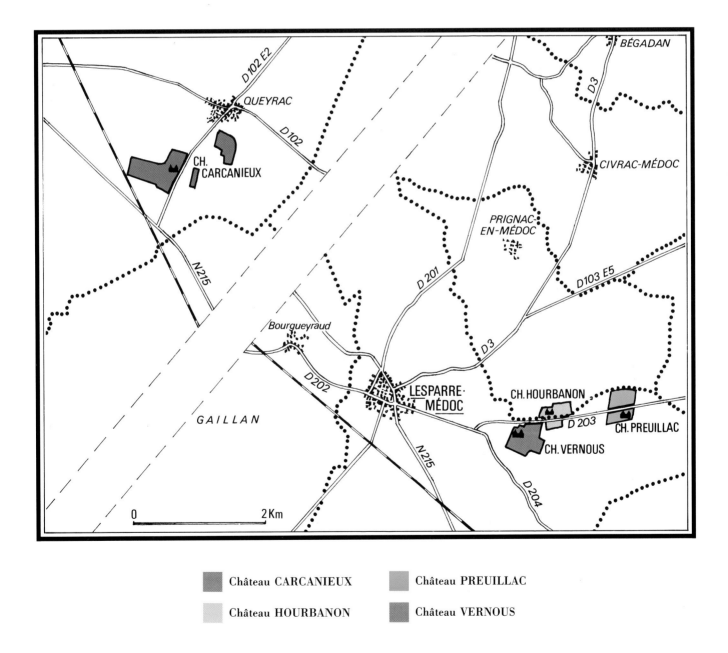

- Château CARCANIEUX
- Château HOURBANON
- Château PREUILLAC
- Château VERNOUS

Château CARCANIEUX

Château Carcanieux
CRU BOURGEOIS
MÉDOC
APPELLATION MÉDOC CONTROLÉE
1982
SOCIÉTÉ CIVILE FERMIÈRE DU CHATEAU CARCANIEUX
A QUEYRAC - MÉDOC - GIRONDE
MISE EN BOUTEILLE AU CHATEAU
12% Vol.   e 75 cl

COTATIONS COMMENTÉES

Année	Note	Commentaire
1970	10	Une réussite de Carcanieux ; peu de vin vendu, 10 000 francs le tonneau en 1973 • A BOIRE
1975	9	Ouvert, complet • A BOIRE
1976	–	Pluie, peu ou pas de sélection, dilué • DEVRAIT ÊTRE BU
1977	–	Robe claire • DEVRAIT ÊTRE BU
1978	–	Vignes de 5 ans • DEVRAIT ÊTRE BU
1979	7	Supérieur au précédent • A TERMINER
1980	5	Robe claire, léger • A BOIRE
1981	8	Délicat, élégant • A BOIRE
1982	10	Ample et concentré • A COMMENCER
1983	9	Un 1981 plus concentré • A COMMENCER
1984	5,5	Vin de Cabernet • A BOIRE
1985	8,5	Rond, agréable, souple, acidité faible • A COMMENCER
1986	9	Un 1985 de garde •5-6 ANS
1987	6	Pluie, saignées, sélection, bons Merlots, Cabernets pâles • 3 ANS

Age idéal : 5 ans.

Plat idéal : Rognons sauce moutarde.

On raconte que le sire de Favas, vicomte de Castets et seigneur de Lesparre à coups d'épée, avait peuplé en 1620 le Château Carcanieux d'un cheptel féminin dont il usait à sa guise. La petite armée de Castets devint dangereuse pour Bordeaux : le roi envoya la troupe. Castets défait, ses femmes lui dirent :

« Seigneur, emmenez-nous avec vous. Nous serons mises à mal par l'armée du roi, avec vous, au moins, nous avons nos habitudes... » A quoi on aurait répondu : « Toutes des chiennes, toutes des p...! »

En 1850, M. Montauroy vinifie à Carcanieux l'équivalent de 85 000 bouteilles. C'est de loin le plus vaste vignoble de la commune ce qui est toujours vrai de nos jours.

La propriété n'est que partiellement reconstituée après le phylloxéra. La Grande Guerre terminée la production ne s'élève plus qu'à 25 000 flacons. Anatole Bourg vend son vin sous le nom de Château Carcanieux-les-Lattes. Avant la dernière guerre, Jean Germain, auteur d'un livre contant l'histoire du Médoc, prend en main la destinée de Carcanieux. Jacques Paul, de retour du Maroc, acquiert la propriété en 1966 et restaure le vignoble au début des années soixante-dix. Erik Sauter lui succède puis, en 1985, la famille Defforey liée à la chaîne de distribution Carrefour.

TERROIR ET VIGNES

On peut lire gravé en grandes capitales sur le château : « Carcanieux-les-Graves ». Le terrain est en effet de graves fines. Le vignoble se développe en deux lots sans pente notable. Erik Sauter, fidèle à ses convictions écologiques n'a pas usé d'engrais durant sept ans. Aujourd'hui, le sol est amendé par des fumures potassiques. Quatorze hectares sont vendangés à la machine, les très vieilles et les très jeunes vignes manuellement.

VINIFICATION ET VINS

Le cuvier, bien équipé, permet des vinifications modernes. Dès 1985, le vin est filtré sur terre avant son élevage dans des barriques de Château Margaux et Château Pichon- Longueville.

Château-les-Lattes, vinifié par la même équipe n'est pas un deuxième vin. Il est issu d'un terroir qui porte ce nom. En revanche, celui étiqueté La Licorne comprend le vin non sélectionné pour le « grand vin », les jeunes vignes, les presses, etc.

Château Carcanieux est un vin bien coloré, équilibré et rond. De bonnes sélections évitent les pièges tendus par la jeunesse du vignoble. Sa souplesse, conjuguée à un élevage dans de très bons bois, autorise une consommation relativement rapide.

CHÂTEAU CARCANIEUX, Queyrac, AOC Médoc

Date de création du vignoble : XVIIIᵉ-XIXᵉ siècle
Surface : 25 ha
Nombre de bouteilles : 130000
Répartition du sol : 2 lots
Géologie : sablo-graveleux
Autre vin produit par le vignoble : La Licorne

Culture

Engrais : fumures potassiques
Encépagement : CS 60 % CF 15 % M 25 %
Age moyen : 15 ans
Porte-greffe : SO 4, 5 BB

Densité de plantation : 5500 pieds/ha
Rendement à l'hectare : 40 hl
Traitement antibotrytis : oui
Vendange : mécanique et manuelle

Vinification

Levurage : naturel
Remontage : biquotidien
Type des cuves : acier revêtu
Température de fermentation : 29°-30°
Mode de régulation : aspersion
Temps de cuvaison : 3 semaines
Vin de presse : 3 à 5 %
Filtration avant élevage : sur terre dès 1985

Age des barriques : d'un vin de 1ᵉʳ Cru
Durée de l'élevage : 6-10 mois
Collage : albumine
Filtration : à la mise
Mise en bouteilles au château : en totalité
Type de bouteille : lourde
Maître de chai : Roland Jean
Œnologue-conseil : Jacques Boissenot

Commercialisation

Vente par souscription : non
Vente directe au château : oui
Commande directe au château : oui
Contrat monopole : non

Château HOURBANON

Le domaine de Hourbanon voit le jour avant la fin du siècle dernier. A vrai dire, on l'appelait Hourbanon-La Cardonne bien que ces deux vignobles soient loin d'être contigus. Faut-il croire que Hourbanon ait été détaché au XIXᵉ siècle de La Cardonne comme on le prétend ? Les Drouillet, notables de Lesparre, en ont été propriétaires. Ils y produisaient encore 50 000 bouteilles annuelles (ou leur équivalent) dans l'entre-deux-guerres. C'est ce « Cru Hourbanon-Lacardonne » qui devait devenir le « Domaine de Hourbanon », puis dès les années quatre-vingt s'étiqueter Château Hourbanon.

En 1974, Hourbanon, réduit à la portion congrue car il ne reste que cinq hectares de vignes, est acquis par les Delayat-Chemin.

Des améliorations de toute nature sont apportées au domaine, à commencer par la replantation de six hectares.

TERROIR ET VIGNES

On peut considérer que le vignoble est d'un seul tenant bien que la route Lesparre-Potensac le coupe en deux. Il est pratiquement plat, des ados contribuent au recueillement des eaux de ruissellement dans les fossés. Le sol de fines graves allié au sable rouge sur un socle argilo-pierreux accueille autant de Merlot que de Cabernet.

Engrais organique complet, fumier, chaux magnésienne contribuent à l'équilibre végétal du domaine.

VINIFICATION ET VIN

La vinification est tout à la fois artisanale, sérieuse et presque luxueuse au niveau de l'élevage. Les remontages biquotidiens suffisent à refroidir le vin en fermentation, si besoin est.

Le vin est élevé en barriques renouvelées sur dix ans. Il y demeure dix-huit mois puis est collé au blanc d'œuf frais.

Château Hourbanon est un vin bien vinifié, bien élevé, parfaitement adapté à la catégorie à laquelle il aspire : ne pas entrer en compétition avec les vins d'évolution lente marqués par le Cabernet mais dominer les vins trop souples, dont le fruité ne laisse rien en bouche.

Age idéal : 6-8 ans.

Plat idéal : Confit d'oie.

COTATIONS COMMENTÉES

1975	7,5	Toujours sur la réserve ; un peu dur • A ESSAYER
1976	–	Très souple, trop léger • DEVRAIT ÊTRE BU
1977	–	Très peu de vin (gel)
1978	8	Complet, équilibré, agréable • A BOIRE
1979	7	Un 1978 plus souple et dilué • A BOIRE
1980	4	Léger • A BOIRE
1981	6	Beaucoup de Merlot, robe légère, manque de tannins • A BOIRE
1982	10	Charpenté, équilibré, de garde • A BOIRE ET A CONSERVER
1983	9	Un 1981 réussi, plus corsé et très fruité • 7 ANS
1984	5	Vin de Cabernet, aucune souplesse • 5 ANS
1985	9	Dans le style du 1982 sans le valoir • 7 ANS
1986	8	1985 avec moins de corps et moins de longueur • 6 ANS
1987	5	Rubis léger, fruité • 3 ANS

CHÂTEAU HOURBANON, Prignac-en-Médoc, AOC Médoc

Date de création du vignoble : *1870.*
Surface : *12 ha*
Nombre de bouteilles : *60 000*
Répartition du sol : *un seul tenant*
Géologie : *graves légères et sablonneuses*
Autre vin produit par le vignoble : *aucun*

Culture

Engrais : *fumier de bovins et engrais organo-minéral*
Encépagement : *CS 50 % CF 10 % M 40 %*
Age moyen : *20 ans*
Porte-greffe : *Riparia, 101-14, 420 A*

Densité de plantation : *7000 pieds/ha*
Rendement à l'hectare : *35-40 hl*
Traitement antibotrytis : *non*
Vendange : *manuelle*

Vinification

Levurage : *non*
Remontage : *biquotidien, 1 à 2 heures*
Type des cuves : *ciment – 100 hl*
Température de fermentation : *28°-30°*
Mode de régulation : *par remontages*
Temps de cuvaison : *3 semaines environ*
Vin de presse : *adjoint partiellement*
Filtration avant élevage : *sur terre*

Age des barriques : *de 3 à 10 ans*
Durée de l'élevage : *14 à 18 mois en fûts*
Collage : *blanc d'œuf frais*
Filtration : *sur plaques à la mise*
Mise en bouteilles au château : *en totalité*
Type de bouteille : *lourde*
Maître de chai : *René Favereau*
Œnologue-conseil : *Bernard Couasnon*

Commercialisation

Vente par souscription : *non*
Vente directe au château : *oui*
Commande directe au château : *oui*
Contrat monopole : *non*

Au milieu du siècle passé l'étampe Preuillac-La Cardonne existait. En 1875, Preuillac appartient à MM. Adde et Crozat. Dans l'entre-deux-guerres Théodor Crozat y vinifie quelque 120 000 bouteilles (ou leur équivalent). En 1932 Château Preuillac est classé cru Bourgeois. Cette propriété survit péniblement à la crise des années trente. Au moment où M. Vigneau en est propriétaire, la production tombe à zéro et lorsque Raymond Bouët se rend acquéreur de Preuillac en 1969, le domaine est à l'abandon. Il ne veut en faire que sa résidence. Après deux ans de réflexion son opinion évolue et les premiers ceps sont plantés (1971). Ainsi débute une aventure singulière.

Raymond Bouët devient maître d'œuvre, bâtit un château, un chai et surtout prend tous les risques en creusant de grands soubassements qui deviendront une vaste cave. Il n'existe pratiquement pas de cave souterraine dans le Médoc car la nappe phréatique les investit aussitôt. Celle de Preuillac est conçue comme un caisson étanche. Les sources sont nombreuses à Preuillac dont les eaux étaient renommées. Autour du château ces eaux sont domestiquées pour contribuer à la reconstitution du Parc Bordelais en miniature.

Raymond Bouët n'a pas réservé son originalité à la cave mais également aux chais : pas de cuves inox mais de vastes cuves de bois de 190 hectolitres. Le chai d'élevage lui aussi mérite d'être visité. Toujours pas de cuves inox mais une série de foudres doublant les traditionnelles barriques. Le vin est élevé par roulement de trois mois alternativement en foudres et en barriques. Toutes ces installations signent l'intelligence de leur conception associée à un grand souci du détail.

TERROIR ET VIGNES

Le vignoble longe de part et d'autre la route départementale D 203 jusqu'à celui de La Cardonne qu'il jouxte. Il s'abaisse en direction du nord-nord-ouest entre 20 et 30 mètres d'altitude. Cabernets et Merlots se partagent en parts égales un vignoble d'une bonne densité de plantation pour la région. Ces vignes sont nourries par le robuste porte-greffe SO 4.

VINIFICATION ET VIN

Chaque cuve est remontée deux fois une heure chaque jour. Le chapeau est arrosé par un tourniquet. La régulation de la température est assurée par serpentin refroidi et par des cannes chauffantes. Le collage est effectué en cuve à l'aide de blancs d'œufs frais, ce qui est rare.

Château Preuillac est un vin de garde solide aux tannins fins et mûrs. Bien que tannique, il tend vers une rondeur fruitée. C'est son côté flatteur.

COTATIONS COMMENTÉES

1974-5		Pas de mise en bouteilles
1976	5	Vignes jeunes, vin léger • DEVRAIT ÊTRE BU
1977	4	Léger avec verdeur • DEVRAIT ÊTRE BU
1978	7	Bon, vignes encore jeunes • A TERMINER
1979	8	Plus charpenté que le 1978 • A BOIRE
1980	5	Vin léger et fruité, nerveux, élégance féminine • A TERMINER
1981	7,5	Sympathique et facile • A BOIRE
1982	9	Belle réussite, robe grenat, nez de petits fruits noirs. Texture fine, belle longueur • 10 ANS
1983	7	Fruité, gouleyant, raisins très mûrs, bouquet et arômes d'humus boisé • 8 ANS
1984	5,5	Anguleux et rustique mais flatteur • A COMMENCER
1985	9	Construit et rond, robe sombre, raisins surmûris • 10 ANS
1986	10	Charpenté, tannique, réussi • 10 ANS
1987	5,5	Léger-fruité • 3 ANS

Age idéal : 7-10 ans.

Plat idéal : Confit d'oie.

CHÂTEAU PREUILLAC, Lesparre, AOC Médoc

Date de création du vignoble : *XIXe siècle et 1969*
Surface : *30 ha*
Nombre de bouteilles : *150 000 à 200 000*
Répartition du sol : *un seul tenant*
Géologie : *sablo-graveleux*
Autre vin produit par le vignoble : *aucun*

Culture

Engrais : *fumier et chimique*
Encépagement : *CS 45 % CF 5 % M 50 %*
Age moyen : *15 ans*
Porte-greffe : *SO 4*
Densité de plantation : *6 600 pieds/ha*
Rendement à l'hectare : *50 hl*

Traitement antibotrytis : *non*
Vendange : *manuelle*

Vinification

Levurage : *non*
Remontage : *biquotidien, 1 heure avec arrosage du chapeau par tourniquet*
Type des cuves : *bois − 190 hl*
Température de fermentation : *30°-31°*
Mode de régulation : *Réfrigération tubulaire, canne chauffante*
Temps de cuvaison : *3-4 semaines*
Vin de presse : *1re presse*
Filtration avant élevage : *non*
Age des barriques : *renouvellement 1/3 tous les ans.*

Durée de l'élevage : *18 mois en barriques et foudres (voir texte)*
Collage : *au blanc d'œuf*
Filtration : *à la mise, sur plaque (lâche)*
Mise en bouteilles au château : *oui*
Type de bouteille : *standard : 82/83 lourde : le reste*
Maître de chai : *Pierre Guillot*
Œnologue-conseil : *Perez, laboratoire de Coutras*

Commercialisation

Vente par souscription : *oui*
Vente directe au château : *oui*
Commande directe au château : *oui*
Contrat monopole : *non*

Château VERNOUS

Cette propriété a subi la lente dégradation qui a affecté nombre de domaines. Autrefois très étendue, elle fut exploitée au siècle passé par la famille Prom, par les Lecomte-Prom et, avant la guerre, par la baronne Prom-Maurel.

Par la suite, la surface cultivée fera un net recul. Elle oscillera entre six et douze hectares.

En 1976, le domaine change de mains. Monsieur Ducourt, viticulteur dans l'Entre-Deux-Mers et maire de Ladaux, s'attelle aux replantations, équipe le cuvier d'un nouveau matériel, restaure le chai et l'installation de mise en bouteilles.

TERROIR ET VIGNES

La ville de Lesparre, petite mais étendue est entourée de vignobles, sauf du côté des marais et au nord-ouest où la forêt demeure. A la porte est de Lesparre, à Saint-Trelody le plateau s'élève quelque peu et accueille le vignoble de Château Vernous. Il est presque plat. Le sol se compose pour 60 % de graves fines d'épaisseur variable sur une nappe tantôt d'argile, tantôt de calcaire. Les 40 % restant se composent d'argile, de calcaire et d'une petite surface sablonneuse. 3 hectares ont nécessité la pose de drains.

Le vignoble, très jeune du fait de sa reconstitution, privilégie le Cabernet-Sauvignon. Le propriétaire a eu le bon goût de ne pas se contenter de la densité minimum légale et de planter à 160 × 100 (6 500 pieds/hectare).

VINIFICATION ET VIN

Les installations de vinification modernes permettent d'exploiter efficacement les pratiques œnologiques en cours. Il est rare que les cuves de 150 hectolitres nécessitent un refroidissement. L'élevage en barriques est court (par rotation). Les travaux engagés amélioreront cette situation.

Le vin de Château Vernous a souffert du jeune âge du vignoble et d'un chai en cours de réorganisation. En dépit de ces facteurs, il se présente habillé d'une robe de belle teinte et ne peut que gagner en sapidité et en longueur dans les années qui viendront. Le millésime 1986 est prometteur.

COTATIONS COMMENTÉES

Année	Note	Commentaire
1975		Pas de vin
1976	5	Souple, sur le déclin • DEVRAIT ÊTRE BU
1977	3	Victime du gel, trop léger • DEVRAIT ÊTRE BU
1978	8	Bon équilibre • A BOIRE
1979	6	Trop de vin, dilué • A TERMINER
1980	4	Léger • A BOIRE
1981	9	Complet, structuré, plein • A BOIRE
1982	10	Tannique, construit, gras; un 1981 plus charpenté • 10 ANS
1983	7	Coulant, un peu léger • A BOIRE
1984	5	Corsé, un peu dur — vin de C • 5 ANS
1985	8	Bon millésime mais récolte importante • 6 ANS
1986	9	Un 1985 plus complet, plus concentré • 7 ANS
1987	5	Sélection de 45 % de la récolte (avant les pluies); beaucoup de M; souple, léger, facile • 3 ANS

Age idéal : 6 ans.

Plat idéal : Fricandeau aux cèpes.

CHÂTEAU VERNOUS, Lesparre, AOC Médoc

Date de création du vignoble : *XIXᵉ siècle*
Surface : *21 ha*
Nombre de bouteilles : *170000*
Répartition du sol : *un seul tenant*
Géologie : *argile, calcaire, sable*
Autre vin produit par le vignoble : *aucun*

Culture

Engrais : *organique, chimique*
Encépagement : *CS 70 % CF 5 % M 25 %*
Age moyen : *11 ans*
Porte-greffe : *divers*
Densité de plantation : *6500 pieds/ha*

Rendement à l'hectare : *70 hl*
Traitement antibotrytis : *non*
Vendange : *mécanique*

Vinification

Levurage : *parfois*
Remontage : *quotidien*
Type des cuves : *inox — 150 hl*
Température de fermentation : *30°*
Mode de régulation : *ruissellement*
Temps de cuvaison : *3 semaines*
Vin de presse : *incorporé*
Filtration avant élevage : *sur terre*
Age des barriques : *en cours de renouvellement*

Durée de l'élevage : *3 mois*
Collage : *poudre d'œuf*
Filtration : *à la mise*
Mise en bouteilles au château : *en totalité*
Type de bouteille : *standard*
Maître de chai : *Alain Favrin*
Œnologue-conseil : *laboratoire de Cadillac*

Commercialisation

Vente par souscription : *non*
Vente directe au château : *non*
S'adresser à M. Ducourt, Ladaux, 33760 Targon
Commande directe au château :
S'adresser à M. Ducourt, Ladaux, 33760 Targon
Contrat monopole : *oui*

Commune de Valeyrac
AOC Médoc

A soixante-seize kilomètres de Bordeaux, très près de la Gironde, 200 hectares de vignes complantent un sol plus sablonneux que graveleux, prenant appui sur un socle argileux. Les vignes « regardent » la Gironde (12-5 mètres).

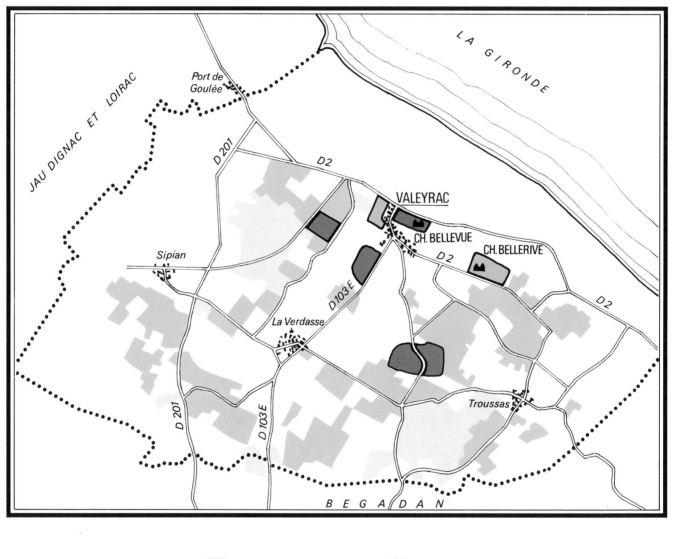

 Château BELLERIVE	BOIS
Château BELLEVUE	VIGNES

Château BELLERIVE

GRAND VIN

CHATEAU BELLERIVE

MÉDOC

CRU BOURGEOIS

APPELLATION MÉDOC CONTROLÉE

1982

G. PERRIN

Propriétaire à Valeyrac (Gironde)

FRANCE 75 cl

MIS EN BOUTEILLE AU CHATEAU

COTATIONS COMMENTÉES

1975	9	*A mis 10 ans pour s'ouvrir, n'a pas atteint son apogée* • A COMMENCER
1976	7	*Un 1975 moins tannique, moins dur* • A TERMINER
1977	4	*Un petit vin* • DEVRAIT ÊTRE BU
1978	8	*Bien, équilibré* • A BOIRE
1979	7	*Moins complet que le 1978* • A BOIRE
1980	5	*Très (trop) léger* • A TERMINER
1981	8	*Construit, sérieux* • 10 ANS
1982	10	*Vin complet; le grand millésime* • A BOIRE, A ENCAVER
1983	7	*Un 1981 moins concentré* • 10 ANS
1984	5	*Un vin léger* • A BOIRE
1985	9	*Style 1982* • 10 ANS
1986	8,5	*Proche du 1985 avec plus de souplesse* • 8 ANS
1987	5	*Robe un peu claire; pluies, sélections* • 3 ANS

Dans la commune de Valeyrac on trouve Château Bellerive, Château Bellevue, Château Bellegrave, — lui-même dédoublé car cette propriété divisée donne naissance à deux vins étiquetés Château Bellegrave. Ces assonances peuvent prêter à confusion si l'on n'y prend garde.

Château Bellerive comme son nom le laisse entendre, domine le magnifique panorama offert par l'estuaire de la Gironde.

Cette marque est née de l'agrandissement d'un cru de très ancienne réputation qui portait le nom de sa commune d'origine : Valeyrac. Autrefois l'adjonction du terme Château n'était pas une nécessité commerciale aussi impérieuse qu'aujourd'hui.

Donc, le vieux cru Valeyrac est devenu Château Bellerive au début du XXe siècle. La famille Perrin le gouverne depuis plus d'un demi-siècle.

Actuellement seule une petite fraction de la production correspond à ce que l'on appelle un « vin de propriétaire », c'est-à-dire élevé comme il lui plaît, en barriques et vendu par lui. Cette fraction s'élève modestement à 10 000 flacons. 50 000 bouteilles ne bénéficient pas de cet élevage traditionnel, le solde de la production étant vendu en vrac.

TERROIR ET VIGNES

La parcelle ouest est contiguë au bourg de Valeyrac, elle s'incline légèrement en direction du fleuve. L'autre jouxte le hameau de Villeneuve et s'abaisse légèrement en direction de l'est.

Le sol argilo-graveleux d'épaisseur variable se draine naturellement. Le vignoble faisant la part belle au Merlot, bénéficie d'une bonne densité de plantation. Il n'est pas conduit selon le système de la « non-culture » mais labouré.

VINIFICATION ET VIN

Cuvaison de bonne durée, température de fermentation permettant une bonne extraction, tout ou partie du vin de presse incorporé (parfois datant de l'année précédente), absence de filtration, concourent en dépit de la forte proportion de Merlot, à l'élaboration d'un vin de bonne structure qui, dans de bons millésimes, se bonifie longuement.

Age idéal : 8-10 ans.

Plat idéal : Volaille aux cèpes.

CHÂTEAU BELLERIVE, Valeyrac, AOC Médoc

Date de création du vignoble : *XIXe-XXe siècle*
Surface : *12 ha*
Nombre de bouteilles : *10 000 (voir texte)*
Répartition du sol : *2 lots*
Géologie : *argilo-graveleux*
Autre vin produit par le vignoble : *aucun*

Culture

Engrais : *amendements tournants (4 ans) : fumier, potasse*
Encépagement : *CS 40 % M 60 %*
Age moyen : *20 ans*
Porte-greffe : *divers*

Densité de plantation : *8000 pieds/ha*
Traitement antibotrytis : *non*
Vendange : *manuelle*

Vinification

Levurage : *non*
Remontage : *2 ou 3 par cuve*
Type des cuves : *bois, ciment — 100 hl*
Température de fermentation : *30°*
Mode de régulation : *transvasement*
Temps de cuvaison : *20-25 jours*
Vin de presse : *incorporé*
Filtration avant élevage : *non*
Age des barriques : *8-10 ans*

Durée de l'élevage : *18 mois*
Collage : *blanc d'œuf frais*
Filtration : *non*
Mise en bouteilles au château : *partiellement*
Type de bouteille : *standard*
Maître de chai : *M. Perrin*
Œnologue-conseil : *laboratoire de Pauillac*

Commercialisation

Vente par souscription : *oui*
Vente directe au château : *oui*
Commande directe au château : *oui*
Contrat monopole : *non*

Il n'y a aucun doute, depuis une ou deux décennies la surface des vignobles d'Appellation s'étend. Sans doute plus encore dans le Médoc qu'ailleurs car de bonnes terres demeuraient disponibles.

Ce n'est pas la famille Lassalle qui en disconviendrait puisqu'elle illustre ce phénomène. Alors que l'élevage a cessé d'être attrayant, que la polyculture subit une concurrence de plus en plus vive, il peut être tentant de créer une marque établie à partir d'un vignoble de qualité.

C'est ainsi qu'est né Château Bellevue, par la restauration, l'agrandissement et la création de trois plantiers très proches du bourg de Valeyrac et d'un quatrième plantier légèrement au sud des précédents, dans la direction de Bégadan.

Château Bellevue n'a donc pas d'histoire puisqu'il a été créé par Yves Lassalle en 1968, tout en poursuivant l'exploitation.

TERROIR ET VIGNES

Les sols sont diversifiés, les terres argilo-calcaires et argilo-graveleuses, parfois mêlées de sable se drainent naturellement. Les deux parcelles les plus au nord sont pratiquement plates et leur altitude très faible : trois mètres. Les deux autres s'inclinent légèrement en direction de la Gironde, entre quatre et treize mètres. Les engrais ne font que compenser l'exportation due à la vigne. A noter les 50 % de Merlot et la densité de plantation supérieure au minimum légal. Les vendanges se font à la main, Yves Lassalle n'ayant que fort peu de goût pour les machines à vendanger.

VINIFICATION ET VIN

La vinification est traditionnelle. Les cuvaisons sont longues. Le vin se refroidit lors des remontages. C'est un procédé à double effet car le refroidissement est suivi d'une aération qui favorise l'activité des levures.

L'élevage exploite par rotation des foudres neufs et des barriques ; une partie du vin est mis en bouteilles au château, le solde quittant la propriété en vrac est enlevé par le négoce.

Château Bellevue, en progrès constant et dont le vignoble prend de l'âge, a reçu de nombreuses médailles dans les années 81, 82, 83, etc. C'est un vin au caractère fruité-souple qui n'exige pas une trop longue attente.

COTATIONS COMMENTÉES

1970	9	Le meilleur millésime de la décennie ● A BOIRE
1975	8	Son évolution a été lente ● A COMMENCER
1976	6	Un corps léger ● A BOIRE
1977	4	Peu de vin, peu de qualité ● DEVRAIT ÊTRE BU
1978	7	Équilibre correct ● A BOIRE
1979	8	Plus de longueur que le précédent ● A BOIRE
1980	5	Un fruité léger ● A BOIRE
1981	8	Bien constitué, bonne garde ● A COMMENCER
1982	10	Rondeur, pas d'astringence, complet ● A BOIRE ET A GARDER
1983	7	Un 1981 léger ● A BOIRE
1984	5	De nombreux soutirages le font évoluer rapidement ● A BOIRE
1985	9	Était proche du 1982, se met à ressembler au 1975 ● 10 ANS
1986	9,5	Tannique et complet ● 12 ANS
1987	5	Conforme au millésime ● 5 ANS

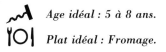

Age idéal : 5 à 8 ans.

Plat idéal : Fromage.

CHÂTEAU BELLEVUE, Valeyrac, AOC Médoc

Date de création du vignoble : *1968*
Surface : *15 ha*
Nombre de bouteilles : *80 000 + vrac*
Répartition du sol : *4 lots*
Géologie : *argilo-calcaire, argilo-graveleux*
Autre vin produit par le vignoble :
aucun

Culture

Engrais : *de complément*
Encépagement : *CS 40 %   CF 10 %*
M 50 %
Age moyen : *20 ans*
Porte-greffe : *420 A*

Densité de plantation : *6500 pieds/ha*
Rendement à l'hectare : *50 hl*
Traitement antibotrytis : *parfois*
Vendange : *manuelle*

Vinification

Levurage : *pied de cuve*
Remontage : *quotidien*
Type des cuves : *ciment — 170 hl*
Température de fermentation : *30°-31°*
Mode de régulation : *par remontage*
Temps de cuvaison : *1 mois*
Vin de presse : *première presse*
Filtration avant élevage : *sur terre*

Age des barriques : *1 à 3 ans*
Durée de l'élevage : *6 mois*
Collage : *blanc d'œuf lyophilisé*
Filtration : *à la mise*
Mise en bouteilles au château : *en partie*
Type de bouteille : *standard*
Maître de chai : *Yves Lassalle*
Œnologue-conseil : *laboratoire de Pauillac*

Commercialisation

Vente par souscription : *oui*
Vente directe au château : *oui*
Commande directe au château : *oui*
Contrat monopole : *non sauf Hollande*

Commune de Jau-Dignac-et-Loirac
AOC Médoc

Plusieurs buttes de graves argilo-sableuses sur socle sablo-argileux parsèment cette commune sise à 80 kilomètres de Bordeaux. Soixante hectares de vignobles (chiffre en progression) très diversement orientés à l'altitude moyenne de dix mètres redonnent vie à cette commune.

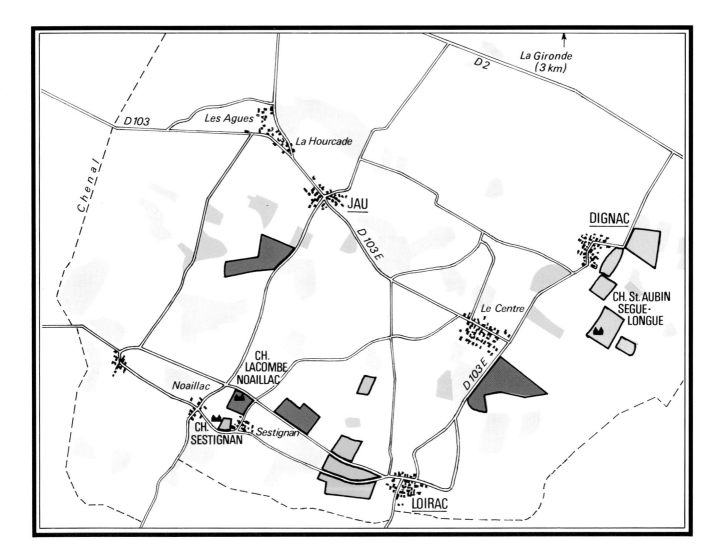

Château LACOMBE-NOAILLAC

Château SEGUELONGUE

Château SESTIGNAN

BOIS

VIGNES

Château LACOMBE-NOAILLAC

CRU BOURGEOIS

Château
Lacombe-Noaillac

MEDOC
APPELLATION MEDOC CONTROLEE

G.F.A. LACOMBE NOAILLAC PROPRIETAIRE A JAU - DIGNAC - LOIRAC.33590

MIS EN BOUTEILLE AU CHATEAU
PRODUCE OF FRANCE   75d

COTATIONS COMMENTÉES

1983	4	*Peu typé Médoc, acidité très basse ; s'use très vite* • *A TERMINER*
1984	5	*Réussi, évolution relativement lente pour le millésime* • *A COMMENCER*
1985	6	*Paradoxal, concentré et léger ; jeunes vignes, évolution rapide prévisible* • *4 A 6 ANS*
1986	8	*Introduction de l'élevage en barriques, vin intéressant et complet* • *8 ANS*
1987	5	*Léger* • *4 ANS*

Age idéal : 5 ans.

Plat idéal : Fricassée de poulet.

C'est une aventure peu courante que la renaissance d'un vignoble. Il faudrait remonter aux Hollandais qui asséchèrent les marais et à la progression du vignoble de Bordeaux à Saint-Vivien au cours des siècles.

Vers 1850 plus d'une douzaine de producteurs exploitent les croupes de Jau et vinifient quelque 300 tonneaux de vin (350 000 bouteilles). Victime des crises et des calamités naturelles, le vignoble disparaît ou presque. Depuis quelques années le courant s'est inversé. Ainsi renaît Château Lacombe-Noaillac. La maison date de 1830, mais il n'y a plus de vignes depuis 1950.

Jean-Michel Lapalu — bon sang ne saurait mentir (se reporter au Château Patache-d'Aux p. 195) — reprend cette propriété, ou plus exactement la reconstitue dès 1979.

Le terroir est valable, de bonnes graves incitent aux plantations. Il y a gros à parier que d'ici quelques lustres la totalité des graves de la commune auront retrouvé leur véritable vocation, qui est d'accueillir des ceps.

TERROIR ET VIGNES

Les quatre lots de graves günziennes sont très légèrement inclinés en direction du nord et nord-est. Cette couche de graves sablonneuses d'une épaisseur d'un mètre pour le moins, au repos depuis nombre d'années, n'a guère besoin d'engrais si ce n'est d'apports magnésiens. Dans ce Médoc nord, les densités de plantation ne sont pas très élevées. Dans ces terres pauvres, car elles le sont en dépit de longues jachères, le porte-greffe vigoureux R 110 convient aux terrains secs alors qu'on préférera le 101-14 ou le 161-49 lorsqu'ils sont humides.

A Lacombe-Noaillac, Jean-Michel Lapalu a privilégié les Cabernets, en conformité avec le sol de graves.

VINIFICATION ET VIN

Lorsqu'on a la chance de créer de toute pièce un cuvier, on peut bénéficier des derniers engouements de l'œnologie (mais parfois la mode change...). A Lacombe-Noaillac, les cuves inox de 200 hectolitres sont d'une hauteur égale à leur largeur afin que le chapeau atteigne de bonnes proportions.

Jusqu'à 1985 inclusivement, l'élevage du vin se faisait en cuve, soutirée tous les deux mois pour susciter une légère oxydation. A partir de 1986, Château Lacombe-Noaillac « fait de la barrique » après avoir été filtré sur Kieselguhr. A l'heure actuelle, Château Lacombe-Noaillac se présente comme un vin qui privilégie la finesse et le fruité au détriment de la puissance et des structures tanniques. On n'a pas besoin de l'attendre longuement. Un excellent premier vin en début de repas.

CHÂTEAU LACOMBE-NOAILLAC, Jau-Dignac-et-Loirac, AOC Médoc

Date de création du vignoble : *XIXᵉ siècle et 1979*
Surface : *7 ha*
Nombre de bouteilles : *120 000 (1985)*
Répartition du sol : *3 lots*
Géologie : *graves*
Autre vin produit par le vignoble : *aucun*

Culture

Engrais : *chaux magnésienne*
Encépagement : *CS 73 % CF 7 % M 20 %*
Age moyen : *6 ans*
Porte-greffe : *R 110, 101-14, 161-49*
Densité de plantation : *5500 pieds/ha*

Rendement à l'hectare : *50 ha*
Traitement antibotrytis : *oui*
Vendange : *mécanique*

Vinification

Levurage : *première cuve*
Remontage : *4-5 par cuve*
Type des cuves : *inox — 200 hl*
Température de fermentation : *30°*
Mode de régulation : *ruissellement*
Temps de cuvaison : *3-4 semaines*
Vin de presse : *tout ou partie*
Filtration avant élevage : *oui*
Age des barriques : *voir texte*

Durée de l'élevage : *12 mois*
Collage : *gélatine*
Filtration : *à la mise*
Mise en bouteilles au château : *en totalité*
Type de bouteille : *standard*
Maître de chai : *Jean-Michel Lapalu*
Œnologue-conseil : *Jean-Michel Lapalu et Jacques Boissenot*

Commercialisation

Vente par souscription : *oui*
Vente directe au château : *oui*
Commande directe au château : *oui*
Contrat monopole : *non*

Château SEGUELONGUE

L e Château Saint-Aubin, puis Saint-Aubin-Segue-Longue, fut prospère et produisait plus de 50 tonneaux de 900 litres au début du XXᵉ siècle. Mais la commune de Jau-Dignac-et-Loirac fut par la suite, presque désertée par les vignerons. Il a fallu attendre les années 70 pour que le mouvement s'inverse. A Saint-Aubin-Segue-Longue la vigne était rare et « on ne faisait plus la bouteille ». En 1983, deux amis, Jean-Pierre Monnier et Jacques Peduzzi créent une société dans le but de rendre vie à cette ancienne étampe. En fonction de leurs possibilités, ils s'attellent à la replantation qui s'étend sur treize ha, puis dix-huit.

Dans le même temps, le cuvier est modernisé tandis que des barriques d'élevage font leur apparition.

En 1987, à la demande de ses propriétaires et avec l'accord du Syndicat des Crus Bourgeois, le Château-Saint-Aubin-Segue-Longue prend le nom simplifié de Château Seguelongue.

TERROIR ET VIGNES

Les cinq parcelles de vignes presque contiguës sont regroupées à l'est de la commune tout près du village de Dignac. Elles connaissent diverses orientations, au sud et à l'est, entre 4 et 8 mètres d'altitude. Le sol graveleux associé à de légères pentes permet un drainage naturel. D'excellents porte-greffe, Riparia Gloire complantés en rangs relativement serrés pour la région — 6 500 pieds/hectare —, portent des Cabernets et des Merlots dans la proportion (arrondie) deux tiers/un tiers. L'âge moyen du vignoble récemment replanté et agrandi est évidemment faible et de ce fait les rendements sont considérables.

VINIFICATION ET VIN

Les cuves d'acier inoxydable sont trapues, c'est-à-dire que leur largeur égale presque leur hauteur. Cet important diamètre favorise les extractions puisque le chapeau est large. Le vin de chaque cuve est remonté deux fois une heure chaque jour et un tourniquet arrose le chapeau. Après les soutirages d'usage en janvier, le vin est filtré sur terre puis logé pour partie en barriques d'un vin.

L'élevage dure quinze mois et suit un programme de rotation cuve-barrique. Dans l'avenir, la totalité du vin doit être mis en bouteilles sur place et les bouteilles lourdes remplaceront les « standard » actuelles.

Château Seguelongue s'habille d'une robe grenat. Son nez est fruité (petits fruits), empyreumatique, caractères qui se retrouvent en bouche. La jeunesse des vignes allège sa charpente et lui confère un style jeune et gouleyant. Un vin pour la soif.

COTATIONS COMMENTÉES

Année	Note	Commentaire
1982	8	Un 1982 traditionnel; les jeunes vignes n'entrent pas dans le vin ● A BOIRE, A GARDER
1983	6	Relativement léger, gouleyant, groseille à maquereau, mûre, café ● A BOIRE
1984	4	Victime de la coulure, léger, fruité, gouleyant ● A BOIRE
1985	9	Dans le style du 1982; robe grenat, nez empyreumatique (café), bouche fruitée, bonne longueur ● 6 ANS
1986	8,5	Corsé, intéressant, des tannins; du fruit; concentration? ● 5-6 ANS
1987	4,5	Léger ● 3 ANS

Age idéal : 6 ans.

Plat idéal : Volaille blanche.

CHÂTEAU SEGUELONGUE, Jau-Dignac-et-Loirac, AOC Médoc

Date de création du vignoble : *XIXᵉ siècle*
Surface : *18 ha*
Nombre de bouteilles : *100 000*
Répartition du sol : *5 lots*
Géologie : *graves*
Autre vin produit par le vignoble : *aucun*

Culture

Engrais : *organique*
Encépagement : *CS 60 % CF 10 % M 30 %*
Age moyen : *10 ans*
Porte-greffe : *Riparia*
Densité de plantation : *6500 pieds/ha*

Rendement à l'hectare : *70 hl*
Traitement antibotrytis : *oui*
Vendange : *manuelle*

Vinification

Levurage : *oui*
Remontage : *biquotidien*
Type des cuves : *inox 150 hl*
Température de fermentation : *28°*
Mode de régulation : *ruissellement*
Temps de cuvaison : *15 jours*
Vin de presse : *1ʳᵉ presse*
Filtration avant élevage : *sur terre*
Age des barriques : *3 ans*

Durée de l'élevage : *15 mois*
Collage : *albumine*
Filtration : *à la mise*
Mise en bouteilles au château : *50 % provisoirement*
Type de bouteille : *standard*
Maître de chai : *Kurt Rausch*
Œnologue-conseil : *Laboratoire de Pauillac*

Commercialisation

Vente par souscription : *oui*
Vente directe au château : *oui*
Commande directe au château : *oui*
Contrat monopole : *non*

Château SESTIGNAN

CHÂTEAU
SESTIGNAN
1982
CRU BOURGEOIS
MÉDOC
APPELLATION MÉDOC CONTRÔLÉE
Bertrand de ROZIÈRES, JAU-DIGNAC ET LOIRAC 33590
MIS EN BOUTEILLE AU CHÂTEAU
12 % Vol   PRODUIT DE FRANCE   75 cl

COTATIONS COMMENTÉES

1978	7	Robe rubis, nez floral, bouche ronde, tannins mûrs • A BOIRE
1979	8	Robe soutenue, nez de Cabernet, prune, tannins durs, ample • A GOÛTER
1980	4	Robe cerise, bouche simple, sans complexité • A BOIRE
1981	10	Belle robe, nez de pruneau ; fruité rouge en bouche, encore dur • A COMMENCER
1982	9	Gras, puissant, charnu, demi-fin • A BOIRE OU MIEUX ATTENDRE UN PEU
1983	6	Nez empyreumatique, souple, tannins mûrs • A BOIRE
1984	5	Structuré et coloré, raisins mûrs mais manque de rondeur • 5 ANS
1985	9	Arômes de fruits confits • 8 ANS
1986	9,5	Tannique avec rondeur • 9 ANS
1987	5,5	Fruité, soutenu par une structure légère • 4 ANS

Age idéal : 6-7 ans.

Plat idéal : Poulet sauté aux amandes.

Bertrand de Rozières, comme ses deux frères (voir p. 179 et p. 189 Château Grivière, Château La Clare) a abandonné la viticulture en Tunisie pour se retrouver dans le Médoc responsable de Puy-Castera, appartenant à son beau-père, et créateur du Château Sestignan à l'extrême nord de l'appellation Médoc.

Au temps de la Révolution française, la vigne croît déjà sur ces croupes. Au siècle passé, au lieu-dit Sestignan, quelques vignerons produisent une notable quantité de vin. En 1973, lorsque Henri Marès et Bertrand de Rozières achètent quelques vignes et du terrain à Sestignan, un seul viticulteur y demeure en activité. Douze années plus tard, ce chiffre doit être multiplié par dix.

Château Sestignan dès le millésime 1979 est présenté à des concours. Il rafle des médailles, est loué par la presse spécialisée heureuse non seulement de découvrir un nouveau Château mais également une nouvelle aire médocaine de production.

Les deux marques exploitées par Bertrand de Rozières désignent des vins identiques.

TERROIR ET VIGNES

Le vignoble le plus important de Château Sestignan s'étend à l'ouest du hameau de Loirac sur un coteau déjà planté au XVIIIᵉ siècle. Il est orienté en direction du sud et suit une dénivellation de sept mètres.

Dix hectares et demi sont graveleux, des graves fines parfois sablonneuses. La parcelle proche du chai est argileuse. Un socle d'alios ou d'argile a nécessité par endroit l'enfouissement de drains.

De la potasse, un peu de phosphate alimentent un sol dont l'acidité est compensée par la chaux magnésienne. Le large écartement des règes (0,90 × 200) a été dicté par l'usage de tracteurs conventionnels.

VINIFICATION ET VIN

Les cuvées sont « remontées » deux fois par jour jusqu'à ce que la densité 1000 soit atteinte. La largeur des cuves égale leur hauteur, une proportion judicieuse pour que le chapeau étendu permette une bonne extraction.

Bertrand de Rozières croit à l'élevage en barriques dans lesquelles le vin séjourne quatre mois (et seize mois en cuves neutres). Ce passage dans du bois de qualité, même s'il est bref, n'est pas étranger au succès de son vin. Château Sestignan est un vin fruité (fruits rouges) aux tannins présents mais rarement astringents. Les grands millésimes gagnent infiniment à être attendus.

CHÂTEAU SESTIGNAN, Jau-Dignac-et-Loirac, AOC Médoc

Date de création du vignoble : XIXᵉ-XXᵉ siècle
Surface : 8,5 ha
Nombre de bouteilles : 50000
Répartition du sol : 4 lots
Géologie : graves sablonneuses
Autre vin produit par le vignoble : Château Gravelongue

Culture

Engrais : chimique
Encépagement : CS 60 % CF 10 % M 30 %
Age moyen : 10 ans
Porte-greffe : R 110

Densité de plantation : 5500 pieds/ha
Rendement à l'hectare : 50 hl
Traitement antibotrytis : parfois
Vendange : mécanique

Vinification

Levurage : pied de cuve
Remontage : biquotidien
Type des cuves : inox – 200 hl
Température de fermentation : 33°
Mode de régulation : ruissellement
Temps de cuvaison : 23 jours
Vin de presse : 1ʳᵉ presse
Filtration avant élevage : non

Age des barriques : 2-4 ans
Durée de l'élevage : 4 mois + 16 mois
Collage : poudre d'œuf
Filtration : sur plaques à la mise
Mise en bouteilles au château : en totalité
Type de bouteille : standard
Maître de chai : Bertrand de Rozières
Œnologue-conseil : Bernard Couasnon

Commercialisation

Vente par souscription : oui
Vente directe au château : oui
Commande directe au château : oui
Contrat monopole : non

...ET LES AUTRES

Nous ne pouvons que mentionner l'existence des châteaux ci-dessous, les propriétaires ne nous ayant pas communiqué d'informations détaillées sur leur production.

CHÂTEAU HAUT-CANTELOUP
(AOC Médoc)
Commune de St Christoly-de-Médoc

Cru bourgeois en 1932. Le vignoble comprend les vignes du château Total.
Production : environ 90 000 bouteilles.
Co-propriétaire et maître de chai : Claude Villas-Samiac.

CHÂTEAU HAUTERIVE
(AOC Médoc)
Commune de St Germain-d'Esteuil

Le propriétaire ne communique aucune information. Vin non dégusté. Vignes bien tenues, chais modernes. Volume et technologie.

CHÂTEAU TERRY-GROS CAILLOUX
(AOC St Julien)
St Julien

Le propriétaire n'a pas communiqué d'informations.
Un vignoble fortement agrandi ces dernières années. Vin non dégusté.

CHÂTEAU PEY-MARTIN
(AOC Médoc)
Commune d'Ordonnac

Le propriétaire n'a pas fourni d'informations. Vignes et chais bien tenus.
Vin non dégusté.

CHÂTEAU LA FRANCE
(AOC Médoc)
Commune de Blaignan

En 1986, A. Feuvrier vend son domaine au nouveau propriétaire du proche château Romefort dont le vignoble a été intégré dans celui de La Cardonne.
A. Feuvrier n'a pas souhaité parlé de son ex-cru et faire déguster les vins qu'il produisait.

CHÂTEAU LA CLOSERIE
(AOC Moulis)
Moulis

Ne produit plus de vin.

CHÂTEAU LA COMMANDERIE
(AOC St Estèphe)
(16 ha, 75 000 bouteilles, vignes de 14 ans en moyenne) — 70 % CS, 30 % M, vendanges mécaniques, élevage en cuves, Gérard Moga maître de chai, Jacques Boissenot œnologue conseil
vente par souscription : non
commande par correspondance : oui
vente sur place : éventuellement
contrat monopole : oui
Cette propriété est gérée selon les méthodes appliquées au Château du Glana (AOC St Julien, voir page 35) ce qui n'a rien d'étonnant puisqu'elles ont toutes deux le même propriétaire.

Les crus Bourgeois
membres du Syndicat des Crus Bourgeois en 1966

CRUS GRANDS BOURGEOIS EXCEPTIONNELS

CH. D'AGASSAC	Ludon	CH. DU GLANA	St-Julien
CH. ANDRON-BLANQUET	St-Estèphe	CH. HAUT-MARBUZET	St-Estèphe
CH. BEAUSITE	St-Estèphe	CH. HOUISSANT	St-Estèphe
CH. CAPBERN-GASQUETON	St-Estèphe	CH. LANESSAN	Cussac
CH. CARONNE-STE-GEMME	St-Laurent	CH. MARBUZET	St-Estèphe
CH. CITRAN	Avensan	CH. MEYNEY	St-Estèphe
CH. LA CLOSERIE	Moulis	CH. PHÉLAN-SÉGUR	St-Estèphe
CH. LE CROCK	St-Estèphe	CH. VILLEGEORGE	Avensan
CH. DUTRUCH-GRAND-POUJEAUX	Moulis		

CRUS GRANDS BOURGEOIS

CH. BELLE-ROSE	Pauillac	CH. LIVERSAN	St-Sauveur
CH. BEL-ORME	St-Seurin-de-Cadourne	CH. LOUDENNE	St-Yzans
CH. BIBIAN-DARRIET	Listrac	CH. MAC-CARTHY	St-Estèphe
CH. LE BOURDIEU	Vertheuil	CH. MALLERET	Le Pian
CH. LE BREUIL	Cissac	CH. MORIN	St-Estèphe
CH. CANTELOUP	St-Estèphe	CH. MOULIN-À-VENT	Moulis
CH. LA CARDONNE	Blaignan	CH. MOULIS	Moulis
CH. CASTÉRA	St-Germain-d'Esteuil	CH. PATACHE-D'AUX	Bégadan
CH. CISSAC	Cissac	CH. PAVEIL-DE-LUZE	Soussans
CH. COUFRAN	St-Seurin-de-Cadourne	CH. PIBRAN	Pauillac
CH. COUTELIN-MERVILLE	St-Estèphe	CH. POMEYS	Moulis
CH. FONBADET	Pauillac	CH. PONTOISE-CABARRUS	St-Seurin-de-Cadourne
CH. FONRÉAUD	Listrac	CH. POTENSAC	Potensac
CH. FONTESTEAU	St-Sauveur	CH. DU RAUX	Cussac
CH. FOURCAS-DUPRÉ	Listrac	CH. ROLLAND	Pauillac
CH. GRANDIS	St-Seurin-de-Cadourne	CH. SARANSOT-DUPRÉ	Listrac
CH. HANTEILLAN	Cissac	CH. SÉGUR	Parempuyre
CH. LABEGORCE-ZÉDÉ	Margaux	CH. SÉNÉJAC	Le Pian
CH. LAFITE-CANTELOUP	Ludon	CH. SOCIANDO-MALLET	St-Seurin-de-Cadourne
CH. LAMARQUE	Lamarque	CH. DU TAILLAN	Le Taillan
CH. LAUJAC	Bégadan	CH. LA TOUR-DE-BY	Bégadan
CH. LESTAGE	Listrac	CH. VERDIGNAN	St-Seurin-de-Cadourne
CH. LESTAGE-DARQUIER	Moulis		

CRUS BOURGEOIS

CH. BEL-AIR-LAGRAVE	Moulis	CH. MAURAC	St-Seurin-de-Cadourne
CH. BELLEGRAVE	St-Estèphe	CH. MONTHIL	Bégadan
CH. BONNEAU	St-Seurin-de-Cadourne	CH. MOULIN	St-Christoly
CH. CHAMBERT	St-Estèphe	CH. MOULIN-ROUGE	Cussac
CH. DE COME	St-Estèphe	CH. LES ORMES-SORBET	Couquèques
CH. DONISSAN-ET-NENAIN	Listrac	CH. PABEAU	St-Seurin-de-Cadourne
CH. LA FLEUR-MILON	Pauillac	CH. LE PRIVERA	St-Christoly
CH. LA FLEUR-ST-BONNET	St-Christoly	CH. RENOUIL-FRANQUET	Moulis
CH. FONPIQUEYRE	St-Sauveur	CH. ROMEFORT	Cussac
CH. FORT-DE-VAUBAN	Cussac	CH. ROQUEGRAVE	Valeyrac
CH. GALLAIS-BELLEVUE	Potensac	CH. LA ROSE-ANSEILLAN	Pauillac
CH. GRAND-DUROC-MILON	Pauillac	CH. ST-BONNET	St-Christoly
CH. GRAND-SAINT-JULIEN	St-Julien	CH. ST-CHRISTOLY	St-Christoly
CH. HAUT-PADARNAC	Pauillac	CH. TAYAC & SIAMOIS	Soussans
CH. LABATISSE	St-Sauveur	CH. LA TOUR-BLANCHE	St-Christoly
CH. LARIVAUX	Cissac	CH. LA TOUR-DES-TERMES	St-Estèphe
CH. LASSALLE	Potensac	CH. LA TOUR ST-BONNET	St-Christoly
CH. MAC-CARTHY-MOULA	St-Estèphe	CH. VICTORIA	Vertheuil
CH. MALESCASSE	Lamarque	CH. VIEUX-MOULIN	Cussac

Les crus Bourgeois
membres du Syndicat des Crus Bourgeois en 1978

CRUS GRANDS BOURGEOIS EXCEPTIONNELS

CH. D'AGASSAC	Ludon
CH. ANDRON-BLANQUET	St-Estèphe
CH. BEAU-SITE	St-Estèphe
CH. CAPBERN-GASQUETON	St-Estèphe
CH. CARONNE-STE-GEMME	St-Laurent
CH. CHASSE-SPLEEN	Moulis
CH. CISSAC	Cissac
CH. CITRAN	Avensan
CH. LE CROCK	St-Estèphe
CH. DUTRUCH-GRAND-POUJEAUX	Moulis
CH. FOURCAS-DUPRÉ	Listrac
CH. FOURCAS-HOSTEN	Listrac
CH. DU GLANA	St-Julien
CH. HAUT-MARBUZET	St-Estèphe
CH. DE MARBUZET	St-Estèphe
CH. MEYNEY	St-Estèphe
CH. PHÉLAN-SÉGUR	St-Estèphe
CH. POUJEAUX	Moulis

CRUS GRANDS BOURGEOIS

CH. BEAUMONT	Cussac
CH. BEL-ORME	St-Seurin-de-Cadourne
CH. BRILLETTE	Moulis
CH. LA CARDONNE	Blaignan
CH. COLOMBIER-MONPELOU	Pauillac
CH. COUFRAN	St-Seurin-de-Cadourne
CH. COUTELIN-MERVILLE	St-Estèphe
CH. DUPLESSIS-HAUCHECORNE	Moulis
CH. LA FLEUR-MILON	Pauillac
CH. FONTESTEAU	St-Sauveur
CH. GREYSAC	Bégadan
CH. HANTEILLAN	Cissac
CH. LAFON	Listrac
CH. DE LAMARQUE	Lamarque
CH. LAMOTHE-CISSAC	Cissac
CH. LAROSE-TRINTAUDON	St-Laurent
CH. LAUJAC	Bégadan
CH. LIVERSAN	St-Sauveur
CH. LOUDENNE	St-Yzans-de-Médoc
CH. MAC-CARTHY	St-Estèphe
CH. DE MALLERET	Le Pian
CH. MARTINENS	Margaux
CH. MORIN	St-Estèphe
CH. MOULIN-À-VENT	Moulis
CH. LE MEYNIEU	Vertheuil
CH. LES ORMES-DE-PEZ	St-Estèphe
CH. LES ORMES-SORBET	Couquèques
CH. PATACHE-D'AUX	Bégadan
CH. PAVEIL-DE-LUZE	Soussans
CH. PEYRABON	St-Sauveur
CH. PONTOISE-CABARRUS	St-Seurin-de-Cadourne
CH. POTENSAC	Potensac
CH. REYSSON	Vertheuil
CH. SÉGUR	Parempuyre
CH. SIGOGNAC	St-Yzans-de-Médoc
CH. SOCIANDO-MALLET	St-Seurin-de-Cadourne
CH. DU TAILLAN	Le Taillan
CH. LA TOUR-DE-BY	Bégadan
CH. TOUR-DU-HAUT-MOULIN	Cussac
CH. TRONQUOY-LALANDE	St-Estèphe
CH. VERDIGNAN	St-Seurin-de-Cadourne

CRUS BOURGEOIS

CH. ANEY	Cussac
CH. BALAC	St-Laurent
CH. LA BÉCADE	Listrac
CH. BELLERIVE	Valeyrac
CH. BELLEROSE	Pauillac
CH. DES BERTINS	Bégadan
CH. BONNEAU	St-Seurin-de-Cadourne
CH. LE BOSCQ	St-Christoly
CH. DU BREUIL	Cissac
CH. LA BRIDANE	St-Julien
CH. DE BY	Bégadan
CH. CAILLOUX-DE-BY	Bégadan
CH. CAP-LÉON-VEYRIN	Listrac
CH. CARCANIEUX	Queyrac
CH. CHAMBERT	St-Estèphe
CH. LA CLARE	St-Estèphe
CH. CLARKE	Listrac
CH. LA CLOSERIE	Moulis
CH. DE CONQUES	St-Christoly
CH. DUPLESSIS-FABRE	Moulis
CH. FONPIQUEYRE	St-Sauveur
CH. FONRÉAUD	Listrac
CH. FORT-VAUBAN	Cussac
CH. LA FRANCE	Blaignan
CH. GALLAIS-BELLEVUE	Potensac
CH. GRAND-DUROC-MILON	Pauillac
CH. GRAND-MOULIN	St-Seurin-de-Cadourne
CH. HAUT-BAGES-MONPELOU	Pauillac
CH. HAUT-CANTELOUP	Couquèques
CH. HAUT-GARIN	Bégadan
CH. HAUT-PADARNAC	Pauillac
CH. HOURBANON	Prignac
CH. HOURTIN-DUCASSE	St-Sauveur
CH. DE LABAT	St-Laurent
CH. LAMOTHE-BERGERON	Cussac
CH. LE LANDAT	Cissac
CH. LARIVIÈRE	Blaignan
CH. LARTIGUE-DE-BROCHON	St-Seurin-de-Cadourne
CH. LASSALLE	Potensac
CH. LESTAGE	Listrac
CH. MACCARTHY-MOULA	St-Estèphe
CH. MONTHIL	Bégadan
CH. MOULIN-DE-LA-ROQUE	Bégadan
CH. MOULIN-ROUGE	Cussac
CH. PANIGON	Civrac
CH. PIBRAN	Pauillac
CH. PLANTEY-DE-LA-CROIX	St-Seurin-de-Cadourne
CH. PONTET	Blaignan
CH. PUY-CASTÉRA	Cissac
CH. RAMAGE-LA-BATISSE	St-Sauveur
CH. ROMEFORT	Cussac
CH. LA ROQUE-DE-BY	Bégadan
CH. LA ROSE-MARÉCHALE	St-Seurin-de-Cadourne
CH. ST-BONNET	St-Christoly
CH. ST-ROCH	St-Estèphe
CH. SARANSOT	Listrac
CH. SOUDARS	Avensac
CH. TAYAC	Soussans
CH. LA TOUR-BLANCHE	St-Christoly
CH. TOUR-DU-HAUT-CAUSSAN	Blaignan
CH. TOUR-DU-MIRAIL	Cissac
CH. TOUR-ST-BONNET	St-Christoly
CH. TOUR-ST-JOSEPH	Cissac
CH. DES TOURELLES	Blaignan
CH. LA VALIÈRE	St-Christoly
CH. VERNOUS	Lesparre
CH. VIEUX-CHÂTEAU-LANDON	Bégadan
CH. VIEUX-ROBIN	Bégadan

Les crus Bourgeois
membres du Syndicat des Crus Bourgeois en 1987

CH. D'AGASSAC	Ludon
CH. ANDRON-BLANQUET	St-Estèphe
CH. ANEY	Cussac
CH. ANTHONIC	Moulis
CH. BALAC	St-Laurent
CH. BEAUMONT	Cussac
CH. BEAUSITE	St-Estèphe
CH. LA BÉCADE	Listrac
CH. BELLERIVE	Valeyrac
CH. BELLEROSE	Pauillac
CH. BELLEVUE	Valeyrac
CH. BEL-ORME	St-Seurin-de-Cadourne
CH. BLAIGNAN	Blaignan
CH. DES BERTINS	Bégadan
CH. BONNEAU	St-Seurin-de-Cadourne
CH. LE BOSCQ	St-Christoly
CH. BOURNAC	Civrac
CH. DU BREUIL	Cissac
CH. LA BRIDANE	St-Julien
CH. BRILLETTE	Moulis
CH. DE BY	Bégadan
CH. CAILLOUX-DE-BY	Bégadan
CH. CANUET	Margaux
CH. CAPBERN	St-Estèphe
CH. CAP-LÉON-VEYRIN	Listrac
CH. CARCANIEUX	Queyrac
CH. LA CARDONNE	Blaignan
CH. CARONNE-SAINTE-GEMME	St-Laurent-de-Cadourne
CH. CHAMBERT-MARBUZET	St-Estèphe
CH. CHARMAIL	St-Seurin-de-Cadourne
CH. CHASSE-SPLEEN	Moulis
CH. CISSAC	Cissac
CH. CITRAN	Avensan
CH. LA CLARE	Bégadan
CH. CLARKE	Listrac
CH. LA CLOSERIE	Moulis
CH. COLOMBIER-MONPELOU	Pauillac
CH. LA COMMANDERIE	St-Estèphe
CH. COUFRAN	St-Seurin-de-Cadourne
CH. COUTELIN-MERVILLE	St-Estèphe
CH. LE CROCK	St-Estèphe
DOMAINE DE LA CROIX	Plantignan-Ordonnac
CH. DUPLESSIS-FABRE	Moulis
CH. DUPLESSIS-HAUCHECORNE	Moulis
CH. DUTRUCH-GRAND-POUJEAUX	Moulis
CH. LA FLEUR-MILON	Pauillac
CH. FONREAUD	Listrac
CH. FONTESTEAU	St-Sauveur
CH. FORT-DE-VAUBAN	Cussac
CH. FOURCAS-DUPRÉ	Listrac
CH. FOURCAS-HOSTEN	Listrac
CH. LA FRANCE	Blaignan
CH. GALLAIS-BELLEVUE	Ordonnac
CH. DU GLANA	St-Julien
CH. LA GORCE	Blaignan
CH. GOUDY-LA-CARDONNE	Ordonnac
CH. GRAND-MOULIN	St-Seurin-de-Cadourne
CH. GREYSAC	Bégadan
CH. GRIVIÈRE	Blaignan
CH. HANTEILLAN	Cissac
CH. HAUT-BAGES-MONPELOU	Pauillac
CH. HAUT-CANTELOUP	Couquèques
CH. HAUTERIVE	St-Germain-Esteuil
CH. HAUT-GARIN	Prignac
CH. HAUT-MARBUZET	St-Estèphe
CH. HOURBANON	Prignac
CH. HOURTIN-DUCASSE	St-Sauveur
CH. DE LABAT	St-Laurent-de-Cadourne
CH. LACOMBE-NOAILLAC	Jau-Dignac-Loirac
CH. LAFON	Listrac
CH. LALANDE	Listrac
CH. DE LAMARQUE	Lamarque
CH. LAMOTHE	Cissac
CH. LAMOTHE-DE-BERGERON	Cussac
CH. LANDAT	Cissac
CH. LAROSE-TRINTAUDON	St-Laurent-de-Cadourne
CH. LARTIGUE-DE-BROCHON	St-Seurin-de-Cadourne
CH. LASSALLE	Ordonnac
CH. LAUJAC	Bégadan
CH. LESTAGE	Listrac
CH. LESTAGE-SIMON	St-Seurin-de-Cadourne
CH. LESTRUELLE	St-Yzans
CH. LIEUJEAN	St-Sauveur
CH. LIOUNER	Listrac
CH. LIVERSAN	St-Sauveur
CH. LOUDENNE	St-Yzans
CH. MAC-CARTHY	St-Estèphe
CH. MACCARTHY-MOULA	St-Estèphe
CH. MAGNOL-DEHEZ	Blanquefort
CH. MALESCASSE	Lamarque
CH. DE MALLERET	Le Pian
CH. MALMAISON	Listrac
CH. DE MARBUZET	St-Estèphe
CH. MARSAC-SEGUINEAU	Margaux
CH. MARTINENS	Margaux
CH. MAUCAILLOU	Moulis
CH. MAUCAMPS	Macau
CH. MEYNEY	St-Estèphe
CH. LE MEYNIEU	Vertheuil
CH. MONBRISON	Arsac
CH. DU MONTHIL	Bégadan
CH. MORIN	St-Estèphe
CH. MOULIN-À-VENT	Moulis
CH. MOULIN-DE-CASTILLON	St-Christoly
CH. MOULIN-DE-LA-ROQUE	Bégadan
CH. MOULIN-RICHE	St-Julien
CH. DU MOULIN-ROUGE	Cussac
CH. MOULIS	Moulis
CH. LES ORMES-DE-PEZ	St-Estèphe
CH. LES ORMES-SORBET	Couquèques
CH. PANIGON	Civrac
CH. PATACHE-D'AUX	Bégadan
CH. PAVEIL-DE-LUZE	Soussans
CH. PEYRABON	St-Sauveur
CH. PEYREDON-LAGRAVETTE	Médrac-Listrac
CH. PHÉLAN-SÉGUR	St-Estèphe
CH. PIBRAN	Pauillac
CH. PLANTEY-DE-LA-CROIX	St-Seurin-de-Cadourne
CH. POMYS	St-Estèphe
CH. PONTET	Blaignan
CH. PONTOISE-CABARRUS	St-Seurin
CH. POTENSAC	Ordonnac
CH. POUJEAUX	Moulis
CH. PREUILLAC	Lesparre
CH. PUY-CASTERA	Cissac
CH. RAMAGE-LA-BATISSE	St-Sauveur
CH. REYSSON	Vertheuil
DOMAINE DE LA RONCERAY	St-Estèphe
CH. LA ROQUE-DE-BY	Bégadan
CH. LA ROSE-MARÉCHALE	St-Seurin-de-Cadourne
CH. SAINT-AHON	Blanquefort
CH. SAINT-BONNET	St-Christoly

CH. ST-ESTÈPHE	St-Estèphe	CH. TOUR-DU-HAUT-MOULIN	Cussac
CH. ST-PAUL	St-Seurin-de-Cadourne	CH. TOUR-DU-MIRAIL	Cissac
CH. ST-ROCH	St-Estèphe	CH. LA TOUR-DE-MONS	Soussans
CH. SEGUELONGUE	Jau-Dignac-Loirac	CH. TOUR-DU-ROC	Arcins
CH. SÉGUR	Parempuyre	CH. TOUR-ST-BONNET	St-Christoly
CH. SÉNÉJAC	Le Pian-Médoc	CH. TOUR-ST-JOSEPH	Cissac
CH. SÉNILHAC	St-Seurin-de-Cadourne	CH. DES TOURELLES	Blaignan
CH. SIGOGNAC	St-Yzans	CH. TOURTERAN	St-Sauveur
CH. SOCIANDO-MALLET	St-Seurin-de-Cadourne	CH. TRONQUOY-LALANDE	St-Estèphe
CH. SOUDARS	St-Seurin-de-Cadourne	CH. LES TUILERIES	St-Yzans
CH. DU TAILLAN	Le Taillan	CH. LA VALLIÈRE	St-Christoly
CH. TAYAC	Soussans	CH. VERDIGNAN	St-Seurin-de-Cadourne
CH. LA TOUR-BLANCHE	St-Christoly	CH. VERNOUS	Lesparre
CH. LA TOUR-DE-BY	Bégadan	CH. VIEUX-ROBIN	Bégadan
CH. TOUR-DU-HAUT-CAUSSAN	Blaignan		

LES CRUS BOURGEOIS PAR APPELLATION ET PAR COMMUNE, CLASSEMENTS DE 1932, 1966, 1978 ET LES NOUVEAUX CRUS BOURGEOIS

	Cru Bourgeois Exceptionnel (1932)	Cru Grand Bourgeois Exceptionnel (1966) (1978)	Cru Bourgeois Supérieur (1932)	Cru Grand Bourgeois (1978)	Cru Bourgeois (1932)	Cru Bourgeois 1966 1978 1987	N'est pas ou plus membre du syndicat des crus bourgeois	Remarques et informations nouvelles
MARGAUX								
ARSAC CH. MONBRISON			●					Nouveau membre
CANTENAC CH. D'ANGLUDET				●			●	
CH. MARTINENS				●	●			
LABARDE CH. SIRAN			●				●	
MARGAUX CH. LABÉGORCE			●				●	
CH. CANUET						●		
CH. LA GURGUE			●					Nouveau membre
SOUSSANS CH. BEL-AIR-MARQUIS-D'ALIGRE	●						●	
CH. LABÉGORCE-ZÉDÉ			●	●			●	Ex-membre
CH. MARSAC-SÉGUINEAU					●	●		
CH. PAVEIL-DE-LUZE			●	●				
CH. TAYAC					●	●		
CH. LA TOUR-DE-MONS			●			●		Nouveau membre
SAINT-JULIEN								
CH. LA BRIDANE						●		
CH. DU GLANA			●	●				
CH. GLORIA					●			Nouveau membre
CH. MOULIN-RICHE	●							
CH. TERREY-GROS-CAILLOUX						●		
PAUILLAC								
CH. BELLEROSE					●	●		
CH. COLOMBIER-MONPELOU			●	●				
CH. LA FLEUR-MILON				●	●			
CH. GRAND-DUROC-MILON					●	●		
CH. HAUT-BAGES-MONPELOU						●		
CH. HAUT-PADARNAC						●		
CH. PEY-LA-ROSE							●	
CH. PIBRAN					●	●		
CH. TOUR-PIBRAN					●		●	

	Cru Bourgeois Exceptionnel (1932)	Cru Grand Bourgeois Exceptionnel (1966) (1978)	Cru Bourgeois Supérieur (1932)	Cru Grand Bourgeois (1978)	Cru Bourgeois (1932)	Cru Bourgeois 1966 1978 1987	N'est pas ou plus membre du syndicat des crus bourgeois	Remarques et informations nouvelles
SAINT-ESTÈPHE								
CH. ANDRON-BLANQUET		•			•			
CH. BEAU-SITE		•	•					
CH. CAPBERN-GASQUETON		•	•					
CH. CHAMBERT-MARBUZET						•		
CH. COUTELIN-MERVILLE				•	•			
CH. LE CROCK		•	•					
CH. HAUT-MARBUZET		•			•			
CH. LAVILOTTE							•	
CH. MAC-CARTHY				•	•			
CH. MACCARTHY-MOULA					•	•		
CH. DE MARBUZET		•	•					
CH. MEYNEY		•	•					
CH. MORIN				•	•			
CH. LES ORMES-DE-PEZ				•	•			
CH. DE PEZ			•				•	
CH. PHÉLAN-SÉGUR		•	•					
CH. POMYS					•	•		Nouveau membre
CH. SAINT-ESTÈPHE						•		Nouveau membre
CH. TOUR-DE-MARBUZET							•	
CH. TRONQUOY-LALANDE		•	•					
MOULIS								
CH. ANTHONIC			•			•		Nouveau membre
CH. BISTON-BRILLETTE					•		•	
CH. BRILLETTE			•	•				
CH. CHASSE-SPLEEN	•	•						
CH. LA CLOSERIE					•	•		
CH. DUPLESSIS-FABRE			•			•		
CH. DUPLESSIS-FABRE (HAUCHECORNE)			•	•				
CH. DUTRUCH-GRAND-POUJEAUX		•	•					
CH. MAUCAILLOU					•	•		Nouveau membre
CH. MOULIN-À-VENT			•	•				
CH. MOULIS			•	•				
CH. POUJEAUX		•	•					
LISTRAC								
CH. LA BÉCADE					•	•		

	Cru Bourgeois Exceptionnel (1932)	Cru Grand Bourgeois Exceptionnel (1966) (1978)	Cru Bourgeois Supérieur (1932)	Cru Grand Bourgeois (1978)	Cru Bourgeois (1932)	Cru Bourgeois 1966 1978 1987	N'est pas ou plus membre du syndicat des crus bourgeois	Remarques et informations nouvelles
CH. CAP-LÉON-VEYRIN					•	•		
CH. CLARKE			•			•		①
CH. FONRÉAUD					•	•		
CH. FOURCAS-DUPRÉ		•	•					
CH. FOURCAS-HOSTEN		•	•					
CH. LAFON			•	•				
CH. LALANDE					•	•		Nouveau membre
CH. LESTAGE			•			•		
CH. LIOUNER					•	•		Nouveau membre
CH. PEYRADON-LAGRAVETTE						•		Nouveau membre
CH. SARANSOT-(DUPRÉ)			•			•		
HAUT MÉDOC								
ARCINS CH. ARNAULD					•	•		Nouveau membre
CH. TOUR-DU-ROC					•	•		Nouveau membre
AVENSAN CH. CITRAN		•	•					
CH. VILLEGEORGE	•	•					•	Ex-membre
BLANQUEFORT CH. MAGNOL (DEHEZ)					•	•		Nouveau membre
CH. ST-AHON						•		Nouveau membre
CISSAC CH. DU BREUIL					•	•		
CH. CISSAC		•			•			
CH. HANTEILLAN				•	•			
CH. HAUT-LOGAT						•		Nouveau membre
CH. LAMOTHE-CISSAC				•	•			
CH. LANDAT						•		
CH. PUY-CASTÉRA						•		
CH. TOUR-DU-MIRAIL					•	•		
CH. TOUR-ST-JOSEPH					•	•		
CUSSAC-FORT-MÉDOC CH. ANEY					•	•		
CH. BEAUMONT			•	•				
CH. FORT-DE-VAUBAN						•		
CH. LACHESNAYE			•				•	

① Propriété reconstituée à reclasser.

	Cru Bourgeois Exceptionnel (1932)	Cru Grand Bourgeois Exceptionnel (1966) (1978)	Cru Bourgeois Supérieur (1932)	Cru Grand Bourgeois (1978)	Cru Bourgeois (1932)	Cru Bourgeois 1966 1978 1987	N'est pas ou plus membre du syndicat des crus bourgeois	Remarques et informations nouvelles
CH. LAMOTHE-BERGERON					•	•		
CH. LANESSAN			•				•	
CH. MOULIN-ROUGE						•		
CH. ROMEFORT (2e marque)					•	•		
CH. SAINTE-GEMME							•	
CH. TOUR-DU-HAUT-MOULIN				•				
LAMARQUE CH. LAMARQUE			•	•				
CH. MALESCASSE					•	•		Nouveau membre
LUDON CH. D'AGASSAC		•	•					
MACAU CH. MAUCAMPS			•			•		Nouveau membre
PAREMPUYRE CH. SÉGUR			•	•				
PIAN-MÉDOC CH. MALLERET			•	•				
CH. SÉNÉJAC			•	•				
SAINT-LAURENT CH. BALAC					•	•		
CH. BARATEAU					•		•	
CH. CARONNE-STE-GEMME		•	•					
CH. LAROSE-TRINTAUDON			•	•				
SAINT-SAUVEUR CH. FONTESTEAU				•	•			
CH. HOURTIN-DUCASSE					•	•		
CH. LIEUJEAN						•		Nouveau membre
CH. LIVERSAN			•	•				
CH. PEYRABON				•	•			
CH. RAMAGE-LA-BÂTISSE					•	•		
SAINT-SEURIN-DE-CADOURNE CH. BEL-ORME-TRONQUOY-DE-LALANDE				•	•			
CH. BONNEAU						•		
CH. CHARMAIL					•	•		Nouveau membre
CH. COUFRAN				•	•			
CH. GRAND-MOULIN						•		
CH. LARTIGUE-DE-BROCHON (Sociando 2e marque)					•	•		
CH. LESTAGE-SIMON					•	•		

	Cru Bourgeois Exceptionnel (1932)	Cru Grand Bourgeois Exceptionnel (1966) (1978)	Cru Bourgeois Supérieur (1932)	Cru Grand Bourgeois (1978)	Cru Bourgeois (1932)	Cru Bourgeois 1966 1978 1987	N'est pas ou plus membre du syndicat des crus bourgeois	Remarques et informations nouvelles
CH. PLANTEY-DE-LA-CROIX						•		
CH. PONTOISE-CABARRUS				•	•			
CH. LA ROSE-MARÉCHALE						•		
CH. SENILHAC					•	•		Nouveau membre
CH. SOCIANDO-MALLET				•	•			
CH. SOUDARS						•		
CH. VERDIGNAN				•	•			
TAILLAN CH. DU TAILLAN				•	•			
VERTHEUIL CH. LE BOURDIEU					•	•		Nouveau membre
CH. LE MEYNIEU				•				
CH. REYSSON				•	•			
CH. VICTORIA							•	
M E D O C								
BEGADAN CH. DES BERTINS					•	•		Nouveau membre
CH. DE BY					•	•		
CH. LA CLARE					•	•		
CH. GREYSAC				•				
CH. LAFFITTE-LAUJAC					•		•	
CH. LAUJAC				•	•			
CH. DU MONTHIL					•	•		
CH. PATACHE-D'AUX				•	•			
CH. PLAGNAC					•		•	
CH. LA ROQUE-DE-BY						•		
CH. LA TOUR-DE-BY				•	•			
CH. VIEUX-CHÂTEAU-LANDON					•	•	•	Palmarès 1978
CH. VIEUX-ROBIN						•		
BLAIGNAN CH. BLAIGNAN					•			Nouveau membre
CH. LA CARDONNE				•	•			
CH. LA FRANCE					•	•		
CH. LA GORCE						•		Nouveau membre
CH. GRIVIÈRE						•		
CH. PONTET						•		
CH. TOUR-HAUT-CAUSSAN					•	•		
CH. LES TOURELLES						•		

	Cru Bourgeois Exceptionnel (1932)	Cru Grand Bourgeois Exceptionnel (1966) (1978)	Cru Bourgeois Supérieur (1932)	Cru Grand Bourgeois (1978)	Cru Bourgeois (1932)	Cru Bourgeois 1966 1978 1987	N'est pas ou plus membre du syndicat des crus bourgeois	Remarques et informations nouvelles
CIVRAC CH. BOURNAC						•		Nouveau membre
CH. PANIGON					•	•		
COUQUÈQUES CH. CANTELOUP					•	•		
CH. LES ORMES-SORBET				•				
JAU-DIGNAC-ET-LOIRAC CH. LACOMBE-NOAILLAC						•		Nouveau membre
CH. SEGUELONGUE						•		Nouveau membre
CH. SESTIGNAN						•		Nouveau membre
LESPARRE CH. PREUILLAC					•	•		Nouveau membre
CH. VERNOUS					•	•		
ORDONNAC DOMAINE DE LA CROIX						•		Nouveau membre
CH. GALLAIS-BELLEVUE					•	•		
CH. GOUDY-LA-CARDONNE						•		
CH. LASSALLE						•		
CH. POTENSAC				•	•			
PRIGNAC-EN-MÉDOC CH. HAUT-GARIN						•		
CH. HOURBANON						•		
QUEYRAC CH. CARCANIEUX						•		
SAINT-CHRISTOLY CH. LE BOSCQ					•	•		
CH. ST-BONNET					•	•		
CH. LA TOUR-BLANCHE					•	•		
CH. TOUR-ST-BONNET					•	•		
CH. LA VALIÈRE						•		
ST-GERMAIN-D'ESTEUIL CH. CASTÉRA					•		•	
CH. HAUTERIVE					•	•		
ST-YZANS CH. LOUDENNE				•	•			
CH. LE PLANTEY							•	
CH. SIGOGNAC				•	•			
CH. LES TUILERIES						•		Nouveau membre
VALEYRAC CH. BELLERIVE					•	•		
CH. BELLEVUE						•		

Note : Seul le classement officiel des crus bourgeois sera habilité à hiérarchiser les nouveaux membres. Ils sont donc obligatoirement « cru bourgeois simple ».

La Coupe des crus Bourgeois

Cette coupe annuelle, organisée à l'initiative de la revue Gault-Millau sous l'impulsion du talentueux journaliste-dégustateur Jo Gryn, puis avec la collaboration du Conseil des Vins du Médoc (ex GIE) et du Syndicat des Crus Bourgeois du Médoc, en est à sa quatrième édition.

Le principe de toute coupe est un peu arbitraire — contrairement à celui du championnat — donc cette série de duels éliminatoires n'oppose pas tous les vins deux à deux. Chaque Château dispose de trois chances en quelque sorte puisqu'il est défendu par ses trois derniers millésimes opposés aux trois millésimes identiques de son challenger. Voici les résultats des coupes disputées en 1985, 1986, 1987, 1988.

1985

45 crus en compétition
millésimes : 1981, 1982, 1983

1/4 de finale
Château LES ORMES-SORBET
Château LA TOUR-DE-BY
Château VERDIGNAN
Château D'AGASSAC

1/2 finale
Château DUPLESSIS-FABRE
Château MEYNEY

finaliste
Château TOUR DU HAUT-MOULIN

vainqueur
Château HAUT-MARBUZET

1986

84 crus en compétition
millésimes : 1982, 1983, 1984

1/8 de finale
Châteaux MOULIN-RICHE, LA VALIÈRE
Châteaux HAUT-MARBUZET, COUFRAN
Châteaux SÉNILHAC, TERREY-GROS-CAILLOUX
Châteaux VERDIGNAN, BEAUMONT

1/4 de finale
Château BELLERIVE
Château POUJEAUX
Château ARNAULD
Château SAINT-AHON

1/2 finale
Château SAINT-PAUL
Château FOURCAS-DUPRÉ

finaliste
Château TOUR-DU-HAUT-MOULIN

vainqueur
Château MAUCAILLOU

1987

112 crus en compétition
millésimes : 1983, 1984, 1985

1/8 de finale
Châteaux LES ORMES-SORBET, LA FLEUR-MILON
Châteaux LES ORMES-DE-PEZ, SÉMILLAN-MAZEAU
Châteaux PLANTEY-DE-LA-CROIX, ARNAULD
Châteaux MOULIN-ROUGE, LACHESNAYE

1/4 de finale
Château LA VALIÈRE
Château (LA) TOUR HAUT-CASSAN
Château (SAINT-AUBIN) SÈGUE-LONGUE
Château D'ANGLUDET

1/2 finale
Château CHAMBERT-MARBUZET
Château MONTBRUN

finaliste
Château CHASSE-SPLEEN

vainqueur
Château LABÉGORCE-ZÉDÉ

1988

124 crus en compétition
millésimes : 1984, 1985, 1986

1/4 de finale
Château CHASSE-SPLEEN
Château GRESSIER-GRAND-POUJEAUX
Château MOULIN-RICHE
Château SAINT-ESTÈPHE

1/2 finale
Château SOCIANDO-MALLET
Château CISSAC

finaliste
Château LABÉGORCE-ZÉDÉ

vainqueur
Château MONBRISON

Répertoire des Communes traitées dans cet ouvrage

CRÉDITS PHOTOGRAPHIQUES

Photos Michel GUILLARD — SCOPE : pages 44, 53, 60, 125, 127, 129, 138, 140, 196, 206.
Photo Jean-Daniel SUDRESS — SCOPE : page 187.

MAQUETTE

FRANZ HUBSCHER ET DANIELLE AIRES

CARTES JOËL BORDIER

ACHEVÉ D'IMPRIMER PAR AUBIN IMPRIMEUR

DÉPÔT LÉGAL : NOVEMBRE, 1988

NUMÉRO D'ÉDITEUR : 31

NUMÉRO D'IMPRIMEUR : P 27109